AVERTISSEMENT

Bien qu'étant identifiés pour les besoins de la cause, les peuples soviétique et américain ne doivent pas être considérés comme les véritables antagonistes de cette histoire.

Au-delà des nationalités, des cultures, des idéologies ou des croyances, le seul antagoniste de l'homme est lui-même et c'est là le sujet de ce livre.

Le lecteur trouvera aux pages 673 à 683, l'explication de tous les sigles et acronymes contenus dans ce roman.

Le RETOUR de L'ORCHIDÉE

Données de catalogage avant publication (Canada)

Porée-Kurrer, Philippe, 1954-

Le retour de l'orchidée

ISBN 2-920176-68-4

I. Titre.

PS8581.O73Z36 1989   C843'.54   C89-096438-6
PS9581.O73Z36 1989

© *Les Éditions JCL inc., 1990*
Édition originale: juin 1990

Tous droits de traduction et d'adaptation, en totalité ou en partie, réservés pour tous les pays. La reproduction d'un extrait quelconque de cet ouvrage, par quelque procédé que ce soit, tant électronique que mécanique, en particulier par photocopie ou par microfilm, est interdite sans l'autorisation écrite des Éditions JCL inc.

Philippe Porée-Kurrer

Le RETOUR de L'ORCHIDÉE

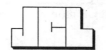

Éditeurs
LES ÉDITIONS JCL INC.
CHICOUTIMI, Québec, Canada
Tél.: (418) 696-0536

Maquette de la page couverture
JEAN DELAGE

Révision linguistique
JACQUES SORMANY
ANDRÉ LEMIEUX

Technicienne à la production
JUDITH BOUCHARD

Distributeur officiel
LES MESSAGERIES ADP
955, rue Amherst,
MONTRÉAL (QC), Canada
H2L 3K4
Tél.: (514) 523-1182
1-800-361-4806
Télécopieur: (514) 521-4434

Tous droits réservés
© LES ÉDITIONS JCL INC.
Ottawa, 1990

Dépôts légaux
3ᵉ trimestre 1990
Bibliothèque nationale du Québec
Bibliothèque nationale du Canada

ISBN
2-920176-68-4

Pour toi, Marylis,
qui a courageusement supporté
cette épreuve.

«*Bonjour, dit-il à tout hasard.*
— *Bonjour... bonjour... bonjour... répondit l'écho.*
— *Qui êtes-vous? dit le petit prince.*
— *Qui êtes-vous... qui êtes-vous... qui êtes-vous... répondit*
l'écho.
— *Soyez mes amis, je suis seul, dit-il.*
— *Je suis seul... je suis seul... je suis seul... répondit l'écho.*»

LE PETIT PRINCE
Antoine de Saint-Exupéry

REMERCIEMENTS

Aux personnes suivantes, merci pour la contribution qu'elles ont apportée d'une manière ou d'une autre à la réalisation de ce livre.

Jacques Sormany, Damian Housman, Joe Poyer, Toni Velocci, Robert Herzberg, Philip Morrison, Paul F. Walker, John Steinbruner, Kevin N. Lewis, Steven A. Feher, Jean-F. de Launière, Kosta Tsipis, John Parmentola, Joel S. Wit, Fred M. Kaplan, Barry M. Blechman, Mark R. Moore, Daniel Pearson, Serge & Christine Simard, Sven Ortoli, Patrick Richard, Julian Pery Robinson, Mattew Meselson, Les Aspen, Samuel Joffre, J.-M. Bader, J. Denis Lempereur, A. Dorozynski, L. Douek, F. Harrois Monin, O. Postel-Vinay, Herbert Lin, Hans A. Bethe, Martine Vicens, Richard L. Garwin, Kurt Goffried, Henry W. Kendall, Terry Metzgar, Philipp Powel, Keith Jacobs, la firme Charette Fortier Hawey-Touche Ross, sans oublier l'équipe des Éditions JCL.

PAPOUASIE-NOUVELLE-GUINÉE, UNE PLAGE

Hormis ses goûts, rien ne distingue particulièrement Awa des fillettes de son âge qui jouent sur cette plage sans nom particulier, bordant le Pacifique à la hauteur de l'archipel Bismark. Retirée derrière le rideau de verdure masquant partiellement l'océan, elle observe attentivement le manège du papillon virevoltant autour de la fleur. Depuis qu'Awa est en âge de se souvenir, elle a toujours été fascinée par ces fleurs magnifiques, dont elle ne connaît pas le nom, mais qu'en d'autres lieux des botanistes appellent du nom bizarre de *Paphiopedilum*: du grec *Paphia*, épithète de Vénus, et de *pedilon*, pantoufle, dont l'apparence symbolise bien la forme du labelle de cette orchidée. Awa ne connaît pas ces mots mais elle peut décrire sans difficulté la fleur dans tous ses détails. Dans son langage simple, elle pourrait expliquer qu'il y a un sabot vermeil sur le devant, entouré, à l'horizontale, de deux fines ailes blanches comme tachetées de sang et, à la verticale, deux grands pétales charnus, d'un blanc de neige et rayés de fines lignes noires.

Le papillon se pose sur la pantoufle, s'agite et repart si vite que la petite fille n'a pas le temps de voir ce qui s'est passé. Elle

9

s'approche davantage et caresse légèrement la fleur du bout du doigt.

«Tu es belle, dit-elle. Et je crois que ce papillon vient de t'apporter tout ce qu'il faut pour que tu aies des bébés fleurs. Je m'occuperai de tes petits. Promis!»

Awa n'a pas connaissance du signal chimique qui, entraîné par la pollinisation, est transmis à l'ovaire de la plante désormais assurée de disposer d'une quantité de pollen correspondant au nombre de ses ovules en puissance. La fécondation étant garantie, l'orchidée, comme toutes les autres plantes de sa famille, qui ne font rien pour rien, consent au développement de ses ovules. La petite fille n'est pas consciente qu'elle a devant elle le raffinement suprême dans le cycle de l'évolution du règne végétal. De toute façon, elle ne connaît pas l'évolution, et si on lui en parlait, elle demanderait certainement qui de la graine ou de la plante a vu le jour en premier. Et si c'est la graine, d'où vient-elle?

Des rires et des cris provenant de la plage la rappellent auprès de ses amies, qui courent au bord de l'eau, poursuivies par de méchants dragons imaginaires. Doucement, languissantes, les vagues viennent s'allonger sur le sable, en reflétant l'or du soleil. Plus loin, assis sur une souche, un vieux Papou, portant une immense barbe grise et frisée, fixe l'horizon et se demande, dans l'un des cinq cents dialectes en usage sur son île, ce qui peut bien se préparer de l'autre côté des eaux. Quelque chose ne va pas, il le sent au plus profond de lui.

CEDAR FALLS, IOWA, U.S.A.

Avec un plaisir évident, John Adams se laisse tomber dans son vieux fauteuil colonial et, d'un geste qui dénote une certaine habitude, fait sauter la languette de sa canette de bière, avale une longue rasade puis, apparemment satisfait de sa bière, ou de son sort, réutilise nonchalamment son index pour activer la télécommande du poste de télévision.

La vie de John est réglée comme une feuille de papier à musique. Toujours de retour à la même heure de la coopérative agricole, où il cumule les fonctions de livreur et de magasinier, chaque soir, invariablement, il avale une même gorgée de bière et tombe pile sur le journal télévisé.

Sur l'écran défilent des images montrant successivement des techniciens en blouse blanche, s'affairant dans un silo autour de ce qui semble être un missile, puis, quelque part dans le désert du Nevada, la désintégration d'une série de missiles couchés sur le sable. Des personnalités à l'allure solennelle assistent aux opérations, et un journaliste à la voix grave commente les images:

«Comme stipulé par le traité des Bermudes, le démantèlement de l'arsenal nucléaire intercontinental, qui s'étendra sur une période de cinq ans, a débuté aujourd'hui aussi bien aux États-Unis qu'en Union soviétique, sous l'œil attentif des observateurs désignés. Les porte-parole du Kremlin et de la Maison-Blanche ont déclaré ce matin dans un communiqué commun, qu'il s'agissait là d'un pas de géant dans la longue marche de l'humanité vers sa réalisation totale.»

John Adams écrase la canette vide entre ses doigts, lâche un rot et affiche une moue légèrement perplexe, en dodelinant de la tête:

«Pas confiance dans les ruskofs», marmonne-t-il.

Tournant légèrement le cou vers la cuisine où s'affaire Gail, son épouse, il lui demande:

«Qu'est-ce que tu penses de tout ça, toi?

— De quoi parles-tu, chéri?

— Du démantèlement de l'arsenal nucléaire: tu ne crois pas que sitôt que nous aurons tourné le dos, les cocos vont remettre leurs engins en état de marche?»

Tenant une serviette à vaisselle entre ses doigts, Gail s'avance dans le salon. Petite et fluette, elle offre un contraste avec son mari, qui la dépasse de deux têtes et affiche bien ses deux cents livres.

«Il doit certainement y avoir des commissions de contrôle», fait-elle avec confiance.

L'air perplexe, John lâche un second rot.

«Peut-être... peut-être...»

Gail se veut optimiste:

«En tout cas, c'est mieux que rien.

— J'en sais fichtrement rien: tout le temps que nous avions peur de la bombe, il n'y avait pas de conflits importants, mais à présent qu'elle n'est apparemment plus là, plus rien ne nous empêchera de nous taper sur la gueule. Te souviens-tu du grand chambardement dans les vieux pays de l'Est il n'y a pas si longtemps? Les élections en Pologne, en Hongrie, la chute du mur de Berlin et puis, lorsque tout le monde a cru à la fin du communisme, la réapparition soudaine de la vieille garde au Kremlin et le bain de sang dans lequel tout ce vent de liberté a fini. Non, je ne crois pas à la bonne volonté des Soviets.

— Les gens ne sont pas fous.

— Bah! de toute façon, comme on dit souvent, une bonne guerre diminuerait le chômage et mettrait sûrement un peu de jugeote dans la cervelle de tous ces jeunots d'aujourd'hui qui veulent tout avoir sans rien foutre.»

Gail s'inquiète pour son fils:

«Junior est en âge d'être appelé sous les armes.»

John saute sur l'occasion pour jouer son rôle de patriote conservateur, prêt à tout sacrifier sur l'autel de la libre entreprise:

«Ça ne lui ferait pas de mal d'abandonner ses musiques de dingues pour aller hacher du rouge.»

Gail Adams n'est pas de cet avis:

«Quand tu avais son âge, tes parents aussi devaient trouver qu'Elvis, les *Beatles* ou les *Rolling Stones* faisaient de la musique de dingues.

— Le *King* ou les *Beatles* faisaient de la vraie musique, répond-il têtu. Rien à voir avec cette cacophonie satanique d'aujourd'hui.»

Un voile de tristesse passe devant les yeux de Gail, qui regagne sa cuisine en silence. John, qui a repris la télécommande, saute nerveusement les postes, pour finalement s'arrêter sur la retransmission d'un match de baseball. Dans le coin cuisine, tout en essuyant les assiettes, Gail se revoit sur la pelouse du collège, assise en compagnie de John, qui lui faisait sa cour, à moitié dissimulé derrière une boîte de *Kentucky Fried Chicken*.

«Il faut être ouvert, disait-il en brandissant un pilon de volaille. Les vieux ne comprennent rien à notre génération. Je n'ai pas du tout l'intention d'être comme eux plus tard. Crois-moi!»

Elle l'a cru.

NOTRE-DAME-DU-NORD, QUÉBEC, CANADA

Marie est seule sous le mince halo jaune diffusé par la lampe sur pied. Bien seule, dans le grand fauteuil de velours grenat, planté entre le guéridon de bois sombre et la fenêtre qui donne sur la rue.

Elle tend un doigt diaphane et écarte la lourde tenture, du même velours que le fauteuil, qui masque la fenêtre à guillotine. Aucune surprise de l'autre côté des vitres, c'est une banale soirée d'automne. Le soleil, ou tout au moins la lumière du jour, a depuis longtemps fait place à une nuit profonde, humide et froide. Il doit être tard, car la familière lueur bleutée qui, le soir, illumine chaque fenêtre de tous les salons de la rue, a maintenant disparu. Reflétés par la lumière blafarde des quelques lampadaires qui bordent l'unique rue du village, des flocons de neige sont emportés par le vent. Triste comme un roman slave.

Marie laisse tomber le rideau et ses doigts se posent avec un léger tremblement sur l'enveloppe bleue aux timbres exotiques posée sur le petit napperon de dentelle irlandaise du guéridon.

Marie avait un rêve: envoyer son fils unique, Laurent, en Terre sainte. Ce voyage doit, selon elle, faire de lui un homme qui se distinguera des autres. Un homme qui saura regarder au-delà des apparences, au-delà de la matière. Depuis des années, depuis la mort de son mari, elle a économisé avec opiniâtreté pour ce projet.

Aujourd'hui, c'est réalisé. Il est là-bas et, sur le guéridon, l'enveloppe adressée avec cette calligraphie anglaise, spéciale à Laurent, le prouve. Elle l'a reçue ce matin mais ne l'a pas ouverte, elle a voulu attendre ces instants privilégiés de la nuit, où les choses du cœur et de l'esprit ont beaucoup plus de relief.

Elle se sert d'un coupe-papier pour une ouverture plus nette. Aussitôt, elle plonge son nez dans l'ouverture, espérant saisir une bouffée de là-bas. Rien. Elle hausse les épaules, dépitée, et fébrilement déplie les minces feuilles de papier avion. Elle se rend compte que Laurent a tenu sa promesse: il dit tout. Avec un étrange sourire tout en lumière, elle se laisse emporter par les mots de son fils, là-bas, en Terre sainte.

«Chère maman,

Comment te décrire Jérusalem? Tout à l'heure, un peu avant l'heure du souper, je suis sorti pour une dernière promenade aujourd'hui. L'agréable fraîcheur, qui s'installe lorsque les remparts brunissants laissent présager la nuit, donnait un répit à mes nerfs que la lumière d'ici ne cesse d'exacerber. Sur fond de ciel mauve, toits et coupoles se détachaient avec un relief qui me rappelait mon «View-Master» d'enfant. Il y avait dans l'air un parfum presque sensuel dont je m'enivrai, en dirigeant mes pas vers le mont des Oliviers, à la recherche des scènes des Évangiles que tu me lisais, les soirs d'été, sur la galerie. Tout se confondait en moi: les belles soirées de mon enfance et ces oliviers dont certains ont peut-être connu l'image de Celui qui a tant changé le monde.

Plus loin, dans la vallée du Cédron, dans cet univers ocre, j'ai perçu le fantôme de l'Orient millénaire. La nuit tombait, obscurcissant les détails, une nuit d'encre, qui sentait bon le calme et la douleur. C'est à cet instant que j'ai entendu les multitudes ensevelies, qui me murmuraient une invite pour le pays des songes, dans les odeurs stagnantes de la vie. Loin. Très loin... La rumeur tordue du monde des hommes.

Je ne sais pas encore ce qui s'est produit en moi à cet instant. Était-ce une projection de mon esprit dans le monde réel? une hallucination? la réalité? Je me suis vu dans la mosquée El Aqsa, adossé à l'un des énormes piliers de marbre, les pieds nus posés sur un splendide tapis aux motifs insensés. De l'extérieur me parvenait l'appel d'un muezzin et c'est alors que le sang s'est mis à ruisseler des murs. Immédiatement après, j'étais transporté dans la vieille ville, attablé dans un restaurant musulman, devant une brochette d'agneau, tandis qu'une fille d'Arabie aux yeux de feu évoluait autour de moi en une danse très suggestive. Rien à voir avec les danseuses des bars de chez nous, qui ne sont que viande. Cette fille, elle, était mystère, et sa sensualité devait beaucoup plus à l'esprit qu'à la chair. Tout en faisant onduler son ventre qui m'hypnotisait, elle s'est approchée de moi, a planté ses prunelles de braise dans les miennes et... Oh! maman. J'ai vu! J'ai vu un monde sans soleil, éclairé uniquement par la lumière froide d'une lune au rire barbare. J'ai vu un charnier sans limite, des visages, des millions de visages glabres au regard fixe. J'ai aussi senti l'infecte odeur de la viande en

15

putréfaction. La fille a fermé les yeux, son visage à elle n'était que peine et souffrance, et je l'ai aimée comme un fou. Elle a disparu mais la douleur est demeurée.

Tu m'as demandé de tout te dire, c'est ce que je fais, installé à présent sur ce balcon d'hôtel, dans cette nuit étoilée qui, telle l'image que je me fais des nuits de Chine, sent toujours le calme et la douleur. Je le fais avec le cœur qui saigne pour une fille qui n'était qu'une apparition. Qui était-elle?

Je t'embrasse très fort, maman, et même si parfois la douleur est du voyage, je ne saurai jamais comment te remercier de m'avoir permis de connaître tout ça. Merci! »

Les mains tremblantes, Marie pose la lettre sur ses genoux. À l'extérieur, venant tout droit de l'Arctique, le vent se fait brusquement plus fort, réussit à s'insinuer dans quelques fissures de la grande maison et pousse une plainte venue de loin, venue du nord, des lacs d'argent, des forêts cathédrales, du dernier retranchement des loups, des grandes étendues glacées sous le cosmos impassible. Venue de la solitude, la plainte investit lugubrement chacune des douze pièces vides de la demeure. Elle est bien seule, Marie, qui pleure dans son grand fauteuil de velours grenat.

MOSCOU, U.R.S.S.

Il y a déjà longtemps que la nuit est tombée sur le Kremlin, et ils sont là depuis le début de l'après-midi. La pièce est immense, aussi bien en surface qu'en hauteur. De hauts murs crème, percés de vastes fenêtres à triple vitrage, et un splendide parquet de chêne à pointes de Hongrie, ajoutent à l'allure solennelle des lieux. C'est la salle du Conseil. Ils sont une douzaine autour de la grande table ovale, qui trône au centre de la pièce illuminée par un gigantesque lustre en cristal de Bohême, qui renvoie parfois des prismes de lumière et donne aux visages des reliefs dramatiques. Les hommes présents, tous membres du Politburo au plus haut degré, parlent avec lenteur et conviction.

De l'un d'entre eux se dégage beaucoup d'autorité: étant le Secrétaire général du PCUS, il en possède énormément. En silence, passant parfois ses doigts dans ses cheveux blancs fournis, il écoute. Chacun sait parfaitement que lorsqu'il parlera, ses mots pèseront lourd sur l'avenir de la civilisation.

Petit à petit les débats s'étiolent, et il devient clair que c'est à son tour de prendre la parole.

«Je vous ai tous écoutés attentivement», dit-il d'une voix calme et posée, mais faisant néanmoins contraste avec le silence qu'il a observé depuis le début de la réunion. «Et je crois pouvoir conclure que nous sommes enfin arrivés au point de non-retour.»

Il se tait un instant avant de poursuivre:

«Camarades, si ce que vous rapportez est exact, tout semble prêt pour la phase finale. Autrement dit, le Capital vit ses derniers moments.»

Le silence qui suit se fait écrasant. Les hommes s'entre-regardent avec un sourire discret, sachant pertinemment qu'ils vivent des instants historiques. Des moments pour lesquels ils ont œuvré toute leur vie ou, pour le moins, en ont donné l'impression. L'un d'eux, colonel et Numéro un du KGB, se lève et, d'une voix particulièrement grave, croit bon de rappeler la ligne officielle qui doit les motiver:

«La seule idée qui a animé tous nos gestes, depuis que nous avons pu nous forger une conscience politique, celle qui a donné un sens à nos vies, celle de la victoire du communisme tel que nous l'ont révélé Marx et Lénine, cette idée nous amène aujourd'hui à prendre une décision lourde de conséquences. Le communisme, le vrai, demeure toujours à l'horizon de l'Histoire. Tant et aussi longtemps que l'humanité, dans sa totalité, ne sera pas débarrassée de l'utilisation de l'homme par l'homme, et aussi du règne de la nécessité pour celui de l'unique liberté valable à nos yeux, je parle de celle qui implique la disparition de l'État, la disparition du travail aliénant pour celui de création. Aujourd'hui comme hier, le Capital empêche toujours l'Occident de comprendre que nous ne nous battons pas pour un État mais bien pour la Révolution mondiale. La Révolution est aujourd'hui en voie de réalisation, grâce à la cybernétique qui va amener le communisme vers une phase supérieure, un pas de plus vers la création continue de l'homme par l'homme. L'épanouissement de chaque être humain, et en tout homme, de l'Homme entier. Mais avant cela, oui, avant cela, il faut abattre le Capital une fois pour toutes, et, même s'il faudra encore attendre le dévouement de plusieurs générations avant de l'extirper totalement des idées, il nous faut, dès aujourd'hui, mettre un terme à son existence pratique.»

Le Secrétaire général, sans laisser paraître qu'il est agacé par la grandiloquence du discours, lève la main et affiche un signe de tête approbateur:

«Merci, camarade Boulkine, de nous rappeler pourquoi nous luttons. Cela va sûrement nous aider à approuver la décision que nous devons prendre.»

Un des assistants, Tikhonov, des Affaires étrangères, grand amateur d'échecs, et qui s'est donné pour spécialité de mettre au point des stratégies visant à élargir la sphère d'influence soviétique en Occident, paraît visiblement soucieux:

«Je crois, dit-il, que notre décision est prise; pourtant, l'ampleur de ce qu'elle représente nous accable, et le sens critique qui existe en chacun d'entre nous nous incite à peser plusieurs fois le pour et le contre.»

Le Secrétaire général reprend la parole:

«Cela est très vrai, et c'est pourquoi j'aimerais que nous revoyions une à une toutes les données du problème. Nous devons être absolument certains qu'il n'y aura aucun recours à l'arsenal nucléaire, tout au moins entre nous et les États-Unis. Quoi qu'il en soit, nous ne pouvons quitter cette salle sans avoir pris une décision.»

Le général Yakkov, de la Défense, Numéro un des questions nucléaires au sein de l'armée, avale une gorgée d'eau et assure sur un ton péremptoire:

«Comme je l'ai encore mentionné tout à l'heure, les ordinateurs sont catégoriques: les risques sont minimes.»

Le chef du KGB ne semble pas totalement convaincu:

«Ma confiance dans les ordinateurs demeure entière, tant qu'on leur demande si deux plus deux font bien quatre; mais dans le cas présent j'avoue être sceptique. Nous entrons dans le domaine de ce que les spécialistes appellent la logique floue. Prenons, par exemple, la Grande-Bretagne: qui peut affirmer connaître suffisamment ce pays, au point de fournir des données formelles au programme de l'ordinateur? Ce n'est pas la raison qui motive un Britannique, mais un cocktail inextricable de passions, d'atmosphères, et de je ne sais quelles autres foutaises.»

Le Secrétaire général s'esclaffe, ce qui détend légèrement l'atmosphère, qui en a bien besoin.

«Shakespeare, énonce-t-il, l'a très bien résumé avec son fameux *To be or not to be,* qui veut tout dire et ne dit rien du tout.

— Justement, reprend l'homme du KGB; que voudra dire ÊTRE pour l'Anglais ou le Gallois, lorsque nous voudrons lui dicter la volonté du prolétariat?»

Poskrebychev, le doyen des douze dirigeants, se lève. C'est un homme respecté car, même s'il n'a jamais occupé de poste prestigieux avant d'accéder au Politburo, il a survécu à tous les chambardements de régime depuis Staline. Ce même Staline qui reste, dans le for intérieur de Poskrebychev, le maître incontesté de la Révolution. «Sans le Petit Père, se dit-il souvent, il n'y aurait plus de Révolution, plus d'URSS. Bien sûr, il a eu ses petits défauts, mais qu'étaient-ils en regard de ce qu'il laisse à l'Histoire?»

«Nous ne pouvons pas remiser la Révolution au placard, dit-il d'une voix cassante, sous le prétexte que nous ne sommes pas certains si ces stupides adorateurs de la monarchie vont, ou non, nous expédier leurs bombes. Ils sont stupides, mais ils voudront vivre et savent très bien qu'au moindre geste déplacé de leur part nous transformerons leur île brumeuse en un désert sans retour.

— Camarade Poskrebychev, coupe le Secrétaire général, il ne s'agit pas de mettre la Révolution au placard, mais seulement de savoir, avec certitude, si c'est vraiment le moment opportun de lui donner une impulsion nouvelle. À quoi servirait la Révolution si la planète était transformée en désert vitrifié?

— Il n'y a pas de moment mieux choisi, reprend le doyen: nous sommes au faîte de notre puissance offensive, les impérialistes sont endormis dans de beaux rêves de paix et leur jeunesse ne veut même plus se battre au nom de la patrie. Nous avons berné tout le monde avec l'Afghanistan, le désarmement, la *Glasnost* et la *Perestroïka*. Ils ont tout gobé sans histoire, jusqu'à la marionnette que nous avions placée à votre poste, camarade Secrétaire général. Quel moment serait le plus approprié, camarades?»

Sans répondre à sa question, le colonel Boulkine reprend la parole:

«À mon avis, c'est l'Afrique du Sud des Blancs qui présente le plus de risques. Ils sont fanatiquement anti-communistes et, de plus, ils ont, excusez le jeu de mots, une peur bleue de leurs Noirs. Imaginez une seconde l'idée qu'ils peuvent avoir de leurs Zoulous prenant le pouvoir sous la bannière rouge!»

Le Secrétaire général approuve:

«J'ai de bonnes raisons de penser comme vous, camarade. Surtout si je me fie à ces rapports où il est fait mention que bien des membres du parti nazi sud-africain occupent des places importantes au sein de l'administration militaire et gouvernementale. Oui, je crois qu'ils se serviront de leurs armes nucléaires. Aussi devons-nous faire en sorte que leurs objectifs se limitent au Mozambique et à l'Angola. À ce moment-là, ils se mettront une fois pour toutes au ban des nations et nous aurons alors toute latitude pour répliquer comme il convient. Disons qu'en plus du détonateur imaginé par vous, camarade Boulkine, ce sera aux yeux de la planète la preuve qu'il ne faut pas jouer avec ces engins-là.»

Un silence lourd de signification suit cette déclaration.

Les échanges de vues se poursuivent ainsi toute la nuit, les participants sont fatigués, et cela transparaît dans leurs voix et attitudes. Plusieurs se tiennent la tête entre les mains, comme pour mieux réfléchir, mais, en fait, pour dissimuler la fatigue. Sous la table, les jambes se croisent et se décroisent, à la recherche d'une position confortable jamais trouvée. Sans crier gare, la lueur blême de l'aube apparaît à travers les vitres des hautes fenêtres cernées de lourds rideaux bourgogne. Seul Poskrebychev semble animé d'une énergie sans cesse renouvelée. Au fond de ses yeux sombres, brûle un feu qui met mal à l'aise ceux qui l'observent. Un feu qui galvanise. Il veut clore le débat:

«Nous avons fait le tour de la question, dit-il; rien n'est ressorti qui puisse influencer notre décision finale. Je crois, camarade Secrétaire général, que le moment est venu de la prendre irrévocablement et de donner les ordres qui en découlent.»

Quelques années plus tôt, jamais il n'aurait osé parler aussi ouvertement au plus haut dignitaire du Parti. Aujourd'hui, il se sait vieux, il sait également que s'il veut faire valoir son point de vue, c'est maintenant ou jamais, d'autant plus qu'il se juge le seul vrai dur au milieu de tous ces dignitaires qui lui semblent s'amollir un peu plus chaque jour. Ce n'est pas de ces hommes-là qu'il attend un bannissement. Une traîtrise peut-être, mais pour le reste... C'est lui qui a le plus de volonté. De cette volonté qui l'a toujours tenu dans les coulisses du pouvoir, là où l'influence est la plus grande. À l'abri des projecteurs, mais toujours présent. Comme pour lui donner raison, le Secrétaire général demande l'avis de tous:

«L'un d'entre nous voit-il une raison suffisante de remettre notre grand projet dans un avenir ultérieur?»

Tous sans exception font un signe négatif de la tête et le Secrétaire général sent qu'il est temps de clore.

«Camarades, je vois que la décision est prise et je l'appuie. Il ne reste qu'à distribuer les ordres en conséquence. Retrouvons-nous ici, en fin de soirée, pour mettre un point final à la stratégie mise en place. Essayez de vous reposer; nous allons avoir besoin de toutes nos facultés dans les semaines et même les mois qui viennent.»

Il sont soulagés, la décision est prise sans que personne ne puisse s'en tenir vraiment responsable. Il n'y a plus qu'à voir venir. Ils se saluent et sortent l'un après l'autre, laissant seul le Secrétaire général, qui repousse son fauteuil loin de la table et étend ses jambes. Ses yeux fixent le nouveau jour à la fenêtre. Pour la première fois depuis son entrée en politique, c'est-à-dire depuis l'adolescence, il se sent terriblement las. Il sait la Révolution rendue à un point de non-retour et c'est lui, le Numéro un du Parti, qui veut transformer le cours de l'histoire des hommes. Les idées lui paraissent soudain vaines et sans objet, comme si tout ce qui l'avait motivé jusque-là perdait tout son sens. Ce serait si simple de vivre tranquillement, sans vouloir changer la face du monde. Mais pour cela, il faudrait pouvoir se passer du pouvoir, et le pouvoir... Il pousse un soupir qui en dit long.

Seul et à voix haute, sans que l'on sache à qui il s'adresse, il a une remarque assez curieuse pour le chef d'un parti matérialiste athée:

«Faites que nous ne soyons pas dans l'erreur.»

Il songe surtout à la place que prendra son nom dans l'Histoire.

BAKOU, AZERBAÏDJAN

Sentinelles d'un autre monde, les feux des derricks brûlent dans la nuit noire et se reflètent dans les eaux de la Caspienne. Debout, à la fenêtre de la roulotte de chantier qui lui sert de bureau de campagne, Nikolaï Sologdine vient de terminer une autre journée de travail. Il aime particulièrement ces quelques moments de tranquillité pendant lesquels, face à lui-même, il fume sa cigarette du soir, oublie les tracas de son travail et laisse libre cours à son imagination. Ce soir, il pense à son pays et il n'est pas certain que le progrès lui ait été bénéfique.

Son grand-père lui a parlé de l'Azerbaïdjan d'autrefois, de ses nomades entourés de leurs moutons et chameaux, des veillées sous les étoiles, où chacun écoutait les vieilles légendes de la bouche des anciens. Il lui avait parlé de ces femmes étranges, toujours drapées de voiles noirs qui leur donnaient mystère et dignité. Certaines portaient même des masques d'oiseaux à long bec, qui ajoutaient encore à l'étrange aura émanant d'elles. Il y avait aussi les oiseaux, les millions d'oiseaux qui avaient choisi ces contrées pour se donner rendez-vous: faucons, pélicans, canards, oies sauvages, poules d'eau, hérons, mouettes grises et, le plus puissant de tous, l'aigle pêcheur, dont le vol lent et redoutable fascinait les enfants.

Mais son grand-père n'est plus et son monde est parti avec lui. Les quelques mouettes qui restent ont les ailes tachées de pétrole, les nomades se sont sédentarisés pour travailler aux cultures vivrières, les chameaux sont depuis longtemps passés à l'abattoir et le ronronnement mécanique d'un hélicoptère de surveillance a remplacé le long vol de l'aigle pêcheur.

Brusquement Nikolaï se secoue, réalisant qu'il est lui-même l'un des ouvriers responsables du progrès qui a changé la face du monde de son grand-père. Son but est noble et il ne sert à rien d'embellir un passé qu'il n'a même pas connu.

Nikolaï Sologdine est un géologue spécialisé dans la recherche pétrolière: son travail consiste, en premier lieu, à effectuer des séries de reconnaissances topographiques, à tenir compte de toutes les particularités naturelles ou anthropiques du sol et du sous-sol, pour ensuite procéder à l'échantillonnage aux endroits requis. Les procédés de recherche sont multiples: méthodes sismiques, gravimétriques, magnéto-électriques, en utilisant toute une gamme de procédés, tels la photogéologie infrarouge, les sondages soniques, gamma-gamma, gamma-neutrons, et jusqu'à l'auscultation acoustique ou l'enregistrement aéroporté de l'intensité du flux thermique à la surface du sol. À tous ces objectifs d'exploration, il convient d'ajouter l'appréciation d'une découverte.

Il a toujours aimé les minéraux et aurait certainement préféré faire de la recherche pure en minéralogie mais, alors qu'il finissait ses études, l'URSS avait grand besoin de bons prospecteurs pétroliers, surtout quand ils étaient de descendance russe et non musulmane. À cette époque, il s'était vu offrir des propositions matérielles alléchantes s'il acceptait de se spécialiser dans la recherche de gisements.

«Ce serait bon pour lui, bon pour le prolétariat» avait dit le conseiller en orientation, qui n'était en fait qu'un répartiteur attaché à trouver les bras et les cerveaux nécessaires au plan quinquennal alors en vigueur.

Comme, à cette époque, Nikolaï courtisait ardemment la jolie Erjika Chikhine et qu'il avait toujours pensé qu'une situation confortable était un argument de poids quand il s'agissait d'obtenir le consentement d'une jeune fille dans une demande en mariage, il avait suivi cette voie.

En pensant à Erjika, Nikolaï réalise qu'il est temps de rentrer chez lui s'il veut avoir une chance de lui dire bonsoir avant qu'elle ne s'endorme puis reparte travailler, tôt le lendemain matin, au laboratoire de pétrochimie où elle est employée. Si elle est endormie, il lui faudra encore attendre le lendemain pour avoir l'occasion de lui dire deux mots. C'est tous les jours comme ça.

Tout en conduisant d'une main, Nikolaï traverse Bakou. La ville compte plus d'un million d'habitants. Avec le pétrole, elle a poussé comme un champignon; plus pressée d'abriter que de séduire, c'est une ville sans caractère, où stagne sans cesse l'odeur lourde du pétrole. Bakou ne vit que pour et par le pétrole.

Il habite un immeuble comme tous les autres, parallélépipède de béton gris percé de fenêtres carrées à intervalles réguliers. Trois pièces plus la salle de bain, pour un couple comme le sien, jeune et sans enfants, ce n'est pas mal du tout. Ils possèdent leur voiture et le mobilier, même s'il est sans grande prétention, est bien à eux. Mais ce qui fait la plus grande fierté de Nikolaï, c'est une chaîne stéréo *Barcarola* fabriquée en Tchécoslovaquie et achetée au *Goum* de

Moscou, lors de leur voyage de noces. Selon Nikolaï, elle possède une étonnante sonorité.

C'est cette même chaîne stéréo qui lui vaut tous les tourments qu'il a en ce moment.

Un matin, alors qu'Erjika était à son travail et que Nikolaï se remettait péniblement d'une forte grippe, il avait mis un disque de Barbra Streisand acquis au marché noir, au prix de grands efforts tant pécuniaires que moraux. Moraux, car Nikolaï est l'un des dix-huit millions de Soviétiques membres du Parti communiste, et sa conscience politique lui défend d'avoir recours à ce marché parallèle, qui encourage des habitudes bourgeoises dont tout honnête citoyen devrait se départir. Toutefois, dans le cas présent, il s'agissait de musique et Nikolaï ne put y résister. Toujours est-il que ce jour-là, tandis que la voix chaude de la chanteuse américaine emplissait l'appartement, quelqu'un, une femme, avait frappé à la porte. Elle était belle, grande, le buste affolant, blonde avec des halos roux, des yeux rieurs d'une teinte indéfinissable, entre le bleu du ciel et le vert jade. Elle se présenta comme étant Mouza Krilov, sa voisine de palier. Elle avait entendu cette voix merveilleuse et demandait l'autorisation de l'écouter. Nikolaï n'avait rien pu faire d'autre que de la laisser entrer. Elle lui avait dit être médecin, célibataire, en congé pour quelques jours, et Nikolaï n'avait pu détacher ses yeux de la jeune femme, tandis qu'elle écoutait gravement la chanteuse. Il ne se ressentait plus du tout de sa grippe. De temps en temps elle levait la tête et lui adressait de beaux sourires auxquels il répondait, sentant monter en lui une tension qu'il n'avait pas connue depuis bien longtemps.

Il avait préparé du thé puis, conscient de ce qu'il faisait, était venu s'asseoir près d'elle. Une fois le disque terminé, elle lui posa des questions sur lui et sur ce qu'il faisait; elle lui dit être ravie d'avoir un aussi charmant voisin et avoir hâte de faire la connaissance de son épouse. Un moment, elle s'était baissée pour prendre la tasse de thé qu'elle avait déposée à ses pieds. Au passage, ses cheveux effleurèrent le visage de Nikolaï qui était penché en avant. Leur parfum et leur caresse le portèrent au comble du désir et, sans plus réfléchir, il se pencha pour lui déposer un baiser dans le cou. Elle se redressa, fit non de la tête et l'écarta doucement de la main. Il s'excusa, elle lui répondit avec le sourire que ce n'était pas grave, que cela pouvait arriver à tout le monde, et qu'il ne fallait pas que cela les empêche de rester bons amis.

Ils se revirent assez fréquemment, toujours honorablement. Parfois, c'était elle qui lui rendait visite et, dernièrement, c'était lui qui était allé la rencontrer chez elle. Ils étaient sortis au restaurant et avaient fait une longue promenade en voiture où, faisant le grand saut, il lui avait déclaré être amoureux d'elle.

Longuement, elle l'avait regardé avec de la tristesse dans les yeux et avait fini par lui dire qu'il valait mieux qu'ils ne se rencontrent plus. Elle était navrée du malentendu.

Depuis ce jour, il ne pense plus qu'à elle. Quand il prend Erjika dans ses bras, c'est à Mouza qu'il pense et il en est profondément malheureux. Il a peur du jour où sa femme lira en lui; et davantage encore de celui, qu'il sent venir, où il enverra tout promener pour tenir Mouza dans ses bras, ne serait-ce qu'une fois.

En pénétrant dans son appartement, Nikolaï se rend compte qu'il arrive trop tard. Toutes les lumières éteintes, il règne dans les lieux cette atmosphère particulière, bien connue des cambrioleurs, prouvant sans l'ombre d'un doute que l'occupant est plongé dans le sommeil.

En se glissant dans le lit, il s'approche d'Erjika et lui pose la main sur l'épaule.

«Erjika?» murmure-t-il.

Elle pousse un grognement étouffé, se retourne et vient se lover contre lui, sans toutefois consentir à quitter son sommeil.

Il est dépité, il voudrait lui parler, essayer de se rapprocher d'elle. Au lieu de cela, il sent bien qu'il s'endormira encore en étreignant vainement l'oreiller avec l'image de l'autre, de Mouza, bien ancrée dans la tête.

FLEUVE MOLOPO, BOTSWANA

De petite taille, jaune-brun de peau, pommettes saillantes, yeux bridés, vêtu d'une simple cape de peau appelée *kaross*, Xam est le parfait représentant du peuple bochiman.

Pourtant Xam ne vit pas tout à fait comme les autres membres de son clan. Recruté dès son jeune âge par des prospecteurs de la *De Beers*, il a été initié à la recherche de sites diamantifères. Les grandes compagnies, tout comme l'armée sud-africaine, aiment à employer ces petits hommes, réputés pour leur incomparable sens de l'observation. En échange de ses services, Xam reçoit des outils de métal bien utiles à ceux de son clan.

Aujourd'hui, Xam va d'un pas alerte le long du Molopo presque desséché. Le site lui semble bon. Dans les jours qui ont précédé, il a découvert des grenats, des agates et cette fascinante pierre noire appelée ilménite. C'est, il le sait, la combinaison gagnante qui conduit généralement à la découverte de diamants.

La chaleur est torride, trop pour cette saison. Des yeux, il cherche dans le ciel aveuglant de lumière la trace d'un improbable nuage qui serait le signe précurseur d'une averse bienfaisante et depuis longtemps désirée. Mais il n'y a rien. Rien que ce bleu presque blanc et insoutenable.

Passant un petit promontoire rocheux, il s'arrête net en voyant s'avancer un couple d'antilopes nyala. Il scrute l'horizon autour de lui, essayant d'apercevoir le reste de la troupe, car habituellement un mâle possède plusieurs femelles. Rien. Ces deux-là ont l'air seuls.

Les antilopes élancées s'abreuvent à présent dans le cours d'eau, relevant fréquemment la tête, inquiètes de la présence, toujours possible, de quelque carnassier.

Xam les observe en cherchant la meilleure tactique pour agrémenter son menu, quand il aperçoit quelque chose briller devant les membres antérieurs de la femelle. Un sens inné lui indique qu'il a peut-être trouvé ce qu'il cherche, bien qu'habituellement les pierres précieuses, pudibondes, demeurent enfouies, couvertes de boue ou de limon.

Oubliant son menu amélioré, il s'apprête à aller se rendre compte sur place, quand une meute d'hyènes surgit de nulle part. Pas plus que les nyala, Xam ne les a vues venir. Pourtant elles sont là, formant déjà un demi-cercle autour des antilopes. Il hausse les épaules et s'assoit sur ses talons, estimant qu'il n'a aucun rôle à jouer dans ce drame quotidien.

Le nyala mâle bondit sur le côté, tête baissée, menaçant de ses défenses acérées les hyènes qui se présentent toutes babines écumantes. Elles s'écartent prestement pour se regrouper aussitôt sur la femelle qui suit. Le temps d'un éclair, et l'une des hyènes se jette au garrot de l'antilope. Immédiatement, les autres, n'ayant cure des ruades, s'attaquent aux jarrets; et quelques instants plus tard, la bête infortunée gît dans la poussière qui se teinte de son sang pendant que la meute, n'attendant même pas la mort, lui arrache la peau par lambeaux. Le mâle, qui s'est retourné, assiste de loin à la scène quelques instants pendant lesquels Xam lui prête des sentiments qu'un amiral peut ou ne peut pas avoir, puis, sans trop se presser, il repart, sachant qu'il ne risque plus grand-chose pour le moment.

Un rugissement ébranle la curée. Xam se redresse vivement. Inébranlable et sûr de lui, un grand lion s'avance vers la meute. Les hyènes ne s'écartent de la dépouille qu'au dernier moment, emportant tout ce qu'elles peuvent dans leurs gueules. Le félin, sans que l'on puisse en deviner les raisons, déplace l'antilope de quelques mètres avant d'entamer son repas bien mal acquis. Les hyènes continuent à tourner autour, à distance plus ou moins respectueuse. Elles savent pertinemment qu'il restera quelques rognures, quand ce grand voleur en aura fini.

Imperturbable, le lion prend tout son temps, et Xam, son mal en patience, ayant de plus en plus hâte d'aller voir quel est cet éclat.

Enfin repu, le félin pousse un long rugissement. Menaces, remerciements ou tout simplement satisfaction? Nul ne le sait. Il se retire du même pas tranquille qu'il avait pris pour venir. Les hyènes, de retour, constatent qu'il ne reste plus grand-chose à se mettre sous la dent. Le squelette est vite nettoyé.

La solitude revenue, Xam peut enfin se diriger vers l'éclat brillant.

C'est bien un diamant. Et de belle taille.

Faisant lentement un tour sur lui-même, il étudie la topographie des lieux. Les pieds dans l'eau, il se trouve au centre d'une légère cuvette, sillonnée en son milieu par le cours d'eau. Des dépôts d'argile bleue lui confirment ce que lui ont appris les prospecteurs: ce doit être un gisement.

Cette argile bleue, appelée kimberlite, est la matière bordant habituellement une cheminée diamantifère. C'est par cette cheminée que remontent à la surface les diamants fabriqués par l'action d'énormes pressions sur le carbone, à environ deux cents kilomètres sous l'écorce terrestre. Il ne sait pas qu'il a une chance inouïe, car la plupart du temps il faut forer cent ou deux cents mètres sous terre pour découvrir une cheminée. Certainement que, dans le cas présent, le cours d'eau a contribué à nettoyer les dépôts qui auraient dû s'accumuler sur la cheminée au cours des âges.

Xam range le diamant dans un petit sac de peau, cousu avec des nerfs d'antilope, qu'il porte en bandoulière. Il enregistre dans son cerveau les coordonnées exactes des lieux. Désormais, il pourra revenir à cet endroit précis, sans jamais se tromper. Puis, sans avoir l'air plus affecté qu'un étudiant californien partant faire son jogging du matin, il entreprend une marche de plusieurs jours, qui doit le ramener vers son clan dans le vaste Kalahari. Il ignore présentement l'emplacement exact où ils ont pu planter les huttes mais il le retrouvera par le simple fait de coordonner le bon sens et les détails, imperceptibles pour tout autre être humain, qu'il relèvera sur le terrain.

Le soir venu, il a déjà parcouru une belle distance, de son pas rapide et toujours égal. Il est temps pour lui de se restaurer: problème insurmontable en ces lieux pour tout homme différent de sa race et ne possédant que ce que lui a. Outre un petit arc et quelques flèches à pointe d'os, il n'est équipé que d'un bâton à fouir, renforcé en son extrémité d'un anneau de pierre. Cet outil lui permet, en cette fin de journée, de récolter quelques tubercules sauvages appelés *bi*, riches en glucides, vitamines et humidité.

Tout en mangeant, Xam pense aux siens et, parlant tout haut dans son curieux langage entrecoupé de cliquetis de la bouche, il demande aux deux dieux qu'il connaît de les protéger. Pour lui, il y a le Grand, créateur et omnipotent, et le Petit, qui lui est subordonné. Le Petit est bien utile, lorsque, trop timide, on n'ose pas trop s'adresser au Grand. Pour son clan, les dieux ne sont ni bons ni méchants, chacun d'eux peut tout aussi bien combler de gibier ou de pluie qu'apporter la maladie ou la mort. Il n'y a pas, chez le petit peuple, de frontière bien définie entre le bien et le mal. Ce serait difficile, car ne possédant rien ou presque ils ne connaissent pas l'instinct de propriété.

Les jours se succèdent et Xam relève de plus en plus d'indices. Il a fini par retrouver les traces d'un campement laissé par son clan et qui, selon ce qu'il en déduit, ne date pas de plus de deux semaines. Il ne lui reste qu'à imaginer vers quels buts ils se dirigent, pour connaître la direction qu'il doit emprunter. Les buts ne sont pas très compliqués, toujours les mêmes depuis les temps immémoriaux: l'eau et la nourriture.

À mesure qu'il progresse vers l'intérieur du Kalahari, les nuits se font de plus en plus fraîches et il se camoufle du mieux qu'il peut en ramenant sur lui terre et broussailles. Son alimentation n'est plus constituée, pour l'eau et les nutriments, que des énormes tubercules, qu'il déterre dès qu'il en aperçoit.

Ce matin, il est en route depuis l'aube, quand il remarque le campement de petites huttes rondes qui semblent danser dans la chaleur qui se lève. Des enfants du clan l'aperçoivent aussi et une bande bruyante se précipite vers lui. Mais une tout autre atmosphère règne au campement: les adultes, d'ordinaire si volubiles et joyeux, semblent profondément tristes et angoissés.

Après avoir posé sa main sur la tête de Tlick, son épouse, et évalué si ses trois enfants ont bien profité, il s'enquiert auprès des hommes de ce qui les rend si tristes.

Tloch, son frère, s'approche de lui et demande:

«N'as-tu pas remarqué le ventre de nos femmes?»

Xam observe les femmes de la tribu et hausse les épaules sans comprendre.

«Je ne vois rien, dit-il.

— Il n'y a rien non plus. Nos femmes sont stériles depuis plus de six lunes. Aucune d'entre elles ne retient la semence de son époux.»

Xam comprend ce que son frère veut dire:

«Il n'y aura pas d'eau», dit-il.

Tloch approuve vaguement.

«Il va nous falloir partir très loin. Nous mourrons tous si nous restons ici.»

Douées du pouvoir inconscient de lire l'avenir, les femmes bochimans ont cette particularité, unique au monde, de ne pouvoir tomber enceintes lorsqu'une période de disette ou de sécheresse s'annonce.

Xam remarque un autre détail:

«Pourquoi ne se font-elles pas de réserves?»

Tloch a un mouvement de tête indiquant qu'il ne comprend pas ce qui se passe.

L'autre particularité de ces femmes, lorsqu'une période de famine s'annonce dans un proche avenir, est d'amonceler des réserves de graisse et de minéraux dans leurs fesses, qui peuvent ainsi devenir énormes. Un peu à la façon dont les chameaux regarnissent leurs bosses.

«Il va se passer quelque chose», conclut Xam.

Son frère partage ce point de vue.

Et l'inquiétude qui règne sur le clan s'empare de Xam. Revenant vers son épouse, il remarque combien les yeux de celle-ci sont tristes.

«Je te protégerai», dit-il sans savoir contre qui ou quoi.

Changeant de sujet, il sort le diamant de son sac et le montre à Tlick.

«Les hommes blancs seront contents de moi, dit-il fièrement. J'ai trouvé ce qui les intéresse.»

Tlick regarde le diamant, se détourne vers le sud, d'où sont venus les seuls Blancs qu'elle ait rencontrés à ce jour, et dit sur un ton que son mari ne lui a jamais entendu:

«Quand des hommes se réjouissent autant pour des cailloux, ces hommes-là sont dangereux.»

Xam a alors l'intuition que le danger ne viendra peut-être pas du temps qu'il fera, et il se prend à avoir peur. Une peur sourde et terrible, qui s'attaque directement à son énergie vitale.

Rapidement, ses yeux se ternissent, comme ceux de tous les membres de son clan.

MOSCOU, U.R.S.S.

Découragé, Youri Souslov contemple la pile de dossiers sur la gauche de son bureau. C'est pareil chaque matin et, le soir, la pile doit être passée à droite.

Souslov occupe un poste de confiance au sein du KGB. Son travail consiste à étudier des dossiers provenant des quatre coins de l'Union soviétique, émanant des cellules des villes, villages, usines, bureaux, unités d'habitations, kolkhoses. Chaque fois qu'un citoyen pose un acte ou tient des propos qui peuvent sembler anti-soviétiques, le cas est généralement rapporté par l'un des six cent mille mouchards à la solde du KGB. Ordinairement, le cas ne fait l'objet que d'une étude locale mais si les faits reprochés paraissent assez graves le dossier aboutit place Dzerjinsky, dans les bureaux du quartier général du KGB, où des fonctionnaires comme Youri Souslov donnent suite à l'enquête et posent leurs recommandations.

Souslov est moscovite de naissance. Âgé de la quarantaine, il n'a jamais quitté sa ville natale, si ce n'est pour de brefs séjours de vacances sur la mer Noire. Pourtant, à travers tous les dossiers de dissidents, ou présumés tels, qui lui passent sous les yeux, il a appris à connaître parfaitement son pays. Dès l'âge requis, il s'est joint au Komsomol et, dès que possible, devint membre du Parti communiste. Quelques brillantes dénonciations alors qu'il était encore étudiant l'ont tout naturellement amené au KGB; dénonciations qui ne relevaient pas d'incidents fortuits mais d'enquêtes personnelles, volontairement menées. Petit, le visage ingrat surmonté d'une importante calvitie, il n'inspire pas spécialement la sympathie. Il le sait et s'en venge allègrement en travaillant d'une manière tout à fait consciencieuse.

Il est toujours d'humeur massacrante – sauf envers ses supérieurs – et ce matin encore plus que d'habitude, avec de bonnes raisons: tout d'abord, hier, on lui a appris qu'il lui faudra encore attendre pour sa voiture personnelle, et ça l'enrage, car de moins bons citoyens que lui, selon ses critères, en possèdent une. Mais, pire encore, il y a déjà longtemps qu'il a déposé sa demande pour un bureau plus spacieux, plus stimulant, avec fenêtre donnant sur la place Dzerjinsky et la perspective Karl Marx: refusé également. Il doit donc rester dans son minuscule bureau, avec fenêtre donnant sur la cour de la Loubianka. Ce n'est pas gai.

31

La veille au soir, pour se consoler, il a un peu abusé de vodka polonaise. Suffisamment pour que lui vienne le goût de folâtrer avec sa femme – une mégère qui mitonne invariablement une cuisine à base de choux, ce qui ne manque pas de distiller dans leur deux-pièces une odeur pas très sélecte. L'alcool lui a donné des idées en même temps qu'affaibli ses facultés. La mégère a ricané toute la soirée de sa virilité vacillante.

D'un geste rageur, il attrape le premier dossier.

Il s'agit du cas d'une femme, médecin, résidant à Bakou et ayant pour nom Mouza Krilov. La jeune femme a fait de brillantes études et suivi sa médecine à Moscou, où elle s'est fait de nombreux amis, dont certains aujourd'hui demeurent à Joukovka, petit village au sud-ouest de la capitale, qui a pour particularité d'abriter les datchas de la *Nomenklatura*.

Souslov fronce les sourcils. La personne peut s'être fait des appuis, il va falloir marcher sur des œufs dans ce dossier.

Depuis des années, des annotations ont été faites concernant l'attitude par trop libérale de la jeune femme. Ses lectures, ses propos et aussi son goût prononcé pour tout ce qui vient d'Occident, tout cela lui vaut quelques reproches. Mais ce qui amène son dossier sur le bureau de Souslov, à ce jour, est beaucoup plus grave aux yeux du fonctionnaire. Il se demande même un instant s'il ne doit pas repasser le dossier à l'échelon supérieur, et ne se ravise qu'en songeant que s'il mène cette affaire à bien, cela lui vaudra certainement des bons points pour l'obtention de sa *Skoda* et d'un nouveau bureau.

Quelques semaines plus tôt, Mouza Krilov était venue assister à Moscou à un séminaire sur les maladies neurologiques, qui sont sa spécialité. Pendant le temps que dura son séjour, elle demeura chez Tatiana Constantine, son amie et compagne de chambre pendant ses études. Le premier soir, heureuse de se retrouver, elles décidèrent d'aller fêter cela à Oupenskoïé, où se trouve l'excellent restaurant l'*Isba russe*. La bonne chère, un bon vin de Géorgie, l'atmosphère feutrée de l'une des petites salles à manger, tout avait contribué à porter les deux amies aux confidences sur l'ordre naturel des choses. Elles étaient loin de se douter, malgré la fréquence de cette pratique, en ces lieux où se rencontrent beaucoup de personnalités, qu'un micro mouchard était dissimulé sous la table.

La conversation est retransmise textuellement dans le rapport que Souslov tient entre ses mains. Il parcourt rapidement le début bien anodin de la conversation.

Mouza Krilov: «J'ai cherché de bons souliers, rien à faire! Je me demande quand est-ce que nos manufactures se décideront à considérer que la qualité est tout aussi importante que la quantité.

Tatiana Constantine: La qualité coûte plus cher.

M.K.: Pas si l'on considère que ça dure plus longtemps et que l'on en retire plus de satisfaction.

T.C.: C'est vrai que de nos jours, il n'y en a que pour l'armement. Je regrette le temps de la *Perestroïka*, où tous les espoirs semblaient permis.

M.K.: Cela va peut-être te paraître farfelu, mais j'ai l'impression que tout ça n'est qu'une gigantesque farce.

T.C.: Que veux-tu dire?

M.K.: Je parle de l'état du monde en général. Tiens! essaye d'imaginer pendant cinq minutes que toi tu représentes l'Occident et moi le camp socialiste. Un beau jour, nous nous sommes rencontrées, et nous nous sommes entendues sur un beau scénario, dans lequel nous devions faire croire à tout le monde que nous ne pouvions absolument pas nous entendre et qu'il fallait être constamment prêt à recevoir une attaque de l'autre partie, peu importe ce que cela pouvait coûter.

T.C.: Je ne vois pas l'avantage...

M.K.: Toi, tu représentes le grand capital et ses intérêts. Ce capital, comme on peut très bien le comprendre, est très intéressé aux contrats d'armement, pour la bonne raison que c'est extrêmement lucratif. Moi, de mon côté, je mets toutes les forces des pays socialistes au service de la défense, soi-disant pour sauvegarder les acquis de la Révolution. Personne ne peut m'écarter du pouvoir, et comme le pouvoir est la seule chose qui nous intéresse toi et moi...

(Ici un silence prolongé)

T.C.: Enfin, tu crois vraiment que c'est comme ça que les choses se passent?

M.K.: Peut-être pas formellement, mais quelque chose d'approchant, et cela dure depuis que le monde est monde. À mon avis, tout pouvoir est corrompu. Si ce n'était pas le cas, il n'y aurait pas de pouvoir, car le pouvoir est une forme de violence.

T.C.: Il faut bien que le monde soit gouverné.

M.K.: Il le faudra tant que le pouvoir ne sera que le reflet de la société.

T.C.: Tu m'effraies un peu avec tes idées; ne répète pas ce que tu viens de me dire à n'importe qui.

M.K.: Tu ne penses pas comme moi?

T.C.: Je préfère ne pas y penser du tout.

M.K.: C'est la perception que j'ai des choses, je n'y peux rien. Il y a près de six milliards d'individus sur la planète et tout ce monde est mené, tel un troupeau bêlant, par une infime minorité, qui lui fabrique même ses idées.

T.C.: Parce que tu crois également que nos idées sont fabriquées?

M.K.: J'en suis persuadée. Crois-tu qu'il s'agisse d'un hasard si le monde est partagé en trois camps, bien délimités géographiquement? Pourtant, il s'agit des mêmes êtres humains de part et d'autre, avec les mêmes besoins, les mêmes émotions. Prends le cas des deux Allemagnes. Autrefois, ce n'était qu'un seul pays, un seul peuple. Aujourd'hui, c'est toujours le même peuple et, pourtant, nous verrons peut-être l'une des Allemagnes envahir l'autre, les armes à la main.

T.C.: Je crois vraiment que tu vas t'attirer des ennuis avec tes idées.

M.K.: Mon métier est de soigner le cerveau, il faut bien que j'essaye de comprendre ce qui s'y passe, sans me limiter uniquement au strict point de vue médical. Et puis, quand je vois cette Terre avec tous les gens qui y souffrent, il faut que j'en comprenne les raisons, et mon devoir est de les dénoncer si elles sont mauvaises.

T.C.: Si je comprends bien, tu ne crois pas à la démocratie. Tu penses que le monde est gouverné par un petit groupe de comploteurs.

M.K.: La démocratie est simplement un leurre pour donner aux masses l'illusion de participer au pouvoir. Je ne crois pas qu'il y ait de complot comme tel, juste des gens qui jugent les événements et s'arrangent pour qu'ils coïncident avec leurs intérêts.

T.C.: Tout cela n'est pas très joyeux; si nous parlions plutôt de tes amours!»

À ce stade, la conversation prend une tournure sans intérêt pour Souslov, qui demeure songeur quelques minutes. De telles paroles le dépassent. Un instant, il se laisse aller à évaluer le pour et le contre des propos rendus, puis brusquement, tout son être se rebelle à la simple idée de remettre ses convictions en doute.

«Qui est cette folle qui croit tout savoir sur la vie et les choses?» murmure-t-il.

Il se demande quelle va être la meilleure recommandation à faire pour cette femme visiblement contre-révolutionnaire. Il se méfie des traitements psychiatriques, il y a toujours quelqu'un pour aller rapporter la chose aux correspondants étrangers. Il imagine, une seconde, les gros titres dans la presse impérialiste et écarte cette idée qui pourrait lui retomber sur le nez. Il n'aime pas beaucoup les camps de travail non plus, il les considère comme des foyers latents de rébellion. Il ne peut pas non plus laisser passer de tels propos, cette femme est capable de semer la confusion dans les meilleurs esprits.

Il y a bien l'élimination. Un regrettable accident.

Souslov n'est pas habilité à ordonner un tel acte mais il peut très bien se servir de sous-entendus pour le recommander.

Encore une fois, il soupèse le pour et le contre, avant de décider qu'il lui faut trouver quelque chose d'original, qui le fera remarquer auprès de ses supérieurs. Il est important que ces gens-là s'aperçoivent enfin combien son jugement est aigu et ses recommandations subtiles.

Pendant qu'il réfléchit, son regard s'attarde sur la carte murale de l'Union soviétique, unique ornement des murs verdâtres de son bureau.

«Quel est le nom déjà de cette petite île solitaire, au nord de la péninsule des Tchouktches? Elle doit être terriblement isolée, terriblement hostile.» Il a froid dans le dos rien que d'y penser.

Soudain, l'idée jaillit dans son cerveau. Bien sûr! C'est là qu'il faut envoyer cette folle de Mouza Krilov. Il doit bien y avoir quelques nomades abrutis, dans ce coin-là, ayant besoin d'un médecin.

Il ricane et prend son crayon pour annoter ses recommandations. Il imagine déjà sa belle *Skoda* blanche avec l'intérieur rouge. Rouge comme le drapeau.

«Avec cette voiture, je vais me trouver une maîtresse. Une vraie femme, qui me fera bander jusqu'aux étoiles. Avec *Spoutnik*, *Soyouz* et *Mir*. Pour la Patrie!»

***

À quelques rues de là, Vassilii Smolosidov pénètre dans une cabine téléphonique. Il a trois appels à faire. Sûrement les trois appels les plus importants de son existence.

À Yalta entre le 4 et le 11 février 1945, l'homme qui se prépare à téléphoner se trouvait être l'un des officiers de l'état-major de Joseph Staline. Contrairement à ce qu'il a toujours laissé paraître, il déteste Staline, la révolution, le bolchevisme et tout ce qui s'y rapporte. Ennemi juré du système, il s'est fixé pour mission de le combattre de l'intérieur. En 1918, fils d'un propriétaire terrien réputé pour avoir fourni de l'aide à l'Armée blanche, il n'avait que six ans le jour où il a vu sa famille anéantie sous un déluge de mitraille venant d'un bataillon de l'Armée rouge, qui avait encerclé la maison familiale. Il ne dut la vie qu'au fait qu'à ce moment-là il se trouvait être sur le chemin de retour d'une partie de pêche.

Tapi derrière un rideau de bouleaux, il a vu les soldats tirer interminablement sur sa maison. Il les a entendus rire quand, las de tirer, ils ont mis le feu à la bâtisse. Seule sa grande sœur était sortie des flammes, pour la plus folle joie des hommes qui se sont précipités sur elle. Un à un, il les a vus baisser leurs pantalons de grosse toile et se vautrer sur Tania qui hurlait. Il a vu enfin l'officier qui, d'un coup de baïonnette, a égorgé Tania tout en se masturbant sur elle. Il a voulu crier pour être entendu jusqu'au ciel mais les sons se bloquaient dans sa gorge. Il a serré ses doigts si fort que ses ongles lui ont entaillé la paume des mains.

Errant de ferme en ferme, il a finalement été recueilli par un paysan qui, moyennant une miche de pain noir chaque jour, l'a fait travailler de l'aube jusqu'à la nuit. Il a raconté son histoire au paysan, qui a ri. Il était juste, selon lui, d'anéantir les bourgeois et de labourer leurs filles.

Il n'avait que quatorze ans quand, s'étant levé au milieu de la nuit et armé du couteau qui servait à saigner les cochons, il a tranché le cou du paysan, de sa femme et de leur fils qui était du même âge que lui. Avant que l'aube n'arrive, il a mis les corps dans des sacs de jute, qu'il a lestés de pierres et jetés dans la mare à purin, profonde de plus de deux mètres.

Usurpant l'identité du fils, son baluchon sur l'épaule, il a pris le chemin de Moscou, bien décidé à poursuivre sa vengeance, qu'il veut étendre à tous ceux qui se réclament de la révolution d'Octobre.

À Yalta, il travaillait aux Affaires étrangères, sous les ordres de Mikoyan, lorsqu'il a approché ses comparses américains et leur a proposé ses services. Tout ce qu'il leur demandait, en échange, était de s'arranger pour le faire grimper dans le Parti communiste. Durant des années à Langley, en Virginie, des stratèges ont étudié ce qu'il devrait dire ou faire pour se hisser dans la hiérarchie du pouvoir et, surtout, y rester. Il a fourni des renseignements de première main pendant toutes ces années, puis un jour il fut abordé, alors qu'il sortait seul d'un restaurant. Le contact, en l'occurrence un joueur de hockey canadien qui lui demandait du feu, lui a expliqué que Washington n'attendait plus rien de lui, aussi longtemps que l'Union soviétique ne songerait pas à étendre son hégémonie brutalement. Le jour où il saurait qu'une semblable décision serait prise par le Kremlin, il lui faudrait aussitôt placer trois appels téléphoniques aux numéros qui lui seraient remis ou communiqués chaque fois que l'un d'eux changerait. En attendant, tout ce qu'il avait à faire était de mémoriser les numéros.

Smolosidov compose le premier numéro. La ligne n'est pas occupée et au bout de quelques secondes une voix féminine répond:

«Da?»

Smolosidov prononce lentement les quatre syllabes qu'il doit dire à chacun des trois numéros:

«Harmaguedon.»

C'est tout, il n'a rien d'autre à ajouter. Il raccroche et compose le second numéro.

Smolosidov est très bien placé pour faire part de la nouvelle. Président du Conseil des ministres, il est l'un des douze hommes du Politburo qui se sont réunis pour prendre la décision. Un sourire de satisfaction se peint sur le visage du vieillard. Il a eu peur de ne plus être là au moment voulu. Maintenant, il a fait ce qu'il avait à faire et dans quelques heures, peut-être moins, les gens du Capitole vont avoir de gros soucis.

MAISON-BLANCHE, WASHINGTON D.C., U.S.A.

Comme chaque matin, à cette heure matinale, le Président fait ses dix longueurs dans la piscine située dans la partie nord de la Maison-Blanche. «Un esprit sain dans un corps sain!» demeure l'une de ses nombreuses devises.

Il y a longtemps, malgré l'intermède Reagan, peut-être depuis John F. Kennedy, que l'Amérique attendait un président comme lui. Un homme de charisme, auquel chaque citoyen pouvait honorablement s'identifier. Deuxième président que le cinéma ait donné au pays, il a su rallier la nation derrière lui en quelques mois. Ses films l'ont idéalisé comme un chevalier des temps modernes, indépendant, redresseur de torts, défenseur de la veuve et de l'orphelin. L'homme sur les pieds duquel il ne faut pas marcher. Tout comme quelques-uns de ses prédécesseurs, c'est cette image qu'il a cultivée tout au long de sa campagne et encore accentuée depuis son accession à la présidence. Chaque Américain s'est frotté les mains lors de la dernière conférence des Sept, qui a été sa première visite à l'étranger depuis le début de son mandat. Après que chaque participant eut critiqué le taux du dollar, comme il est d'usage en pareille circonstance, il a tranquillement demandé:

«Vous le voulez comment, le dollar?

— Plus haut, affirma le président français sur un ton modulé.

— L'an passé vous le vouliez plus bas!

— Les circonstances étaient différentes.

— De mémoire de président, il n'y a pas eu une seule année où le dollar était à votre goût. Permettez-moi de vous suggérer de convertir vos monnaies respectives en dollars, comme ça tout le monde sera content.»

Aucun des chefs d'État présents n'avait pu déterminer s'il s'agissait là d'une plaisanterie à froid ou vraiment d'un conseil. Toujours est-il que la population américaine a applaudi. Elle a enfin trouvé celui qui ne se mettra pas à genoux devant les Européens, les Japonais ou Moscou.

C'est son style.

Il en est à sa troisième longueur lorsque Matt Vaughan, le Premier secrétaire, s'avance au bord de la piscine.

«Monsieur le Président, dit-il haletant, Charles Niles voudrait vous voir immédiatement. Il affirme que c'est de la première urgence.

— Assez urgent pour que j'écourte mon bain?

— Je le pense, sinon il ne m'aurait pas tiré du lit à cette heure.

— C'est vrai que vous êtes un adepte de la grasse matinée. Savez-vous, Matt, que l'oisiveté est mère de tous les vices?»

Le Premier secrétaire ne relève pas la boutade et tend la main au Président pour l'aider à sortir de l'eau. Il explique:

— Niles paraissait survolté quand il m'a appelé.

— La CIA est toujours survoltée.»

Le Président enfile un peignoir de coton blanc et se dirige vers le Bureau ovale, suivi de Matt Vaughan.

— Avez-vous idée de ce dont il s'agit?

— Niles n'a rien voulu me dire. J'ignore pourquoi.»

Le Président observe son secrétaire, qui porte magnifiquement ses quarante-cinq ans. Cheveux très courts, visage franc, toujours vêtu d'un sempiternel complet d'alpaga bleu pétrole. C'est l'un de ces hommes qui inspirent immanquablement la sympathie à tous ceux qu'ils rencontrent.

Le Président demande au *marine* qui garde la porte de son bureau, de faire entrer Niles dès qu'il se présentera. Dans la pièce ovale, il entreprend de préparer lui-même trois tasses de café, sous le regard attentif du Premier secrétaire.

«Matt, je vois à votre regard que vous avez l'air de penser que ce n'est pas là le travail d'un président?

— Pas du tout!

— Je vais vous faire un aveu: je crois que j'aurais préféré un travail manuel. Il me semble que c'est plus sain.

— C'est un point de vue.»

Il fait toujours nuit dehors. S'approchant d'une fenêtre pour regarder le ciel, le Président s'attarde dans la contemplation des étoiles qui scintillent encore dans un ciel sans nuage.

«Savez-vous ce que je crois, Matt? Je pense que toutes ces étoiles nous attendent. Je ne crois pas aux petits bonshommes verts. Ces étoiles et les planètes qui doivent graviter autour sont pour nous. Mon vœu le plus cher, pendant le mandat qui m'est assigné, est de donner une impulsion prépondérante à la course au cosmos. C'est là que se trouve l'avenir de l'humanité. La seule question que je me pose est de savoir si les hommes sont prêts pour cela.

Il n'a pas le temps d'approfondir ses pensées, car l'homme qu'ils attendent entre en coup de vent.

Charles Niles est le patron de la CIA et le directeur adjoint de la NSA, depuis le début du présent mandat présidentiel.

Sa carrière est fort curieuse: doublement diplômé en histoire et en sciences politiques à Harvard, il aurait pu occuper un poste de professeur dans les meilleures institutions mais, sans que personne ne puisse en comprendre les raisons, il s'était inscrit à West Point. Promu lieutenant, il reprit la vie civile au sein du *Hudson Institute*, en qualité de conseiller stratégique, participant à l'élaboration de milliers de scénarios sur un seul et même sujet, à savoir: la prochaine guerre.

De forte corpulence, vêtu sans aucune recherche, il pourrait aussi bien passer pour un joueur de football professionnel que pour un professeur versé dans les sciences pures.

Il se précipite vers le Président, les yeux brillants et la main tendue.

«Monsieur le Président, je crois que ça y est!»

Le chef d'État le regarde une seconde, sans comprendre:

«Expliquez-vous, Charles.

— Smolosidov, vous connaissez?

— Évidemment, c'est le président du Conseil des ministres chez les rouges.

— C'est exact, monsieur le Président, mais c'est aussi notre homme au Kremlin.

— Hein! Voulez-vous dire que ce vieillard travaille pour nous?»

Cette fois, le Président paraît fort surpris.

«Il travaille pour nous depuis les accords de Yalta.

— Pourquoi ne m'a t-on pas mis au courant?

— L'occasion n'a pas dû se présenter; en fait Smolosidov était sur la touche depuis des années. Nous le protégions dans le seul but de nous prévenir si...»

Le patron de la CIA s'arrête un instant, cherchant ses mots:

«Son rôle était de nous prévenir s'il apprenait l'imminence d'un conflit majeur.

— Parlez-vous de l'imminence d'une attaque nucléaire?

— Pas nécessairement; en fait, dans le cas présent, il nous prévient d'un conflit de type conventionnel. Il avait un jeu de trois mots à sa disposition: Apocalypse pour une attaque nucléaire, Harmague-

41

don pour un conflit conventionnel sur l'Europe de l'Ouest et Harmonie dans le cas, malheureusement très improbable, d'un grand bouleversement intérieur. Il a employé Harmaguedon.»

Le Président jette un regard dégoûté autour de lui:

«Il fallait que ça arrive», murmure-t-il.

Puis se tournant vers le Premier secrétaire:

«Matt, réunissez ici, de toute urgence, ces messieurs du Pentagone, et aussi faites venir le major général Harry Steelman. Arrangez-vous pour que leurs déplacements passent inaperçus.»

Pris d'un doute, il regarde Niles dans les yeux.

«Êtes-vous certain que le camarade Smolosidov ne nous mène pas en bateau?

— Je ne crois pas, ses renseignements ont toujours été exacts. De plus, il voue une haine sans borne à tout ce qui est communiste.

— Il cache bien son jeu.

— Sa haine est assez grande pour cela.»

Le Président avale d'une lampée son café qui refroidit, avant de continuer:

«Quelles nouvelles avons-nous des observateurs et des satellites de surveillance?

— Tout est normal pour l'instant, aucun mouvement de troupe, aucun incident particulier.

— Ce qui fait que nous avons juste la parole de Smolosidov?

— Il nous a prévenus dès qu'il a pris connaissance des faits. C'est pour cela que nous le maintenions au silence, de peur qu'il ne se brûle.»

Le Président secoue la tête, comme accablé par la bêtise de l'humanité.

«Quand je pense, dit-il désabusé, que nous sommes en plein désarmement.»

Niles ne paraît pas de cet avis.

«Sans vouloir paraître suffisant, je vous rappelle que j'avais émis des réserves à l'idée de désamorcer notre arsenal nucléaire. La supériorité des forces du Pacte de Varsovie, en matière d'armes conventionnelles, est flagrante. Il est rationnel pour les rouges de vouloir occuper l'Europe, à présent qu'ils n'ont plus à redouter que les foudres du ciel ne leur tombent sur la tête.

— Ils ont certainement plus d'armes mais nous avons la technologie de notre côté. Et puis, à ce que je sache, il reste encore suffisamment d'ogives pour les détruire à cent pour cent.

— Deux ou trois bombes H dans la haute atmosphère et toutes les puces qui assurent notre supériorité technologique seront inopérantes.»

Le Président ne semble pas vraiment porter attention aux implications de ces dernières paroles.

«De toute façon, je crois que votre ami du Kremlin nous parle d'une guerre conventionnelle?

— Le tout est de savoir si elle pourra le rester et combien de temps. Si nous nous en mêlons, je n'ai pas beaucoup d'espoir.

— Ils ne s'imaginent tout de même pas que nous resterons là les bras croisés?»

Niles se veut très objectif:

«Que pourrions-nous faire hormis protester, monsieur le Président? Ils sont sur le terrain et nous, nous avons l'Atlantique à traverser.

— Le conseiller Steelman m'a déjà donné des idées là-dessus.

— Je crois que vous voulez parler d'une riposte par l'Arctique, pendant que le gros des forces du Pacte sera massé en Europe occidentale?

— Exact.

— L'été touche à sa fin et, durant l'hiver, l'Arctique n'est pas une sinécure. Les gens du Pentagone vous le confirmeront.»

Le Président regarde devant lui de telle façon que Charles Niles ne peut s'empêcher de penser qu'il a déjà vu ce regard dans un des westerns dont le Président, alors acteur, a été le héros. Un regard froid, détaché et sûr de lui.

«Nous verrons, dit-il. Nous verrons.»

RIO DE JANEIRO, BRÉSIL

Adossée au mur de tôle de sa maison, dernière habitation de la ruelle poussiéreuse et malodorante, Trinidad écoute l'homme qui, debout sur une caisse de bois, demande des volontaires.

«Je vous le dis, s'époumone-t-il, c'est certainement la seule chance que vous aurez de vous évader pour toujours de cette favela.»

Getùlio, le père de Trinidad, demande:

«Tu nous dis qu'il y a du travail pour nous dans l'État de Parà. C'est très bien mais tu ne dis pas les conditions?

— Laissez-moi le temps d'y venir. Je ne vous cache pas que les conditions sont dures. Comme vous le savez, on n'a rien pour rien. Tout d'abord, il vous faudra signer un contrat d'une durée de trois ans avec l'employeur. La Compagnie paiera votre voyage pour aller et celui du retour. Si vous vouliez revenir avant la fin du contrat, il vous faudrait évidemment payer vous-mêmes les frais du retour.»

Une autre voix s'élève parmi les auditeurs:

«Tu veux dire qu'il faudra laisser nos familles pendant trois ans?

— C'est malheureusement le cas et je dois vous dire tout de suite, pour ceux qui y songeraient, que vous ne pourrez pas faire venir les vôtres, car vous vivrez dans des camps provisoires, loin de toute civilisation.»

Une autre voix, avec raillerie:

«Qui peut me dire quelle femme attendra sagement, pendant trois ans, le retour de son mari?»

Une femme répond:

«Et qui peut me dire quel est le bonhomme qui sera capable de passer trois ans sans offrir de mamours à son zizi?»

Le recruteur connaît son monde et il cherche à ménager chacun:

«Des mesures d'hygiène seront prises mais ceux qui ne sont pas capables d'un sacrifice pour le bien de leur famille, n'ont pas besoin de m'écouter davantage. Qu'ils retournent chez eux, dans l'attente de jours meilleurs.»

Getùlio pose la question qui intéresse tout le monde:

«Tu ne nous as pas parlé du salaire?

— J'y arrive. Vous travaillerez six jours par semaine; tous les six mois, vous aurez une semaine de repos complète et payée. Le septième jour de chaque semaine sera également payé à plein tarif, ce qui veut dire que pendant trois ans, soit 1 095 jours, vous serez rétribués sur la base de 12 dollars américains, en cruzados, selon le cours des changes, de sorte que votre salaire ne sera pas affecté par les dévaluations ou inflations. Au bout de trois ans, vous disposerez donc d'une somme équivalente à environ 13 000 dollars américains. Pour ceux qui ne sont pas capables de faire la conversion, sachez que c'est assez pour se payer une vraie maison ou se démarrer un bon petit commerce rentable.»

Un murmure d'approbation balaie l'assistance.

«Mais que faudra-t-il faire? demande une autre voix.

— Abattre des arbres. Rien d'autre. La Compagnie vous fournira les scies mécaniques ainsi que le carburant, l'huile et le casque de sécurité. Pour ceux qui n'ont jamais abattu un arbre, une formation sera donnée. Vous verrez, ce n'est pas compliqué.»

Il n'ajoute pas que cela se passera dans la jungle étouffante et humide, au royaume des moustiques et autres bestioles. Du lever au coucher du soleil. Que les tronçonneuses d'un modèle ancien sont très lourdes et qu'il y a longtemps que les bûcherons canadiens ou scandinaves n'en veulent plus. Il ne dit pas non plus qu'en cas d'accident le malheureux a de fortes chances d'y rester, étant donné l'éloignement. Pas plus sur les maladies, dont chacun sera très certainement victime à un moment ou l'autre. Enfin, il évite bien de mentionner que les cigarettes, les bouteilles d'alcool, les filles qui visitent les camps (pour l'hygiène), tout cela sera déduit de leur salaire. Pour ces gens, le seul fait de mentionner un salaire de 12 dollars américains par jour est une bénédiction. Il ne leur viendrait même pas à l'idée qu'un bûcheron nord-américain gagne ces 12 dollars en une heure de travail, assis dans une bûcheronne mécanique équipée d'air climatisé et de musique en stéréophonie.

Le recruteur ouvre une petite valise et en sort une liasse de papier.

«Les contrats, dit-il: ceux qui veulent signer peuvent le faire immédiatement. Après, il sera peut-être trop tard. Ah! j'oubliais; les plus de quarante-cinq ans et ceux à qui il manque un membre, un œil, ou tout simplement du poil au cul, ceux-là ne peuvent pas signer.»

Getùlio regarde Clarice, sa femme, qui se tient près de Trinidad. Il lit dans ses yeux comme une supplique muette. Il s'approche:

«Il faut que j'y aille, Clarice. C'est notre chance.

— J'ai peur, dit-elle.

— Voyons donc! Tu me connais, que veux-tu qu'il m'arrive?

45

Dans trois ans je serai de retour et nous pourrons nous payer la petite ferme dont nous avons toujours rêvé. Nous pourrons nourrir, éduquer, habiller nos enfants et leur donner du travail.»

Elle acquiesce sans conviction:

«Peut-être.

— Non! pas peut-être, c'est sûr!

— Comment allons-nous vivre pendant ces trois années?

— Il va falloir que Luiz, Felipe et Graciliano cessent un peu de courir les rues et trouvent le moyen de ramener ce qu'il faut à la maison. À leur âge, j'étais déjà dans les champs de café.»

Il se tourne vers Trinidad:

«Toi aussi, petite, tu vas aider ta mère?

— Mais je l'aide déjà, papa!

— C'est vrai, tu es une bonne petite fille.»

Getùlio est toujours ému en présence de Trinidad. Elle n'a que douze ans mais réfléchit depuis longtemps comme une femme. Ses yeux noirs brillent toujours de gentillesse envers ceux à qui elle s'adresse.

«Je ne veux pas que tu partes, papa, dit-elle soudain.

— Il le faut, ma poupée. Il le faut si nous voulons pouvoir un jour quitter ces lieux, qui ne sont pas faits pour des êtres humains.»

Elle baisse les yeux, de peur que son père n'y lise la crainte qu'elle a de ne plus le revoir.

Clarice, elle, songe qu'ils ont déjà possédé leur petite plantation, avant de venir s'échouer sur cette colline escarpée, abritant plus d'habitants dans ses taudis que tous les beaux immeubles bordant la baie de Guanabara.

Quelques arpents dans le Paranà, près de Tibaji. Ils avaient essayé le café mais le sol avait déjà été appauvri par l'exploitation abusive d'un ancien *fazendeiro*. Leurs moyens ne leur permettaient pas d'amender le sol avec les engrais chimiques nécessaires, pas plus qu'ils ne pouvaient lutter contre les fourmis et les sauterelles qui s'attaquaient aux plants. Un beau jour, Getùlio avait annoncé:

«Je vous emmène tous dans le plus beau pays du monde.»

Il ne se trompait pas. Rio offre l'un des plus beaux panoramas qui soient. Ce qu'il ne savait pas ou ne voulait pas savoir, c'est que près de deux millions d'infortunés des favelas attendaient, avant lui, de récolter les fruits de l'arbre de la prospérité. Il ne savait pas que ses enfants seraient condamnés à errer dans des rues où les égouts coulent à ciel ouvert. Il ne savait pas que leur demeure serait un cube de tôles glanées ici et là. Il n'avait pas imaginé que son fils aîné, Lùcio, serait abattu alors qu'il s'enfuyait avec le sac à main qu'il venait de dérober. Pas plus que sa fille Rosa, la grande sœur de Trinidad, ne vendrait ses charmes à des marins, dans un cabaret du port. Il avait eu du mal à avaler le rôti de bœuf qu'un jour elle avait ramené: il en avait découvert le prix.

Getùlio ne peut rien faire. Ceux qui osent élever la voix, on les retrouve un beau matin, baignant dans leur sang.

Une seconde, il serre sa femme contre lui, puis se dirige d'un pas décidé vers le recruteur.

«Ton nom? demande ce dernier.

— Getùlio Bagaceira.

— Âge?

— Quarante-deux.

— As-tu tes papiers?»

Getùlio les lui montre.

«Parfait. Tu signes ici, tu vas préparer ton bagage et sois présent dans une heure, en bas de la colline. Il y a deux autobus bleus qui attendent.»

Getùlio revient vers sa femme et la prend dans ses bras.

«C'est précipité comme départ», dit-il essayant d'affecter un air serein.

Clarice enfouit sa tête dans l'épaule de son mari, cachant ses larmes.

«Ce n'est pas juste», fait Trinidad.

Son père la regarde et hausse tristement les épaules.

«Il ne faut jamais prendre la justice pour un acquis», dit-il.

Abandonnant sa femme quelques instants, il s'accroupit et prend sa petite fille par les épaules.

«Quand je reviendrai, tu seras une femme et je veux que tu me promettes une chose.

— Je promets, dit-elle candide.

— J'aime beaucoup Rosa mais ne fais jamais ce qu'elle fait. Je te supplie de m'attendre. Quand je reviendrai, tout sera changé pour nous.

— J'attendrai, papa.

— C'est bien! Maintenant je vais te dire une chose que les prêtres n'admettent jamais. Comme tu le disais tout à l'heure, il n'y

47

a pas de justice, et cela est vrai, pour la bonne raison que c'est le Diable qui est le maître de ce monde. Il en est le maître parce que les hommes ne font rien pour attirer le règne de Dieu. Même s'ils le demandent dans leurs prières. Alors Trinidad, quoi qu'il arrive, il ne faut jamais que tu obéisses au maître de ce monde.»

La petite fille a un beau sourire:

«Je te le promets aussi, papa!»

Il lui dépose un baiser sur le front et, dans une attitude protectrice, embrasse longuement Clarice. Le même spectacle a lieu en de nombreuses places de la ruelle. Avant de partir, il dit à sa femme:

«Tu expliqueras tout aux garçons.»

Puis, avec un rire forcé, il se tape la paume des mains sur le torse, en lançant à qui veut l'entendre:

«Nous, les *zambos*, on est les meilleurs!»

Il est fier de sa race.

Issu d'un père noir descendant d'esclaves venus d'Afrique, et d'une mère dont les ancêtres furent soumis par les Ibères au nom de l'Église, du Roi et du Commerce, Getùlio descend la colline pour un long voyage en autobus bleu, avec pour mission d'abattre la forêt qui a abrité et nourri les ancêtres de sa mère.

BIG BEAVER, SASKATCHEWAN, CANADA

Jambes étendues, confortablement installé dans un fauteuil berçant sur la galerie extérieure du ranch familial, David Cussler laisse son regard se repaître du spectacle qu'il a sous les yeux. Le soleil, énorme disque orange, glisse lentement sous la ligne délimitant la prairie vallonnée et le ciel immense. Bienheureux, il ne fait rien d'autre que de laisser l'odeur inimitable de la prairie, à la brunante, investir ses narines, ses bronches, ses poumons, son âme.

Il est heureux. Lieutenant-colonel dans l'Aviation canadienne, il y a presque huit mois qu'il n'avait pas eu l'occasion de venir se reposer chez lui. À chaque fois, c'est pour lui comme une régénération. Il revit tous ses souvenirs heureux de l'enfance. Souvenirs faits de chevauchées, sous ce ciel gigantesque comme il n'en existe nulle part ailleurs. Souvenirs d'hivers sans fin où il inventait mille jeux, au cours desquels la neige devenait tantôt fort, tantôt souterrain, ou tout ce que l'imagination débordante d'un enfant voulait qu'elle soit. Souvenirs des veillées au coin du feu, quand sa mère contait des légendes inquiétantes, qu'amplifiaient les flammes se reflétant sur les murs de la maison, comme une île au milieu du blizzard. Souvenirs des nuits printanières à la belle étoile, lorsqu'il s'agissait de rassembler le troupeau et de marquer les jeunes veaux.

Sara, sa mère, vient le retrouver. Passé la cinquantaine, elle conserve toujours cette allure fière et altière qui la caractérise. David ne la voit pas changer, il la trouve toujours aussi belle. Son père savait ce qu'il faisait, le jour maintenant lointain où, jeune immigrant écossais, il était allé la chercher à la réserve. Sara est une Ojibwa et David, par le fait même, un métis. Le seul métis sur F-18, dit-on à Bagotville où il est basé.

Sara s'assied près de lui.

«C'est beau!» dit-elle en désignant le paysage environnant.

Il approuve:

«Rien ne change ici et j'en suis heureux.

— Oh! si, David, beaucoup de choses ont changé. Tes frères et sœurs sont tous partis et, parfois, les journées sont bien longues pour Scott et moi. Quand vous étiez là, il y avait toujours quelque chose à faire. Aujourd'hui plus rien ne se salit et préparer le repas pour deux ne prend pas toute la journée.

— Que fais-tu alors?

— Je me suis trouvé une occupation: j'écris l'histoire de notre peuple.»

Il se tourne vers sa mère, intrigué:

«Tu racontes l'histoire des Ojibwas?

— Celle des Amérindiens en général. Je veux le faire avant que tout ne soit oublié.»

Elle le regarde en souriant:

«Les Indiens d'aujourd'hui pilotent des avions de chasse, comment pourraient-ils se rappeler qu'ils ont colonisé le continent et, surtout, qu'ils l'ont laissé intact jusqu'à l'arrivée des Européens? Il est grand temps que, dans les écoles, les enfants comprennent que Jacques Cartier n'était pas le premier ni même le deuxième.

— Tu ne voudrais tout de même pas que j'abandonne tout pour traquer le bison ou trapper le castor?»

Elle secoue négativement la tête:

«Il ne s'agit pas de cela, David. Il y a eu une épopée et elle est enfouie au fond des mémoires. Je veux l'exhumer pour redonner des racines à tous ceux de notre peuple. Le jour où nous serons fiers de notre passé, ce jour-là, nous pourrons regarder résolument vers l'avenir.

— Je comprends ce que tu veux dire. Ils sont encore beaucoup trop nombreux, aujourd'hui, ceux qui voudraient revenir en arrière. Ils ne réalisent pas que c'est du folklore. On ne peut pas marcher vers l'avenir en regrettant le passé.

— Et pour cela il faut savoir vraiment ce qu'a été le passé et, surtout, en comprendre ses buts et raisons.

— Peux-tu me les expliquer, maman?

— Laisse-moi te conter une histoire. Une histoire vraie.»

Et soudain, comme lorsqu'il était enfant, David se laisse emporter par la magie du talent narrateur de sa mère. Le ranch et la prairie disparaissent. Il est là où elle veut qu'il soit: quelque part entre l'Asie et l'Amérique.

Il y a cinquante mille années, peut-être plus, peut-être moins, peu importe, ce qu'il faudra retenir c'est qu'ils arrivent.

Il y a là, au milieu du marécage, trois petits abris formés de peaux de caribous tendues sur quelques piquets de bois. Le sol à l'intérieur de l'abri est creusé à trente centimètres de profondeur, et ce pour offrir une protection contre le vent froid et humide qui sans cesse balaie la Béringie en hurlant.

Contrée sans passé et sans avenir, qui vient des flots et y retournera. Pont dressé entre la toundra stérile et l'inconnu. Lieu de solitude, les hommes qui se trouvent là n'en ont pas conscience. Ce sont des chasseurs qui traquent le gibier, où qu'il se trouve. Ils sont nés dans le froid et la solitude, leur vie s'y déroulera sous le signe d'un incessant combat contre la faim, les éléments et... peut-être sans le savoir, contre cette gangrène qui ronge l'individu au plus profond de lui: la peur d'être seul. À l'aube des pas qu'ils vont poser, il y a cette formidable bataille à gagner: vaincre l'angoisse, vaincre la solitude...

Pendant près d'une heure, l'histoire se déroule, puis Sara marque une pause dans son récit. David, les yeux perdus dans le vague, entrevoit toute la grandeur et la nécessité des gestes évoqués par sa mère.

«Nous venons tous du vieux monde, alors?»

Elle fait signe que oui. Il reprend:

«Tout ce continent qui ne servait à personne auparavant, me fait penser aux planètes qui doivent bien exister quelque part dans le cosmos. Leur utilité n'est-elle pas de nous recevoir un jour?

— Peut-être... Reste à savoir qui seront les premiers indiens qui les fouleront?

— Continue, maman.

— Tu veux?

— Bien sûr!»

Et de nouveau il se laisse transporter. Comme lorsqu'il était enfant.

Dix mois aujourd'hui qu'ils ont posé le pied sur ce nouveau continent. Si ce n'est l'interminable nuit et les mêmes rigueurs climatiques, tout leur semble différent. Le paysage en premier lieu. De plat, le terrain est devenu accidenté. Ils ont voyagé le long de profondes vallées et, un beau jour, ils se sont arrêtés devant la courbe majestueuse d'un fleuve, comme il n'en ont jamais vu. Ils s'y sont installés et, après y avoir séjourné durant la longue nuit, ils y sont encore. Ce qui les a d'abord fascinés, ce sont les arbres, totalement différents des saules rabougris qu'ils ont toujours connus. Ici, ce sont des épinettes droites qui s'élancent vers le ciel et restent vertes en toute saison. La faune aussi est nouvelle: outre l'éternel caribou suivi des loups qui leur sont associés, ils ont fait la connaissance du castor géant qui peut peser jusqu'à cent vingt-cinq kilos, et de l'inquiétant ours à face courte, un géant qui hante les lieux et à côté duquel l'ours brun aurait l'air d'un nabot. Mais le plus important, c'est le fleuve: ses eaux regorgent de poisson et, pour la première fois de leur vie, les chasseurs savent qu'ils ne manqueront plus jamais de nourriture. Le poisson sera toujours là. Aussi, et ceci est entièrement nouveau également, ils sont le long de ce fleuve et n'ont plus envie d'en bouger. Pourquoi aller plus loin quand tout ce dont on a besoin est sur place?

Ce soir, ils sont assis autour d'un feu qui crépite joyeusement et lance ses flammèches haut vers le ciel. La journée a été bonne: Iska a accouché d'un garçon qui s'est tout de suite mis à brailler. Le bébé a l'air vigoureux et la mère est en bonne santé. Hormis un mort-né dans le courant de l'hiver, c'est le premier enfant qui vient au monde sous ces cieux. Personne n'en conçoit d'inquiétude, les aliments ne semblent pas vouloir faire défaut. Les hommes sont détendus, la belle saison ne fait que commencer, ils voient l'avenir avec optimisme. Bien sûr, il va leur falloir tout réapprendre, le castor ne s'attrape pas comme le caribou! Les plantes ici sont différentes, il va falloir déterminer celles qui peuvent rendre malade. L'ours à face courte est extrêmement belliqueux et les pieux de bois n'ont pas trop d'efficacité contre lui. Il doit aussi exister un meilleur moyen d'attraper le poisson que d'attendre, armé d'une fourche en bois, qu'il passe en eau peu profonde.

Iska, qui a eu son garçon il n'y a pas plus de douze heures, sort de sa hutte et vient se joindre aux autres autour du feu. Chacun lui fait un signe de la tête qui veut dire beaucoup. C'est à la fois un remerciement du groupe, qui est heureux de compter un nouveau membre, un encouragement pour les difficultés à venir, des félicitations pour le beau bébé et la façon sans histoire dont elle l'a mis au monde. Tout cela en un seul signe de la tête et, aussi, dans ce qu'elle peut lire à même les yeux de ceux qui l'entourent. Qui pourrait faire mieux avec des mots?

Heureuse, elle penche la tête en arrière et contemple les multitudes d'étoiles qui scintillent dans la nuit violette débarrassée de toute tache. Une des dernières nuits avant que la lumière du soleil ne *s' installe définitivement. Alors, à sa propre surprise et à celle encore plus grande des autres qui n' ont jamais rien entendu de pareil, elle se met à chanter une lente mélopée sur un seul ton, avec des sons qui ne veulent rien dire aux oreilles mais tout dire à l' âme. Toucq regarde gravement les autres.*

«Bonne place», affirme-t-il.

Il sait, au fond de lui, qu' ils sont là pour y rester et que leurs descendants y resteront longtemps, très longtemps, le long du fleuve Yukon...

Il fait nuit depuis longtemps lorsque Sara cesse de parler. Scott, le père de David, est venu les retrouver et, derrière le nuage de sa pipe, il semble ne pas vouloir revenir de ces lieux étranges où sa femme les a transportés. Chacun garde quelques minutes de silence.

«Tu as un don pour conter les histoires, finit par dire David.

— Il ne s'agit pas d'une histoire, mais bien de l'Histoire avec un grand H. Celle de mon peuple. Sa genèse, en tout cas.

— Je crois avoir compris. Les motivations de ces gens étaient les mêmes que celles des autres peuples. Manger, s'abriter et, surtout, combattre la solitude. Seule la façon de faire était différente.

— Oui! Pour les Amérindiens, comme pour les autres peuples, il fallait se démarquer de la nature, modifier l'environnement, et c'est cela qui distingue l'homme de la bête. Si les Européens nous ont submergés, c'est qu'ils étaient en avance sur nous. Quand je dis en avance, je n'y mets aucune connotation de supériorité. Ils étaient en avance mais nous étions plus sages. C'est pourquoi, de nos jours, beaucoup d'écologistes se tournent vers notre passé. Ils se trompent aussi, nous étions en marche vers un aboutissement que les Européens, pressés, ont détourné. C'est à nous, maintenant, de retrouver notre progression à partir de ce que nous savons; et si l'on doit regarder vers le passé, que ce soit pour en retirer des leçons et non avec nostalgie.»

Scott voit les choses avec plus de pessimisme:

«J'ai bien l'impression qu'il est trop tard pour faire quelque chose. Les gens étant ce qu'ils sont, la seule chance, pour la planète, serait que nous nous bousillions tous sans faire trop de dégât. De toute façon ça ne servirait à rien, nous ne serions plus là pour jouir de la vie.»

David regarde son père. Lui non plus ne change pas à ses yeux.

Toujours le même homme. Peut-être ses cheveux ont-ils un peu blanchi et son visage s'est-il davantage raviné, mais il reste celui qu'il a toujours connu: large comme un ours, haut de plus de deux mètres, visage carré et volontaire; seuls ses yeux doux et bien-veillants rappellent que l'on n'a pas affaire à une brute.

Bien que de taille légèrement plus modeste, David lui ressemble sur bien des points, la différence se situant dans ce qu'il a hérité physiquement de sa mère: une démarche haute et, mentalement, une propension à analyser longuement tout ce qui se passe autour de lui.

«Et si tu nous parlais de ton travail? reprend Scott.

— Toujours la routine. Je décolle chaque jour pour des missions de reconnaissance ou pour tester de nouveaux instruments. De temps en temps, nous raccompagnons un Russe, trop curieux, dans l'espace aérien international; d'autres fois, c'est nous qui poussons la curio-sité plus loin que ne le voudrait la sagesse, et des Russes nous rac-compagnent.

— Est-ce que tu pilotes toujours des F-18?

— Oui, une merveilleuse machine.

— Il en tombe un tous les six mois.

— C'est normal, nous poussons les zincs au-delà du possible. Parfois, le seuil est dépassé.

— À coup de soixante-dix millions l'appareil, je trouve que vous pourriez rester dans les limites du possible. De toute façon, je ne vois pas comment vous faites pour vous écraser, je croyais que tout marchait avec des ordinateurs dans ces engins-là?

— Toutes les analyses sont faites par ordinateur mais c'est toujours le pilote qui détermine les analyses à effectuer.

— Toujours est-il que ces joujoux coûtent très cher aux contri-buables. C'est du gaspillage! Qui pourrait déclarer la guerre au Canada à l'époque où nous vivons?

— Je ne pense pas que personne ne déclare la guerre au Canada mais nous avons des alliances à soutenir.

— Eh bien moi, si j'étais le gouvernement, je dirais aux Euro-péens de se débrouiller tout seuls. Que leur doit-on? Deux fois il a fallu aller les démerder, et pour merci, les Français imposent sournoi-sement leur impérialisme culturel au Québec, ils en veulent à notre poisson de l'Atlantique. Les Anglais croient toujours, au fond de leur cœur, que nous demeurons l'une de leurs colonies; et je ne parle pas des Allemands, qui nous ont tiré dessus et à qui nous offrons maintenant, dans le Nord, des terrains grands comme leur pays pour qu'ils s'y amusent avec leurs jets, peut-être en attendant la réunification, avant de pouvoir remettre l'Europe à feu et à sang.»

David sourit. Son père s'emporte toujours lorsqu'il aborde des questions politiques.

«La France ne fait pas partie de l'organisation militaire de l'OTAN, papa. Nous avons surtout une alliance avec les États-Unis.»

Scott Cussler se radoucit: il aime les États-Unis.

«C'est pas pareil, dit-il, nous sommes sur le même bateau.»

Les phares d'une voiture apparaissent au portail du ranch.

«Qui peut arriver à cette heure? demande Sara.

— Ce doit être Zoé, répond David. Je l'ai appelée tout à l'heure pour lui dire que j'étais arrivé.»

La voiture vient se ranger devant la galerie et une jeune femme en sort toute joyeuse. Elle porte de longs cheveux blonds réunis par une tresse à leur extrémité. Le visage clair, plein de gaieté et de vivacité, elle est assez grande et peut-être un peu trop svelte pour sa taille. Elle est vêtue très simplement de jeans et d'un chemisier blanc sans fantaisie.

«Hello David! Bonjour Sara, bonjour monsieur Cussler!»

David s'avance à sa rencontre et la prend dans ses bras.

«Ça faisait longtemps, lui dit-il.

— Comment, longtemps? Une éternité, tu veux dire!»

La relation entre David et Zoé est une énigme pour les parents Cussler. Depuis le début de leur adolescence, ils les ont toujours vus ensemble. De l'amitié, affirment-ils l'un et l'autre. Pourtant personne ne leur connaît d'autre partenaire. Quand David s'est engagé dans l'armée, Zoé a longuement pleuré. Scott et Sara savent qu'ils s'écrivent régulièrement, au moins une fois par semaine, alors qu'eux ne reçoivent qu'une carte dans les grandes occasions, comme Noël.

David et Zoé, eux, savent bien ce qu'il en est.

C'est à l'école qu'ils sont entrés dans la vie l'un de l'autre. Ils avaient douze ans à l'époque.

Dans les jours qui suivaient la rentrée scolaire, le grand plaisir des garçons était d'agacer les filles. David était du nombre, jusqu'au moment où, dépeignant d'une forte voix Zoé de façon grossièrement caricaturale, il s'était arrêté net: ses yeux avaient rencontré ceux de la jeune fille. Il n'a jamais compris ce qui s'était passé en lui à cet instant. Il s'était soudain senti très stupide et, aussi, bien malheureux d'avoir ennuyé cette fille-là. En l'espace d'une seconde, tout son comportement avait changé: il voulait la consoler et la protéger des quolibets des autres. Un de ses camarades, qui riait encore, avait reçu un coup de poing sur le nez.

Puis il s'était approché de la jeune fille et lui avait dit:

«Excuse-moi, Zoé, je ne sais pas pourquoi j'ai dit tout ça.»

La nuit suivante, le nom lui était resté sur les lèvres et il trouvait merveilleux de pouvoir le prononcer. Le lendemain, à la récréation, sous le coup d'une impulsion qu'il n'aurait pu analyser, il glissa dans la poche de Zoé un papier sur lequel il avait écrit en grosses lettres bien travaillées:

ZOÉ JE T'AIME.

Le surlendemain, il trouvait un papier dans son pupitre:

JE T'AIME AUSSI DAVID.

De ce jour, ils ne se sont plus quittés et, pourtant, il n'a plus jamais été question entre eux des billets qu'ils s'étaient échangés. Chose étrange, ils ne se sont jamais embrassés comme le font tous les couples qui s'aiment. Des baisers sur les joues oui, mais jamais plus loin. Ils ont laissé passer trop de temps et aucun n'ose plus faire le premier pas pour donner vie à leur espoir. Car chacun rêve de le faire tout en sachant qu'il ne le fera pas.

Ils ont une passion commune: les étoiles. Zoé est diplômée en astronomie depuis le printemps et attend une affectation à l'Observatoire canadien d'Hawaii. David, lui, a opté pour l'aviation militaire, dans l'espoir bien incertain de devenir un jour astronaute.

Ils se rappellent bien les nuits qu'ils ont passées ensemble. Alors que tous ceux de leur âge étaient dans les dancings, eux couraient la prairie, télescope sous le bras, recherchant les meilleurs postes d'observation. Ils se rappellent également ce jour où, de très bonne heure le matin dans la prairie, ils sont restés saisis d'admiration devant la splendeur du ciel qui avait pris une teinte du plus beau mauve. Juste à l'horizon, la lune brillait comme jamais et, haut dans le ciel, Vénus scintillait tel un diamant. C'était beau. Ils s'étaient surpris, chacun, des larmes dans les yeux.

«Je suis heureuse, avait dit Zoé simplement.

— Moi aussi! Je te remercie, c'est grâce à toi.»

Effectivement, dans leurs mémoires, ils ne se rappellent pas avoir vécu de plus beaux moments et avoir ressenti un pareil bonheur.

***

«Entrons dans la maison, dit Sara, il commence à faire frais.»

Zoé, qui s'est accrochée au bras de David, lui demande de lui raconter tout ce qui s'est passé dans sa vie depuis qu'ils se sont vus.

«C'est surtout à toi de me raconter, de vive voix, quel effet ça t'a fait d'obtenir ton diplôme?»

Elle prend une attitude hautaine:

«Aucune surprise, il ne pouvait en être autrement.

— Ah? Pourtant la dernière fois que je t'ai vue, tu tremblais comme une feuille à l'idée des examens qui approchaient.»

Elle redevient naturelle:

«Tu ne peux pas savoir comme j'étais heureuse. J'aurais tant voulu que tu sois là.

— Comme moi la première fois où l'on m'a lâché tout seul à bord d'un chasseur.»

Ils se sourient avec compréhension.

Le téléphone sonne, le père de David va décrocher puis lui tend le combiné.

«Pour toi, David, un certain colonel Wilson», dit-il en grimaçant.

Sauf son fils, il n'aime rien de ce qui est militaire. Pour lui, chacun doit défendre lui-même sa place au soleil.

David fronce les sourcils. Ils n'ont pas l'habitude de l'appeler le premier jour de ses vacances.

«Merde!» fait-il tout bas, en prenant l'appareil.

MAISON-BLANCHE, WASHINGTON D.C., U.S.A.

Le *National Security Concil* est réuni au grand complet dans le Bureau ovale. Autour du Président siègent le Vice-président William P. Barrett, le secrétaire d'État Matt Vaughan, Alan Pearson de l'*Office Emergency Planning*, Dave Fawcett, secrétaire à la Défense, Harry Steelman, conseiller privé du Président pour les affaires de sécurité nationale. Le seul membre externe au conseil, Charles Niles de la CIA, explique que rien de nouveau ne s'est produit depuis la veille.

«Rien de nouveau, précise-t-il, sauf, peut-être, une recrudescence anormale de l'utilisation du service téléphonique à la grandeur de l'URSS.»

L'atmosphère est tendue. Chacun de ces hommes s'est déjà préparé mentalement à un conflit opposant le pays à l'Union soviétique mais aucun n'avait imaginé qu'un jour ils seraient prévenus à l'avance, sans qu'aucune escalade ne puisse le laisser présager. Ils en sont encore à se demander s'il faut porter foi à Smolosidov.

«Alors messieurs? demande le Président. Que suggérez-vous?»

Dave Fawcett, ex-directeur chez *Lockheed*, décharné et grave, méthodiste convaincu, confondant depuis toujours patriotisme et anti-communisme, est convaincu qu'il faut déployer les troupes de l'OTAN sans attendre.

«Je crois qu'il faut avertir dès maintenant les chefs d'États alliés et leur recommander la mobilisation générale.»

Le Président n'est pas tout à fait de cet avis:

«S'il s'agissait d'une fausse alerte, nous serions la risée générale et les Russes le prendraient, avec juste raison, pour une provocation.

— Nous pouvons quand même les aviser de ce que nous savons, reprend Fawcett.

— Je me suis déjà entretenu, hier, avec le Premier ministre canadien, qui m'a promis de prendre immédiatement, et très discrètement, les mesures qui s'imposent. Il reste les autres: Finlande, Suède, Norvège, Danemark, Hollande, Belgique, RFA, France, Italie, Autriche, Espagne, Portugal, Grèce, Turquie, Grande-Bretagne, Japon, Israël, Irlande, Islande et j'en passe. Je crois que je vais passer mon temps au téléphone.»

Alan Pearson, digne représentant d'une famille de hauts fonctionnaires depuis Abraham Lincoln, trouve qu'il est tout à fait à sa place au sein de l'OEP. Il propose une mesure pratique:

«Nous pourrions organiser une conférence téléphonique.

— Aucun risque d'être piraté? demande le Président.

— Rien n'est moins certain, admet Niles. Il y a beaucoup de lignes en jeu.»

Pearson reprend la parole:

«Nous pourrions convoquer une réunion d'urgence de tous les chefs d'États occidentaux, en invoquant une raison économique comme prétexte.

— Non! fait le Président. Si le conflit devait éclater pendant l'absence des chefs d'État de leurs pays, nous nous retrouverions avec un problème majeur. Gardons à l'esprit que, d'après ce que nous savons, les États-Unis ne sont pas encore inclus dans les visées soviétiques.

— Que voulez-vous dire? demande Fawcett.

— Tout simplement que si les Russes ne tentent rien contre notre pays directement, je veux que nous ayons le choix du lieu et du moment où nous pourrons exercer les représailles que nous impose notre alliance avec le reste de l'Occident. Selon moi, la première chose à faire est de retirer une partie de nos troupes stationnées en Europe.»

Le Vice-président Barrett regarde son chef comme s'il était soudain devenu fou:

«Nous ne pouvons tout de même pas abandonner l'Europe, dit-il sur un ton laissant bien entendre qu'il est outré que l'on puisse songer à pareille chose.

— Nous leur serons plus utiles sur un autre front, réplique le Président.

— Envoyons quelques missiles intercontinentaux en guise de semonce aux rouges», déclare Fawcett, toujours partisan des extrêmes.

Le Président songe que décidément le secrétaire à la Défense se montre un peu trop belliqueux.

«Ne vous laissez pas emporter, Dave. Si nous faisions cela, nous deviendrions la lie de l'humanité dans le meilleur des cas, et dans le pire, je préfère ne pas y penser.

— On ne peut pas rester sans rien faire», proclame W.P. Barrett, visiblement énervé de l'obstination apparente que le Président met à ne pas vouloir montrer les dents.

Le Président regarde chaque homme en silence, puis annonce:
«Voici, messieurs, ce que je propose. Un, nous informons les
Européens afin qu'ils se préparent à riposter. Deux, si les choses se
concrétisent, nous attendons que les Russes se fatiguent un peu sur
le front de l'Ouest, en nous contentant de représailles verbales. Trois,
nous répliquons où bon nous semblera. Quatre (il a un petit sourire
narquois), nous mettons les rouges au pas et prenons les commandes
à Moscou.»

La stupeur apparaît sur tous les visages, excepté celui d'Harry
Steelman. Véritable statue de muscles, crâne rasé, visage dur et
basané comme s'il avait passé sa vie sous les tropiques, il est l'image
même du mercenaire ayant vécu toutes les guerres. Les journalistes,
entre eux, l'ont surnommé «Doc Savage». Il se proclame d'abord
Texan, ensuite Américain, et enfin soldat. Il a fait forte impression
sur le Président, lorsque celui-ci l'a rencontré à la base aérienne de
Nellis, Nevada, lors de sa campagne électorale.

«Je vais voter pour vous, avait-il dit. Quand vous serez au
Capitole, rappelez-vous que pour Harry Steelman, Napoléon et
Hitler étaient des cons car ils n'ont pas su y faire avec les Russes. Moi
je saurai.»

D'une voix grave et cassante que ne dément pas son apparence
physique, il prend la parole:

«N'oublions pas que nous avons la plus formidable machine de
guerre de tous les temps. Le Pentagone occupe un dixième de toute
la population active de la nation. Il possède le plus grand réseau de
radio-télévision au monde. De lui dépendent la majorité des grandes
compagnies, qui tirent un excellent profit des quelque 250 000
contrats industriels alloués annuellement. Comme vous, monsieur
Fawcett, les stratèges civils de la Défense viennent de chez *Ford,
GM, IBM, Bœing* et bien d'autres. Ce que je veux dire par là, c'est que
sur un mot du Président, toute la nation sera mobilisée comme un seul
homme, sous la bannière étoilée.

— Les Russes ne sont pas mal équipés non plus», remarque W.P.
Barrett.

Un large sourire dévoile les dents éclatantes de Steelman.

«S'ils se donnent autant de mal à la bataille qu'ils s'en donnent
à fabriquer des souliers, ce sera une partie de plaisir, assure-t-il.

— Je crois, ajoute le Président, que chacun, nous comme les
Russes, est persuadé d'être le meilleur. Ils le pensent parce qu'ils se

croient investis d'une mission historique, et nous le pensons parce que nous avons pour nous la technologie, la volonté populaire... et la raison.

— Qui a raison?» se demande tout haut W.P. Barrett.

Harry Steelman a sa réponse:

«L'Histoire nous apprend que c'est toujours celui qui entame les hostilités qui finit par perdre la guerre. Même s'il faut parfois voir cela à long terme.»

Charles Niles en profite pour sortir une théorie tout à fait surprenante:

«Nous avons déjà possédé le pouvoir sur Moscou.»

Toutes les têtes se tournent vers lui, intriguées.

«En 1917, continue-t-il, le nombre de communistes à l'intérieur même de notre pays inquiétait sérieusement les milieux de la haute finance. Sachez qu'à cette époque il y avait beaucoup plus de communistes aux États-Unis qu'en URSS. Les gens qui manipulaient l'économie imaginèrent comme scénario de placer un gouvernement communiste en Russie, qui était alors un État sans aucune importance industrielle, afin de démontrer au reste du monde que ce système-là ne pouvait pas marcher. Ils financèrent donc la révolution bolchevique; mais tout ne fonctionna pas comme ils l'avaient espéré, l'expérience collectiviste semblait vouloir se poursuivre, et quand Staline prit le pouvoir, ils étaient certains de ne plus rien pouvoir faire contre lui, autrement que par les armes. C'est à ce moment-là qu'ils se tournèrent vers un Autrichien, ex-peintre en bâtiment, qui semblait posséder énormément de charisme. Ils financèrent clandestinement son ascension et aplanirent certains obstacles pouvant se dresser entre lui et le pouvoir. Il devait les débarrasser de Staline, et pour cela il devait d'abord faire semblant de n'en vouloir qu'aux pays de l'Est qui se trouvaient entre lui et l'URSS. Malheureusement, les Français et les Anglais, qui n'étaient pas au courant de la petite histoire, lui déclarèrent la guerre. Encouragé par la façon dont il avait soumis la Pologne, l'Autrichien décida de faire bande à part et crut pouvoir devenir maître du monde tout seul. La suite, vous la connaissez.

— Qui a pu inventer pareille histoire?» s'exclame Fawcett, manifestement outré que l'on puisse concevoir que des Américains bon teint aient financé l'avènement de la révolution d'Octobre.

Niles arbore un sourire énigmatique.

61

«Ce n'est peut-être qu'un scénario parmi tant d'autres, dit-il. Excusez ma déformation professionnelle.»

Le Président commence à douter des capacités de l'homme qu'il a lui-même nommé à la tête de la CIA, le chargeant ainsi de diriger les quelque 10 000 personnes travaillant aux renseignements et aux actions subversives vitales pour l'Union. Il se pose également des questions sur l'affaire Smolosidov et en conclut qu'il attendra un peu plus d'informations avant de contacter les gouvernements de l'Ouest.

Un des gardes attachés à la Maison-Blanche et, plus spécialement au Bureau ovale, entre et demande Charles Niles:

«Il faut que vous appeliez votre bureau de toute urgence», le prévient-il.

Niles s'excuse auprès du Président et lui demande l'autorisation d'utiliser un de ses téléphones.

Le Président hoche la tête.

Tom Fooley, l'adjoint de Niles à la NSA, répond immédiatement. Il paraît surexcité:

«Charles, je crois que nous avons du nouveau. Une photo-satellite vient d'arriver, vous devriez voir ça.

— Que voit-on sur cette photo?

— Des chars, des milliers de chars. Je ne sais pas d'où ils sortent, j'en perdrais mon latin si je l'avais appris.

— Où sont-ils?

— En RDA, au sud-ouest d'Erfurt.

— Vous dites qu'il y en a beaucoup?

— C'est incroyable. J'ai la même réaction qu'ont dû avoir les Allemands le 6 juin 1944, quand ils ont vu l'Armada pour la première fois. J'ai la fâcheuse impression qu'ils pourraient se retrouver sur les rives de la Manche, sans que rien ne puisse les arrêter.

— Ils n'ont pas dû arriver là par magie.

— J'ai beau vérifier les photos précédentes, je ne vois absolument rien qui puisse expliquer ce que j'ai sous les yeux aujourd'hui.

— Bon! merci Tom. Je vous retrouve tout à l'heure.»

Il raccroche et s'aperçoit que tous se taisent et, visiblement, attendent qu'il explique.

«Une photo-satellite vient d'arriver, qui présenterait des milliers de chars inconnus massés au sud de la RDA. Je vais aller voir de plus près ce qui se passe.

— Des milliers de chars inconnus, s'écrie Steelman en blêmissant, c'est aujourd'hui qu'ils apparaissent! Que font les Renseignements de tous les millions de dollars qu'ils engloutissent?»

Niles ne relève pas l'insulte et sort. Le conseiller militaire se ressaisit rapidement et s'adresse au Président:

«Monsieur le Président, si les cocos ont vraiment du matériel inconnu dans les proportions que l'on vient d'apprendre, il faut absolument expédier des bombes à neutrons en Europe. Il est impératif qu'ils contiennent les rouges coûte que coûte.»

Le chef d'État acquiesce:

«D'accord avec vous, Harry.»

Le Vice-président Barrett croit tenir la confirmation de ce qu'il soupçonne depuis longtemps: le Président et son conseiller militaire peu banal s'entendent comme deux larrons en foire et ont l'air d'avoir résolu à eux deux ce qu'il faut faire des Russes.

Le Président appelle Rose Hataway, sa secrétaire personnelle, par l'interphone et lui demande d'apporter café et sandwichs pour tout le monde. W.P. Barrett dissimule une grimace. Il a horreur des sandwichs.

MOSCOU, U.R.S.S.

De la voix atone qui le caractérise, le général Youdenitch récapitule la situation:

«Camarade Secrétaire général, toutes les forces se mettent en place selon le plan prévu. Les officiers supérieurs sont informés, au jour le jour, de ce qu'ils doivent exécuter. Dès maintenant, je peux affirmer que tout le matériel militaire est opérationnel. Tout est paré pour amener les troupes dans les zones de combat, dans les délais les plus brefs, et acheminer les réservistes lorsqu'ils seront appelés. Je ne crois pas que les services de renseignements de l'ennemi soient au courant de quoi que ce soit. Notre division fantôme est sortie de son terrier pendant une durée de neuf heures, pour vérifier le temps de mise au combat. Je crois qu'au jour J, en apportant certains correctifs, nous pourrons faire mieux encore.

— Pouvez-vous m'apporter des précisions sur cette division fantôme?» demande Smolosidov.

Youdenitch, adjoint de Yakkov à la Défense, connaît visiblement son domaine:

«Deux mille chars cachés au nez et à la barbe de l'ennemi, à raison de deux ou trois à la fois, dans des parkings souterrains au sud de la RDA. Je dois ajouter qu'une forte proportion de ces chars représente ce que nous avons de plus sophistiqué dans le domaine. Des unités spécialisées sol-air et d'autres sol-sol, équipées d'armement laser issu de la technologie UMI-35 développée à l'Institut Lebeedev. Ces armes, utilisant la technologie des tubes de verre contenant une faible quantité de néodyme, sont capables de percer les meilleurs blindages ou, tout simplement, de rôtir les équipages motorisés dans leurs véhicules. Couplées au radar et à l'ordinateur, elles peuvent pulvériser un missile ou un chasseur en approche ou, encore, griller tout bataillon de fantassins dans un rayon de 360 degrés.

— Ils n'ont qu'à bien se tenir», admet Smolosidov.

Le Secrétaire général remercie le général Youdenitch et se tourne vers Léon Kamenev, ministre des Finances. Ce dernier, d'allure très aristocratique, passerait inaperçu dans un cocktail réunissant des gentlemen de la *City* mais en remontrerait certainement à plus d'un en matière de finances. S'apercevant que le Secrétaire général est penché vers lui, il commence aussitôt son rapport:

«L'opération SOMNIFÈRE débutera dès demain matin, soit dans quelques heures, à Hong Kong et Tokyo. Toutes les filiales occidentales de la *Vnechtorbank* vont mettre en vente les millions d'actions accumulées pendant ces dernières années par l'intermédiaire de nos prête-noms. Comme vous le savez, depuis longtemps une partie de nos devises étrangères servent à l'achat d'actions de sociétés occidentales et je peux vous affirmer que nous détenons à l'heure qu'il est le plus gros portefeuille qui soit au monde et, également, que nous sommes majoritaires dans des milliers d'entreprises, qui souvent font l'orgueil de leurs pays. Je vous laisse imaginer l'effet que produira le déversement de ces actions, simultanément, sur toutes les grandes places boursières. Le krach de 29, à côté, ne sera plus qu'un souvenir du bon vieux temps. La chute des valeurs entraînera celle de milliers de sociétés industrielles qui fournissent le pain quotidien du monde capitaliste.»

Tous les membres du Politburo sont visiblement satisfaits de cette affirmation.

«Le train est-il prêt?» demande le Secrétaire général au ministre des Finances.

L'interpellé hoche la tête avec un sourire ravi:

«Il devrait passer la frontière turque dans deux jours; mais dès après-demain matin, tous les journaux occidentaux plus ou moins affiliés à notre cause informeront les populations que le gouvernement soviétique, comprenant dans quel désarroi elles doivent être vu les conséquences néfastes des spéculations boursières, ce gouvernement, donc, leur offre une partie de la production sibérienne de diamants.»

Pour l'une des rares fois dans l'histoire du Politburo, tous ses membres sont pris d'un violent fou-rire.

Le calme revenant, Kamenev relance la bonne humeur en poursuivant:

«Peut-être que l'Union soviétique devrait mettre en vente, à prix dérisoire, ses tonnes d'or sur tous les marchés libres.»

Le rire reprend de plus belle. Même l'austère Poskrebychev a sorti son mouchoir pour s'essuyer les yeux.

«Ils ne s'en relèveront pas! affirme-t-il avec force.

— Je ne donne pas cher de l'économie dite libre, dans quelques jours», conclut le Secrétaire général.

Le calme revient et le colonel Boulkine, du KGB, ouvre un

dossier posé devant lui.

«J'ai ici, dit-il, la liste de toutes les lignes de transport électrique qui sauteront au même instant, à l'aube du jour J, grâce à l'action de nos sympathisants extérieurs. Je peux vous assurer que l'Europe au grand complet, ainsi que tout le continent américain, seront totalement privés d'électricité. C'est une action de grande envergure qui a nécessité près de trois ans de préparation. Nous pouvons nous en féliciter, car les chances d'infiltrations extérieures étaient assez élevées, du fait du nombre de personnes en cause. Voulez-vous la liste?

— Inutile, camarade colonel, réplique le Secrétaire général. Avez-vous autre chose?

— Certainement, une liste semblable de toutes les raffineries et dépôts pétroliers qui, ce jour-là, seront la cible d'attentats.

— Ça va faire un joli feu d'artifice, dit Tikhonov. Les écologistes ne seront pas contents!»

Smolosidov paraît inquiet. Il prend la parole:

«Je vous écoute, camarades, et tout paraît facile. Je me demande si dans la réalité il en sera ainsi.

— Les capitalistes sont stupides, veut le rassurer Poskrebychev. Ils placent toute leur confiance dans la technologie et la finance. En commençant par ces deux domaines, nous allons briser leur confiance en quelques jours.

— Je crois qu'ils ont autre chose», affirme Smolosidov.

Poskrebychev ne voit pas:

«Quoi donc?

— L'optimisme.

— Nous avons ça aussi.»

Smolosidov secoue la tête:

«Reconnaissons que nous sommes un peuple fataliste.»

Le doyen s'emporte:

«Je ne souscris pas à cette affirmation. C'est nous et nous seulement qui avons jeté les bases de la Révolution, je ne vois aucun fatalisme là-dedans. Tu es un peu plus jeune que moi, camarade Smolosidov: eh bien! prouve-le en étant optimiste comme je le suis.

— Tu as peut-être raison.

— Sûrement!»

L'homme qui trahit pour Washington songe qu'il lui faut faire part au plus vite de tout cela à qui de droit. Il ne peut pas rester sans rien faire.

Le Secrétaire général le coupe dans ses pensées en rappelant à chacun qu'il doit songer à préparer ses bagages.

Tous les membres du Politburo savent que durant tout le temps que dureront les hostilités ils devront vivre avec leurs familles dans la base semi-sous-marine de la mer d'Aral, édifiée en poste de commandement, d'où partiront tous les ordres. La base est conçue pour traverser sans dommage une attaque nucléaire, chimique ou bactériologique et comporte tous les accommodements que l'on peut désirer en pareille circonstance. Une autre base semblable existe au lac Baïkal, celle-là aménagée pour préserver tous les trésors artistiques de la nation qui peuvent être déménagés facilement. Ainsi, à Leningrad, les touristes qui veulent présentement visiter le somptueux palais de l'Ermitage se heurtent à des panneaux leur indiquant que le palais est en grande rénovation. En fait, des milliers de tableaux signés Van Dyck, Raphaël, Vinci, Reni, Wouwerman, Poussin, Bourdon, Rubens, Fragonard, Le Titien et presque tous les grands noms de cet art, sont en ce moment dans des convois en route pour Irkoutsk.

Dans la longue limousine *Zil* qui le ramène vers sa datcha d'Osouvo, Smolosidov cherche le meilleur moyen de communiquer ses renseignements à l'Ouest. Rien de merveilleux ne lui vient à l'esprit. Le long de la Moskova, impatient, il demande à son chauffeur de l'arrêter près d'une cabine téléphonique. Immédiatement, il compose l'un des trois numéros qu'il a toujours en mémoire.

«Oui?»

C'est une voix de femme qui doit avoir dans la quarantaine. Smolosidov n'hésite pas, il lui faut prendre des risques s'il veut que son message soit reçu à temps:

«Je suis l'homme qui a laissé le message «Harmaguedon»; il faut absolument que je vous transmette d'autres détails.»

Il y a un bref silence.

«Restez chez vous ce soir, dit la voix féminine. Et...

— Ce soir il sera trop tard. Prévenez qui de droit que les bourses étrangères doivent rester fermées demain. C'est impératif.

— Mais...

— Je répète, les bourses doivent rester fermées.»

Il ne lui laisse pas le temps de répondre et raccroche immédiatement. En remontant dans sa voiture, il finit de croquer le gros bonbon qu'il a calé sous sa langue pour modifier le timbre de sa voix, afin de ne pas être identifié au cas où...

COLORADO SPRINGS, COLORADO, U.S.A.

Une brise encore tiède pour cette heure de la nuit agite doucement le rideau de mousseline, devant la baie vitrée qui s'ouvre sur le
cœur de la ville. En sourdine, la radio, qui reste allumée en permanence dans cet appartement, joue un bon vieux *Jazz band*. Jonathan
Yeager, allongé sur le dos dans la pénombre, pianote sans conviction
sur le drap froissé. Marilyn, qui dort profondément, se retourne. Il
sent son souffle tiède sur son épaule, sourit légèrement et se penche
vers le front de sa femme pour y déposer un baiser.

«Curieux comme on peut se sentir troublé par ces créatures qui
nous causent tant de tracas».

Toujours un demi-sourire au coin des lèvres, il la contemple
endormie, ne pouvant s'empêcher de l'aimer. Doucement, il passe
ses doigts dans les cheveux emmêlés et se penche de nouveau pour
sentir le parfum suave qui s'en dégage.

La soirée n'a pas été drôle. La scène qui couvait entre eux depuis
pas mal de temps a éclaté, sitôt que les enfants furent couchés. Dans
l'esprit de Yeager, c'est elle qui a commencé.

Elle en demande trop.

Ils étaient confortablement installés dans le salon, elle devant la
télé, lui plongé dans l'une de ses innombrables revues de vulgarisa-
tion scientifique. Au beau milieu de l'émission, sur un ton monocorde et légèrement accusateur, elle lui a dit:

«Je serais curieuse de connaître le montant d'argent que tu as pu
investir dans toutes ces revues.

— Beaucoup moins que dans ta garde-robe», a-t-il répondu sur
la défensive.

C'était un magnifique point de départ pour une bonne scène de
ménage.

Il a été question de son égoïsme à lui, de son peu d'ambition à
faire fortune, de son dernier séminaire à San Antonio où il ne l'a pas
emmenée. De son laisser-aller à elle, de son manque d'empressement
à tenir la maison, de la perpétuelle récidive de pizzas et poulets frits
tout préparés.

«Je croyais que tu aimais ça, la pizza!

—Ce n'est pas parce que j'aime la pizza qu'il faut en manger
tous les jours de la semaine.

— Toujours d'une exagération à l'autre.

— Je n'exagère sûrement pas en affirmant que ce qui te plaît tant dans la pizza, c'est que ce n'est pas compliqué à préparer. Et qui est-ce qui travaille pour payer tout ça? Toujours le même cave personnifié par moi-même.»

Comme dans toute scène, le plus dur vint après que les antagonistes eurent échangé tous les mots qu'ils avaient à se dire. Chacun se replia sur lui-même, soupesant chaque mot qui avait été dit, y cherchant une signification profonde ou la preuve que l'autre était dans l'erreur. Les meilleurs mots, ceux qui auraient vraiment porté, venaient aussi à ce moment:

«J'aurais dû lui rappeler la fois, au restaurant, où elle ne cessait pas de reluquer ce type avec sa ridicule veste jaune canari.»

Et chacun s'était enfermé dans une solide carapace de feinte indifférence, ne surveillant l'autre que s'il était certain de ne pas être aperçu.

C'est dans cet état qu'ils se sont couchés, prenant bien soin l'un et l'autre de se tourner le dos.

Yeager se retourne sur le côté, essayant de trouver un sommeil qui ne veut pas venir. Les échanges de mots trottent encore dans sa tête. Elle l'a accusé de ne pas vouloir faire fortune, elle n'a pas tout à fait tort; il doit bien admettre qu'il travaille essentiellement pour le plaisir, son métier de pilote le passionne, et même si son salaire est confortable, il n'a, selon lui, aucun mérite à le retirer puisqu'il fait ce qu'il aime. Au début, il lui avait pourtant promis une grande maison au soleil, des croisières sous les tropiques, Harvard, Princeton ou West Point pour les enfants. C'est vrai que pour ça il reste encore plusieurs années.

Yeager pense à la proposition qu'il a eue de piloter dans le civil. Un petit boulot peinard à Hawaii, qui consisterait à promener les touristes d'île en île. En songe, il organise ses journées sous le soleil du Pacifique. Des journées qui commenceraient par de somptueux petits déjeuners, sur la terrasse de sa villa. Il hume déjà l'air parfumé, aux odeurs de mer et d'épices. Marilyn serait plus souvent proche de lui. Jeff et Whitney, le corps bronzé d'un bout à l'autre de l'année, feraient du surf et se gaveraient de ces fruits dont le nom seulement est une invitation aux rêves.

Dehors, les bruits de la ville commencent à s'amplifier. À la radio, l'annonceur de nuit a cédé la place à celui qui est chargé de réveiller les travailleurs et de les envoyer au travail dans la bonne humeur, en prenant bien soin de ne pas leur laisser le temps de s'adonner à la mélancolie ou aux grandes questions de l'existence, qui ne manquent pas de surgir quand le réveil sonne: il envoie la créature la plus accomplie du système solaire et peut-être même de l'univers, travailler pour gagner sa vie, plus souvent que pour le plaisir. Les musiques langoureuses de la nuit, qui font chavirer les cœurs, ont fait place à celles, plus rythmées, du matin.

Sans faire de bruit, Jonathan se lève et va contempler le spectacle de la rue qui s'anime, douze étages plus bas. Dans l'aube naissante se découpe la silhouette familière des buildings et, plus loin, celle des Rocheuses. Taxis jaunes, limousines noires, piétons anonymes et pressés commencent leur ballet. Il aime bien voir tout cela de la place qu'il occupe.

«Pourquoi est-ce qu'elle rouspète, pense-t-il, revenant à ce qui le préoccupe. Nous avons un bel appartement, une belle ville sous nos pieds. Je n'ai encore jamais connu le chômage et je rapporte des salaires qui ne sont pas mal du tout. Il y a peut-être autre chose qui ne va pas?»

Marilyn ouvre les yeux et les pose sur Jonathan, qui se tourne vers elle. Ils restent ainsi quelques instants à s'observer en silence. Le soleil, qui s'est levé, a réussi à percer la couche ouatée qui couvre la ville. La chambre est baignée d'une douce lumière dorée.

«Ça va?» demande Yeager.

Elle hésite, avant de répondre par une autre question:

«Toujours fâché?

— Pas du tout, je n'ai jamais été fâché. Peut-être un peu fatigué: je n'ai pas réussi à fermer l'œil.

— C'est notre dispute qui t'a empêché de dormir?

— Je ne crois pas, j'avais trop de choses en tête.»

Il marque une pause avant d'annoncer:

«Je crois que je vais accepter cette place à Hawaii.»

Elle l'observe d'un air mi-sceptique, mi-amusé.

«Tu m'intrigues terriblement.

— C'est parfait, les femmes aiment les hommes qui les intriguent.

— Tu crois ça?»

Il lui fait un clin d'œil.

«J'ai une grande expérience de la gent féminine.

— Ce n'est pas l'impression que j'ai.

— Qu'est-ce qui te fait dire cela?

— Tu n'as même pas remarqué que j'avais un très grand besoin d'affection ce matin?

— J'ai remarqué, dit-il détaché, mais mon expérience me dit que rien n'est mieux que de faire languir un peu la patiente.»

Elle se redresse brusquement, attrape l'oreiller et entreprend de l'en frapper.

Étouffé de rire, il ne trouve pas le moyen de parer les coups.

«Une patiente! s'écrie-t-elle, où ai-je pu trouver un pareil goujat?»

Il finit par l'attraper par le poignet et l'attire contre lui où elle reste blottie.

«Comme ça on est bien», dit-elle.

Il ne répond pas, songeant qu'en ce moment même il ne pourrait être plus heureux. Il aime quand elle se fait chatte contre lui. Après dix ans de mariage, il la trouve toujours aussi belle, aussi désirable qu'au premier jour de leur rencontre.

C'était à Cape Cod où il passait ses vacances d'été, alors qu'il lui restait encore une année de physique à compléter au MIT. Elle sortait de l'eau pendant que lui s'y dirigeait. Aucun des deux n'avait pu détacher son regard de l'autre.

Il la revoit encore, couverte de gouttelettes dorées qui scintillaient sous le chaud soleil de juillet. Son maillot blanc soulignait avantageusement sa peau gorgée des rayons de l'été; ses longs cheveux, de la couleur du sable, tombaient dans son dos comme une cascade de lumière, et ses yeux semblaient vouloir rivaliser de bleu avec le ciel et la mer.

«Tu as raison, dit-il doucement, on est vraiment bien.

— J'aimerais bien si tu n'allais pas à la base ce matin.

— Réjouis-toi, je n'y vais pas.»

Elle se redresse, surprise:

«Ça ne te ressemble pas du tout, tu n'as jamais manqué une journée, même quand tu attrapes une de ces grippes qui feraient pitié à des réfugiés du Sahel.

— Je vais appeler, ou plutôt tu appelleras, pour dire que je ne suis pas bien.»

Comme ils s'apprêtent à poser des actes plus intimes, Jeff et Whitney en profitent pour passer la tête par l'entrebâillement de la porte.

«On a faim!» disent-ils en chœur.

Les sales mômes.

***

Il fut une époque où, dès la fermeture des bureaux, les gens qui travaillaient en ville retournaient dans leurs lotissements de banlieue, puis la mode est revenue à la ville: la situation s'est inversée, et les classes à l'aise se sont réinstallées au centre-ville. Une partie de la circulation du matin se fait maintenant de la ville vers la banlieue, où beaucoup de fabriques et de bureaux se sont installés.

Chaque matin, Yeager prend sa voiture pour se rendre à l'*Air Force Academy*, au nord de la ville. Contrairement à d'autres, il apprécie particulièrement cette heure de trajet. Le volume de sa radio au maximum, il en profite pour chanter à tue-tête. Chaque matin, il s'imagine qu'il part pour un grand voyage, que rien ne viendra le déranger, bref, qu'il est libre de goûter, de sentir le monde qui l'entoure, sans s'y mêler.

Aujourd'hui, comme il l'a dit à Marilyn, Yeager a décidé de prendre une journée sabbatique. Ce soir, il l'emmènera au restaurant et peut-être après, si la gardienne est libre, au motel.

Au volant de sa voiture, il tourne en rond dans la ville, essayant de réfléchir à toutes les situations qui pourront résulter de son retour à la vie civile. Il aperçoit l'immense enseigne clignotante du *Dolly Bar*. Depuis qu'il est à la base, il passe devant cet établissement deux fois par jour et, à chaque fois, se dit qu'il lui faudrait s'arrêter pour voir.

«C'est le moment d'en profiter», se dit-il.

Le parking est presque plein, et il se demande comment autant de monde peut avoir l'occasion de se rendre dans des lieux semblables, au beau milieu d'une journée de semaine.

Passant une lourde porte de chêne massif, il pénètre dans les lieux où règne une atmosphère qui, immédiatement, lui semble friser la démence. Dans une musique fracassante, des filles plus ou moins vêtues de quelques lambeaux de cuir et parées de chaînes, évoluent au milieu des tables, transportant de la bière et encore de la bière. Quatre estrades, chacune occupant un angle de la pièce, et sur chacune se déroule un spectacle porno. Ici, la femme et son porcelet, là, le maigrichon et la femme énorme. Les deux petites Chinoises qui s'enlacent au fond, sous une alternance de lumières jaunes et bleues, font figure d'image de patronage à côté de la bestialité qui règne sur les autres estrades. Stupéfié, Yeager reste debout près de la porte, en proie à des sentiments confus. Une voix dans sa tête lui suggère de fuir ces lieux au plus vite; une autre, celle de la curiosité, parle plus fort.

«On ne reste pas là sans consommer.»

Un type immense, avec une énorme moustache noire, des petits yeux aussi noirs et un délirant costume violet bordé de dentelles rouges, le domine d'un air menaçant. Yeager n'a plus le temps de se poser des questions, il va prendre place à la seule table vacante qu'il peut trouver et, sans qu'il ait le temps de rien commander, se retrouve nez à nez avec une bouteille de *Schlitz*.

Soulagé de cinq dollars.

Ses sentiments sont de plus en plus confus. Il déteste ce qu'il voit, il en est même révolté au plus profond de lui. Le malaise s'installe dans toutes les parties de son être. Quelque chose pourtant le pousse à voir, à aller jusqu'au bout de cette dégénérescence. Une seconde, il se souvient d'une phrase de Baudelaire, souvenir de collège: «Les charmes de l'horreur n'enivrent que les forts.»

Il s'est toujours interrogé sur la signification exacte de ces mots. Ici, il en entrevoit vaguement le sens. Quoique... Il observe les clients autour de lui, en se demandant quel plaisir malsain peut les attirer dans un endroit pareil. Manifestement, il y a là des habitués. Quant à lui, il est certain qu'il ne remettra jamais les pieds en ces lieux.

«Aujourd'hui, c'est juste à titre d'information.»

Soudain il se met à rire doucement.

«Ce n'est vraiment pas la peine de vivre dans l'armée depuis une dizaine d'années et de s'imaginer qu'après ce temps il est impossible de ne pas être caparaçonné contre tout ce qui peut se produire sous nos yeux, en dehors d'une déflagration nucléaire. Voici que dans le premier bar venu, je suis tout retourné de constater à quel point certains de mes semblables peuvent descendre aussi bas. Non mais! regarde celle-là en train de sucer son cochon, c'est abominable! Je ne sais même pas si je dois en rire ou en pleurer. Faut-il que du monde doive en arriver là pour trouver le plaisir? Si c'est vraiment le cas, on ne me fera plus jamais dire que plaisir est synonyme de bonheur.»

Il n'a pas fini sa bière qu'une autre arrive sur sa table. Il s'apprête à la refuser, mais en croisant le regard éteint de la fille qui vient de le servir, il ne trouve rien de mieux à faire que de sortir un autre billet de cinq dollars.

— Je voudrais parler à la fille au cochon, demande-t-il à la serveuse.

— À voir ta tronche scandalisée, coco, ça doit plutôt être pour lui faire la morale que pour t'amuser avec son corps.

— Je ne veux pas lui faire la morale, je veux juste comprendre.

— Y a rien à comprendre, elle donne son show pour le fric, uniquement pour le fric. Pourquoi penses-tu que je me trimbale avec ces chaînes, pendant que tout le monde me passe la main au cul?

— Pour le fric, je suppose.

— Tu y es, mon pote, t'as trouvé la clef du paradis.

— Le paradis en question a surtout des allures de purgatoire.»
La fille se met à rire sans conviction:
«Tu penses trop, mon pote. Tu penses trop.»
Et elle s'en va chercher de la bière pour d'autres tables.

Le temps passe, Yeager contemple les deux Chinoises, ayant décidé que c'est ce qu'il y a de plus «naturel» dans cet antre du vice. Il se sent un peu gris et se surprend à taper du pied au son de la musique.

«La musique, se dit-il, y a rien de tel pour tout remettre en place.»

Sur cette idée, il décide de poursuivre en paganie et d'aller faire un tour dans l'une de ces mecques de la jeunesse, où la musique est à l'honneur.

Il a complètement oublié qu'il devait passer la journée avec Marilyn. Sa voiture glisse lentement avec le reste de la circulation. La vitre baissée, le coude sur la portière, il se sent léger et s'enivre des odeurs douteuses de la ville. Bitume chauffé au soleil, gaz de combustion, frites, hot dogs et parfums bon marché à base de rose ou de muguet. Ce n'est pas que ça sent bon mais c'est l'odeur familière de tous les jours, l'odeur de son monde. Il faut la prendre comme elle est. Comme il roule sans but précis, c'est l'enseigne de l'*Adam's Apple* qui attire cette fois son attention; il a déjà entendu dire que la musique, rétrospective des années quarante, y est à son meilleur.

L'ambiance est radicalement différente de celle du *Dolly Bar*. Des tables et des bancs taillés dans le bois massif et une profusion de plantes tropicales, donnent l'impression que l'on pénètre dans une jungle. Au centre, une immense piste vitrée, balayée par des jeux de lumières, sert au défoulement d'une véritable armée, qui redécouvre les airs de musiciens comme Benny Goodman ou Glenn Miller qui ont fait danser les grands-parents. Ici aussi, c'est plein de monde, à croire que personne ne travaille dans cette ville.

Yeager s'installe sous un palmier en pot, consulte la carte des boissons et commande, sur un clavier digital, un *Fuji love,* dont il ignore totalement la composition mais dont le titre suffit à évoquer quelque chose d'agréable.

Il est bien et sent qu'il va continuer à perdre son temps pour un bon moment. Il aime la musique, qui a l'air de venir de partout à la fois, comme si le plafond et le plancher étaient truffés de haut-parleurs. Un frisson lui parcourt la base de la nuque; il y a longtemps qu'il ne s'est pas senti dans cet état de quasi-euphorie. Il réalise soudain qu'il est libre. Libre, par un bel après-midi de semaine, d'aller où ça lui chante, pour écouter de la bonne musique et regarder danser toutes ces nymphes, dont la taille étroite et les cuisses fermes et graciles ne peuvent manquer d'éveiller sa libido.

Tout ça n'a rien de désagréable.

Le temps passe et Jonathan Yeager est suffisamment ivre pour qu'il soit dangereux de reprendre le volant. Il ne sait plus l'heure qu'il est, réalisant seulement que Marilyn doit commencer à s'inquiéter. Le dilemme est difficile: d'une part, il se sent très bien ici à savourer tous les cocktails de la maison et à rêvasser sur les beaux brins de filles qui pullulent sur la piste. Cela ne lui arrive pas souvent, ce doit même être la première fois depuis qu'il est père. D'autre part, il ne veut pas que sa femme s'inquiète et cela lui gâche légèrement sa béatitude.

Son regard accroche une fille superbe qui tournoie et fait voler ses longs cheveux autour d'elle.

«C'est ça le bonheur!» murmure-t-il.

Pour un moment il oublie encore ses petites préoccupations. Puis ça le reprend:

«Ma foi, je me demande s'il est bien raisonnable, pour un homme marié, d'attarder son œil sur toutes ces jeunesses.»

D'un mouvement de la main, il balaie ces pensées culpabilisantes.

«C'est normal! décide-t-il. L'homme est fait pour les femmes. Aller contre cette vérité ne serait pas naturel.»

Et, du bout des doigts, il commande un *Pink Lady.*

À regarder toutes ces beautés, ce qui doit fatalement arriver arrive. Du plaisir des yeux, Jonathan en vient à des considérations d'ordre moins platonique. Derrière ses paupières transformées en écran cinérama, les belles danseuses ne vivent plus que pour lui, maître et roi de ces dames. Toutes ces créations miraculeuses de la nature, il sait les prendre, leur donner la tendresse qu'il convient et les transformer en maîtresses béates d'amour et de gratitude.

Une fille superbe, de sang africain à en juger par la couleur de sa peau, s'approche de sa table et s'adresse à lui:

«Vous avez l'air bien seul?»

Il la considère un long moment, ne sachant exactement où commence et finit la frontière entre le rêve et la réalité dans cette histoire.

«Je serais beaucoup moins seul si vous me teniez compagnie», dit-il.

L'inimaginable arrive, la fille s'assoit en face de lui.

«Moi c'est Bessie, se présente-t-elle.

— Splendide! Moi c'est Jonathan, comme le goéland.»

Elle approuve de la tête.

La conversation se poursuit sur des banalités. À travers les brumes qui l'habitent, Yeager commence à se demander pourquoi cette fille est venue le trouver, lui. Il regarde autour de lui. Bien que n'ayant pas encore atteint la quarantaine, il lui semble être le mâle le plus âgé de l'assistance. Comme devinant ses pensées, la dénommée Bessie remarque:

«Il n'y a pas beaucoup d'hommes ici.

— J'en vois pourtant un certain nombre.

— Tout juste des adolescents boutonneux. Des apprentis plombiers qui sous les auspices des discothèques se transforment en dons Juans d'occasion. Des cendrillons au masculin.

— Il faut bien rêver.

— C'est vrai.»

Elle pose une main sur celle de Jonathan.

«Je préfère m'en tenir à la réalité», dit-elle sans artifice.

Yeager réalise que les événements prennent une tournure inquiétante pour son intégrité, jusque-là jamais démentie. Ses rêveries de tout à l'heure ne portaient pas à conséquence; à présent, il nage en plein concret. Il se doit de réagir face au charme de cette fille légère – c'est comme ça qu'il la juge, n'étant pas au fait des nouvelles coutumes chez les femmes, qui leur octroient, tout comme aux hommes, le droit légitime d'adresser la parole aux inconnus.

Il l'observe à la dérobée, imaginant que, malgré tout, l'aventure ne serait pas déplaisante. Il se sent irradié d'une vague de chaleur. Le désir.

L'image de Marilyn passe devant ses yeux et soudain il se lève, salue vivement Bessie et se dirige vers la sortie, bien décidé à fuir en esprit mais chancelant dans ses pas.

Sur le trottoir, malgré le fait que la nuit soit tombée, la tiédeur humide de l'air, étonnante pour cette saison, contraste sérieusement avec l'air climatisé du dancing. Il a brusquement l'impression que la pression atmosphérique vient de doubler de densité. Ses jambes refusent de le soutenir plus longtemps et il doit s'adosser au mur. Il cherche le meilleur moyen de s'endormir au plus vite, le reste lui importe peu. Entrouvrant une paupière, il essaye en vain de repérer sa voiture.

«Je crois que vous avez besoin de l'aide d'une faible femme.»

Rassemblant toute sa lucidité, Yeager reconnaît quand même la fille qu'il vient de quitter peu galamment. Il dodeline de la tête.

«Ma voiture est juste en face, dit-elle. Appuyez-vous sur moi, je vais vous guider.»

Il veut décliner l'invitation mais toute sa volonté s'est définitivement noyée dans les nectars de l'*Adam's Apple*.

***

Inondant l'air de sa musique, Ray Charles interprète *Georgia on my Mind*. Il flotte dans la pièce un parfum qui doit se situer à mi-chemin entre le patchouli et le *N° 5*. Yeager n'a pas encore ouvert les yeux, il préfère d'abord remettre en mouvement tous les engrenages de son cerveau. L'opération est laborieuse. Il se rappelle vaguement avoir traversé Colorado Springs dans une voiture aux sièges de cuir blanc. La voiture appartenait à... En songeant à la fille, il ouvre brusquement les yeux pour aussitôt la voir debout juste devant lui, tenant une tasse fumante dans ses mains.

Une fraction de seconde, il referme les yeux comme pour chasser une vision. Vision qui, il se l'avoue, se situe aux antipodes du cauchemar. La fille n'est vêtue que d'un ample voile de soie imprimée, dont se joue la lumière du soleil. Dans le genre délicieux, le spectacle est irréprochable.

«Vous avez dormi seize heures», dit-elle en guise de bonjour.

Rouvrant les yeux, il mesure l'immensité du désastre dans lequel il se trouve.

Désastre tout relatif.

Il se trouve chez une fille aux formes généreuses, dont il ne se souvient même pas du nom. Elle lui apporte son café au lit ou, plutôt, comme il le découvre, sur une espèce d'immense coussin-soleil. Il a dormi seize heures et, à son réveil, une musique envoûtante, un parfum entêtant et une fille presque nue. Il ne sait pas très bien comment il est arrivé là et, encore moins, comment s'en sortir. Aussi bien demander à un musulman, dans son septième paradis, de quitter ses houris et de redescendre de plusieurs nivaux.

Il a la vague impression de ne pas avoir grande envie de s'en sortir.

Tout cela ressemble fort à de la déchéance.

«Vous étiez passablement éméché hier soir», dit Bessie.

Yeager approuve:

«Je dois même vous avouer que je ne me souviens pas de votre prénom.

— Bessie, dit-elle en posant la tasse près de lui. Voici du café chaud pour vous remettre.»

Elle s'assoit à ses côtés. Dans son mouvement, son vêtement s'écarte un peu, découvrant une longue jambe fuselée, dont l'apparence ne peut être jugée autrement qu'appétissante. Il se redresse, cherchant à dissimuler le trouble qui l'envahit.

«Comment suis-je arrivé jusque sur ce coussin? demande-t-il.

— Je vous ai tout simplement passé le bras sous l'épaule, vous n'avez fait aucune difficulté pour me suivre. Il ne restait plus qu'à ôter vos souliers.

— Je ne comprends pas ce qui vous a poussé à vous occuper de ma personne.»

Elle a un étrange sourire:

«Peut-être tout simplement parce que je vous trouve sympathique.

— Merci!»

Il la regarde dans les yeux et elle soutient son regard. Il doit refréner un vif désir de l'attirer contre lui.

«Vous ne buvez pas votre café?» demande-t-elle à voix basse.

Il s'apprête à poser sa main sur son épaule, quand elle se redresse:

«Je vais vous chercher un peignoir, vous devez vouloir prendre une bonne douche.

— Ça me ferait en effet le plus grand bien», dit-il en attrapant son café.

Quand elle revient un peu plus tard, le peignoir sous le bras, il est à la fenêtre, les yeux écarquillés devant le tableau qui se présente à lui: une ondulante vallée verdoyante, la forêt, et un rapide qui dévale de la montagne. Il se tourne vers son hôtesse:

«Où sommes-nous?

— Broadmoor. On quitte la ville par la 122, on reste dessus et l'on arrive ici.

— À en juger par le spectacle qui s'offre de cette fenêtre, j'ai l'impression d'être à mille milles de chez moi.

— Je sais», dit-elle; puis, changeant de sujet: «La salle de bain est au fond du couloir. N'hésitez pas à prendre toute l'eau chaude que vous voudrez; pendant ce temps je vais vous préparer quelque chose à manger.

— C'est très gentil mais j'ai beaucoup plus soif que faim.

— C'est tout à fait normal», dit-elle riante en se dirigeant déjà vers la cuisine.

Yeager se sent pris au piège. Comment lutter contre une femme qui a décidé de vous couver?

L'eau cinglante achève de lui replacer les idées. Des questions se bousculent aux portes de son cerveau. Résolument, il refuse de les laisser entrer. Il n'y a pas l'ombre d'un doute que Marilyn doit être dans tous ses états, peut-être même a-t-elle déjà signalé sa disparition à la police militaire. Il se demande quelle histoire il va pouvoir inventer à son retour.

Sûrement un cocktail de demi-vérités et de pieux mensonges.

En sortant de la salle de bain, il trouve Bessie à moitié étendue sur le coussin-soleil.

«Je m'apprêtais à vous faire quelque chose, dit-elle, puis je me suis rendu compte que je ne connaissais pas vos goûts.

— Je suis bien élevé, je mange de tout.»

Des yeux il cherche ses vêtements qu'il a posés sur le dossier d'un fauteuil. Elle suit son regard.

«J'ai mis votre linge à laver, j'irai le porter dans la sécheuse tout à l'heure. Tout devrait être prêt dans une heure.»

Yeager constate, sans trop de surprise, qu'il est condamné à demeurer en peignoir avec cette fille très légèrement vêtue. Des pensées coupables lui trottent dans la tête.

«Venez vous installer ici, propose-t-elle, en désignant une place imaginaire sur le coussin. Nous pourrions reprendre la conversation au point où nous l'avons laissée hier soir.»

Yeager conçoit, sans l'ombre d'un doute, que s'il va s'installer près d'elle il ne pourra plus faire marche arrière. Tout se consommera aussi certainement que la nuit suit le jour. Ignorante de son hésitation, dans un mouvement tout naturel, elle s'étire comme pour chasser quelque fatigue. Son mouvement a pour effet de faire épouser le voile qu'elle porte aux formes de son corps.

Abandonnant toute question, Yeager se dirige vers le grand coussin, pose un genou près d'elle et passe son bras sous ses épaules.

Bouche entrouverte, elle le regarde avec de grands yeux presque effrayés. Il sent sa poitrine contre la sienne, qui s'élève et s'abaisse selon un rythme saccadé. De sa main libre, il entame une longue caresse d'exploration, découvrant petit à petit sous ses doigts ce corps qui ne se refuse pas à lui. Elle frissonne. Dans ses grands yeux posés sur lui, il lit maintenant un mélange d'attente et d'interrogation. Plus que le reste, le regard de Bessie agit sur lui comme un détonateur.

Soudain, tout explose dans la tête de Yeager. Plus rien ne pourrait l'arrêter, tout son être n'est plus que le jouet de son désir.

Le côté coupable de l'acte ne fait qu'ajouter au plaisir.

Couvrant la musique, gémissements et soupirs emplissent rapidement la pièce.

Il est parti.

Parti sur un cheval de feu, et l'ivresse de cette course vaut bien tout ce qu'elle lui coûtera.

C'est du moins ce qu'il se dit, le temps d'un éclair. Bessie, elle, croit enfin avoir trouvé l'homme qui va l'aimer.

Entrecoupées de quelques pauses, les étreintes se sont poursuivies tout l'après-midi. Maintenant, allongés dans la pénombre, ils se reposent dans les bras l'un de l'autre.

Les yeux fermés, Yeager se demande s'il est heureux ou malheureux. Pour l'instant il n'en sait rien. Il se sent détaché de tout et se moque du reste.

Jonathan Yeager occupe un double poste au sein de l'*U.S. Air Force*. Instructeur pilote sur les *Bœing* EA-3 *Sentry*, il est également spécialisé dans le déchiffrage des sources radar et occupe, grâce à ses compétences en ce domaine, un poste à mi-temps au NORAD, dans les monts Cheyennes.

Toute l'importance de son «écart de conduite» lui apparaît clairement alors que Bessie, qui l'a ramené en ville, arrête sa voiture près de la sienne.

«Que fais-tu dans la vie? demande-t-elle.

— Dans les assurances. Rien de très intéressant.

— On se reverra?

— Bien sûr!»

Ils se font un clin d'œil et, au moment où il s'apprête à refermer la portière, elle dit avec un demi-sourire désabusé:

«Au revoir, colonel Jonathan.»

Il comprend qu'elle a certainement regardé dans son porte-feuille.

«Salut Bessie.»

Seul dans sa voiture, il se demande ce qu'il va pouvoir raconter à Marilyn. Avisant une cabine téléphonique, il s'y rend d'un pas hésitant puis compose son numéro.

«Oui?

— Marilyn, c'est Jonathan.

— Jonathan! mais où étais-tu? Je suis morte d'inquiétude.»

Le remords noue les tripes de Yeager.

«Je me suis rendu jusqu'à la base hier après-midi; rendu là, j'ai immédiatement été convoqué par le patron. J'ai dû aller faire un tour au NORAD sur-le-champ, dans le cadre d'une mission spéciale.

— C'est bizarre, la base t'a demandé plusieurs fois.

— Je sais. Tout était strictement confidentiel, et personne ne devait savoir où j'étais. Je t'appelle pour te dire que tout va bien. Je te redonnerai des nouvelles dans le courant de la soirée. Je t'embrasse, chérie.

— Je t'embrasse aussi. Tu sais, j'ai vraiment hâte que tu dises oui pour Hawaii.

— Bientôt. Promis.»

Il raccroche, réfléchit quelques secondes puis, glissant une autre pièce dans l'appareil, il appelle la base.

«Colonel Jonathan Yeager aux nouvelles?»

Celui qui répond a l'air d'attendre son appel:

«Nous vous cherchions depuis un bout de temps, colonel. Il faut que vous veniez immédiatement à la base pour vous mettre en rapport avec NORAD.

— Parfait, j'arrive.»

Que se passe-t-il? Il a un sourire amer en songeant que l'excuse qu'il a servie à sa femme ne sera peut-être qu'une vérité à retardement.

Il ne se sent pas bien dans sa peau. Coupable. Comment a-t-il pu se laisser aller ainsi? Et le pire, c'est qu'il vient de découvrir au fond de lui une ahurissante vérité. Il a commis l'adultère, qu'il s'était pourtant toujours juré de repousser. Il ne pourra plus jamais revenir en arrière. Pour couronner le tout, quelque chose lui dit que s'il revoit Bessie, il n'est pas trop certain de pouvoir lui résister.

Bessie s'est arrêtée dans les faubourgs pour pleurer. Sortie la veille pour tromper sa solitude, elle est rentrée avec ce militaire. Il lui a plu. Pourquoi est-ce que c'est comme ça à chaque fois? Quelqu'un lui plaît, elle lui a plu et puis après... c'est fini. Elle hausse les épaules. Ce soir, elle va retourner chanter dans ce cabaret, fréquenté principalement par les Noirs de la base en mal d'une musique qui leur soit propre.

Bessie est chanteuse. Une extraordinaire chanteuse de soul. Son problème est qu'elle n'a pas été découverte par un richissime impresario. Elle a bien tenté une fois d'enregistrer un «45 tours», payant de sa poche le voyage à Los Angeles; les dispendieuses heures aux *Ocean Way Recording Studios*, les meilleurs techniciens sur ordinateurs, la crème des claviéristes: tout cela lui a coûté trois ans d'économies, pour finalement se heurter au mur de la distribution. Tous les grands distributeurs sont liés avec les grandes étiquettes. Elle avait fait presser trois mille copies. Celles qu'elle n'a pu vendre elle-même sont restées sur les tablettes. Plus tard, trop tard, elle a appris qu'une compagnie de disques peut et doit consacrer jusqu'à un million de dollars pour lancer une artiste.

Elle a fini par retourner dans les petits cabarets, et même si tous ceux qui l'entendent sont d'accord pour trouver qu'elle a un talent énorme, rien ne se débloque pour elle. Ils ont raison, ceux qui affirment que la célébrité repose sur dix pour cent de talent, et le reste, d'autres choses plus difficilement identifiables.

Elle est descendue de voiture pour faire le point en marchant. Un peu plus loin, de l'autre côté de la rue, un vieux Noir aux cheveux crêpés blancs est assis sur une caisse de bois et, ignorant le trafic qui lui aussi l'ignore, il souffle dans une trompette à pistons, des notes longues qui ont l'air de rire et de pleurer. Bessie s'approche et sort un billet de sa poche. Le vieux musicien lui fait signe qu'il n'en veut pas.

«Excusez-moi, dit Bessie.

— Pas de quoi, je joue pour mon plaisir, tu ne pouvais pas savoir.

— C'est beau.»

L'homme pousse un soupir.

— C'est ma jeunesse, ma vie, les femmes et les soleils que j'ai connus.

— Il y a toujours une histoire de cœur dans nos tourments ou nos souvenirs.

— Heureusement, que pourrait-il y avoir d'autre?»

Bessie cherche et ne trouve pas.

«Peine de cœur?» demande le musicien.

Elle hausse les épaules:

«Un peu, pas de quoi fouetter un chat, je suppose.»

Le vieux Noir a un sourire qu'illuminent ses dents immaculées. Il lève son index vers le ciel.

«Écoute, dit-il. Écoute bien.»

Bessie s'exécute.

«Alors, qu'entends-tu?

— Des sirènes, les grondements de la ville.

— Les sirènes et le grondement de la ville comme tu dis, que sont-ils d'autre que des histoires de cœur? La ville existerait-elle sans les histoires de cœur?

— Comment savoir?» dit-elle.

Le vieux musicien secoue la tête.

«Rien! dit-il, rien! Tout ce que nous faisons, tout ce que nous voulons être, n'a pour seul but que d'attirer l'âme sœur. Les beaux dollars verts, les voitures, la musique, les vêtements, le mobilier, tout est fait en fonction de l'image que l'on veut donner de soi, et cette image n'a d'autre fonction que de séduire. Séduire pour ne plus être seul, séduire pour jouir. En bref, nous vivons sans même nous en rendre compte, pour la reproduction de l'espèce.

— Si vous jouez de la trompette ce soir, ça a rapport à tout cela?

— J'essaye d'exprimer ce que je ressens et je ne ressens rien qui n'ait pas rapport aux femmes.»

Il rit.

«À mon âge, il n'y a plus grand-chose d'autre que les souvenirs.»

Il reprend sa trompette et attaque d'emblée *Memories of you*.

Bessie écoute, tout en songeant aux propos qu'elle vient d'entendre.

«Il n'a peut-être pas tort, après tout. Le rêve secret de chacun n'est-il pas de mourir de plaisir? De rester à jamais dans cet état qui, au moins une fois, un soir, une nuit ou un matin, dans les bras de l'autre, nous déchirera l'âme et le cœur?»

Elle se met à improviser sur les notes du trompettiste. C'est plus des mots qu'un chant mais cela résonne directement au cœur.

Fondre, se fondre et s'annihiler dans un cœur complice. Se débarrasser enfin de cette vieille solitude qui nous colle au corps.

Les notes sortent de la trompette, grimpent le long des hauts murs de briques, symbole d'une prospérité oubliée, et se lancent à l'assaut d'un ciel qui a perdu sa virginité nocturne au profit de sales nuages rouillés.

«Merci, dit Bessie en posant sa main sur l'épaule du vieux musicien.

— Pas de quoi, ce qui n'est pas donné est perdu.»

Elle s'éloigne vers sa voiture, le cœur un tout petit peu plus léger. Ses talons résonnent longtemps sur le trottoir anonyme.

MAISON-BLANCHE, WASHINGTON D.C., U.S.A.

Le Conseil de sécurité, réuni autour du Président, s'interroge encore sur l'apparition soudaine, sur la photo-satellite, de ces milliers de chars en RDA, tout en s'étonnant de leur disparition sur les photos suivantes. Soudain, Charles Niles revient dans le bureau, très nerveux.

«Il y a du nouveau, annonce-t-il. Smolosidov est entré encore une fois en contact avec l'une de nos antennes à Moscou et il a insisté pour que toutes les bourses restent fermées demain.»

Le Président affiche sa stupéfaction:

«Qu'est ce que c'est que cette histoire? clame-t-il.

— Je n'en sais pas plus. Il a simplement affirmé que c'était impératif.»

D'un geste las, le Président passe sa main devant les yeux et appelle sa secrétaire via l'interphone.

«Rose, veuillez me mettre en communication avec James Larimer, s'il vous plaît.

— Le gouverneur de la Banque Fédérale?

— Lui-même, Rose.»

Quelques minutes plus tard, il est en ligne avec l'homme qui tient les finances de l'État entre ses mains.

«Bonjour James, ici le Président.

— Bonjour, monsieur.

— James, j'ai une question assez étrange: pourriez-vous me dire ce qui pourrait motiver la décision de fermer les bourses sur toutes les places financières?

— Rien, monsieur le Président. Rien, si ce n'était la certitude absolue qu'une force identifiée ou non puisse s'amuser à démolir le marché.

— Est-ce possible actuellement?

— Dans les conditions actuelles du marché, je ne crois vraiment pas.

— Il y a eu une grosse chute, en 87 je crois.

— L'automne 87, oui. Le réajustement à cette époque était inévitable. Aujourd'hui, rien ne permet de penser que ça puisse se reproduire.

— Bon! Une autre question, James. Est-ce que j'ai le droit d'ordonner la fermeture des bourses?

— Des bourses américaines, oui, mais seulement pour des raisons de sécurité nationale. Laissez-moi vous dire, cependant, que ce serait très mal vu.

— Je m'en doute. C'est bien, James, vous m'avez été utile.»

Le Président raccroche et se tourne vers les hommes qui l'entourent. Il a pris une décision:

«Nous allons attendre l'ouverture à Tokyo pour voir de quoi il retourne.»

Charles Niles n'est pas de cet avis. Il l'exprime:

«Il doit y avoir une excellente raison pour que Smolosidov ait pris le risque de nous informer d'urgence.»

Le Président secoue la tête:

«Je ne vois pas ce que les Russes pourraient faire pour chahuter la bourse.»

Personne n'est en mesure de répondre à cette question. Niles reprend la parole:

«Je crois avoir quelqu'un qui peut connaître la réponse. C'est un tout jeune homme qui nous est arrivé à Langley, voici quelque temps, avec une théorie assez surprenante sur l'économie du COMECON.»

Le Président désigne l'un de ses téléphones.

«Appelez-le.»

Niles contacte son bureau et demande un certain Frank Davis. Au bout d'un moment, on l'informe que ce dernier n'est pas présent.

«Essayez chez lui.»

On ne le retrouve pas là non plus.

«Recherchez-le au plus vite et passez-moi ses coordonnées à la Maison-Blanche.»

Vingt minutes plus tard, Rose Hataway transmet la communication à Niles. Un de ses bras droits lui répond:

«Nous l'avons retrouvé, monsieur. Un de nos hommes est allé chez lui et... il était là.

— Passez-le-moi.

— Impossible, monsieur. Il était mort. Noyé dans son bain.

— Quoi?»

GÖTEBORG, SUÈDE

Le praticien et son patient se regardent dans les yeux.

«Professeur, dites-moi franchement combien de temps il me reste? Il me semble que j'ai le droit de savoir.»

Meurtri moralement malgré son expérience, le professeur Gustaf Almqvist plonge son regard dans celui du jeune homme assis en face de lui. Il lui semble curieux de n'y lire aucune peur. C'est vrai qu'à dix-neuf ans on n'a peur de rien, pas même de la mort. Il voit plutôt un sentiment de tristesse. Erik Adelsohn paraît presque résigné à la mort.

«Trois mois... pas beaucoup plus.»

Erik n'entend pas la suite des explications du médecin. Un voile noir obscurcit sa vue quelques secondes et, sans qu'il puisse rien y faire, sa lèvre supérieure est prise d'un violent tremblement. Il voudrait rester calme et serein. Comme aurait pu l'être un John Wayne, dans un rôle semblable.

Une fraction de minute, il se revoit dix ans plus tôt. Assis sur la dernière marche, en haut de l'escalier de la ferme familiale. De cet endroit, il avait clairement entendu le médecin familial d'alors expliquer à ses parents que lui – leur fils – était atteint de leucémie, et qu'il ne fallait pas s'attendre à ce qu'il puisse vivre comme les autres enfants. Il fallait même être prêt à envisager le pire. Il y avait eu les traitements et puis, pendant toutes ces années, le mal s'était tapi dans l'ombre, tel un félin attendant le moment propice de bondir sur sa proie. Le temps passant et son état demeurant acceptable, il avait fini par ranger l'éventualité de sa fin dans un avenir lointain. Suffisamment éloigné pour que cette idée n'entrave pas le cours de son quotidien.

Assidu à ses études, il a échafaudé mille projets pour son avenir... jusqu'à la semaine passée, lorsque le mal, se manifestant en force, a reconquis toute son emprise et l'a laissé inanimé au beau milieu d'un cours de physique. Depuis ce jour, il se retrouve hospitalisé, ausculté, exploré dans toutes les parties de son corps et, finalement, répertorié comme patient dans ce département destiné à ceux dont l'infortune les condamne à subir cette maladie terrible, qui survient quand une cellule folle ne cesse de se multiplier.

«TROIS MOIS.»

Ces deux mots terribles, il n'arrive pas à les assimiler. Après quantité d'examens, quand il s'est vu transférer dans ce département, un espoir est néanmoins demeuré au fond de lui. Tout cela ne devait être qu'un mauvais moment à passer, tout comme la première fois.

Maintenant, il connaît le verdict. Il sait combien de temps il lui reste pour encore sentir les choses, sentir qu'il est lui, Erik Adelsohn, vivant. Après... il n'arrive pas à réaliser tout ce que ce mot implique.

Le médecin continue de parler; petit à petit, les paroles ramènent Erik à la réalité.

«Je crois que tu es fort, conclut Gustaf Almqvist, et que tu sauras passer ce cap avec courage. Je t'ai dit combien de temps il te restait, car je suis persuadé que même à ton âge on désire régler ses comptes avec la vie.»

La gravité de ces mots, autant que le ton paternel et chaleureux, touchent Erik profondément.

«J'essaierai, docteur, mais je ne vois pas ce que je pourrais régler avec cette vie, car elle ne m'a même pas laissé le temps de la connaître.»

Son ton trahit l'injustice et le désarroi qu'il ressent.

Le médecin, assis en face du lit d'Erik, se lève et vient lui poser la main sur l'épaule. Il ne trouve plus rien à dire, aussi se contente-t-il d'essayer de lui exprimer, par le regard, qu'il comprend son état d'esprit. Une fois de plus, intérieurement, il se sent révolté et impuissant devant cette fatalité qu'il ne peut combattre avec certitude. Son métier consiste à arracher les gens à la maladie mais le mal contre lequel il lutte est encore trop complexe pour la science des hommes. Moins que jamais, il ne peut répondre à cette grande question, la sienne, depuis qu'il a entrepris de se spécialiser en cancérologie: Arrivera-t-on un jour à dominer ce fléau qui terrasse sans vergogne?

Erik pense à sa famille.

«Avez-vous dit à mes parents ce que vous venez de m'annoncer?»

Gustaf Almqvist fait signe que oui.

«Ce n'est pas juste! fait le jeune homme en secouant la tête, pas juste du tout. Ils n'ont pas mérité cela!»

Il réalise que ce sera encore plus cruel pour ses parents et en conçoit de la colère. Il a l'impression qu'il peut davantage accepter ce qui lui arrive pour lui-même mais, imaginant la douleur de ses parents, il sent un refus brutal monter en lui.

Le médecin devine quelles doivent être les réflexions de son patient.

«Je vais sûrement te paraître égoïste, dit-il, mais avant tout, il faut d'abord songer à toi. Tout sera moins dur pour ta famille, si tu acceptes toi-même ce qui t'arrive.

— Comment peut-on l'accepter?

— Accepter n'est peut-être pas le bon mot, je veux dire par là qu'il faudrait que tu essayes d'atteindre une certaine sérénité. La mort nous attend tous un jour, les uns, malheureusement, plus tôt que d'autres. Il n'en reste pas moins que c'est la grande affaire de l'existence et que nous devons tous nous y préparer.

— C'est sûrement notre conception de la mort qui définit notre vie mais tout cela, ce ne sont que des mots. Je ne veux pas quitter ceux que j'aime! Et je ne veux pas qu'ils souffrent!»

Le médecin hausse les épaules en signe d'impuissance. Erik revient plus spécifiquement à la maladie:

«À quoi puis-je m'attendre pendant ces quelques mois? Est-ce que je vais souffrir physiquement?

— Là-dessus, je ne peux que te donner mon avis médical. Ta maladie ne provoque pas de sérieuses douleurs physiques. Tu auras mal parfois; heureusement, nous avons aujourd'hui des calmants efficaces. Il faut, surtout, que tu t'attendes à éprouver une grande faiblesse, qui ira toujours en augmentant.

— Ce qui veut dire que je suis condamné à rester cloué sur ce lit?

— Pas encore. Pendant quelque temps, tu vas pouvoir aller et venir dans l'établissement.»

Cherchant un réconfort à lui donner, il ajoute:

«Peut-être même pourras-tu aller passer quelques fins de semaine dans ta famille. Cela dit, plus tu te ménageras, plus tu ajouteras au temps qu'il te reste.»

Soudain, Erik ne veut plus rien savoir: il ne songe plus qu'à se refermer sur lui-même et à oublier toute cette conversation. Faire comme si elle n'a pas eu lieu.

Gustaf Almqvist connaît cette réaction, et il la devine dans le regard du jeune homme.

Il fait le tour de la chambre à pas lents, en regardant autour de lui, comme si c'était la première fois qu'il venait en ces lieux.

«Je te laisse maintenant, annonce-t-il; si jamais tu désires me parler, n'hésite pas à me réclamer.»

Une nouvelle fois, il pose sa main sur l'épaule d'Erik puis il se retire.

***

Seul, Erik reste prostré, osant à peine interroger ses propres pensées. Machinalement, ses yeux font le tour de cette pièce qu'il occupe depuis la veille, depuis que tous les examens ont confirmé que c'est bien là le département qui lui convient. À la différence qu'il y est seul, cette chambre ressemble fort à celle qu'il occupait précédemment: quatre murs que n'arrive pas à égayer une peinture jaune pâle, une baie vitrée qui permet de se faire une idée sur le temps qu'il fait et, aussi, de montrer que la vie existe toujours de l'autre coté de ces murs. L'ameublement est réduit à son plus strict minimum: le traditionnel lit chromé qui fait loi dans tous les hôpitaux, la petite table de chevet sur roulettes, la prise pour l'oxygène, etc. Rien ne ressemble plus à une chambre d'hôpital que celle-ci. Ses yeux s'arrêtent sur une petite reproduction en couleurs, accrochée au mur en face de son lit.

«Voilà! se dit-il, les mourants ont droit à un petit tableau dans leur chambre.»

L'image représente un flamboyant coucher de soleil sur la mer. Il lui vient alors à l'idée qu'il va perdre la mer à jamais. Le Skagerrak au petit matin, couvert d'une légère brume cotonneuse, l'air qui sent bon le sel et le grand large, tandis que, tels des fantômes hors du temps, les chalutiers glissent silencieusement sur l'onde.

Erik est amoureux de l'océan. Cet océan qu'il ne reverra plus...

L'océan, boulevard des rêveurs! Combien d'hommes a-t-il séduits dans les petits matins clairs de Rotterdam, du Havre, de New York ou de Rio, quand les poutrelles des grues métalliques sont figées et que les mouettes s'éveillent à grands cris. Les aventuriers aux yeux pochés sont là, les mains dans les poches, attendant leur tour de connaître l'océan. L'océan des romantiques: plages au clair de lune; couple solitaire, enlacé sur le pont arrière d'un grand paquebot blanc. L'océan des enfants: barbotages et cris de joie. L'océan des sportifs: amateurs de grand vent, de défi et de solitude; la proue du visage dans l'écume, ils foncent. L'océan des calendriers: vagues sur le rocher, gerbes d'embruns. L'océan des grands fonds: poissons multicolores, récifs de coraux.

Étendu sur son lit, Erik se recroqueville; des larmes voilent ses yeux puis il pleure doucement, comme un enfant qui a fait un mauvais rêve et qui appelle en silence la tendresse et le réconfort de sa mère. «C'est si beau la vie, pourquoi si peu de gens s'en occupent?»

Un long moment passe avant qu'Erik ne revienne à la réalité. Il se lève et regarde la ville à la fenêtre. Le ciel est gris sur Göteborg. Peut-être est-ce son état d'âme mais la ville lui paraît triste. Triste mais vivante et, curieusement, cela lui remonte un peu le moral.

Brusquement, il se sent pris d'un besoin de bouger qui secoue la torpeur qui l'habite. Une semaine à présent qu'il est couché. Il songe que, s'il ne veut pas trop s'ankyloser ni trop penser non plus, une petite visite du département lui fera du bien. Qui sait, il rencontrera peut-être quelqu'un à qui parler?

Passant la porte de sa chambre, il se retrouve dans un grand couloir jalonné de portes de part et d'autre. Les murs sont peints en bleu, pas un bleu clair et gai mais plutôt un bleu passé et délavé, qui dégage une impression de morosité. Le dallage de tuiles noires et blanches n'améliore pas le coup d'œil, loin de là. Une certaine agitation règne, l'heure du repas de midi approche, une odeur d'oignons et de viande bouillie le prouve aussi. Plusieurs malades vont et viennent en pyjama ou robe de chambre. Ahuri, Erik voit s'avancer une patiente qui n'a tout simplement plus de mâchoire inférieure. Le regard de la femme croise le sien et pendant un instant, son propre état lui paraît n'être qu'une triste plaisanterie à côté de ce qu'il voit. La femme le regarde, il ne sait si elle lui sourit ou non. Un vif sentiment de pitié et de compassion le traverse. Il voudrait pouvoir faire quelque chose pour cette femme, lui dire une parole encourageante, mais quoi? La femme passe son chemin, laissant dans son sillage une forte odeur mêlée de désinfectant et de décomposition. Erik reste sur place, en proie à un vertige dont il ne sait si c'est le fait de s'être levé après plusieurs jours d'alitement ou bien la vision de cette femme accablée par la maladie. Secouant brusquement la tête pour chasser l'étourdissement, il reprend lentement sa marche. Au bout du couloir, une porte s'ouvre sur une pièce remplie de chaises et de fauteuils disparates. Il s'y engage, pour constater qu'il se trouve dans la salle de télévision. Toujours étourdi, il choisit de s'installer dans un des fauteuils. Immobile, il fixe le poste, regardant défiler les images d'une émission insipide, où un amuseur public essaye de divertir l'auditoire, à grand renfort de plaisanteries, dans le style tarte à la crème.

Il était seul en entrant dans la pièce; à présent, il sent une présence derrière lui. Sans savoir de qui il s'agit, il s'apprête à livrer ses impressions désabusées sur l'émission en cours mais avant qu'il n'ait le temps de se retourner un nouveau vertige l'assaille, plus violent cette fois. Le cœur au bord des lèvres, il se sent vaciller. Il ferme les yeux pour essayer de se reprendre. Quand il les rouvre, telle une vision de rêve, un charmant visage est penché vers lui, avec une expression bienveillante et légèrement amusée. Un visage ovale, éclairé par d'extraordinaires yeux violets, le tout encadré par de splendides cheveux d'un blond clair tirant sur le roux. Pendant une fraction de seconde, Erik enregistre cette vision féerique au cœur de sa mémoire puis perd connaissance pour de bon.

Reprenant ses sens, il se retrouve allongé sur le lit de sa chambre, l'infirmière responsable du département à ses côtés.

Selma Meidner est une grande et forte femme, qui mène ses auxiliaires tel un capitaine de navire. Justice et autorité doivent être ses devises. Elle montre envers les patients une calme domination, mais le fait toujours de façon maternelle, ce qui met le malade en confiance. Ceux qui passent dans son bureau peuvent voir un écriteau au-dessus de sa table de travail, où l'on remarque une pensée de saint Augustin:

Servez-vous de la science comme d'un instrument pour élever l'édifice de la charité, qui demeurera éternellement, même quand la science sera détruite.

Elle regarde Erik, en affichant une attitude faussement mécontente.

«Alors jeune homme! dit-elle. On s'en va voir les jolies filles sans avoir pris un solide repas? Il y a une semaine que tu es couché, et tu crois que tu peux aller te promener comme ça, d'un coup sec, sans prévenir?

— Je ne m'attendais pas à cela, répond-il. Est-ce qu'il y a longtemps que je suis dans les pommes?

— Pas plus de dix minutes. Éléonore nous a dit que tu ne t'étais même pas présenté. Vous de la jeune génération, vous manquez totalement de galanterie, plaisante-t-elle.

— Éléonore?

— La jeune fille qui était avec toi dans la salle de télévision.»

92

Le ton de l'infirmière-chef se fait plus bas et elle ajoute:
«Elle souffre de la même maladie que toi.
— Pareil?»
La femme en blanc hoche la tête doucement. Elle paraît vouloir dire quelque chose, puis s'aperçoit qu'elle s'engage dangereusement dans des confidences que le secret professionnel ne lui permet pas de révéler. Elle change brusquement de sujet.

«Bon! À présent, je vais te faire envoyer le plateau du déjeuner, pour que tu puisses reprendre un peu de forces si jamais tu décidais de repartir en exploration.»

Elle se retire et Erik demeure allongé sur son lit, en fixant la porte qui se referme. Un instant, il veut la rappeler pour lui poser la question qui lui brûle les lèvres...

***

Éléonore regarde son plateau sans conviction. Une soupe, plutôt un bouillon où flottent trois morceaux de légumes, une cuisse de poulet plus bouillie que rôtie, quelques patates et une tremblotante gélatine à saveur cerise pour dessert. L'appétit ne lui vient pas. Depuis son admission à l'hôpital, deux semaines auparavant, tous les menus ressemblent à celui-là. Va-t-elle finir ses jours sans plus jamais prendre un bon repas?

Un vrai repas, comme ceux que sa mère lui a appris à préparer: «Un peu de savoir-faire et beaucoup d'amour.» Éléonore se remémore avec mélancolie les repas pris en famille, qui, il n'y a pas si longtemps, lui paraissaient aller de soi et qui maintenant lui manquent tellement. Elle se revoit autour de la table ronde avec sa mère, son frère et sa sœur. Il y avait les bons petits plats, la bonne entente, parfois aussi les disputes. Toutes ces petites choses qui, aujourd'hui, prennent une importance considérable.

Ces petites choses qu'elle ne connaîtra plus.

«Sale maladie! tu m'as volé mes joies de tous les jours, tu vas me prendre la vie, et voilà qu'ils ne sont même pas capables de nous préparer quelque chose de mangeable. Je suis fatiguée! vraiment fatiguée!»

D'un geste impatient, elle repousse le plateau puis sous l'effet d'une colère soudaine, le projette violemment contre le mur. Alertée par le vacarme, l'infirmière Julia (qui se fait appeler BB parce qu'elle

93

a une façon de faire la moue rappelant immanquablement l'actrice française bien connue), se présente immédiatement dans la chambre. Elle affiche une mine horrifiée en voyant le dégât.

«Que s'est-il passé? demande-t-elle à Éléonore.

— Il se passe tout simplement que si je dois mourir bientôt, je veux au moins avoir de meilleurs repas. Pouvoir encore goûter aux bonnes choses de la vie, comme on dit.

— Voyons, Éléonore! Chaque repas est étudié et équilibré par une diététicienne, pour une parfaite santé.»

Éléonore se fâche:

«Je me fous pas mal du parfait équilibre de la santé, puisque de toute façon je vais crever. Tout ce que je veux, c'est quelque chose d'appétissant. Le morceau de poulet qui est là, je suis certaine qu'il ne ferait mourir personne s'il était rôti et croustillant. Changez de cuisinier s'il le faut mais faites quelque chose; autrement, moi, je sors d'ici tout de suite!»

Comme pour donner de la crédibilité à ses paroles, Éléonore va sortir ses affaires de son placard. Ne trouvant pas sa valise, elle en demande raison à l'auxiliaire, visiblement dépassée par les événements.

«Je crois que ta mère l'a emportée pour te ramener d'autres vêtements.»

L'infirmière-chef, qui fait une ronde, apparaît dans l'embrasure de la porte.

«Qu'est-ce qui se passe ici?» demande-t-elle en voyant l'état de la chambre.

Julia se hâte de refiler le problème à sa supérieure.

«Éléonore ne veut plus accepter la nourriture de l'établissement», explique-t-elle.

La responsable du département a vite fait d'évaluer la situation. Elle fait signe à l'auxiliaire qu'elle peut s'en aller, puis s'approche d'Éléonore et s'assied à ses côtés.

«Tu dois comprendre qu'ici c'est un hôpital, lui dit-elle sur un ton maternel. La cuisine ne peut pas être comme à la maison ou au restaurant, pas plus que nous ne pouvons engager un cuisinier pour toi toute seule. C'est la première fois qu'une chose pareille t'arrive, je suis étonnée, tu as pourtant l'air d'une jeune fille calme et réfléchie?»

Éléonore secoue vivement la tête.

«Je l'étais, répond-elle, mais à présent je ne comprends plus ce qui m'arrive, je sens la révolte qui monte en moi et, parfois, j'ai envie de tout casser.

— Il faut que tu essayes de surmonter ce sentiment, il ne mène à rien de positif.

— J'en suis consciente, mais ça a été plus fort que moi.»

Selma Meidner se relève et fait le tour du lit.

«Je vais envoyer quelqu'un pour nettoyer ce gâchis et si l'idée te reprend d'envoyer promener ton repas, viens d'abord me voir. On trouvera bien le moyen de te faire livrer une pizza.»

Bouleversée par le geste qu'elle a posé, Éléonore sent des larmes lui monter aux yeux. Toutefois, elle attache toujours de l'importance au fait de pouvoir bénéficier de bons repas, et sa critique se fait entêtée.

«Je m'excuse, réplique-t-elle; mais on ne m'enlèvera pas de la tête que la cuisine pourrait être meilleure que ça. C'est comme cette chambre! Vous avez vu de quoi elle a l'air? La peinture doit avoir au moins dix ans. C'est à mourir d'ennui avant même que la maladie ne nous achève!»

L'infirmière-chef hausse les épaules en signe d'impuissance.

«Il me semble, reprend Éléonore, que les mourants pourraient vivre leurs derniers jours dans une espèce de petite auberge en pleine nature. Ce serait parfait avant de faire le grand saut. Les riches peuvent toujours se payer ce genre de choses mais ce n'est pas maman, avec son petit salaire d'institutrice à temps partiel, qui pourrait me payer cela.

— Je m'excuse d'avoir à te le dire, répond Selma un peu sèchement, mais la plupart des mourants souffrent physiquement et ont autre chose à penser qu'à de petits pavillons dans la nature.»

Éléonore se sent presque fautive.

«Vous avez peut-être encore raison. Je suis désolée. J'aurais tant voulu connaître les belles choses de la vie avant de mourir. Allez! voilà que je m'apitoie encore sur mon sort. Décidément ce n'est pas une bonne journée, et maintenant je me sens toute drôle. J'espère que je ne vais pas faire comme le gars de la salle de télévision. De quoi souffre-t-il, lui?»

Selma Meidner s'adoucit, réalisant que c'est la peur, et seulement la peur, qui rend Éléonore agressive et désenchantée.

«Exactement de la même maladie que toi. Si tu ne te sens pas bien, allonge-toi, je vais te faire envoyer un sédatif.»

L'infirmière sourit et s'en va, laissant la jeune fille dans un grand désarroi moral. Jusqu'à présent, elle a toujours essayé de se comporter comme s'il n'y avait rien d'extraordinaire à ce qu'elle soit condamnée. Elle vient de craquer et s'en veut terriblement.

Une auxiliaire entre pour nettoyer sa chambre, puis une autre lui apporte un comprimé. Peu après, assommée par les événements et la médication, elle s'endort d'un sommeil sans rêve.

Avant même de rouvrir les yeux, elle sent une présence près d'elle. Elle essaye de deviner qui cela peut être, avant de soulever les paupières. Pas moyen. Elle ne parvient pas à mettre un nom sur cette présence. D'habitude, elle réussit ainsi à identifier les gens de son entourage, comme si chacun possédait une personnalité invisible que l'on peut reconnaître parmi d'autres. Peut-être est-ce le cas? C'est le genre de question auquel elle aura ou n'aura pas la réponse dans un proche avenir.

«Je sais que tu ne dors plus, dit une voix calme et chaleureuse qu'elle ne connaît pas. J'aimerais revoir tes beaux yeux violets. Ils ont la même couleur que les petites fleurs qui poussaient dans le jardin de ma grand-mère.»

Étonnée, elle ouvre les yeux et rencontre ceux, amusés, du garçon qui s'était évanoui dans la salle de télévision. Le même genre de regard qu'elle a eu elle-même le matin, en le voyant tourner de l'œil. Cela l'amuse intérieurement.

«Comment savais-tu la couleur de mes yeux? demande-t-elle.

— Je crois que c'est ce qui m'a renversé, quand je t'ai vue la première fois.»

Éléonore se dresse sur son séant et fixe Erik en silence. Il est de grande taille, sans paraître trop mince; ses cheveux blonds coupés court coiffent un visage reflétant la bienveillance. Une lueur pleine de chaleur illumine ses yeux brun foncé, qui contrastent heureusement avec la couleur de ses cheveux. Il ne répond pas précisément aux canons actuels de la beauté masculine voulant avantager les hommes d'apparence un peu efféminée. Il y a en lui un elle ne sait quoi, qui lui plaît et la met en confiance. En cet instant, elle et lui ressentent l'un envers l'autre une étrange complicité. Peut-être est-ce leur commune maladie qui les réunit? Ils sont loin d'en être certains, même si cela ne peut que les rapprocher.

«Comment savais-tu que je ne dormais plus?

— Quand je suis arrivé tu dormais, ensuite j'ai vu la différence. C'est tout.

— C'est la première fois, à ma connaissance, qu'un gars me regarde dormir.

— Et c'est la première fois que je regarde une jolie fille dans son sommeil. Je ne regrette pas.»

Il baisse les yeux une seconde puis, les relevant, il désigne sa poitrine du doigt.

«Ça fait quelque chose ici, avoue-t-il d'une voix presque éteinte.

— C'est comment ton petit nom? demande-t-elle.

— Erik. Ça ne sort pas de l'ordinaire, mais c'est mon nom, j'y suis habitué. Toi, je sais que tu t'appelles Éléonore, je trouve que c'est un nom qui évoque une fille étrange et assez mystérieuse. Ça te va très bien.»

Éléonore redresse l'oreiller dans son dos et ramène son drap jusque sous son menton en repliant les genoux, comme le ferait une petite fille se préparant à écouter une belle histoire avant de s'endormir.

«Parle-moi de toi, dit-elle.

— Je viens de la campagne, il y a seulement quatre ans que j'habite à Göteborg.»

Les yeux d'Éléonore s'allument. Elle désigne le bord de son lit.

«Assieds-toi ici et parle-moi de ton coin de pays. J'aime entendre parler des endroits que je ne connais pas.

— Je viens d'Utsjoki, dans le nord.

— Pourquoi en es-tu parti?

— Mon père avait un élevage de moutons; toute sa vie il a travaillé dur pour l'organiser. Je crois qu'il voulait en faire quelque chose où la famille, et même les générations futures, pourraient vivre en paix et à l'abri du besoin. C'était un beau rêve. Une année, ce fut la maladie, les deux suivantes, une véritable épidémie. Mon père venait de renouveler toute la machinerie aratoire, le crédit agricole ne faisait pas de concession et, pour couronner le tout, notre maison familiale a été détruite par un incendie; et nous avons tout perdu.

— Vous n'aviez pas d'assurances?

— Bien sûr! mais vois-tu, comme mon père était endetté, les assurances ont essayé de faire passer l'incendie pour volontaire. Ce qui est totalement ridicule, quand on sait combien mon père aimait notre maison et tout ce qu'il avait mis de lui-même en elle. En résumant, je peux seulement te dire que mes parents n'étaient pas mieux lotis que s'ils étaient tombés dans une mer infestée de requins.»

Éléonore approuve.

«Je connais les assurances, dit-elle; papa est décédé à la suite d'un accident de travail. Le matin même du jour des funérailles, deux messieurs, des requins comme tu dis, sont arrivés à la maison pendant l'heure du petit déjeuner, pour faire signer des papiers à maman. Il s'est avéré plus tard qu'en signant maman renonçait à une grande partie des prestations auxquelles elle avait droit. Tu vois le scénario. Ils choisissent un moment de peine et de confusion et en profitent pour arracher ce qui te revient. Mais continue, qu'avez-vous fait par la suite?

— Un frère de ma mère, qui travaille ici chez *Volvo*, a déniché un emploi pour mon père. C'est ainsi que nous sommes arrivés en ville, il y a trois ans. Voilà la petite histoire de ma vie. Et toi? J'aimerais que tu me parles de toi. Viens-tu de Göteborg?

— Il n'y a vraiment pas grand-chose à dire de ma vie. Je suis d'un village dont tu n'as certainement jamais entendu le nom. C'est une petite paroisse qui se nomme Kungsbaka, située à une cinquantaine de kilomètres au sud. Jamais personne ne passe par là. Les gens ne se rendent dans ce village que parce qu'ils y habitent. Comme je te le disais tantôt, mon père est décédé il y a plusieurs années. Il travaillait en forêt et il a reçu un arbre sur la tête. Maman, elle, fait des remplacements à la petite école, quand un des deux instituteurs est malade, ce qui n'est pas souvent le cas, car dans notre petit village la vie n'est pas trop stressante. Tout cela pour te dire qu'il ne peut pas se passer grand-chose, quand une jeunesse s'écoule dans une petite bourgade.

— Tu sais, ce ne sont pas tellement les événements extérieurs qui font qu'il se passe quelque chose ou non. Je crois plutôt que tout vient du dedans. C'est l'intérêt que l'on porte aux choses de l'existence qui compte. Tiens, par exemple, je suis sûr qu'il est aussi intéressant de voir le petit veau de la vache du voisin que de voir vivre les gens d'une grosse agglomération.

— Je suis bien d'accord avec toi. Tout ce que je voulais dire, c'est qu'il n'y a pas grand-chose à raconter. Qu'est-ce que cela pourrait bien te faire à toi qui ne connais pas mon village, de savoir que le petit veau de la vache Margrite est mignon comme un cœur?»

Erik éclate de rire et le communique à Éléonore.

«Ça m'intéresse dans le sens où je vais connaître quels sont tes goûts et tes idées, répond-il en lui adressant un clin d'œil, et de tout ce qui te concerne en général.»

Éléonore ne répond pas, elle se contente d'observer son vis-à-vis droit dans les yeux. Erik répond à son regard. Le cœur de chacun bat plus vite que la normale. Éléonore reprend la conversation:

«J'ai l'impression qu'il y a très longtemps que nous nous connaissons et, pourtant, il y a seulement quelques minutes que l'on se parle tous les deux.»

Erik s'apprête à lui répondre qu'il a le même sentiment, quand une infirmière passe la tête par la porte pour lui annoncer qu'il doit retourner à sa chambre pour des examens. Il se tourne vers Éléonore.

«Nous reprendrons notre conversation plus tard, lui dit-il.

— J'y compte bien. J'ai hâte d'en savoir plus sur ta région d'origine.»

Elle ne peut tout de même pas lui avouer que c'est surtout lui qui l'intéresse.

Le sourire aux lèvres, Erik lui adresse un salut de la main avant de passer le seuil de la chambre.

Seule, elle reste songeuse en fixant un point imaginaire. Elle réalise soudain que, pour la première fois depuis qu'elle est dans cet hôpital, elle ne se sent pas malheureuse.

Une chaude lueur d'un bonheur nouveau brille dans ses yeux. La même que celle qui danse dans ceux d'Erik pendant qu'il regagne sa chambre.

VIRGINIE, U.S.A.

Yvan Tsipine alias Bernard Powell, agent «dormant» du KGB, vient de se réveiller, après huit ans passés sous la couverture d'un brave homme d'affaires. Le travail a été facile. Le jeune homme était chez lui quand il a frappé. Sitôt que Frank Davis eut ouvert, il s'est retrouvé face à face avec un *38* muni d'un silencieux et Tsipine lui a appliqué un tampon de chloroforme sous le nez. Une fois son «contrat» endormi, le Russe a fait couler un bain, en prenant soin d'y ajouter du savon moussant. Aucune complication pour «noyer» ensuite le brillant jeune homme qui en savait trop.

Pour l'instant, les yeux mi-clos, Tsipine se laisse aller au bien-être dans le *Greyhound* qui le ramène à Norfolk, où beaucoup de travail l'attend dans les jours qui viennent. Et pas nécessairement au profit de son entreprise de soudure maritime.

FÉCAMP, FRANCE

Le *Viking*, cargo aménagé pour le transport de bois de construction, est à l'amarre au quai Bérigny.

Sur la passerelle, Charles Toussaint compile les données météo au-dessus du pas de Calais. Germain Picard, son second, passe la tête par la porte et l'avertit qu'un officier de la Marine militaire désire lui parler.

«Que me veut-il?»

Picard hausse les épaules en signe d'ignorance.

«Fais-le monter.»

Impeccablement vêtu d'un uniforme bleu marine fortement amidonné, d'une chemise blanche immaculée et d'une cravate noire, le lieutenant Hugues Pépin s'avance sur la passerelle. Un rapide coup d'œil lui confirme qu'il se trouve sur un navire bien tenu. Il tend une main ferme au commandant:

«Commandant Toussaint, je me présente: lieutenant Pépin.

— Que me vaut le plaisir?» fait Charles Toussaint qui, manifestement n'éprouve aucune joie à cette visite.

Le lieutenant l'évalue. La quarantaine passée et, déjà, les cheveux presque blancs. Dissimulés derrière des paupières trop plissées à force d'avoir tamisé la lumière du large, ses yeux bleus très foncés interrogent sans cesse. De taille moyenne, épaules massives, démarche légèrement courbée et d'un abord froid, comme le lieutenant peut dès à présent en juger. Il est à l'image même de cette riche et pourtant austère partie de la Normandie, le pays de Caux. La vraie Normandie, celle de la terre et de la mer se mariant pour donner naissance à une race qui a la pudeur de ses sentiments. Une contrée dont Guillaume le Conquérant fut l'un des illustres rejetons. Comme son pays, Charles Toussaint ne se découvre qu'à ceux qui le veulent vraiment.

Le militaire commence par signaler le but de sa visite:

«Je suis délégué par le ministère de la Défense, au nom duquel j'aimerais avoir un entretien avec vous.»

Il présente les documents prouvant sa requête. Rapidement, Charles Toussaint cherche dans sa mémoire ce qu'il aurait pu faire qui déplaise aux militaires. Rien de particulier.

«Il y a un problème? demande-t-il, méfiant.

— Aucun, commandant.»

Le lieutenant se retourne pour s'assurer qu'ils sont seuls et, rassuré, explique l'objet de sa démarche:

«Le Ministère à Paris se demande s'il vous serait possible d'accepter un observateur militaire à votre bord, pendant votre prochain voyage en Suède. Vous allez bien à Göteborg?»

Charles Toussaint fait un signe affirmatif:

«Observateur à quel titre?

— Oh, rien en ce qui concerne votre navire, rassurez-vous. Nous voulons simplement surveiller les mouvements des Soviétiques dans le Skagerrak.

— Vous vous foutez de moi? Les Norvégiens ont l'œil à Kristiansand, et au cap Skagen les Danois ont une vue imprenable sur tout ce qui passe.

— Cela est vrai dans le cadre de l'OTAN mais la France n'en fait pas partie militairement.

— Pourquoi n'envoyez-vous pas tout simplement le *Foch* ou le *Clemenceau* sur place, en laissant la marine marchande s'occuper de ses affaires?»

C'est plus un conseil qu'une question. Le lieutenant ne se laisse pas démonter et son ton se fait légèrement plus martial.

«Écoutez, commandant, les porte-avions sont à la place où ils doivent être, ainsi que tous les autres bâtiments. Nous avons besoin de vous. Le Ministère remboursera généreusement votre dérangement.»

Charles Toussaint reste impassible et tourne son regard vers la côte de la Vierge, que domine la chapelle des marins.

«Et si je disais non?

— Il se pourrait que votre navire soit réquisitionné.»

Le commandant lui tourne le dos, ainsi le lieutenant ne remarque-t-il pas le bref éclair de fureur qui passe dans ses yeux.

Armateur et commandant de son propre navire, il n'aime pas l'armée. Pas plus que la police, les gouvernements et tout ce qui peut ressembler à l'ordre établi. Il n'est bien qu'au large, quand il n'a à répondre à personne. La présence d'un militaire en mission officielle à son bord n'est pas pour lui plaire.

«Votre homme embarquera parce que je n'ai pas grand choix mais n'allez pas vous imaginer que j'en suis ravi.

— Merci, Commandant. C'est moi-même qui serai l'observateur et, d'avance, je m'excuse pour le dérangement.»

Charles Toussaint le regarde plus attentivement. Le lieutenant a malgré tout une tête vaguement sympathique. Peut-être est-il à cheval sur les règlements mais ce ne doit pas être un mauvais bougre. Dommage qu'il soit militaire.

«Soyez à bord pour la marée montante demain matin. Nous appareillerons aussitôt le niveau atteint.»

Ils se saluent et le commandant retombe aussitôt dans ses relevés météo. Un sourire ironique envers lui-même retrousse la commissure droite de ses lèvres.

Voilà qu'il accepte un représentant de l'armée à son bord, lui qui en 68 s'était élevé contre toute forme d'autorité. Oui! 68 a été sa belle année. Encore étudiant à l'époque, comme beaucoup de ses amis, il a cru, pendant quelques jours, qu'ils allaient enfin pouvoir remodeler le monde ou, tout au moins, la France. Il revoit encore la tête effrayée des bourgeois devant l'immense drapeau noir qu'il avait hissé au mât de l'hôtel de ville. Il revit parfois, en pensée, ces nuits magiques où les gars et les filles, armés de pots de peinture, allaient dans les quartiers snobs, qui souvent étaient les leurs, pour écrire des slogans sur les murs: «VIVE L'ANARCHIE», «MORT AUX VACHES», «VIVA LA MUERTE», «IL EST INTERDIT D'INTERDIRE», «SOUS LES PAVÉS LA PLAGE». Ils se réunissaient au petit matin devant des bouteilles de bière et de scotch, en écoutant du *Moody Blues*, histoire de se remonter en vue des manifestations de la journée, où ils pourraient crier à tue-tête leur joie d'être jeunes et de pouvoir construire l'avenir à leur image. Et puis l'essence est venue à manquer: monsieur Tout le Monde, ne pouvant plus utiliser sa petite voiture, s'est dépêché de retourner au bercail des habitudes. Déçu, Charles Toussaint, comme beaucoup d'autres, a pris la route de Katmandou. Le voyage a été fantastique; ils venaient d'Amérique, de Scandinavie, d'Angleterre. Ils avançaient vers l'Orient à la manière d'une croisade. Ils n'avaient besoin de rien, sinon d'un peu de pain et de soleil. Les filles étaient gentilles et s'offraient comme on offre un présent. Les gars, eux, découvraient le plaisir de se donner, sans vouloir tout prendre. Charles a vu la Grèce à travers les yeux de Jane de Pittsburgh, l'Afghanistan à travers ceux de Ruth de Liverpool et puis ce fut le Népal, Katmandou. La fin du rêve, le début du cauchemar. Les rires se sont figés, les visages émaciés, et les yeux ternis. Il a connu la mort dans les yeux d'Elizabeth de Boston. Elizabeth qu'il aimait depuis trois jours. Alors, il a appelé Fécamp et, dans un sanglot, a dit à son père qu'il ne voulait pas mourir. *Air*

France l'a ramené dans le chemin que ses parents lui avaient tracé et, depuis, s'il n'a plus jamais vraiment ri, il n'a pas pleuré non plus.

«Ce que tu voulais n'existe pas, lui a dit son père. Suis-moi et tu auras mes bateaux.»

À l'époque, sa famille vivait encore de la morue, et c'est au large de Terre-Neuve qu'il a débuté. Un à un, il a gravi tous les échelons et, finalement, il a obtenu son brevet de commandant à Saint-Malo. Son père a disparu en même temps que la morue et les deux chalutiers qui avaient fait la gloire locale de la famille ont été vendus pour faire place à ce cargo.

Il s'est marié avec Vivianne, fille d'un patron de pêche breton. Elle lui a donné un gars et une fille qui, eux, ne s'intéressent nullement à refaire le monde. Seuls les choses de la mode et les gadgets parviennent à attirer leur attention.

«Il n'y a plus de lumière dans les yeux de nos enfants», songe-t-il souvent.

Jamais il n'a parlé à sa femme des chemins de l'Orient et encore moins d'Elizabeth de Boston. Seule la mer est sa confidente.

Il est finalement devenu un vrai commandant et son équipage, qui le considère comme bourru, distant et parfois cynique, le respecte néanmoins, car il est juste et connaît parfaitement son métier.

Ayant fixé, dans sa tête, les grandes lignes de la route à suivre (finalement c'est toujours la même), il ramasse ses papiers et prévient son second qu'il va passer la soirée chez lui, en famille.

AU LARGE DE CURAÇAO,
ANTILLES NÉERLANDAISES

Bien que le superbe *cabin cruiser* file à dix-huit nœuds, la fumée de la cheminée monte droit vers le ciel. Malgré l'heure encore matinale, la chaleur est accablante, sans aucune brise pour venir l'adoucir. Ceux qui veulent s'attarder sur l'un ou l'autre des deux ponts changent d'avis et retournent vite dans les cabines, où l'air climatisé fonctionne à plein rendement. L'atmosphère est si stagnante qu'on a l'impression qu'il n'y a plus d'air.

Confortablement allongé sur un transat, vêtu uniquement de shorts blancs et se rafraîchissant abondamment d'un mélange de rhum martiniquais et de jus de limette, Isaac Reeves Helmann n'est pas mécontent du tout que Curaçao soit en vue.

Pour l'instant, seul dans le salon du bord, il somnole. La pièce est la réplique de ce que devait être un salon colonial en Afrique orientale, sous Victoria. Les meubles sont tous taillés dans des bois de rose et d'ébène. Rien ne manque, pas même les inévitables trophées de chasse, accrochés aux murs.

Helmann est à la fois banquier et propriétaire de deux journaux à tendance élitiste. Ses deux banques sont principalement destinées aux transactions industrielles: la *First Industrial of Boston* et la *First Industrial of Philadelphia*. Ses deux journaux sont distribués dans les mêmes villes. D'assez haute taille, svelte et fier de l'être, il ne paraît pas ses cinquante-huit ans, lesquels n'ont pas encore attaqué sa chevelure argentée. Descendant d'une vieille famille protestante, qu'il laisse bien volontiers remonter aux Pères de la nation, il en est le seul héritier (en attendant que ses deux enfants le deviennent).

Sa vie a pris un nouveau cours, il y a de cela trois ans, lorsque sa femme, souillant l'honneur d'une famille qui n'avait jamais connu ça, a demandé le divorce, l'accusant dans un procès, qui n'a pu rester à l'abri du public, de tous les maux de la terre.

Le tribunal ayant accordé à sa femme son ancienne résidence principale située à Hyannis, il vit sur son yacht depuis ce temps et évite ainsi de rencontrer tous ceux qu'il côtoyait autrefois. Une pièce spéciale a été aménagée sur le yacht, équipée d'ordinateurs et de téléscripteurs reliés directement à un créneau satellite par l'intermédiaire d'une antenne parabolique: il est donc constamment au courant de l'évolution de ses affaires, et peut donner sur-le-champ les directives qui s'imposent.

Ainsi, tout en naviguant sur les mers du globe, Isaac Reeves Helmann est au travail.

Roi dans tous les sens du terme, il est en train de finir un autre verre, quand son secrétaire particulier se présente, vêtu d'un complet sombre qui serait beaucoup plus de circonstance trois mille kilomètres plus au nord.

«On dirait bien que la bourse de Tokyo s'est effondrée», fait le secrétaire d'un ton uni.

Helmann entrouvre un œil, réfléchit quelques secondes, puis balaie l'air de sa main.

«Tant pis pour les Japs», décide-t-il.

Puis, plus inquiet:

«En Europe qu'est-ce que ça donne?

— Ça va très mal depuis l'ouverture; je ne sais pas ce qui va se passer tout à l'heure à New York.»

Helmann a l'air ennuyé.

«J'avais pourtant décidé de prendre une journée de repos complète aujourd'hui.

— Ne vous dérangez pas, je vais contacter nos bureaux pour savoir de quoi il retourne.»

Le banquier se détend et attrape sa bouteille de rhum.

«Bon! moi je suis en vacances pour le reste de la journée.»

Il désigne son verre vide:

«De toute façon je n'ai plus les idées très claires.»

Le capitaine arrive à cet instant pour l'informer qu'ils vont bientôt rentrer dans le port de Willemstad.

«Nous serons à quai dans dix minutes.

— Parfait!» s'exclame Helmann.

MAISON-BLANCHE, WASHINGTON D.C., U.S.A.

Le Président, effaré, écoute l'exposé du gouverneur de la Banque Fédérale.

«Le processus paraît irréversible, chaque petit actionnaire cherche présentement à revendre tous les titres de son portefeuille. C'est la débâcle sur tous les parquets européens.»

Le Président regarde sa montre. La bourse de New York doit ouvrir dans vingt minutes.

«Si je fais fermer les bourses aujourd'hui, demande-t-il à Larimer, il faudra bien les rouvrir un jour ou l'autre, et alors?

—Ce sera la même débandade qu'en Europe, si rien n'est arrangé.»

Le Président réfléchit quelques secondes et s'adresse au secrétaire d'État, Matt Vaughan:

«Ordonnez la fermeture. J'en prends toutes les responsabilités.»

Puis à l'intention de James Larimer:

«Il n'y aura pas de réouverture avant que je ne connaisse toutes les raisons de ce chaos.»

Larimer compulse des papier d'imprimante, où s'alignent les derniers indices en provenance d'outre-mer.

«Des milliers d'entreprises vont se retrouver sans liquidité pour continuer leurs opérations. C'est insensé!

— Quelles sont les parades?»

Le gouverneur a un sourire contrit:

«Les gouvernements vont être obligés de nationaliser des entreprises temporairement; il va falloir redéfinir la base des changes.

— Vous voulez rire, nous sommes les défenseurs de la libre entreprise.

— Il ne peut y avoir d'activités industrielles sans capitaux. Nous devons plus que jamais soutenir l'emploi, il y va de notre survie. Si nous avons à soutenir une guerre, il faut que tout fonctionne à pleine capacité et que tous les ventres soient pleins.»

Au mot guerre, Harry Steelman tend l'oreille. Il prend la parole:

«En tout cas, les faits prouvent que Smolosidov ne nous a pas conté d'histoires. La guerre aura bien lieu.»

Le Président est maintenant complètement de cet avis:

«Il est grand temps de prendre contact avec tous nos amis. Matt, prenez les mesures en ce sens.»

Puis il s'adresse au Vice-président:

«William, préparez-vous à voyager. *Air Force Two* est à votre disposition, nous resterons en contact constant.»

Au secrétaire de la Défense:

«Dave, je veux au plus vite des lignes directes avec le SACEUR, le CINCENT, le CINCNORTH, le CINCSOUTH et le SACLANT. Une évaluation quantitative et géographique complète des forces du Pacte de Varsovie dans le monde en général et en Europe en particulier, ainsi qu'un rapport complet sur les mesures préventives envisageables sur le front européen. Prévenez aussi le Pentagone que nous déménageons nos pénates chez eux, et le GQG de NORAD que nous passons en DEF CON TROIS, si ce n'est pas déjà fait.

De nouveau à Matt Vaughan:

«Préparez-moi un entretien au plus vite avec l'ambassadeur chinois.»

Au patron de la CIA:

«Charles, voyez à ce que nos agents à Moscou prennent contact au plus vite avec Smolosidov. Il faut savoir tout ce qui se prépare.

— J'ai déjà donné des instructions à cette fin; nous devrions avoir des renseignements dans la soirée.»

Dave Fawcett se tracasse sur un point:

«Je crois, dit-il, qu'il faudrait mettre tous les sympathisants cocos sous surveillance.

— C'est en route, déclare Niles. En ce moment, nos ordinateurs crachent tous les noms et le plan VIRGIN va pouvoir être mis en branle.

— Quel plan?» demande le Président.

Niles l'explique, aussi détaché que s'il s'agissait des règles du jeu de *Monopoly*:

«Le plan VIRGIN prévoit la mise en quarantaine, plus ou moins définitive, de tous les activistes recensés. Ce plan se subdivise selon deux niveaux. Un, ceux qui sont considérés comme vraiment dangereux pour la sécurité: ceux-là vont subir de *graves accidents* d'ici les prochaines soixante-douze heures. Le niveau deux, où se regroupent toutes les personnes ayant des opinions un peu trop gauchisantes: ces gens-là se retrouveront bientôt sous l'œil très attentif des forces de police, qui recevront des informations désobligeantes à leur égard. Nous avons travaillé à ce plan en collaboration avec le Canada, la

Grande-Bretagne, la Norvège, la France, Israël, la RFA et la République sud-africaine.

— Qui va appliquer les mesures du niveau un? demande le Président. Ça me paraît énorme.

— Aux États-Unis, le Ku Klux Klan, répond Niles. Il s'avère que ces gens qui ont toujours été un sujet d'embarras pour l'image de marque des États-Unis, sont les seuls patriotes en qui nous puissions placer notre confiance, pour une opération délicate de cette envergure. Dans une multitude de localités réparties à travers le territoire, ils n'attendent qu'un seul mot pour appliquer le plan VIRGIN.

— Vous n'avez quand même pas recruté tous les membres du Klan?» demande le Président.

Niles secoue la tête:

«Uniquement les meilleurs, monsieur. Ceux dont le potentiel de violence est le plus élevé, et la respectabilité la plus considérée.

— Ces gens-là ne nous causeront pas de problèmes, lorsque tout sera revenu à la normale?»

Niles ne relève pas qu'il s'imagine mal comment tout pourrait rentrer dans l'ordre rapidement, après le cataclysme de feu auquel il s'attend.

«Tout est prévu, nous avons accumulé assez de données sur chacun pour pouvoir les museler plus tard, s'ils voulaient causer des troubles. Ce sont des bourgeois de province, pressés de jouer les héros anonymes mais qui tiennent à leur respectabilité par-dessus tout.

— Je n'aime pas beaucoup ça.

— Personne n'aime ça, monsieur le Président, mais il en va de la sécurité nationale. Songez à ce que pourraient faire tous ces gauchisants, à la solde des Russes, en liberté sur le territoire. Ils sont partout.»

Le Président pousse un long soupir:

«Faites pour le mieux», dit-il, se comparant soudain à Ponce Pilate.

Dave Fawcett reprend la parole:

«Pour ma part, je demande l'autorisation de mettre en route le plan DRAGON.»

Le Président a un petit sourire ironique:

«Allons-y, qu'est-ce que c'est?»

Le secrétaire de la Défense s'éclaircit la voix:

«Il est établi, selon toute probabilité, que les Russes essayeront de saboter nos approvisionnements énergétiques avant d'entamer leur offensive. Si le nucléaire est relativement bien protégé, l'électricité et le pétrole restent des proies faciles; aussi avons-nous mis sur pied une parade préventive.

— Expliquez?

— Sur votre ordre, un service relevant du Pentagone se mettra en contact avec toutes les associations de vétérans (et il y en a beaucoup), afin qu'elles organisent des patrouilles armées le long des lignes de transport, des gazoducs, et autour des raffineries ou dépôts de carburant.

— Ça me paraît bien: feu vert.

— Je demande aussi le plan CINÉMA.

— Laissez-moi deviner. Il doit s'agir de diffuser des films à message anti-soviétique dans le style Rambo.»

Fawcett approuve en riant:

«C'est ça, monsieur. Sur tous les réseaux nationaux et régionaux. Nous avons également une série d'annonces publicitaires où, à travers les réclames de lessives, de bières ou de boissons gazeuses, sera livré un message politique bien défini. Nous croyons qu'en l'espace d'une semaine la population au complet sera prête à soutenir n'importe quelle action aux dépens de l'URSS.

— J'ai hâte de voir ça.

— J'en ai personnellement visionné un il y a quelques jours: Un GI américain, dont la tête inspire tout de suite la sympathie, est en train de se savonner dans un cours d'eau vive avec un pain de savon X. Là-dessus, un Russe au regard haineux se pointe, l'abat d'une salve de AK-47 et, non content d'avoir farci de plomb notre gentil boy américain, il lui dérobe le savon X et l'emporte.

— Ce n'est pas un peu gros? demande le Président.

— Nullement. Le message est clair, et donne l'impression à celui qui regarde l'annonce d'avoir découvert une vérité cachée. Ça le fortifie dans sa certitude d'être intelligent et donc d'avoir raison. Nous nous adressons à l'homme de la rue, pas à l'élite intellectuelle, qui, de toute façon, n'écoute pas les spots publicitaires.

— Allons-y pour le plan CINÉMA.»

James Larimer expose une idée qu'il vient d'avoir:

«Nous sommes certains que ce sont les Russes qui foutent la merde dans nos bourses. Vous devriez l'annoncer à la population;

avec ça vous obtiendrez vraiment la colère populaire que nous désirons. Quel citoyen acceptera qu'un popoff vienne jouer dans ce qu'il a de plus sacré: son porte-monnaie?

— Excellent! complimente le Président. Mais attendons quand même d'en savoir plus long.»

CURAÇAO, ANTILLES NÉERLANDAISES

Le yacht vient tout juste de s'amarrer au quai; Isaac Reeves Helmann débarque sans avoir revu son secrétaire et saute dans le premier taxi. Il donne au chauffeur l'adresse que tous les marins passant par là ne manquent pas de se refiler:

«*Campos Allegre.*

— O.K., boss.»

Curaçao est véritablement l'escale préférée du banquier. Non pas parce qu'il apprécie le style hollandais de Willemstad, ni parce qu'il a un faible pour le paysage désertique de l'île (il se fout royalement des paysages), sans compter que le fait d'être dans un port franc ne lui fait ni chaud ni froid. Non, il aime Curaçao pour le *Campos Allegre.*

Le taxi a quitté la ville depuis quelques minutes et se promène dans un paysage de dunes arides, avec des cactus éparpillés çà et là. Au détour d'un virage, apparaît brusquement ce qui, de loin, pourrait ressembler à l'image que chacun se fait d'un camp de concentration: une vaste enceinte clôturée de hauts barbelés, avec des miradors aux quatre coins. À l'intérieur des barbelés s'alignent des rues bordées de petits pavillons de bois et de tôle, aux couleurs rose bonbon, bleu paradis ou vert pastel.

Le taxi le dépose devant l'unique entrée du camp, faite d'un guichet dans le style de ceux des fêtes foraines. Helmann achète une dizaine de billets.

Chacun de ces billets donne droit à l'une des attractions de l'endroit, qui n'en manque pas. Il y en a pour tous les goûts. Grasses, petites, grandes, énormes, jeunes, très jeunes, vieilles, jaunes, blanches, brunes, rousses, blondes, toutes les teintes africaines allant du noir aubergine au miel doré, indiennes, sang-mêlé. Il y a même des sans-bras et des sans-jambe. Elles viennent de tous les continents. Sans peut-être trop savoir ce qui les attend, la plupart sont arrivées là de leur propre chef, après avoir signé un contrat de trois ou cinq ans, renouvelable. Toutes persuadées qu'elles repartiront suffisamment fortunées pour faire vivre leur famille. Certaines ont laissé des enfants, Helmann le sait, car une Colombienne lui a montré, une fois, la photo des siens.

Aujourd'hui il est décidé à profiter pleinement de tout ce qui s'offre à lui. À de nombreuses reprises au cours des derniers jours, il s'est inventé des scénarios où alternent couleurs et genres. À présent, il s'est fixé sur un qui répondra certainement à toutes ses attentes: il commencera avec une jeune Japonaise pour la touche dorée, ensuite il s'enfoncera dans les profondeurs obscures et inquiétantes de la jungle avec une Noire très noire et très grande. Par la suite, une fille de feu, une rousse à la peau de lait, devrait le ramener à la lumière éclatante, mais il rechutera aussitôt dans des tiédeurs enivrantes, sous les caresses à la fois expertes et candides d'une Indienne cuivrée, de préférence très jeune et rasée. Après, ce serait selon l'inspiration du moment.

Helmann n'est pas un surhomme et il le sait; aussi a-t-il apporté avec lui une pleine bouteille de *Bois Cochon*, qu'il s'est procurée lors de sa dernière escale à Port-au-Prince. Cette boisson très particulière, réellement plus efficace que la poudre de défense de rhinocéros, a l'avantage de reconstituer toutes les ardeurs sexuelles en un court laps de temps. Un peu dur pour le cœur, mais le plaisir vaut le risque.

Il déambule dans les rues poussiéreuses, à la recherche de sa jeune Japonaise, lorsque le bruit assourdissant d'une explosion balaie le camp.

«Sacré bordel de bon Dieu!» jure-t-il tout haut, en levant la tête dans la direction du bruit.

À l'horizon, derrière les collines, une impressionnante masse de fumée noire, zébrée de flammes qui grimpent à une hauteur affolante, monte vers le ciel, obscurcissant tout.

«Le dépôt de la *Shell* qui vient de s'envoler en fumée, songe-t-il. Sacré spectacle.»

En même temps, il aperçoit une jeune fille du Levant, qui regarde le ciel avec des yeux effrayés. Comme dans ses rêves, elle porte un kimono qui, légèrement entrebâillé, laisse deviner un corps d'apparence enfantine. Il en conçoit immédiatement un désir qui le submerge.

113

PESHAWAR, FRONTIÈRE PAKISTANO-AFGHANE

C'est le jour du marché pour Alusia Pobozny. Elle aime beaucoup se retrouver, une fois par mois, dans l'ancien *Qissah Khwani Bazar* de Peshawar. Là, se réunissent les marchands venus de l'extérieur pour vendre leurs productions de fruits séchés, vêtements en peau d'agneau, tapis multicolores tressés à la main, couvertures de laine, bijoux de cuivre, sans oublier toute la panoplie des armes, en partant du simple coutelas jusqu'au bazooka. Depuis que les Soviétiques sont revenus en force en Afghanistan, les ventes d'armes ont repris de plus belle, pour la plus grande joie des marchands qui ont prévu le coup, et ne ralentissent pas même après le soi-disant retrait de l'Armée rouge.

Alusia, elle, n'achète que des produits essentiels, car les fonds qui arrivent de l'Occident ne lui permettent pas de faire des folies pour ses protégés. Cela ne l'empêche pas d'admirer longuement tous les produits de l'artisanat environnant. C'est la seule vraie détente qu'elle s'accorde, lors de ses voyages mensuels dans la capitale provinciale.

Les marchands commencent à la reconnaître, avec son sari de coton blanc liséré, aux extrémités, de trois bandes bleues: l'habit des Missionnaires de la Charité, l'ordre fondé par Mère Teresa en 1950.

Les deux novices américaines qui accompagnent Alusia achèvent de charger l'ancien camion militaire repeint en blanc et bleu et reconverti aussi bien en ambulance qu'en véhicule utilitaire.

Alusia discute encore avec un marchand de figues, essayant de négocier un prix raisonnable:

«Pour des frères qui vont mourir, dit-elle. Ne veux-tu pas que des hommes, qui vont quitter ce monde, emportent le goût de tes fruits dans leur dernier souffle?»

Elle emporte une caisse de figues pour la moitié de sa valeur initiale.

«En route, mes sœurs, dit-elle aux novices. Nous allons faire des heureux à notre retour.»

Alusia au volant, le véhicule se fraye un chemin dans les rues encombrées et reprend le chemin du camp de réfugiés afghans, à proximité de la frontière. Alusia y a érigé la Maison des Enfants de Dieu. La maison n'est en fait constituée que de deux grandes tentes, dont l'une vient d'une brasserie canadienne et qui a servi autrefois dans les festivals, et l'autre est la donation d'un Texan, qui l'utilisait pour ses réceptions extérieures. Chaque tente remplit une fonction. Celle de la brasserie fait office d'école. Pas une école où l'on apprend l'histoire ou la géographie mais une école d'enseignements pratiques. Que donnerait l'apprentissage des lettres pour ces montagnards qui ne verront certainement jamais d'autre livre que le Coran? L'autre tente se subdivise en deux sections: le dispensaire et le mouroir. Il arrive chaque jour dans cette tente un flot continu de blessés: des hommes revenant d'une escarmouche avec les Soviétiques; des femmes ou des enfants victimes des gaz, des mines ou des bombardements. La plupart du temps, les blessés sont en si mauvaise condition qu'il ne reste plus qu'à leur administrer les derniers soins et, surtout, les accompagner avec amour jusqu'aux portes de l'au-delà.

Le camion traverse une vaste plaine où l'irrigation permet la culture des céréales, du coton et des arbres fruitiers, puis aborde les contreforts, plus secs et plus rocheux, d'un plateau poussiéreux. Au loin, dans une image dansante provoquée par la chaleur, se dessine le camp des réfugiés, vaste prolifération de tentes de tout acabit, depuis la tente typique des nomades jusqu'à celles de couleur kaki venant de l'armée ou de la Croix-Rouge.

Il n'y a que quelques heures qu'Alusia est partie, et déjà elle est pressée de rejoindre ses affligés. Rien dans la vie ne lui cause plus de peine que de se retrouver au chevet d'un mourant mais rien ne lui procure plus de joie que de lui donner son amour. Mère Teresa avait raison quand elle affirmait qu'elle recevait beaucoup plus qu'elle ne donnait. Rien au monde ne peut remplacer cette lueur d'affection et de soulagement qui miroite dans le regard de celui que l'on accompagne avec tendresse jusqu'au bout de sa route. Rien n'est plus déchirant que de sentir la dernière pression de ses doigts sur les siens.

Et chaque fois c'est pareil; Alusia implore Dieu qu'Il prenne sa vie contre celle de la personne qui part trop jeune ou qui veut encore rester auprès de sa famille. Ses demandes restent toujours sans réponse.

Troisième enfant d'une famille de neuf, Alusia Pobozny est née dans la ferme familiale des monts Pieniny, au sud de Cracovie. Comme la grande majorité des Polonais, elle vient d'une famille catholique et profondément pratiquante. Toute petite, à l'école de bois sur les bords du fleuve Dunajec, elle se faisait remarquer par l'attention qu'elle portait à ses camarades, passant des heures à réconcilier ceux qui se chicanaient, d'autres à expliquer les leçons à ceux qui ne comprenaient pas très vite; tout cela sans oublier de donner ses desserts à ceux qui n'en avaient pas.

Comme elle était douée pour les études, elle se retrouva un jour à l'université Jagellon de Cracovie, fondée par Casimir le Grand en 1364, plus vieille université d'Europe orientale après celle de Prague. Alusia s'était dirigée vers la médecine: c'est de cette manière qu'elle pensait le mieux aider son prochain. Pourtant, elle revenait lasse et découragée de chacune de ses visites à l'hôpital universitaire:

«Nous n'aidons pas les malades, écrivait-elle à sa mère. Nous livrons une bataille biologique où l'ennemi est la maladie et le malade le champ de bataille. Ce n'est pas ce que je voulais faire. Nous bombardons une tumeur aux rayons, traquons le microbe à coups d'antibiotiques et supprimons les organes déficients à coups de scalpel mais le malade ne reçoit rien de nous, sinon des politesses et des formules encourageantes que nous apprenons en même temps que la science elle-même.»

Souvent, à cette époque, Alusia se rendait à la cathédrale Saint-Wenceslas, afin de demander de l'aide. En ces lieux, elle se sentait bien, conversant avec Marie, Jésus et l'Esprit saint, comme une autre l'aurait fait avec ses amies. Elle leur posait des questions et devait obtenir les réponses, car le dialogue se poursuivait longuement.

Un jour, le franciscain qui la confessait chaque samedi fut frappé par sa contrition.

«Pardonnez-moi, mon père, car même si je ne crois pas commettre beaucoup de péchés, je suis mauvaise. Je ne sais pas m'ouvrir à autrui, je suis toujours portée à juger mes frères pour les actes qu'ils posent et non les actes en eux-mêmes. Tiens! hier encore, j'ai conçu de la haine pour l'Allemand Hans Frank, en apprenant qu'il avait déporté tout le personnel de l'université pendant la guerre. Qui suis-je pour me permettre de juger cet homme que je n'ai jamais connu?»

Le moine demanda à la rencontrer hors du confessionnal.

Il fut frappé une nouvelle fois lorsqu'il la vit. De taille plutôt petite, presque frêle, elle portait de longs cheveux blonds dorés, qui encadraient un visage extraordinaire par l'impression de tendresse qui s'en dégageait. Jamais il n'avait vu d'aussi beaux yeux. Beaux, parce qu'aucune malice n'était présente dans les deux brasiers bleus.

«Elle respire l'amour», se dit-il.

Et, une fraction de seconde, il détourna son regard dans un geste voulant dissimuler l'idée, saugrenue dans son esprit, qu'il allait tomber amoureux.

«Vous vouliez me parler?» dit-elle d'une voix qui lui parut douce comme la lumière du printemps.

Oui, il voulait lui parler, mais en la voyant il ne savait plus quoi dire. Il était certain qu'elle en savait plus que lui.

Que pouvait-il lui dire ou lui conseiller qu'elle ne sache pas?

«Vous avez une voix charmante, trouva-t-il à dire. J'ai pensé qu'il serait agréable de vous entendre lire les épîtres à l'office dominical.

— Avec joie!»

Elle abandonna ses études de médecine le jour où, avec les autres étudiants de sa classe, elle se rendit en salle d'autopsie.

Ils entouraient une table d'acier inoxydable où reposait, dans son dernier sommeil, la dépouille d'un mineur retrouvé asphyxié quelques heures plus tôt. L'homme était encore jeune, dans la trentaine, et complètement nu. Un médecin, vêtu d'un tablier de caoutchouc jaune, attendait qu'ils soient tous regroupés autour de la table pour pratiquer la première incision.

Alusia ne pouvait détacher son regard du visage de la dépouille. Une affreuse grimace lui déformait le visage. Ce qu'elle avait là sous les yeux avait été un homme, un être qui aimait, qui parlait, avait eu des espoirs et des craintes, et eux ils étaient là, rassemblés autour de son cadavre, sans plus d'émotions que s'ils étaient un groupe de mécanos autour d'un moteur diesel. À voir son visage, le mineur était mort dans l'angoisse, et tout le monde s'en fichait. Ils n'étaient présents que pour observer ses organes.

«Et ça?» demanda une étudiante, riante, qui désignait le sexe. «J'aimerais bien savoir comment c'est fait.

— Pas de problème», fit l'homme au tablier jaune, qui aussitôt incisa.

Alusia ne supporta pas plus longtemps ce qu'elle prenait pour une profanation. Elle quitta l'université le même jour et se présenta à la porte d'un couvent de carmélites.

Elle y resta huit mois. Huit mois d'un noviciat sans tache; respectant, comme allant de soi, les trois règles fondamentales: obéissance, chasteté et pauvreté. Du matin au soir, elle courait partout, apportant une aide non réclamée à toutes les sœurs qui n'en demandaient pas tant et, bientôt, elle se heurta au mur de la jalousie de ses compagnes, qui voyaient en Alusia ce qu'elles auraient pu être. La jeune novice le ressentait profondément, mais loin de montrer son affliction elle faisait toujours preuve de plus de gentillesse.

«Elles ne me connaissent pas, se disait-elle. Il faut les comprendre.»

Un soir, alors qu'elle lavait à genoux le dallage de la cuisine, trois sœurs arrivèrent dans son dos et l'une d'elle renversa volontairement du pied le seau d'eau savonneuse.

«Ce n'est pas grave, dit Alusia qui n'avait pas vu le geste.

— Va-t'en d'ici, intrigante. Quitte ce couvent au plus vite, dit l'une des trois sœurs d'une voix monocorde.

— Mais... Pourquoi?

— Nous sommes toutes des épouses du Christ, petite intrigante. Ne t'imagine pas que tu l'auras pour toi toute seule.»

Alusia n'en croyait pas ses oreilles. Devant le ridicule de la situation, elle ne put s'empêcher de rire.

«Je crois que vous vous trompez, dit-elle avec un sourire qui les exaspéra. Je n'ai jamais voulu devenir l'épouse du Christ. Premièrement, parce que je trouve cette idée absolument grotesque et, ensuite, parce que je ne suis que sa servante, et je n'aspire à rien de plus qu'à l'imiter dans la charité.»

Elle se tut une seconde pour réfléchir avant d'ajouter:

«Comment pouvez-vous prétendre être les épouses de notre Seigneur? Il n'est pas polygame, que je sache. Et si vous étiez réellement ses épouses, que seraient les moines?»

Les sœurs, outrées, ne voulurent pas en entendre davantage et s'en furent faire leur rapport à la mère supérieure.

Alusia fut convoquée le même soir.

«Ma fille, je vous observe depuis le premier jour et j'ai acquis la conviction que vous n'êtes pas faite pour vivre dans ce couvent.

— Mais, ma mère je...»

La mère supérieure leva la main:

«Je n'ai pas dit que vous n'étiez pas bien, au contraire. J'ai simplement voulu dire que vous n'étiez pas à votre place dans ce couvent-ci. Vous ne vous en êtes pas rendu compte?»

Alusia hésita puis finit par admettre gravement:

«C'est vrai, ma mère, je trouve parfois qu'il n'y a rien à donner ici. J'aurais aimé faire quelque chose comme le font les sœurs de Mère Teresa, par exemple.»

Le visage de la mère supérieure s'épanouit:

«Je le sais, ma fille, je le sais. Alors, pourquoi n'iriez-vous pas vous joindre aux missionnaires de la Charité?

— Il faut sortir de Pologne.

— Vous tenez absolument à rester en Pologne?

— Ce n'est pas ça, ma mère. Je n'ai ni l'autorisation ni les moyens de le faire.

— Je peux très bien vous arranger ça.»

Le visage d'Alusia s'éclaira:

«C'est vrai?

— Bien sûr! C'est même ce que je vais faire, vous envoyer à Rome où existe un novïciat de cet ordre, avec une lettre de recommandation.

— Oh! ma mère, comment vous remercier!»

Alusia quitta la Pologne quelques jours plus tard, après être allée embrasser sa famille. Elle passa deux années à Rome où la mère supérieure locale l'enjoignit de reprendre sa médecine.

Elle passa ensuite deux autres années à la Maison du Cœur Pur de Calcutta, avant de se voir confier la mission d'établir une maison dans ce camp de réfugiés afghans.

***

À peine la camion est-il arrivé dans le camp qu'un groupe de femmes en pleurs se précipite vers les sœurs.

«Que se passe-t-il?» demande Alusia dans son afghan naissant.

Un montagnard d'allure noble, visage en partie dissimulé sous une énorme moustache et dos bardé de cartouchières, accompagne les femmes. Il explique que des hélicoptères sont passés au-dessus de son village, et ont répandu des gaz. Il y a beaucoup de morts, et les survivants ont les poumons en très mauvais état.

Alusia sait de quoi il parle. Elle prodigue souvent ses soins à de nombreuses victimes de ces gaz qui brûlent les voies respiratoires.

«Où est ton village?»

Il tend le doigt vers l'ouest.

«Dans la montagne, au Logar Paktia, tout près du Nangarhar.»

Alusia consulte les novices américaines du regard. Elles acquiescent à la question qui n'a pas été posée verbalement.

«Nous irons, annonce Alusia en s'adressant au montagnard. C'est loin?

— Quatre jours de marche. Peut-être plus avec des femmes.

— Pouvez-vous nous accompagner?

— C'est dangereux pour vous. Il y a des patrouilles un peu partout.»

Alusia lui pose la main sur l'épaule.

«Vous avez de la famille là-bas?»

Le regard du montagnard n'exprime plus que de la peine:

«Il me reste un garçon.

— Comment va-t-il?

— S'il est fort, il vivra.

— Nous partirons avec toi ce soir. Comment t'appelles-tu?

— Hafizullah.»

Alusia n'est encore jamais allée de l'autre côté de la frontière. Elle porte son regard en direction des montagnes, vers ce pays mystérieux qu'elle ne connaît que par ses habitants. Une vingtaine d'ethnies se retrouvent dans le camp. Les Afghans sont majoritaires, mais il y a aussi des Nouristanis, des Tadjiks, des Hazara-Beberis, des Ouzbeks, des Kirghiz et bien d'autres. Principalement des femmes, des enfants et des invalides. Les hommes sont dans les montagnes, toujours à la recherche de cibles soviétiques.

«Il faut aller les aider chez eux», se dit Alusia, en se dirigeant vers la tente-dispensaire afin de réunir le matériel médical de premiers soins.

BAKOU, R.S.S. D'AZERBAIDJAN

Nikolaï Sologdine est fâché. Pour une fois qu'il rentre de bonne heure, il vient de trouver un mot d'Erjika sur la table, l'avertissant qu'elle est chez une camarade de travail pour la soirée. Un repas d'anniversaire entre compagnons de laboratoire.

Il essaye de regarder la télévision mais son esprit n'y est pas du tout. Il éteint le poste et va mettre un disque. Allongé sur le divan, toutes lumières éteintes, il se laisse aller à rêver de Mouza. Mouza, qui doit être chez elle de l'autre coté du palier. Les notes graves, grandioses et tellement mélodieuses du *Concerto Nº2 pour piano,* opus XVIII de Rachmaninov, le portent à la rêverie. Il a oublié qu'elle lui a dit qu'il valait mieux ne plus se revoir. La magie de la nuit et de la musique donne corps à ses fantasmes. Main dans la main, ils se promènent dans quelque pays imaginaire, partagés entre les vagabondages futiles, les repas en tête-à-tête et la complicité d'une chambre d'hôtel abritant leur passion.

Il secoue la tête en songeant qu'il n'est pas question d'aller s'enfermer dans un hôtel. Tous sont gérés par l'*Intourist.* Le faire équivaudrait à afficher publiquement qu'il a une liaison. Cela en admettant bien sûr que Mouza soit d'accord, ce qui est loin d'être le cas.

Frappé soudain par le fait qu'il n'y a que deux portes entre elle et lui, il se lève, ouvre sa porte et, le coeur battant, frappe à celle de la jeune femme.

Elle se présente dans l'entrebâillement vêtue d'un peignoir de satin lavande. Ses cheveux tombent en cascade sur ses épaules.

«Nikolaï?»

Il prend un air légèrement contrit:

«J'étais seul et j'avais envie de parler à quelqu'un», dit-il, comme si n'importe qui pouvait faire l'affaire.

Elle a une seconde d'hésitation:

«Entre, j'allais justement préparer du thé.

— Merci.»

Il a une irrésistible envie de la couvrir de mots d'amour mais sait qu'il ne le peut.

«Belle soirée, dit-il nonchalamment, en prenant place dans l'un des fauteuils du salon.

— Je n'ai même pas remarqué, j'étais devant l'ordinateur en train de me familiariser avec un nouveau langage propre à l'intelligence artificielle. Je me passionne pour cette science.

— Je dois avouer une grande ignorance à ce sujet.

— Cela m'aide énormément dans mes recherches sur le cerveau. Il ne s'agit pas d'en connaître juste l'anatomie, il faut aussi essayer de comprendre comment il fonctionne. Le reconnaissance des formes, la compréhension du langage, la programmation logique de l'action, la manière dont on doit représenter ces choses dans le langage de la machine, ont de grosses répercussions sur la façon de concevoir et d'analyser l'intelligence humaine. La mise au point d'un programme intelligent repose sur l'observation de la façon dont procède le cerveau. La technique de simulation est un outil fantastique pour mettre à l'épreuve les hypothèses, formulées par les psychologues, sur les mécanismes du raisonnement.»

Nikolaï se rend compte qu'elle lui tient tout ce langage savant pour bien lui montrer qu'il n'est pas question d'autre chose, en ce moment, que des relations de bon voisinage. Il entre dans le jeu:

«Je me suis déjà vaguement intéressé à l'intelligence artificielle. Je voulais concevoir un système intelligent qui analyserait les données que je recueille sur le terrain. J'admets avoir lamentablement séché dès le départ.»

Elle se met à rire.

De la voir ainsi, la tête légèrement renversée en arrière, le trouble profondément. Jamais encore il ne l'a trouvée aussi belle, aussi désirable.

«L'informatique, on l'a ou on ne l'a pas. Personnellement j'y passerais des nuits. Présentement, j'étudie le *Prolog* et j'en rêve la nuit.»

Il s'apprête à lui dire qu'il rêve à bien autre chose, mais se retient.

«Je t'empêche peut-être de travailler?»

Elle va lui répondre par la négative, lorsque des coups retentissent à la porte.

Ils se regardent.

«Ça m'étonnerait que ce soit des patients à cette heure», dit-elle à voix basse.

Il se sent soudain mal à l'aise:

«Il ne faudrait pas que l'on me voie ici.»

Mouza lui désigne sa chambre, avec un sourire signifiant qu'elle trouve tout ça très drôle.

Elle ouvre la porte et se trouve devant trois individus qui assurément n'ont pas l'air souffrant.

«Oui? demande Mouza.

— Docteur Krilov?

— C'est moi. Que puis-je pour vous?»

L'un d'eux, ils se ressemblent tous les trois, extirpe une carte officielle de la poche de sa veste.

«Ministère de la Santé, dit-il d'une voix atone. Nous sommes là pour vous annoncer que vous venez, officiellement, d'être nommée en poste à Wrangel, à partir de ce jour.»

Elle les regarde avec ahurissement.

«Quelle est cette histoire, camarades?

— Nous pouvons entrer?»

Elle acquiesce et ils s'avancent en refermant la porte derrière eux.

«Si je comprends bien, s'informe-t-elle, vous me dérangez en fin de soirée pour m'annoncer que je suis mutée ailleurs, alors que je n'ai même pas demandé de nouvelle affectation. N'auriez-vous pas pu attendre demain matin, vous vouliez absolument me gâcher ma nuit?»

Un second individu sort une carte de sa poche, du KGB cette fois. Il prend la parole:

«Les ordres viennent de Moscou, camarade. Nous ne pouvions attendre demain, car votre avion décolle dans à peine deux heures.»

Mouza est abasourdie. Elle est certaine qu'il doit y avoir une erreur.

«Asseyez-vous dans la cuisine, dit-elle. Il faut que je téléphone, il ne doit s'agir que d'une méprise.»

Le troisième homme parle à son tour:

«Je crains que votre ligne ne soit déjà coupée, camarade.»

Elle porte le combiné à ses oreilles pour constater qu'il n'y a aucun signal.

«Expliquez-moi ce qui se passe», demande-t-elle d'une voix où perce l'angoisse.

L'homme du ministère de la Santé sort un autre papier de sa poche.

«Voici votre ordre d'affectation.»

Mouza lui prend le papier des mains et lit les quelques paragraphes officiels, où il est clairement indiqué qu'un autre médecin vient d'être nommé à sa place et qu'elle doit quitter Bakou immédiatement pour gagner son nouveau poste au plus vite. Aucune explication sur le pourquoi. Elle relève la tête:

«Et si je refuse?»

Le deuxième homme du KGB lui répond:

«Vous n'avez aucune autre place où aller. Dès demain, votre remplaçant s'installera ici. Je ne puis que vous suggérer de faire vos bagages au plus vite, l'avion n'attendra pas.

— Pourquoi ne m'a-t-on pas prévenue plus tôt?»

Les trois hommes manifestent leur ignorance.

«Que vais-je faire de mes meubles? de ma voiture?

— Vous pourrez les faire suivre, bien que pour la voiture je ne pense pas que vous en aurez besoin, là où vous allez.

— C'est vrai ça, où se trouve Wrangel?»

Un sourire un peu sarcastique se dessine sur le visage du premier homme du KGB.

«Une petite île, dit-il doucement. Au nord de la péninsule des Tchouktches.»

Le cœur de Nikolaï ne fait qu'un bond dans sa poitrine. Caché derrière la porte, il a tout entendu et vient de comprendre que celle qu'il désire est ni plus ni moins envoyée en déportation.

Mouza, aussi, comprend et devient livide.

«Ce n'est pas possible, s'écrie-t-elle. Qui a eu l'idée de m'envoyer là? Quelqu'un vit-il sur cette île au moins?»

L'homme du Ministère l'informe:

«Quelques nomades, parfois aussi une équipe météo ou un détachement militaire. Nous avons besoin d'un médecin là-bas et nous connaissons votre dévouement pour les nobles causes.»

Il a ajouté cela avec une certaine ironie.

Mouza ne dit pas qu'elle est spécialisée en neurologie et qu'elle sera inutile au fin fond de la Sibérie. Ils le savent. Elle n'est pas officiellement déportée mais cela revient au même.

Une seconde, elle cède au découragement mais se reprend très vite.

«Toujours être forte, se dit-elle. Ne pas leur montrer qu'ils gagnent.»

«Parfait, je vais préparer mes bagages.»

Nikolaï surgit dans la pièce.

«C'est inadmissible! s'écrie-t-il. Vous n'avez pas le droit.»

Les trois hommes le regardent, stupéfaits.

«Qui êtes-vous? demande le premier homme du KGB.

— Je suis le voisin du docteur Krilov et je vous assure que ça ne se passera pas ainsi.»

Mouza s'interpose:

«Laisse, Nikolaï, tout va très bien.

— Ce n'est pas mon impression.»

Elle le regarde fixement, les yeux dans les yeux. Il y lit une certaine détresse.

«Rentre chez toi, Nikolaï.»

Du regard elle essaye de lui faire comprendre qu'il va s'attirer des ennuis. Il le réalise soudain.

«Rentre chez toi», répète-t-elle.

Il reste indécis puis hoche la tête et s'exécute.

«Je te donnerai de mes nouvelles», promet-il en passant la porte.

Tout son univers bascule pour la deuxième fois.

Les deux hommes du KGB se regardent d'un air entendu.

Mouza passe dans sa chambre pour préparer ses bagages. Elle rassemble tout son linge, ses instruments médicaux ainsi que divers volumes. Elle a déjà rempli deux valises et regarde autour d'elle ce qu'il ne faut pas qu'elle oublie.

«Oh! j'ai failli t'oublier.»

Elle se dirige vers son ordinateur et le place dans son coffret de transport avec toutes ses disquettes.

Elle ramasse encore ses bijoux ainsi que ses albums de photos, avant de conclure qu'elle ne peut pas en emmener davantage.

Tant pis, il lui faut laisser les meubles, la vaisselle et toutes ces petites choses qu'elle a accumulées autour d'elle.

Elle revient dans la cuisine où les trois hommes l'attendent, assis.

«Il me reste de l'alcool de cerise», propose-t-elle sur un ton presque joyeux qui ne devrait pas être de mise en ces circonstances. «Ce serait dommage de l'abandonner.»

Les trois hommes s'interrogent du regard: il leur reste un peu de temps.

«Avec plaisir, accepte l'homme du Ministère.

— À la santé des Tchouktches!» lance-t-elle en s'essayant à l'ironie.

Ils ne comprennent rien à la soudaine bonne humeur de Mouza et se tiennent sur leurs gardes.

L'alcool lui fait du bien.

«Un changement sera bénéfique, après tout. J'étais en train de m'encroûter dans cette ville qui, décidément, ne sent pas bon. Il doit bien y avoir quelque chose de positif dans cette île de l'Arctique.»

***

L'aéroport de Bakou semble désert. Mouza et les trois hommes ont roulé en silence. L'homme du Ministère les quitte avant que la voiture ne s'engage vers une aire de stationnement d'avions.

«Bon voyage, camarade Krilov», dit-il avant de descendre de voiture.

Ils arrivent auprès d'un cargo *Ilyushin 62*. Les deux agents accompagnent Mouza à l'intérieur de la carlingue pleine à craquer de caisses de légumes.

«Je ne mourrai pas de faim d'ici la Sibérie.»

Un pilote se présente.

«Cet avion va à Moscou, camarade; la Sibérie, très peu pour moi!»

Mouza se tourne vers les hommes qui l'accompagnent, avec interrogation:

«Moscou maintenant?

— Juste une escale.»

Il ne la laissent qu'au moment où le navigateur vient pour fermer les ouvertures.

«Qu'est-ce que je fais, moi? demande-t-elle à ce dernier.

— Vous trouvez une place pour vous installer et vous passez le temps comme vous voulez. Évitez seulement de faire tomber l'avion, ajoute-t-il en riant.

—C'est pour qui tous ces beaux légumes?»

Il a un signe d'ignorance:

«Les grosses huiles, je suppose.»

Il la laisse pour passer au poste de pilotage et, quelques minutes plus tard elle entend le grondement des quatre réacteurs.

Trois heures plus tard, l'avion se pose à Oukouno II, l'aéroport

126

militaire de Moscou. Sitôt la soute ouverte, un soldat se présente pour l'escorter:

«Je dois vous conduire vers votre avion.

— Pouvez-vous m'aider à porter mes bagages?»

Il attrape les deux valises et elle se charge de son ordinateur. Un camion militaire attend, au pied de la passerelle, pour l'emmener vers un autre cargo. Un *Tupolev* de couleur kaki et estampé de l'étoile rouge.

L'intérieur de la carlingue est plein de caisses, d'origine inconnue cette fois. Il y a une forte odeur d'huile. Mouza suppute que le voyage ne sera pas de tout confort. Le nouveau pilote vient la trouver.

«Désolé pour le confort, dit-il. Installez-vous du mieux que vous le pourrez, le voyage est long. Nous aurons deux escales avant Pevek.

— Je suppose que Pevek se trouve sur la péninsule des Tchouktches.

— Tout juste.»

Il porte sous le bras deux grosses couvertures; il les tend à Mouza:

«Le système de chauffage n'est pas parfait, vous en aurez besoin. Nous nous reverrons à Novossibirsk.

— Si ma mémoire est bonne, il me semble que Novossibirsk n'est pas tout à fait sur notre chemin?

— Votre mémoire n'est pas mauvaise.»

Il la quitte et elle se retrouve de nouveau seule.

Bientôt Mouza sent l'avion quitter la piste et grimper dans les airs, selon une trajectoire très abrupte. Elle prie pour que les caisses de fret soient bien arrimées. Un froid piquant envahit rapidement la carlingue; Mouza dispose ses couvertures de manière à s'y aménager un nid douillet, et s'y glisse recroquevillée sur elle-même. Claquant des dents, elle attend plusieurs minutes avant que sa propre chaleur n'entretienne un semblant de confort.

Tout en elle essaye de s'adapter à la nouvelle situation. Les gens du KGB ont bien organisé l'affaire. À aucun moment elle n'a pu s'entretenir avec qui que ce soit. Il est évident qu'on ne veut pas qu'elle parle. Elle ne sait pas de quoi.

Une heure passe. Blottie dans les couvertures, elle en est toujours à des suppositions quand le sommeil la gagne. Elle se réveille complètement frigorifiée et ankylosée quelques heures plus tard alors que l'appareil amorce un atterrissage particulièrement douloureux pour les tympans. Mouza songe qu'elle doit se trouver au-dessus de Novossibirsk et secoue la tête pour essayer de chasser le sentiment d'irréalité qui l'a envahie. Tout cela ne peut être qu'un mauvais rêve, elle se réveillera tout à l'heure dans son lit à Bakou.

Elle sent l'avion se poser et rouler longuement. Au bout d'un temps interminable, le pilote réapparaît.

«Pas trop froid? demande-t-il.

— Je ne suis pas mécontente de l'escale, je vais pouvoir aller me réchauffer un peu.

— Je m'excuse, mais je n'ai pas l'autorisation de vous laisser sortir.»

Elle a un mouvement de lassitude. Il a pitié:

«Je vais vous rapporter quelque chose de chaud et de quoi manger.

— Merci.»

Il disparaît et des militaires entrent pour ouvrir la soute arrière. Bientôt un chariot-diable commence à décharger du matériel. Le pilote revient avec un sandwich de pain noir et un thermos de thé.

«On se reverra à Yakoutsk.

— Je suppose que je ne pourrai pas descendre là non plus?»

Il secoue la tête négativement.

Un autre pilote apparaît; sa tête ne plaît pas à Mouza.

«Faut pas parler à la fille», dit-il.

La soute est refermée, et l'appareil prend le chemin de la piste d'envol. De nouveau dans les airs, elle ne trouve plus le sommeil. Des tas de questions se bousculent dans sa tête.

Le pilote qui ne lui revient pas apparaît derrière une rangée de caisses.

«Qui pilote cet avion? demande Mouza.

— Un seul homme suffit. Je venais voir si tout allait bien pour vous.»

Elle lit quelque chose qui lui déplaît dans le regard de son interlocuteur.

«Je croyais que vous n'aviez pas le droit de me parler?»

Il prend un air égrillard:

«Je ne venais pas spécialement pour faire causette. Quelque chose me dit que nous aurions mieux à faire.»

Mouza ne dissimule pas son dégoût.

«Je ne vous conseille pas de m'approcher.

— Ah! et c'est toi qui va m'en empêcher?

— On verra bien», dit-elle glaciale.

Il s'approche et pose un genou entre les jambes de Mouza.

«On va bien rigoler, tu vas voir.»

Le souffle un peu court, il pose ses deux mains sur le buste de Mouza.

Surmontant sa répulsion, elle lui donne un instant l'impression qu'elle s'abandonne. Certain de son affaire, il entreprend de déboutonner ses pantalons mais il n'a pas le temps de les baisser.

De toutes ses forces, Mouza abat les deux tranchants de ses mains le long du cou du pilote, qui se plie en deux, le souffle coupé. Elle en profite pour lui asséner de toutes ses forces un coup de coude à la base de la nuque. Il y a un petit craquement.

Le coup est souvent mortel et elle le sait.

En tant que médecin pouvant être appelé n'importe où et n'importe quand, elle a appris à se défendre en cas de mauvaise rencontre. C'est la première fois qu'elle met ses leçons en pratique.

Elle prend le pouls du pilote étendu ridiculement sur le sol. Rien. Ce n'est pas une grosse perte mais elle n'a pas vraiment voulu le tuer, juste lui donner une leçon. Un mauvais goût lui emplit la bouche. Elle se sent perdue.

Titubante, le cœur au bord des lèvres, elle passe par-dessus les caisses pour se rendre jusqu'au poste de pilotage. Le navigateur est plongé dans ses cartes, le radio semble sommeiller et le pilote fixe le ciel droit devant lui.

Mouza lui tapote l'épaule. Il se retourne, surpris.

«Que faites-vous ici?

— Votre co-pilote est mort.

— Quoi?»

Il est complètement abasourdi. Elle explique:

«Il a voulu me violer.

— Et qui l'aurait tué?

— Moi.»

Il la regarde, incapable d'imaginer comment elle aurait pu faire ce dont elle s'accuse. Il fait signe au navigateur d'aller se rendre compte. Son visage s'éclaire:

«C'est une plaisanterie?»

Elle secoue la tête et le navigateur revient, les yeux grands ouverts de surprise, confirmer ses dires.

«Vraiment mort? demande le pilote qui ne peut y croire.

— Complètement», affirme l'homme des cartes.

Le pilote ajuste son casque d'écoute et appelle au sol pour faire part de ce qui vient de se produire dans son avion.

Il explique toute la version de Mouza et celle-ci comprend qu'il ne la met pas en doute.

Les palabres sont longs et les réponses du sol lentes à venir. Elle se demande comment ils vont réagir en bas. Vont-ils croire à sa version? Finalement, au bout d'un temps qui lui paraît interminable, le pilote se retourne:

«Nous allons directement à Pevek», annonce-t-il.

Puis à l'adresse de Mouza:

«Le co-pilote est décédé d'une crise cardiaque.»

Elle garde le silence. Pourquoi les autorités ont-elles décidé de ne pas la juger?

Sous l'avion, le ciel est bouché. Elle imagine la Sibérie sous ses pieds, avec sa solitude, sa mélancolie, que ses habitants essayent de tempérer par une énergie qui n'existe pas dans les régions dites civilisées. C'est par la Sibérie que l'Union soviétique se fera ou ne se fera pas. Les gens qui y viennent s'y sentent des âmes de pionniers et agissent comme tels.

Se tenant toujours debout derrière le pilote, elle est prise d'un tremblement. Il l'aperçoit qui vacille et lui désigne le fauteuil inoccupé.

«Asseyez-vous là et ne touchez à rien.»

Elle obtempère.

L'appareil pénètre dans une zone de turbulences et s'y maintient pendant des heures interminables.

Enfin, le pilote entre en contact avec la petite tour de Pevek et, quelques minutes plus tard, apparaissent des lumières qui clignotent, incongrues dans le vide polaire.

Sitôt l'appareil immobilisé, le navigateur va ouvrir la porte. Une passerelle est amenée, un véhicule half-track attend en bas. Dehors, le froid est très vif et Mouza, qui n'est pas habituée aux rigueurs climatiques, frissonne.

Deux hommes du KGB, emmitouflés dans des manteaux de fourrure, l'attendent au pied de la passerelle.

«Camarade Krilov?

— Moi-même.

— Nous allons vous conduire à votre hélicoptère.»

L'un d'eux monte à bord de l'avion, sûrement pour avoir plus de détails sur ce qui s'est produit durant le vol. Il revient sans dire un mot et ils quittent immédiatement l'aéroport, en direction du bord de la mer. Mouza n'a pas le temps de voir grand-chose de Pevek, sinon quelques rues mal éclairées, le tout baignant dans une tristesse mortelle. Les deux hommes ne lui posent aucune question sur ce qui s'est passé dans l'appareil. Un hélicoptère militaire Mi-8 *Hip* attend sur la grève.

Un vent glacial, chargé de minuscules cristaux de glace, balaie violemment la plage. Mouza, qui vient de descendre du véhicule, en a le souffle coupé.

Le pilote de l'hélicoptère arrive à sa rencontre:

«Bonjour, camarade, c'est moi qui suis chargé de vous mener à Wrangel, et de vous en faire visiter les installations.»

Il marque un silence lourd de sous-entendus et ajoute:

«Vous verrez, c'est formidable.»

Quelques minutes plus tard, après un bref salut du pilote aux hommes du KGB, l'hélicoptère fonce dans la nuit au-dessus du détroit de Long. L'intérieur de la cabine n'est éclairé que par les faibles lumières rouges et vertes de la console de navigation. L'impression est à la fois plaisante et inquiétante. Inquiétante, car l'obscurité a quelque chose d'hostile dans cet environnement rébarbatif. Mais Mouza ne veut plus que ce périple s'arrête. Elle se trouve bien, se considérant un peu comme une spectatrice du monde, enfermée dans cette bulle volante, qui met un mur translucide entre elle et les éléments.

«Il y a beaucoup de monde sur Wrangel?

— Quelques nomades, parfois des gens de la météo, des biologistes ou des militaires.

— Où vais-je loger?

— Il y a un baraquement réservé pour les équipes météo, c'est là que vous allez vous installer.»

Le voyage se poursuit un peu comme en dehors du temps. Deux heures s'écoulent et le pilote allume le projecteur ventral de l'appareil:

«Voici Wrangel, annonce-t-il.

— Très gai, très vivant», ironise Mouza.

Elle se penche et aperçoit de la glace et encore de la glace, avec, ici et là, quelques sombres rochers comme des taches de saleté.

«Si vous aimez la solitude, vous allez être servie, dit le pilote.

— Je l'aime, mais à ce point-là peut-être pas. Vous venez souvent ici?

— Quand il y a du monde, je fais le ravitaillement une fois tous les mois.

— Les Tchouktches ne sont pas toujours là?

— Je voulais parler des Russes.»

L'hélicoptère ralentit sa course et fait du surplace. Le pilote désigne à Mouza un petit baraquement de tôles couleur sang de boeuf.

«Vous êtes arrivée», dit-il simplement.

Mouza sent sa gorge se nouer. Il voit son expression.

«L'être humain se fait à tout», gaffe-t-il en cherchant des paroles encourageantes.

Il pose enfin l'hélicoptère à quelques mètres de l'habitation et diminue le régime du moteur au minimum. Il saute de l'appareil et elle le suit vers la cabane. À l'intérieur, le froid est aussi intense que dehors, le vent gémit lugubrement dans les interstices. Le pilote éclaire la pièce avec une lampe-torche.

«Je vais aller dans l'appentis mettre le générateur en marche, dit-il, ensuite je reviendrai allumer la fournaise. Tout fonctionne au fuel ici. Il y a des barils dans l'appentis il faudra que vous fassiez le plein des réservoirs quand ce sera nécessaire.»

Elle le suit dans l'appentis, et le regarde dévisser un tuyau de cuivre pour y verser un liquide.

«De l'alcool de bois, explique-t-il. Le froid rend le mazout trop épais pour qu'il coule de lui-même. L'alcool va aider en attendant que la pompe se mette en marche. Il faudra répéter l'opération pour la fournaise.

— Et si ça tombe en panne?

— Il y a des pièces de rechange, il faudra vous arranger.

— Si je n'y arrive pas?

— Il le faudra. C'est une question de vie ou de mort. Il n'y a pas de radio sur cette île. Pas quand il n'y a personne.

— Je suis là, moi.

— Ouais...»

Vingt minutes plus tard, le générateur est en marche. Cela prend un peu moins de temps pour la fournaise. Mouza est transie de froid quand la chaleur commence à se répandre. Elle regarde autour d'elle la pièce, éclairée par une ampoule nue de 40 watts, qui sera son refuge. Quatre murs et un plafond en panneaux de bois agglomérés, le tout peint dans un bleu ciel que la saleté a rendu grisâtre. Le plancher est fait de grosses planches brutes. Dans un coin il y a un évier plein d'assiettes sales et de casseroles. Deux tables en bois blanc le long d'un mur avec deux bancs et, de l'autre coté de la pièce, un lit à deux étages en tubes métalliques et deux placards verts en tôle. La fournaise trône au milieu de la pièce, entourée de quatre fauteuils éventrés qui ont dû connaître l'époque d'Ivan le Terrible. Une porte donne sur l'extérieur, une autre sur l'appentis; une minuscule fenêtre, au-dessus de l'évier, est complètement givrée. C'est affreux.

«Il ne fera pas vraiment chaud avant demain, dit le pilote. Il ne me reste plus qu'à amorcer la pompe à eau.»

Il soulève une trappe dans le plancher et descend dans le vide sanitaire où il faut se tenir accroupi. Mouza le suit; il lui désigne une pompe à diaphragme:

«Voici l'engin. Il faut que j'aille chercher un jerrican d'eau dans l'hélicoptère. Quand on arrête la pompe, il faut vider le tuyau dans le sol si l'on ne veut pas que l'eau y gèle.»

Il revient avec l'eau et, cinq minutes plus tard, tout fonctionne. Il ne reste plus qu'à décharger les bagages de Mouza et le ravitaillement. Quand tout est empilé dans la pièce, il la regarde avec interrogation.

«Vous ne voulez pas que je vous prépare quelque chose de chaud? demande-t-elle.

— Non, merci. Il faut encore que je fasse le plein de carburant et, si je m'attarde, les gens de la base vont spéculer sur mon absence.»

Mouza lui sourit. Elle n'est pas pressée qu'il s'en aille: elle sait qu'après son départ elle va se retrouver vraiment seule.

«Ne vous laissez pas aller, l'encourage-t-il.

— Vous repasserez dans un mois?

— Ne vous inquiétez pas, on ne vous laissera pas tomber.

— Je crois bien que c'est déjà fait.»

Il ne répond pas, la salue et franchit le seuil de la porte.

Dix minutes plus tard, il a fini de remplir ses réservoirs, car elle entend l'hélicoptère prendre du régime, s'élever, s'éloigner. Puis, c'est le silence. Le vide, tout juste troublé par les gémissements du vent.

Elle reste assise dans l'un des fauteuils, regardant autour d'elle, ne sachant que faire. Doit-elle déballer ses affaires, se préparer quelque chose à manger ou tout simplement dormir? Dormir lui semble le mieux, elle rangera ses affaires demain.

Quel lendemain? Ce sera bientôt la nuit polaire, et toujours le vent et le froid.

Elle se fait un lit, éteint la lumière et se couche dans l'obscurité. Mouza se sent soudain seule comme jamais elle ne l'a été et comme jamais elle n'avait imaginé l'être un jour. Elle se sait prisonnière de quatre murs qui l'isolent d'un environnement des plus hostiles. Le reste du monde est inaccessible. Ses sens ne lui servent plus à rien: ni à recevoir ni à communiquer. Ne supportant pas davantage l'obscurité et le tête-à-tête avec elle-même, elle finit par se relever, rallume la lumière et entreprend de tout ranger. Ce n'est pas long et elle n'a déjà plus rien à faire. Manger des conserves et dormir, c'est tout ce qui lui reste.

Dehors, sans changement depuis des millénaires, l'île subit les affres du froid arctique. Il n'y a là personne qui puisse avoir besoin d'un neurologue. Aucun chaman pour demander aux esprits de la tourmente d'aller voir ailleurs. Elle éclate en sanglots. Seuls bruits humains sur l'île.

***

Le réveil va bientôt sonner et Nikolaï Sologdine fixe toujours le plafond. Il n'a pas fermé l'oeil de la nuit, passant du stade de la colère à celui des grandes interrogations. Il a même remis en doute son appartenance au système, au Parti, et en retire l'impression désagréable d'avoir été berné depuis toujours. L'inquiétude aussi le travaille: cette démonstration de colère à l'endroit des hommes du KGB n'est pas précisément le genre de conduite à adopter en leur présence.

Il n'est pas autrement surpris lorsqu'il entend frapper à la porte de son appartement.

«On frappe à la porte, marmonne Erjika en se réveillant.

— Je vais voir.»

Deux hommes se tiennent debout sur le seuil. Ce ne sont pas ceux qu'il a vus la veille chez Mouza mais ils ont le même genre.

«Camarade Nikolaï Sologdine, nous venons vous chercher en tant que réserviste.

— Qui êtes-vous?

— Police militaire, se présente l'un d'eux. Pourriez-vous vous préparer à nous suivre pour rejoindre votre affectation.»

C'est un ordre, il n'y a pas à s'y tromper.

Nikolaï voudrait leur poser un tas de questions mais il sait qu'il vaut mieux se taire et filer doux.

Erjika apparaît derrière lui, le visage ensommeillé.

«Qu'est-ce qui se passe?

— Un rappel de réservistes, la renseigne son mari.

— Il faut que tu partes immédiatement?

— On dirait bien.»

Il s'adresse aux deux hommes:

«Je vais m'habiller, ce ne sera pas long.»

Erjika le rejoint dans la chambre.

«Pourquoi viennent-ils te chercher maintenant sans avoir prévenu d'avance? Je trouve ça bizarre.

— Il ne doit s'agir que de quelques exercices, ce ne sera pas long.»

Son visage trahit pourtant son angoisse. Il est persuadé qu'ils vont l'emmener quelque part dans leurs bureaux, afin de lui faire avouer des choses qu'il ignore, qu'ensuite il sera déporté sous un motif quelconque.

Une fois habillé, il prend sa femme par les épaules et l'attire contre lui. Soudain, il se souvient qu'il n'y a pas si longtemps il l'aimait comme un fou. Un flot de tendresse l'envahit. Il l'embrasse longuement en la serrant très fort contre lui.

«Quelques exercices et je serai de retour», lui promet-il.

Il la regarde en se demandant ce qui lui est arrivé depuis quelque temps, puis rejoint les deux hommes.

«Je suis prêt.»

Il est surpris dans la rue de se voir embarqué dans un camion militaire, où une douzaine d'autres civils sont déjà installés.

«Où allons-nous?» leur demande-t-il.

Personne ne peut lui répondre.

«Dans quelle arme êtes-vous? s'informe-t-il .

— Dans les blindés.

— Moi aussi.»

Chacun dans le camion confirme qu'il est réserviste BMP. Un immense soulagement submerge Nikolaï. Il s'agit donc véritablement d'un exercice. Toute sa bonne humeur lui revient, au point qu'il en oublie ce qui s'est passé la veille au soir.

«Ça nous rappellera nos jeunes années», dit-il enjoué.

Les autres n'ont pas l'air de trouver ça aussi drôle.

Le camion embarque encore quelques civils avant de se diriger vers l'aéroport, où d'autres véhicules sont garés à proximité d'avions dans lesquels montent déjà des colonnes de civils.

«Ça doit être de très grandes manœuvres», songe Nikolaï en pénétrant dans le transport de troupes qui, aussitôt rempli, se dirige vers la piste où, après un hurlement de réacteur, il prend son envol en direction nord-ouest.

COLD LAKE, ALBERTA, CANADA

Le colonel Wilson l'a prié de rejoindre Cold Lake. David Cussler s'est exécuté et, pourtant, Wilson n'a pas l'air satisfait.

Il est vrai que David a pris tout son temps pour rallier la base albertaine. Après avoir passé la nuit chez lui, dont une bonne partie dans le salon, avec Zoé, à parler des derniers événements en matière d'astronomie, il a quitté ses parents et a pris tranquillement le chemin du nord, au volant de sa vieille *Pontiac* du temps où il était étudiant. Il s'est arrêté une journée à Edmonton pour y faire des achats, tout en visitant le gigantesque *Edmonton Mall,* espèce de *Disney World* de la consommation, puis, comme il était tard, il a loué une chambre dans un motel à Vilna. Après une mauvaise nuit à contempler le clignotement d'une enseigne rouge, que des rideaux douteux et trop minces ne pouvaient dissimuler; à se relever pour aller prendre une bière au bar du motel, fréquenté par les éleveurs de la place, dont la plupart étaient assoupis devant leur chope, comme subjugués par la voix de Gordon Lightfoot; après avoir ignoré les cuisses un peu trop grasses de la serveuse qui, à travers un maquillage outrancier, lui lançait des oeillades intempestives, il s'est finalement endormi en visionnant à la TV un mauvais film d'horreur, aux couleurs irrémédiablement trop vives. Levé de bonne heure, digérant mal une paire d'oeufs, eux aussi trop gras, il vient tout juste d'arriver à la base.

«Vous ne m'aviez pas signifié que c'était urgent, colonel.»

Celui-ci, assis derrière son bureau, l'admet:

«Enfin, vous êtes là, c'est le principal.

— Quel est le problème?

— Les Russes, comme d'habitude. Je ne peux pas vous en dire plus; tout ce que je sais, c'est que j'ai reçu de la Défense une demande assez particulière. J'ai étudié plusieurs dossiers pour répondre à cette demande et il en est ressorti que vous étiez peut-être l'élément qui convenait pour cette mission.

— Vous m'honorez.»

Le colonel renverse son fauteuil sur deux pieds et examine David, tout en lissant sa moustache, unique système pileux au-dessus de son col de chemise, car il est complètement chauve.

«Vous serez moins ravi lorsque je vous aurai expliqué pourquoi je vous ai appelé.»

Dans l'esprit de David, il ne peut s'agir que de l'essai ou du transport d'un nouveau zinc.

«De quelle machine s'agit-il?

— Il ne s'agit pas d'une nouvelle machine, il ne s'agit pas non plus d'aviation à proprement parler. Je vous ai choisi parce que vous avez une bonne connaissance du grand Nord et, aussi, parce que vous avez les ULM pour hobby.»

David ne voit pas du tout où il veut en venir. Wilson poursuit:

«La Défense veut envoyer quelqu'un sur Wrangel afin d'y avoir une antenne sur place. Je crois qu'il s'agit d'une coopération avec nos voisins du Sud.

— Wrangel?»

Le colonel se lève et désigne une carte de l'Arctique sur le mur. Son doigt se pointe sur une île dans la mer de Sibérie orientale.

«Voici Wrangel.»

David ne peut retenir une exclamation:

«C'est chez les Soviets!»

Il regarde Wilson comme si ce dernier allait sur-le-champ rectifier une bévue mais le colonel se contente de hocher affirmativement le chef.

«Comment voulez-vous que j'aille sur cette île, en pleine couverture des radars rouges?

— C'est à vous de le déterminer. Nous avons plusieurs hypothèses: la plus simple serait qu'un sous-marin vous dépose sur le pack, vu que celui-ci borde en permanence la côte ouest de l'île; ensuite, il ne serait pas trop compliqué de vous y rendre avec l'aide de guides inuit.

— Nous n'avons pas de sous-marins nucléaires.

— Les Américains, oui.

— Pourquoi veut-on envoyer quelqu'un sur cette île, qui a l'air de tout sauf d'être paradisiaque?

— Surveiller et donner des commentaires via une radio satellite.

— C'est tout?

— C'est tout.

— Il me semble que c'est davantage un travail de commando.

— Peut-être, mais vous connaissez mieux que quiconque le maniement des ultra-légers; ensuite, je crois que vous avez de bons contacts parmi les Inuit et nous aurons besoin de leurs services.

— Que se passera-t-il si les Russes me mettent la main dessus?

— Arrangez-vous pour qu'ils ne découvrent pas votre radio et votre ultra-léger. Vous pourrez, peut-être, passer pour un Esquimau un peu égaré.

— Quel est le problème avec l'Est?

— Je vous ai dit que je n'avais rien de précis. Certains faits, cependant, me laissent croire qu'il se prépare quelque chose de sérieux. C'est peut-être vous qui serez le mieux planqué sur votre île, si des hostilités se déclarent.

— À ce point-là?

— Je le crois.»

Le colonel marque une pause avant de poursuivre.

«Acceptez-vous?

— J'accepte mais je veux les pleins pouvoirs quant aux décisions que je prendrai dans le but d'atteindre Wrangel et d'y rester.

— Vous les avez.

— Bien! il ne me reste plus qu'à mettre un plan au point. Pour commencer, je vais avoir besoin d'un appareil afin d'aller contacter ceux que vous appelez mes amis inuit.

— Prenez un *Cherokee* de la base.»

David s'abîme soudain dans une profonde méditation, le colonel a presque l'impression qu'il n'est plus là. Au bout d'un long moment, il relève la tête et ses yeux s'allument de nouveau à ce qui l'entoure.

«Je vais d'abord me rendre à Whitehorse, dit-il. Il faut que j'y rencontre un bon ami qui pourrait nous être très utile.

— Un militaire?

— Non, un pilote de brousse que l'on appelle Singapour, à cause de l'habitude qu'il a de carburer avec le cocktail du même nom. Ça ne m'étonnerait pas qu'il connaisse Wrangel ou tout au moins les environs: son jeu favori consiste à jouer les rase-banquise jusque chez les rouskis.

— Voyez qui vous voulez, vous avez plein pouvoir pour mener votre mission à bon terme.

— Vous savez, si un conflit se prépare réellement, je préférerais nettement être à quarante mille pieds aux commandes de mon zinc.

— Je m'en doute.»

Wilson se lève et serre la main de David.

«Bonne chance, et n'hésitez pas à me contacter si vous avez besoin de quoi que ce soit.

— Je n'y manquerai pas.»

Au moment où il franchit le seuil du bureau, Wilson le rappelle: «Inutile d'utiliser le même carburant que votre ami Singapour.»

Une heure plus tard, aux commandes du *Cherokee*, David fait route vers le Yukon.

GQG NORAD, COLORADO, U.S.A.

Des milliers de tonnes de roc au-dessus de la tête, Jonathan Yeager a les yeux fixés sur les moniteurs où s'affichent toutes les informations en provenance de la ligne Dew, zone de détection et écoute radar située entre le 69e et le 70e parallèle, qui s'étend de l'Alaska au Groenland en passant par le Canada. Il ne remarque rien de plus qu'à l'habitude. De temps en temps, il lève les yeux vers le grand panneau indiquant que les forces armées des États-Unis sont maintenant en DEF CON TROIS. Il ne sait pas pourquoi.

L'ambiance est tendue. Malgré le dernier traité entre les deux grandes puissances sur les missiles stratégiques, il reste encore près de 15 000 ogives nucléaires en activité, que ce soit dans les silos des grandes plaines, à bord des sous-marins tapis sous la calotte polaire ou dans les B-2, B-1B et B-52, qui en ce moment même décollent de Plattsburg et y atterrissent au fur et à mesure que le carburant s'épuise.

Chacun sait qu'il en est de même du côté soviétique.

À quelques pas de Yeager, le général Pears épluche les rapports compilés par Falcon AFB, en provenance des satellites de renseignement.

«Rien de neuf? demande-t-il à Yeager.

— Négatif, mon général. Vous?

— Rien, sinon une activité accrue dans tous les transports et communications.

— Qu'est-ce que ça veut dire selon vous?

— Ça veut dire que les popoffs se préparent et j'ose croire qu'au Pentagone ils ne sont pas en train de se conter fleurette.

— Qu'entendez-vous par «ils se préparent»?

— Si l'on recoupe tous les renseignements, l'activité se déplace, imperceptiblement mais sûrement, en direction de la RDA. Du boulot pour le COMCENTAG.

— L'OTAN les arrêtera.

— Je veux l'espérer. Les forces du PV sont nettement supérieures.»

Il secoue la tête, soudain furieux:

«Ça devait arriver, bordel! L'Occident est devenu le paradis des tantouzes. Les femmes ne sont plus des femmes et les hommes ne sont plus des hommes. Tout le monde veut la paix et la jouissance à n'importe quel prix. «Désarmement» est le mot d'ordre de tous les paltoquets en gilet rose. Ce n'est pas la question morale qui dérange: ils chient dans leurs culottes, ils sont verts de trouille à l'idée de risquer leurs belles petites fesses roses pour défendre ce que les ancêtres ont bâti. L'histoire nous a pourtant appris ce que devenaient les civilisations décadentes. Rome n'a pas résisté aux hordes barbares venues du nord. Et en plus, tous ces cons-là vous regardent comme si vous étiez le Diable en personne. Faites l'amour, pas la guerre, qu'ils disent; on voit aujourd'hui où ça mène: le SIDA et toutes les saloperies qui s'y rattachent font plus de victimes qu'une bonne pétarade franche et honnête.»

Yeager se fait philosophe.

«J'ai l'impression que quand une civilisation a atteint ses buts, elle devient désabusée. Les autres, ceux qui n'ont encore rien atteint, ils veulent leur part du gâteau.

— Quant à moi, si les popoffs veulent venir me piquer mes *McDonald's*, ma TV couleur, mon bungalow et faire des enfants à ma fille, ils n'ont qu'à s'aligner: je n'hésiterai pas à leur envoyer des pruneaux d'une mégatonne sur la gueule!»

Yeager sourit. Il connaît le langage cru de Pears qui plaît aux hommes et cache assez bien une intelligence aiguë. Il demeure persuadé que c'est des bonshommes comme lui, comme Patton ou MacArthur, qui ont maintenu et maintiendront encore l'Amérique, et la façon de vivre qu'elle s'est choisie, au premier rang.

Le général abandonne la conversation, pour se pencher plus attentivement sur une dépêche que vient de lui remettre l'un des coursiers qui courent d'une console à l'autre.

— 01/09 - 18,12. 01 DE 01 COUP D'ÉTAT À OMAN

SANS EMBARGO – EL

BC – RENVERSEMENT À OMAN – EL

MASCATE, OMAN – 20:10 HEURE LOCALE. UN COUP D'ÉTAT MENÉ PAR UNE FACTION MILITAIRE SOUPÇONNÉE DE LIENS AVEC LE FRONT POPULAIRE POUR LA LIBÉRATION DE L'OMAN ET DU GOLFE ARABE [FPLOGA] A RENVERSÉ LE GOUVERNEMENT EN PLACE ET OCCUPE

ACTUELLEMENT LES PRINCIPAUX POINTS STRATÉGIQUES DE LA CAPITALE. UN PONT AÉRIEN RELIANT MASCATE ET TACHKENT, URSS, VIENT D'ÊTRE ÉTABLI. ON NE SAIT RIEN DE CE QU'IL EST ADVENU DES MEMBRES DU GOUVERNEMENT DESTITUÉ. COUVRE-FEU ET ÉTAT D'URGENCE EN VIGUEUR. LE COLONEL ABDULLAH IBN SAID, PETIT-NEVEU DE L'EX-SULTAN QABOUS, SERAIT À LA TÊTE DU RENVERSEMENT. DES TROUPES, EN PROVENANCE DE LA RDP DU YEMEN, SE DIRIGERAIENT SUR MARMUL.

PAR HARRIS FOSTER – EC
AP RENSEIGNEMENT USAF
WASHINGTON (AP)

«Ça, c'est la cerise sur le *sundae*! s'écrie le général. Les Russes occupent maintenant la rive sud du détroit d'Ormuz.»

Yeager réalise que les approvisionnements pétroliers de l'Europe et du Japon vont devenir aléatoires.

«J'aimerais mieux être dans un AWACS à l'heure qu'il est, dit-il. Ici j'ai l'impression de perdre mon temps.»

Pears se fait cynique:

«Vous n'êtes pas bien ici? Quand la planète entière retentira des trompettes de l'apocalypse, nous serons encore confortablement installés, en attendant que ça se passe. Nous sommes tous beaux et pas trop bêtes et il y a de jolies filles: vive la libération de la femme qui a permis cela! Bref, tout ce qu'il faut pour repeupler la planète.»

GÖTEBORG, SUÈDE

Agnes Adelsohn est assise sur le lit de son fils.

«Bonjour maman, il y a longtemps que tu es là?

— Je viens juste d'arriver. Comment vas-tu aujourd'hui?»

Erik hésite quelques secondes.

«Disons que je suis plus renseigné. J'ai eu une conversation avec le professeur Almqvist.

— Oui, je viens de le rencontrer.

— Alors tu sais que je sais?»

Elle ne peut répondre et hoche la tête.

«Maman, je suis désolé pour toi et aussi pour papa.»

Tentant de dissimuler à son fils son regard plein de larmes, Agnes regarde résolument vers la fenêtre, comme si quelque chose de fort intéressant pouvait se dérouler dehors. Erik constate que, bien qu'ayant dépassé la cinquantaine, sa mère lui paraît ne jamais avoir vieilli, depuis aussi loin que peut remonter sa mémoire. La taille élancée, toujours les mêmes beaux cheveux auburn qui tombent en cascade sur ses épaules, le même visage avenant et empreint de chaleur, ce visage qui aujourd'hui porte les traces du désarroi et de la souffrance. Il lui passe le bras autour des épaules.

«Je ne sais vraiment pas quoi te dire, fait-il. Je voudrais tant pouvoir t'annoncer que tout va s'arranger.»

Agnes ne sait plus comment s'adresser à son garçon. Avant d'arriver, elle pensait pouvoir trouver des mots pour le consoler lui, et voilà que c'est lui qui la réconforte. Il a raison certainement, la mort est sans doute plus pénible pour ceux qui restent que pour ceux qui s'en vont. Mais elle est la mère et elle veut pouvoir faire quelque chose pour son fils. Comme s'il devinait ses pensées, Erik lui dit:

«Il n'y a rien à faire, juste profiter du temps qui reste. Je remercie Dieu de m'en laisser un peu, il y en a qui périssent dans des accidents d'auto ou autres, sans avoir eu le temps de dire au revoir à ceux qu'ils aiment. Maintenant, il est inutile de se lamenter davantage sur mon sort, on se ferait trop de mal et nous gâcherions des heures précieuses.»

Il se tait quelques secondes.

Agnes regarde son fils, les yeux pleins d'amour mais, aussi, d'une tristesse qu'elle essaye vainement de dissimuler sous un léger sourire. Si ce n'est de sa grande pâleur et de ses traits tirés, rien n'indique vraiment qu'il soit si malade. En toutes circonstances, elle s'est révélée forte. Depuis des années, de consultation en consultation, elle sait Erik malade mais elle a toujours conservé un espoir. Un espoir qui s'est éteint il y a quelques jours. Elle sent que quelque chose, peut-être la faculté de retrouver la joie de vivre, s'est brisé en elle.

Erik détourne la conversation et s'enquiert de la famille. Elle ne sait que dire, songeant à l'attitude de sa fille Brigitt, depuis qu'Erik est entré à l'hôpital. Toute sa jovialité envolée, elle passe son temps enfermée dans sa chambre, n'apparaissant que pour les repas, laissant les trois quarts de ses aliments dans son assiette. Du reste, l'ensemble de la maisonnée ne ressemble plus en rien aux jours passés. Quand il a fallu déménager pour s'installer à Göteborg, les jours ont paru très sombres, surtout pour Olof, son mari, qui voyait s'écrouler le rêve de sa vie. Mais rien qui ne ressemblait à ce qui se passe maintenant. Elle, Olof ou Brigitt n'ouvrent plus la bouche, sauf pour parler d'Erik, et s'arrêtent souvent au milieu d'une phrase, réalisant que cela ne fait qu'accroître le désespoir qui plane sur la famille.

Erik s'aperçoit qu'elle rumine son chagrin. Il sent les larmes lui monter aux yeux, sachant être la cause de tant d'émoi. Ses yeux croisent ceux de sa mère et chacun tente de cacher à l'autre l'état dans lequel il est. Ils n'y parviennent pas. Pas cette fois. Ensemble ils se tendent mutuellement les bras et éclatent en sanglots. L'un et l'autre cherchent les mots qu'ils pourraient se dire mais il n'y en a pas.

Il y a juste des gestes. Des gestes qui veulent tout dire.

Une fois les larmes taries, ils restent ainsi. Depuis des années, depuis qu'il était tout petit, ils ne se sont jamais étreints ainsi. Comme s'il fallait une occasion semblable pour le faire...

Il faut se séparer.

«Je dois aller préparer le souper, dit Agnes. Je pense que ton père viendra te voir ce soir. Si jamais tu désires quoi que ce soit, demande-le-lui.

— Tu sais bien que tout ce que je désire, c'est de vous voir le plus souvent possible.»

Il observe un court silence, songeant que ce qu'il y a de plus pénible dans tout ça, c'est qu'on ne peut pas savoir quand on se reverra.

«Sois sûre d'une chose, maman: c'est que s'il y a quelque chose de l'autre bord, je m'arrangerai auprès du Grand Patron pour veiller sur vous.»

Elle l'embrasse sur le front pour toute réponse.

«Il faut que je me sauve maintenant, dit-elle. À bientôt.»

Elle sort de la chambre. Sans savoir exactement pourquoi, chacun se sent le cœur un peu moins lourd.

Seul, il écoute le bruit des allées et venues dans le couloir. L'univers hospitalier le surprend toujours, avec son atmosphère de ruche en pleine activité. Tous ces visages qui, dans la rue, demeureraient anonymes, font à présent partie de son existence. Ici, chacun se retrouve confronté à l'inéluctable réalité de son impuissance face à la douleur, ainsi qu'à l'idée de sa fin. Il est au cœur du creuset où les différences de classes, de fortunes, d'opinions, s'annihilent devant la preuve visible et palpable des limites humaines.

Pourtant, tous ces bruits, toute cette agitation feutrée, semblent confirmer à Erik qu'il se trouve dans une arène. Une arène où l'homme livre un combat sans illusion contre la souffrance et aussi, il faut l'avouer, contre la mort. Il se redresse brusquement, frappé par l'idée que la vie n'est finalement que cela, un combat contre le néant, contre le mal, contre la mort. Contre la peur de se retrouver encore plus seul. Irrémédiablement seul.

LOGAR PAKTIA, AFGHANISTAN

Alusia Pobozny est bien contente d'avoir accepté les bottes de montagne offertes par les femmes du camp. Taillées dans du cuir de chevreau, elles sont assez souples pour ne pas alourdir le pied et assez solides pour que les chevilles ne se fatiguent pas dans les cailloux.

Hafizullah marche en tête. Ils ont traversé la frontière durant la nuit, sans aucun accrochage. La frontière passée, ils se sont reposés jusqu'au matin, à l'abri d'une anfractuosité rocheuse difficile à repérer par une éventuelle patrouille. Les deux novices américaines prennent cette marche comme une partie de campagne, échangeant constamment entre elles des plaisanteries de collégiennes. Insouciantes comme des étudiantes de Phœnix en excursion de fin d'année au Grand Canyon d'Arizona.

Alusia, elle, a plutôt l'esprit occupé par ce qui l'attend au bout de ce voyage. Elle songe aussi aux nombreux réfugiés qui se sont fait mitrailler par les patrouilles de surveillance. Aller dans un sens ou dans l'autre est suspect aux yeux des militaires soviétiques. L'Afghan n'a aucun droit, sinon celui de cultiver les champs. Le nomadisme, qui était encore la manière de vivre d'une bonne partie de la population de ce pays voilà quelques années, est désormais considéré comme anti-social, et ceux qui le pratiquent encore sont vus comme des partisans en puissance et soumis au feu des armes sans autre forme de procès.

Les paysages qu'ils découvrent sont grandioses et arides. Ici et là poussent quelques buissons de jujubiers et genévriers. Plus bas dans les vallées, ils peuvent apercevoir amandiers et pistachiers. Pour le reste, le paysage aux multiples teintes ocre offre une impression de puissance et d'austérité sous un ciel du bleu le plus dur. Une région à l'image de ses habitants, noble et rude. Quand parfois ils atteignent une hauteur, ils peuvent apercevoir les hautes montagnes aux pics enneigés, qui se découpent sur l'horizon et dont les sommets doivent avoisiner les quatre mille mètres. Dans ce décor, comment les hommes pourraient-ils ne pas être différents? Comment pourraient-ils accepter autre chose que la liberté? Alusia interpelle Hafizullah:

«Votre village est-il dans ces montagnes?»

Il fait signe que oui.

Elle se retourne vers les deux novices.

«Je crois, mes sœurs, que la marche sera encore longue.»

Elles la regardent avec un grand sourire.

«Aucune importance, dit la plus jeune, la nature est si jolie. Il y a des gens en Amérique qui donneraient une fortune pour faire ce que nous faisons là.»

Alusia approuve et songe qu'en Pologne il y aurait beaucoup moins d'amateurs. Tout ce décor est si différent des gorges du Dunajec de son enfance. Alors que là-bas tout semblait à la mesure de l'homme, ici l'environnement, loin d'inviter à la civilisation, semble appeler à la vie sauvage et sans contrainte. Elle réalise, plus que jamais, que la nature est certainement l'élément majeur qui façonne une population et ses caractéristiques.

Ils avancent le long d'une piste rocailleuse longeant à mi-hauteur une vallée qui a dû être le lit d'une rivière en des temps immémoriaux. Hafizullah et Alusia s'arrêtent pour attendre d'être rejoints par les novices, qui ont fait halte pour satisfaire un besoin naturel. Soudain, le montagnard dresse l'oreille et tourne son regard en amont de la vallée.

«Des hélicoptères!» s'écrie-t-il, entraînant Alusia dans une cheminée naturelle pratiquée dans la muraille qui s'élève le long de la piste.

«Cachez-vous!» crie-t-elle aux Américaines.

Mais celles-ci, au lieu de réagir sur-le-champ, cherchent du regard la raison de cet énervement.

Aplatie derrière un rocher, coincée au fond de la cheminée qui les cache de la piste, Alusia entend nettement le bruit des rotors. Hafizullah lui pose la main sur la tête, et l'oblige à rester repliée sur elle-même. Le vacarme se rapproche rapidement. Elle ressent un ir-résistible besoin de voir ce qui se passe; seule la main ferme d'Hafizullah l'en empêche.

Ils sont trois qui remontent de front la vallée, occupant tout l'espace aérien entre les parois abruptes. Les tirailleurs de la région de Samarkand aperçoivent les deux novices qui cherchent désespé-rément un endroit où se cacher.

Méthodiquement, les trois MI-17 s'alignent l'un derrière l'autre et le *tacatacatac* des *12,7 mm* fracasse la quiétude de la vallée. Alusia veut se redresser mais Hafizullah la maintient toujours aussi ferme-ment. Elle ne comprend pas encore pourquoi les hélicoptères ont ou-vert le feu.

Quelques secondes plus tard les mitrailleuses se taisent tandis que s'évanouit le bruit des turbines.

«Pourquoi ont-ils tiré? demande Alusia, hébétée.

— Ne bougez pas, dit Hafizullah d'une voix ferme. Ils peuvent revenir.»

Ils attendent encore quelques instants, puis le silence étant totalement revenu, le montagnard se redresse.

«Ça va?» crie Alusia aux novices.

N'obtenant pas de réponse, elle s'avance de quelques pas sur la piste et les aperçoit.

«Non!»

Dans un petit fossé entre la piste et la muraille, les deux corps sont couchés l'un sur l'autre. L'espace d'une fraction de seconde, Alusia réalise que l'une des novices, voulant protéger l'autre des projectiles, s'est vainement jetée sur elle. Elle s'approche davantage pour constater l'inéluctable. Les balles ont fait un travail épouvantable. Les deux dépouilles ne sont plus que masses sanguinolentes. L'impact des balles a fait jaillir le sang jusque sur la paroi rocheuse. Il n'y a plus rien à faire.

Pour la première fois de sa vie, Alusia ressent une haine profonde envers des créatures vivantes. Elle est certaine à cet instant que si elle en avait la possibilité, elle abattrait froidement les auteurs de ce massacre gratuit. Elle ne peut détacher son regard de celles qui ont été ses compagnes, au camp, depuis quelques mois. Elle se souvient bizarrement que l'une d'elles aimait beaucoup l'opéra et avait amené, sous la tente-dispensaire, un vieil électrophone pour essayer de ramener la joie dans le cœur des blessés, avec le *Notre-Dame* de Franz Schmidt ou *Suor Angelica* de Puccini. C'était deux jeunes femmes venant chacune d'une petite ville du Midwest américain. Elles avaient voué leur existence à la consolation des malheureux et des laissés pour compte, abandonnant pour cela pays, famille et amis. Deux jeunes femmes qui aimaient le monde et ses habitants. Deux jeunes femmes qui, il y a quelques minutes à peine, échangeaient entre elles des rires et des plaisanteries et s'émerveillaient de ce qui les entourait, tandis qu'elles allaient secourir les habitants d'un village dont elles ne connaissaient même pas le nom.

«Il faut partir, dit Hafizullah derrière elle.

— Nous ne pouvons pas les laisser comme ça.

— Les hélicoptères vont revenir, et si les corps ne sont plus là, ils vont nous rechercher.

— Tant pis!»

Il secoue la tête:

«Des êtres vivants ont besoin de vous.»

Alusia sent toutes ses forces l'abandonner, puis elle éclate en sanglots, tout son être révolté par ce qu'elle vient de vivre.

«Pourquoi, mon Dieu? pourquoi?»

Elle a lancé sa question en criant. C'est plus un reproche qu'une interrogation.

Hafizullah la prend par le bras:

«Ceci n'est que l'œuvre du Malin», dit-il doucement.

Elle le regarde comme si elle le voyait pour la première fois et réalise que cet homme d'apparence fruste, qui vient de perdre presque toute sa famille, manifeste en ces moments pénibles plus de confiance qu'elle envers son Créateur.

«Il faut les combattre mais il ne faut pas leur en vouloir, ce ne sont que des hommes», dit-il en guise de conclusion.

Les yeux empreints d'une profonde tristesse, elle fixe quelques instants le détour de la vallée par où les hélicoptères ont disparu, puis elle s'agenouille près des corps et passe ses doigts dans leurs cheveux poisseux de sang.

«Donnez-leur votre meilleure demeure», prie-t-elle tout haut.

Voyant qu'Hafizullah a repris sa marche, elle se lève et le suit.

SARIKAMIS, TURQUIE ORIENTALE

Jamais la petite gare de Sarikamis n'a connu une aussi grande affluence ni un tel mélange de nationalités. Des représentants de la presse turque et étrangère sont réunis là pour attendre l'arrivée de ce que certains quotidiens ont appelé «le train de l'amitié».

John Davis, de la chaîne NBC, est arrivé en catastrophe il y a à peine une heure en provenance d'Ankara, où il lui a fallu louer, au prix fort, les services d'un petit avion-taxi que s'arrachaient des correspondants du monde entier.

Perché sur le toit de la gare, il est l'un des premiers à apercevoir le panache de fumée de l'antique locomotive à vapeur, véritable monstre mécanique, symbole d'une puissance oubliée. Dan, son cameraman, cadre l'étrange convoi. La machine motrice est noire et rutilante, deux gigantesques bannières rouges sont suspendues de part et d'autre du corps cylindrique. Elle ne remorque que trois wagons sans toit, du type transport de minerai.

«Voilà le train!» s'écrie Davis dans son micro, pour le bénéfice de son auditoire d'outre-Atlantique. «C'est extraordinaire, il n'y a que trois wagons mais chacun est rempli à ras bord de ce qui semble bien être des diamants, qui brillent de millions d'éclats sous le soleil de cette région biblique. Comment est-il possible d'amasser une telle quantité de pierres précieuses?»

Le train s'arrête, et la foule cosmopolite s'avance le long des wagons. Les pierres sont là à portée de la main, mais personne n'ose y toucher. Un vieillard ôte son bonnet d'astrakan, dans l'intention évidente de le remplir de pierres dès que l'occasion se présentera. Un homme vêtu d'un costume croisé de flanelle grise apparaît sur le marchepied de la locomotive et lève les bras au ciel pour réclamer la parole. Une fois certain que les caméras sont braquées sur lui, il commence son discours:

«Ceci est un cadeau du peuple soviétique à ses frères d'Occident, victimes de la crise économique qui s'abat sur eux présentement. Ce n'est pas grand-chose en regard de tous ceux qui seront atteints par les déboires économiques mais ceci est le gage que, quoi qu'il puisse arriver, le peuple soviétique ne laissera jamais tomber aucun travailleur, où qu'il se trouve.»

Il a un geste large à l'attention de la foule:

«Prenez, c'est à vous.»

C'est la ruée immédiate. Les caméras, comme celle de Dan, enregistrent toute la scène, qui est dirigée, via une antenne parabolique mobile, vers un satellite en position géosynchrone à 36 000 kilomètres au-dessus de l'équateur, permettant ainsi à des millions de téléspectateurs de visionner ce qui se passe dans cette petite ville turque.

Quelque part à Brooklyn, un érudit en archéologie biblique remarque que cela se situe à peu de distance du mont Ararat, où certains affirment que l'arche de Noé s'est échouée. Il croit pouvoir en déduire qu'il y a un sens caché à tout cela.

N'importe quel diamantaire sur le quai de cette petite gare remarquerait tout de suite qu'il ne s'agit pas de pierres destinées à la joaillerie mais de diamants d'emploi industriel que l'on peut retrouver dans les outils de tour, aléseurs, couronnes de sondage ou fraises de dentiste. Mais c'est suffisant néanmoins pour que les cours du diamant s'effondrent aussi bien à Amsterdam qu'à Tel Aviv ou Kimberley.

Et les spécialistes qui ont évalué la production des gisements sibériens de Yakoutie à environ huit millions de carats en sont pour leurs frais.

KREMLIN, MOSCOU, U.R.S.S.

Le Secrétaire général paraît soucieux:

«Washington se doute de quelque chose, dit-il. De nombreux rapports font état d'une activité croissante dans le secteur militaire et diplomatique. Nous avons toutes les raisons de croire que les forces armées des États-Unis ont été placées en DEF CON TROIS. Le Président a convoqué le NSC, et aussi comment se fait-il qu'ils aient réagi aussi vite au plan SOMNIFÈRE? *Wall Street* n'a même pas ouvert ses portes.»

Le colonel Boulkine est catégorique:

«Il y a une fuite et je pense qu'elle se trouve très proche de nous.

— Aucune possibilité que nous soyons sur écoute?» demande le Secrétaire général.

«Aucune, affirme Boulkine. Cette pièce est inspectée minutieusement chaque jour. Les fenêtres sont équipées de vitres spéciales pour empêcher l'écoute par vibration; de plus, des brouilleurs de fréquences et des débrouilleurs truffent tout le bâtiment du Conseil des ministres. J'ajouterai que tous les agents de sécurité sont surveillés par les gardes tamans, et ceux-ci par les agents du KGB.

— Alors d'où vient cette fuite?»

Un lourd silence plane sur la petite assemblée. Boulkine pousse un profond soupir avant de répondre:

«Il ne peut s'agir que de l'un d'entre nous.»

Tous se regardent horrifiés. Sournoisement la peur s'installe. De vieux souvenirs de l'époque stalinienne refont surface.

«Êtes-vous certain de ce que vous avancez, camarade Boulkine?» demande le Secrétaire général.

«Je me base sur le fait que personne, en dehors des membres ici présents, n'est au courant des lignes générales de ce que nous entreprenons. Chaque exécutant reçoit des ordres qui ne s'appliquent qu'à lui et ne peut donc déterminer le but final. En ce qui concerne l'affaire boursière, le camarade ministre Kamenev pourra confirmer que chaque agence a reçu des ordres indépendants. Personne ne pouvait soupçonner que nous allions mettre des millions d'actions sur le marché. À notre connaissance, le seul Américain un peu trop calé sur la question a eu un «accident» dans sa baignoire et, pourtant, le Président a réagi beaucoup trop rapidement. Il devait être informé.»

Le Secrétaire général semble approuver cette vue des faits:

«Avez-vous des soupçons?

— Aucun. J'ai même beaucoup de mal à imaginer que l'un de nous puisse être vendu au Capital. Néanmoins, il y a un coupable et je vais le démasquer avant ce soir.»

Smolosidov sent de fines gouttes de sueur perler à la racine de ses cheveux. Cependant, il n'offre pas plus que les autres le visage d'un homme piégé. En fait, il conserve un calme extraordinaire. Il sait pourtant très bien que Boulkine vient de mettre sa compétence en jeu s'il ne démasque pas le coupable comme il l'a promis.

«Pouvons-nous savoir comment vous comptez vous y prendre? demande le Secrétaire général.

— Le plus simplement du monde. Je propose que chacun d'entre nous se soumette à une narco-analyse. Une simple injection intraveineuse d'un composé d'évipan sodique, de penthiobarbital et de méprobamate, et l'affaire sera classée. Nous avons des spécialistes capables d'interpréter assez justement les réponses.

— Il n'en est pas question! hurle Poskrebychev, furieux. Si quelqu'un me soupçonne ici, qu'il le dise immédiatement.

— Personne ne soupçonne personne, dit calmement Boulkine. Surtout pas vous. Mais nous devons absolument savoir s'il y a un traître parmi nous.»

Le général Yakkov secoue le tête:

«Cette technique ne m'inspire pas confiance.

— À moi non plus, l'approuve le Secrétaire général. Nous pouvons très bien nous retrouver avec des coupables qui n'en sont pas, et vice versa.»

Boulkine a un mouvement d'impuissance:

— Dans ce cas, il faudra que les agissements de chacun de nous soient répertoriés et étudiés, pour chaque minute de ces derniers jours. Cela va prendre du temps et risque de n'offrir aucune réponse.

Smolosidov exprime une idée hardie:

«Que chacun d'entre nous désigne un coupable par vote secret et que celui dont le nom ressortira le plus souvent passe à votre sérum de vérité.

— C'est assez moyenâgeux», fait Tikhonov.

Boris Korotkov, ministre au comité d'État du Plan, lisse sa très fine moustache noire et prend la parole:

«Il fut un temps où, comme la plupart d'entre nous, j'ai servi au sein du KGB. À une époque, ma tâche fut de compiler une liste de tous les citoyens ayant disparu sans raison depuis la Révolution. Cette liste était nécessaire pour déterminer à peu près combien de citoyens avaient quitté l'URSS, afin de pouvoir éventuellement contacter leurs rejetons. Comme vous le savez, le drame des générations pousse parfois les enfants à rejeter toutes les idées des parents. Mais passons; ce qui nous intéresse, c'est qu'à cette époque j'ai relevé le nom d'un couple de paysans, qui se trouvait homonyme de celui qui était alors vice-président au Soviet suprême pour la RSSA de Mordorie. Je n'y avais pas prêté grande attention, jusqu'au jour où je me suis aperçu que ce citoyen venait du même endroit que ce couple disparu. La suite de mon enquête n'a rien donné.»

Ménageant son effet, il se tait un instant, allume une cigarette, puis continue tout en observant la fumée qui monte vers le plafond:
«D'où venez-vous, camarade Vassilii Smolosidov?»
Ce dernier reste de marbre:
«De Saransk, Mordorie. Tout ceux qui me connaissent le savent. Pourquoi cette question?
— Que sont devenus vos parents?»
Korotkov est persuadé que Smolosidov va s'embrouiller mais ce n'est pas ce qui se produit. Au contraire:
«Camarade Korotkov, si vous aviez poursuivi un tant soit peu vos recherches ou si tout simplement vous me l'aviez demandé, je vous aurais répondu que lorsque j'ai quitté la maison pour aller défendre notre cause ailleurs, mes parents étaient là. Plus tard, quand j'y suis retourné, ils avaient disparu. Je n'ai jamais pu savoir ce qu'ils étaient devenus. C'est triste, j'en conviens, mais uniquement pour moi. Pourrions-nous connaître à présent le sens de votre anecdote?»
Korotkov, qui n'a plus d'éléments, s'aperçoit qu'il est allé trop loin. Il essaye de se rétracter le plus dignement possible:
«Je voulais simplement démontrer que, tous ici, nous avons un passé connu et irréprochable. Nous n'occupons pas ce poste par hasard et je voulais démontrer que les possibilités de traîtrise sont infimes.»
Aucun de ses collègues du Politburo ne gobe son explication, et chacun le regarde avec beaucoup de sous-entendus.
«Tout compte fait, déclare Poskrebychev, l'idée du camarade Smolosidov, même si elle est moyenâgeuse, ne me paraît pas si mauvaise. Je suis prêt à voter.

— Qui se prononce pour cette idée?» demande le Secrétaire général avec un sourire d'acier.

Toutes les mains se lèvent. Korotkov lève la sienne également, tout en sachant parfaitement que son nom risque fort de sortir le plus souvent. Non pas parce que les autres le pensent coupable, mais pour bien lui démontrer que l'on ne met pas en doute l'honnêteté d'un collègue en public, sans avoir de preuves formelles.

Chacun écrit un nom sur un papier, qui est ramassé par un agent du KGB. Le Secrétaire général effectue lui-même le décompte et, lorsqu'il a terminé, lève son regard vers Korotkov.

«Voulez-vous subir une narco-analyse ou avez-vous quelque chose à dire? propose-t-il sèchement.

— Je n'ai rien à cacher; j'accepte de passer le test.»

Boulkine se lève pour aller faire un coup de téléphone et deux gardes tamans viennent chercher Korotkov.

«Il me semble, dit le Secrétaire général, que nous devrions attendre le résultat de l'interrogatoire avant de poursuivre. Je suggère que nous nous retrouvions ici en fin d'après-midi. Nous devons déterminer la date définitive de l'offensive générale.»

En sortant, Boulkine se rend immédiatement à ses bureaux de la place Dzerjinsky et se fait sortir le dossier Smolosidov.

FÉCAMP, FRANCE

Charles Toussaint est réveillé depuis une dizaine de minutes, quand il se décide à ouvrir les yeux, pour constater, à la position des aiguilles phosphorescentes de son réveil, qu'il n'est pas encore quatre heures. Il se sent bien éveillé et a hâte d'attaquer sa journée. Se penchant au-dessus de Vivianne, il enfouit son nez dans ses cheveux comme pour emmagasiner leur odeur dans sa mémoire olfactive. Elle se réveille et se tourne vers lui.

«Tu te lèves déjà? demande-t-elle d'une voix endormie.

— C'est l'heure.»

Elle lui tend les bras et, pendant un instant, il la tient contre lui, s'imprégnant de sa chaleur, de sa douceur. Ces secondes d'enchantement sont brèves. Un moment, il a la vision fugitive de ce qu'aurait pu être sa vie avec Vivianne s'il n'était pas ce qu'il est, ou plutôt s'il l'avait connue alors qu'il n'était encore qu'un adolescent se berçant d'utopies. Vivianne aurait alors fait partie de sa jeunesse, il pourrait être avec elle celui qu'il a déjà été. Mais celui-là est mort aujourd'hui, remplacé par ce qu'il est convenu d'appeler un homme mûr. Un travailleur honnête, n'ayant pas d'autre ambition que d'élever dignement sa famille. Cela ne l'empêche pas de réaliser que, comme tout mari, le bonheur de sa femme repose sur lui et que, s'il n'y a qu'une chose à réaliser en ce monde, c'est bien celle-là.

S'arrachant à l'étreinte de celle qu'il aime d'un amour qu'il ne soupçonne même pas, il se lève et passe à la cuisine mettre l'eau du café à chauffer. C'est son heure préférée, celle du petit matin où l'arôme du café fait partie de la magie de ces quelques moments un peu en dehors du temps.

Vêtue d'une robe de chambre, Vivianne le rejoint ainsi que ses enfants, Didier et Chantale, qui, depuis leur plus jeune âge, ont pris l'habitude de se lever, peu importe l'heure, lorsque leur père reprend la mer. C'est toujours avant de partir qu'il leur parle le plus. Comme s'il redoutait à chaque fois de ne plus les revoir.

«Comment vont les études?» leur demande-t-il.

Chantale est satisfaite, Didier beaucoup moins:

«Je n'arrive plus à m'intéresser à ce que j'étudie. Je crois que je vais laisser un peu les études afin d'aller faire mon service militaire, puisqu'il faut passer par là. Ça me donnera le temps de réfléchir à ce que je veux devenir, et puis j'ai appris qu'en devançant l'appel on avait plus de chances de choisir son corps d'embrigadement.

— Et que vas-tu choisir?

— En signant pour dix-huit mois, je pourrai aller en Polynésie, dans les commandos.»

Charles Toussaint, ébahi, regarde son fils:

«Les commandos?»

Didier se met à rire avec une pointe de cynisme:

«Ça ou autre chose, ça aura toujours l'avantage d'en imposer auprès des filles. Le style Rambo est encore à la mode.

— C'est un point de vue.»

Vivianne a fait griller du pain et une odeur appétissante envahit la cuisine.

«C'est bon de déjeuner chez soi, dit Charles.

— Tu veux dire en famille, ajoute Vivianne.

— C'est ce que je veux dire.»

Il regarde ses enfants.

«Dites-moi franchement, est-ce que je vous ai manqué?»

Comme ils ne savent que répondre, il s'explique:

«Auriez-vous préféré que j'aie un travail sédentaire?

— Nous t'aurions eu plus souvent avec nous, dit Chantale. D'un autre côté, et j'ignore pourquoi, j'ai toujours été fière d'avoir un marin pour père.

— Pareil pour moi, ajoute Didier. Je crois que tu as le plus beau des métiers: pas de comptes à rendre à personne. Je ne t'imagine pas rentrant le soir à la maison en disant: «Monsieur Chose est content de moi, il me donne une augmentation.» Ou encore: «L'entreprise fait de mauvaises affaires, nous allons peut-être nous retrouver au chômage.» Tu as toujours été ton propre maître et j'aime bien qu'il en soit ainsi.

— Bref, dit Vivianne en riant, il n'y a que moi qui m'ennuie ici.»

Son mari la regarde, surpris:

«C'est la première fois que tu me dis ça.

— C'est la première fois que tu le demandes.»

Il hoche la tête avant de poursuivre:

«Depuis quelque temps, je songe à vendre le *Viking*. J'ai amassé suffisamment, je crois, pour écouler des jours paisibles. Il est peut-être temps que je sache ce qu'est la vie de famille.»

Ils le regardent tous les trois, l'air complètement interloqué et ne sachant que dire. Lui regarde la pluie qui ruisselle sur les vitres de la fenêtre.

«Belle pluie, dit-il.

— Il pleut toujours dans ce bled, marmonne Chantale.

— Quand j'avais ton âge, je n'aimais pas beaucoup la pluie non plus. Je ne rêvais que du soleil d'Ibiza ou de Torremolinos. Ça a changé, la pluie fait maintenant partie du décor de mes jeunes années, et c'est sûrement pour cette raison que je l'aime aujourd'hui, comme tu finiras un jour par l'aimer.

— Ça m'étonnerait.

— C'est évident, tu es à l'âge où l'on bâtit son futur en imagination et je suis à celui où l'on commence à regarder par-dessus son épaule.»

Vivianne n'est pas encore revenue des allusions de Charles à la possibilité de vendre son navire:

«Tu étais sérieux tout à l'heure?

— Je n'ai pas l'habitude de parler en l'air. Ne crois-tu pas qu'il est temps que nous vivions un peu ensemble?»

Elle n'ose encore y croire:

«Mais ton bateau? Tu aimes tellement la mer!

— Je me suis posé la question et je me suis rendu compte qu'elle ne se posait pas. Aujourd'hui, nous avons de quoi vivre honnêtement: il n'est donc pas justifiable de se demander si l'on préfère la mer à sa femme et à ses enfants.»

Vivianne met les deux mains devant sa bouche, ses yeux s'illuminent. Elle se sent redevenir la jeune fille à qui il avait demandé la main. Charles Toussaint ne le montre pas mais en lui-même il est radieux. Ce n'est pas tous les jours que l'on peut rendre une femme heureuse avec quelques mots.

Le petit déjeuner terminé, Charles va prendre une douche, vérifie si Vivianne a tout placé dans sa valise et va embrasser chacun en employant la formule désormais consacrée:

«Soyez sages en mon absence.

— Comme d'habitude, papa.

— Je laisserai la voiture à la même place que d'habitude», prévient-il sa femme.

Dehors, il respire à pleins poumons l'air iodé qui vient du large. L'averse a fait place à une légère bruine. Un instant, tranquille, il considère la lueur blême qui enveloppe le décor, sans savoir si elle vient du ciel ou de la mer. Il habite un gentil logis, tout en haut de la colline de la Vierge, qui marque le versant nord du plateau surplombant Fécamp. Sa maison placée au beau milieu d'un plant d'herbe et de pommiers tordus par le vent, domine la falaise crayeuse et offre à ses occupants un spectacle saisissant, s'ouvrant sur la mer, à quelque cent mètres plus bas, et sur l'horizon qui, à cette heure, a la couleur de l'encre et est sillonné par les feux de position d'un pétrolier remontant vers la mer du Nord. Charles s'attarde quelques secondes pour écouter les rouleaux qui se fracassent sur la grève plus bas.

Un peu plus tard, il sort la voiture de l'allée et constate que chez lui les lumières se sont éteintes.

En descendant prudemment la route sinueuse qui serpente à l'assaut de la colline, il allume la radio. Charles Aznavour interprète une vieille chanson du temps de sa jeunesse, une de ses préférées: *Désormais*. Il hausse le volume et se met à chanter très fort, de concert avec le chanteur arménien:

«*Désormais*
On ne nous verra plus ensemble
Désormais
Mon cœur vivra sous les décombres
De ce monde qui nous ressemble
Et que le temps a dévasté
Désormais
Enfermé dans ma solitude
Désormais
Je traînerai parmi les choses
Qui parleront toujours de toi
Jamais plus
Nous ne mangerons au même fruit
Ne dormirons au même lit
Ne referons les mêmes gestes
Jamais plus
Nous connaîtrons la même peur
De voir s'enfuir notre bonheur
Et du reste...
Désormais. »

Emporté par les mots et la musique, il a soudain la vision furtive du visage d'Elizabeth de Katmandou, auquel vient se superposer celui de Vivianne. Brusquement, tout se rejoint dans sa tête, et celle qui est sa femme devient partie intégrante de sa jeunesse. Un instant, sous le coup d'une violente impulsion, il manque céder au besoin de faire demi-tour, juste pour aller serrer Vivianne dans ses bras.

C'est à ce moment, près de vingt ans après les noces, qu'une chanson, la simple magie d'une seule chanson, révèle le lien secret qui réunit les deux vies de Charles Toussaint et, au plus profond de lui-même, il prend enfin sa femme pour épouse.

En arrivant au port, il aperçoit le lieutenant Pépin, qui descend tout juste d'une camionnette garée devant la coupée du *Viking*.

«Bonjour, commandant. Encore de la pluie, n'est-ce pas!»

Charles Toussaint a horreur des conversations insipides sur le temps qu'il fait.

«Bonjour, lieutenant. Je voulais justement vous parler, il y a quelque chose qui ne va pas dans votre histoire.

— Je suis à votre disposition pour répondre à toutes vos questions.

— Qu'est-ce que c'est que ces salades que vous m'avez racontées hier sur la surveillance des bâtiments russes? Je repensais à tout ça hier soir, quand je me suis soudain souvenu que nous avions déjà des satellites, justement spécialisés dans ce genre de travail.»

Le lieutenant a un vague sourire et entraîne Charles Toussaint à l'arrière de la camionnette. De la main il désigne une caisse de bois presque aussi haute que lui:

«Laissez mes deux hommes embarquer cette caisse et je vous expliquerai précisément de quoi il s'agit.

— Qu'y-a-t-il dans cette caisse?

— Des instruments; quand je vous en aurai expliqué le fonctionnement, vous saurez exactement pourquoi je suis là.»

Le commandant est intrigué:

«Montez votre fourbi à bord, j'ai hâte de connaître vos explications. Au fait! ce n'est pas une camionnette militaire que vous avez là.

— Le secret, commandant. Vous ne le savez peut-être pas, mais il y a des espions partout.»

Charles Toussaint hausse brusquement les épaules:

«Vous êtes complètement parano. Tout ça c'est des conneries, si vous voulez mon avis.»

Le lieutenant Pépin et ses assistants ont installé la caisse au milieu de la passerelle. Seul Germain Picard, le second, est présent. Le commandant est descendu à la salle des machines pour s'entretenir avec le chef mécanicien.

«Le commandant n'aimera pas votre installation», dit Picard au lieutenant qui s'affaire autour de la caisse.

Ce dernier se retourne, pointant un automatique vers le second:

«J'ai bien l'impression qu'il n'aimera pas grand-chose. Veuillez avoir l'obligeance de vous poster le long de cette cloison et de n'en plus bouger.»

Le second n'arrive pas à croire ce qui lui arrive:

«C'est une farce», dit-il, essayant de se convaincre.

Il n'obtient pas de réponse. Les deux hommes du lieutenant font sauter le dessus de la caisse à l'aide d'un pied-de-biche et en tirent trois pistolets-mitrailleurs. Le lieutenant en saisit un et fait un signe à ses deux complices, qui aussitôt quittent la passerelle. Il désigne son PM RPK-74 au second:

«Ceci n'est pas une farce. Nous allons sagement attendre le commandant.»

Sur le quai, deux autres individus qui se tenaient en alerte à l'intérieur d'une automobile entrent en action dès qu'ils voient leurs acolytes apparaître les armes à la main. À leur tour, armés de PM, ils grimpent le long de la coupée et descendent directement vers la salle des machines.

Charles Toussaint les aperçoit alors qu'ils descendent l'escalier métallique.

«Personne ne bouge! lance l'un des hommes.

— Que voulez-vous?» hurle le commandant, sous le coup de la stupeur.

«Votre navire, commandant. Nous avons projeté une croisière ensemble. Voulez-vous me suivre.»

C'est, à ne pas s'y tromper, un ordre.

L'un des intrus reste dans la salle des machines, à mi-hauteur de l'escalier, et s'assoit sur une marche.

«Faites votre travail, ordonne-t-il aux trois mécaniciens présents. Celui qui ne me reviendra pas ne reverra jamais sa petite amie.»

Poussant le commandant avec le canon de son arme, l'autre homme le conduit sur la passerelle.

Le lieutenant les accueille avec un large sourire:

«Vous voici enfin, commandant. Je vous attendais pour vous donner, comme promis, les informations sur le contenu de cette caisse.

— Mais que voulez-vous enfin? Il n'y a rien à bord qui puisse intéresser qui que ce soit.»

Le lieutenant, qui a abandonné la garde de Toussaint et Picard à son comparse, entreprend d'ouvrir les montants de la caisse avec le pied-de-biche. Bientôt chacun peut observer un cylindre métallique, peint en noir et jaune, d'environ un mètre trente de hauteur sur soixante-dix centimètres de diamètre.

«Qu'est-ce que c'est? demande Charles Toussaint.

— Vous ne devinez pas, commandant?

— Je suppose que vous n'êtes pas là avec vos armes pour jouer aux devinettes.»

Comme s'il n'avait rien entendu, le lieutenant s'approche du cylindre, passe sa main dessus comme si c'était le corps d'une femme et donne un indice:

«La puissance approximative est d'une mégatonne.»

Une fraction de seconde et pour la première fois de sa vie, Charles Toussaint a l'impression que son cœur va le lâcher. Il sent la situation lui échapper totalement:

«Vous ne voulez pas dire que c'est une bombe atomique?»

Le lieutenant éclate de rire:

«Non! absolument pas! Une bombe atomique, comme vous dites, ne peut dépasser quelques centaines de kilotonnes, alors qu'ici nous avons une mégatonne. Cela implique qu'il ne s'agit pas d'une bombe A mais bel et bien d'une bombe H.»

Charles Toussaint sent son sang se figer. Jamais il n'a ressenti une peur comme celle qui s'empare de lui à ce moment. Une peur que n'importe quel taux d'adrénaline est incapable de contrôler. Une peur que la raison ne peut saisir, devant l'énormité de ce qui est impliqué.

Le lieutenant, visiblement satisfait de l'effet produit, continue calmement, de la même façon que s'il était en train d'expliquer les effets d'un nouvel analgésique sur la migraine:

«Pour données comparatives, sachez que, le 6 août 1945, la puissance développée à Hiroshima n'était que de 13 kilotonnes. Une risée à coté de ce joujou-là.»

Le commandant n'arrive pas à saisir ce qui arrive:

«Mais qui êtes-vous enfin?

— Lieutenant Hugues Pépin, comme je vous l'ai dit hier.»

Il n'ajoute pas que le véritable Hugues Pépin avait quitté l'orphelinat du Havre par un beau jour de septembre, quelques années plus tôt, qu'il était monté dans le train à destination de Paris et que, rendu dans cette ville, il avait disparu entre la gare Saint-Lazare et la gare Montparnasse, où il devait prendre une correspondance pour rejoindre l'École de la marine à Brest. Un autre Hugues Pépin, dont le nom était en réalité Vladimir Raslouleff, monta dans le train pour la Bretagne. Le nouveau Pépin, qui était en fait de deux ans plus vieux que celui qu'il remplaçait, avait été remarqué par le KGB pour son remarquable don des langues et placé dans un institut dépendant exclusivement du comité de Sécurité d'État, pour y poursuivre un entraînement intensif en vue de faire de lui un jeune Français dans toute l'acception du terme. En attendant d'être affecté à la place qui pourrait lui convenir, il avait vécu, en plein territoire soviétique, dans un véritable microcosme français. Quand il se présenta à Brest, son français était meilleur que celui du véritable Hugues Pépin, son acclimatation aussi totale, et une chirurgie plastique lui avait même donné l'apparence de celui dont il usurpait la place.

Dans le cadre de la grande mission qui vient de lui être confiée, il ne doit surtout pas laisser connaître sa véritable origine. Tout au contraire, il doit se faire passer pour un Libyen. Si besoin est, il peut parfaitement tenir une conversation en arabe.

«En fait, dit-il au commandant, je vous dois bien la vérité. Mon nom, je n'ai aucune peur à vous le dire, est Muhammad Al-Atchhab, citoyen libyen tout comme mes quatre compagnons présents sur ce navire.

— Vous n'avez pas le type arabe!

— Dans notre vocation, il vaut mieux ne pas avoir l'air de ce que l'on est.»

Charles Toussaint revient au cylindre métallique.

«Que voulez-vous faire avec ça?

— Puisque nous allons être compagnons de voyage, je peux bien vous le dire. En premier lieu, notre idée était de la faire sauter ici à Fécamp, puis nous avons changé d'idée, nous la ferons sauter ailleurs.»

Le commandant ne veut y croire:

«Pourquoi Fécamp? Et quelle rançon demandez-vous pour ne pas faire sauter cet engin?

— À votre première question, qui n'est plus d'actualité puisque nous avons changé de cible, je répondrai que Fécamp est une ville moyenne comme des milliers d'autres et que l'impact psychologique n'en serait que plus grand. Faire sauter une ville comme Paris donnerait beaucoup moins de résultat, car tout le monde s'attend à ce qu'un jour où l'autre les grandes villes soient touchées. Une ville moyenne, ce n'est pas pareil: plus personne ne se sentirait à l'abri. Pour répondre à votre deuxième question, il n'est pas dans nos intentions de demander une rançon; nous allons bel et bien faire sauter la bombe.»

Le commandant entend Germain Picard gémir dans son dos. Il ne sait plus quoi dire, ni faire. Il ne reste qu'une question:

«Que voulez-vous de nous?

— Simplement que vous nous meniez vers notre nouvelle cible.

— Et si je m'y oppose?

— La bombe sautera ici, tout simplement.»

Le lieutenant tourne son regard vers l'extérieur puis ajoute:

«N'avez-vous pas une femme et des enfants ici?»

Comme assommé, Charles Toussaint acquiesce; puis un soupçon, tout autant qu'une étincelle d'espoir, le gagne:

«Qu'est-ce qui me prouve que cet engin est véritablement ce que vous prétendez?

— Je pourrais vous expliquer que pour obtenir la fusion nucléaire il faut obliger deux noyaux positifs à se rencontrer, alors que les forces de répulsion coulombiennes les obligent à s'éloigner; et que pour contrer cet état de choses il faut de la chaleur, beaucoup de chaleur, car on doit atteindre des températures de l'ordre du million de degrés. L'agitation thermique favorise alors la collision des noyaux et permet d'obtenir la fusion recherchée. Mais que je vous dise tout cela ne vous prouve rien. Je pourrais aussi ouvrir ce contenant mais cela ne vous en apprendrait pas plus qu'à moi. Bien entendu, si vous aviez un compteur Geiger à bord vous pourriez vérifier la présence de tritium mais cela encore ne prouverait rien. Alors il ne reste que ça.»

Il désigne son pistolet-mitrailleur.

«C'est tout simple, ça vous envoie vite son homme *ad patres* s'il ne veut pas coopérer; et j'ajouterai que, dans votre cas, vous seriez mort sans avoir la certitude que, votre femme et vos enfants ne seraient pas pulvérisés, brûlés, déchiquetés dans une explosion thermonucléaire.»

Charles Toussaint comprend qu'il ne peut rien faire pour l'instant:

«Qu'attendez-vous de moi?

— Premièrement, que tout le monde ait l'air parfaitement naturel pendant que le pilote sera à bord. Secundo, que chacun coopère pour mener ce navire à destination. Si tout cela est respecté, vous aurez la vie sauve.»

Petit à petit une froide colère s'empare du commandant:

«Vous voudriez me faire croire que vous nous laisseriez la vie sauve alors que vous vous apprêtez à faire sauter cet engin diabolique, capable de tuer des milliers de personnes?

— Bien placé, cher commandant. Cet engin est capable de tuer des millions de personnes. Maintenant, vous pouvez penser ce qu'il vous plaira; tout ce que je peux vous affirmer, c'est que si le pilote devait nous causer des ennuis, l'histoire retiendra les noms d'Hiroshima, de Nagasaki, et tout de suite après, de Fécamp.»

Il n'a jamais été dans les directives du lieutenant de faire sauter une bombe à Fécamp mais il doit absolument le laisser entendre à ses otages.

Le regard de Charles Toussaint va du lieutenant à la bombe. Il essaye de réaliser comment un homme, apparemment semblable aux autres, peut envisager, sans le moindre doute moral visible, de gratter l'allumette de l'apocalypse. Il ne se rappelle pas avoir jamais ressenti l'effroi qui le tenaille en ce moment. Non pas tant pour lui-même que pour le monde des hommes qu'il connaît. Il lui semble nager dans l'horreur, comme si le monde qu'il a connu jusqu'alors venait de sombrer dans une dimension où les valeurs, qui ont marqué l'humanité jusqu'à présent, sont disparues.

Souvent, il lui est arrivé d'imaginer ce que pourrait être la Terre après un conflit nucléaire. Ce qui l'effraie le plus, c'est qu'au-delà des millions de morts, il y aurait aussi l'anéantissement du passé, la destruction des cathédrales, de toutes les bâtisses et œuvres qui gardent l'humanité en contact avec ses ancêtres et leurs valeurs qui font partie de l'héritage commun. À un degré beaucoup plus grand et si la planète pouvait encore survivre, elle ressemblerait, selon lui, à certaines de ces nouvelles villes allemandes sans âme, reconstruites après la guerre.

«Vous n'êtes pas un être humain, déclare-t-il au lieutenant. Rien ne saurait motiver ce que vous entreprenez. Quand tout sera fini, si vous êtes encore en vie (je devrais plutôt dire en état de marche, car je ne vous considère pas comme un être vivant), quand tout sera consommé, vous comprendrez peut-être alors que vous avez tout perdu.

— Je ne suis pas là pour philosopher, commandant. Veuillez maintenant prévenir votre équipage de l'attitude qu'il devra avoir.»

Deux des acolytes du lieutenant ont rassemblé les hommes dans le réfectoire. En entrant, le commandant voit leurs mines affolées.

«Pas de panique, les gars, essaye-t-il de les rassurer. Ces messieurs qui se sont emparés du *Viking* sont des terroristes libyens. Pour certaines raisons qui seraient trop longues à vous expliquer maintenant, il va falloir faire exactement comme s'ils n'étaient pas là, comme si nous ne les avions jamais vus. Quand le pilote montera à bord, que chacun occupe son poste comme d'habitude. Tout ce que je peux vous dire, c'est qu'il y va de notre vie et de celles de nos familles. À présent, que chacun regagne son poste et, je vous en supplie, surtout pas d'actes inconsidérés. Je compte sur vous; ces hommes nous tiennent, même s'ils ne braquent pas leurs armes sur nous.»

Charles Toussaint descend ensuite aux machines, pour tenir les mêmes propos aux mécaniciens. Quand il a terminé, il se tourne vers le lieutenant Pépin:

«Je suppose que le pilote ne devrait plus tarder.

— Très bien, commandant. Vous semblez agréablement coopératif.

— Pourrais-je connaître notre destination?

— Quand le pilote aura quitté le bord, nous mettrons cap au sud avec Gibraltar pour prochaine étape.

— Le *Viking* est attendu à Göteborg; il y aura des recherches si nous n'arrivons pas.

— Tout est arrangé, vous êtes décommandés, un nouveau port attend votre bateau.

— Vous voulez faire sauter la base britannique?

— Vous n'y êtes pas du tout, commandant. Ah! au fait, je ne serai pas sur la passerelle tant que le pilote sera à bord, mais grâce à ce simple émetteur je peux mettre le feux aux poudres lorsque je le désirerai.»

Il lui montre une sorte de petit boîtier d'ébonite noire, surmonté d'une antenne rétractable dans le genre walkie-talkie.

«Vous mourrez aussi.

— Quelle importance? J'ai connu les femmes, j'ai un peu voyagé, je connais les effets de l'alcool et même de certains narcotiques, j'ai goûté à peu près à tout ce qui pouvait servir de nourriture. Que reste t-il?

— L'amour, lieutenant. L'amour des autres. Je crois que vous êtes passé à côté.»

Lorsque le pilote monte à bord, il trouve un équipage comme les autres. Il demande bien au second quel est le curieux instrument qui trône au milieu de la passerelle mais celui-ci lui répond qu'il s'agit d'équipement électronique destiné à la Suède. Le pilote, qui vient juste de sortir du lit, n'est pas curieux et ne pose pas davantage de questions, pas plus qu'il n'aperçoit le commandant glisser un billet dans la poche de son ciré, accroché à l'une des patères de la passerelle.

5 TERRORISTES LIBYENS À BORD.
BOMBE H À BORD. UTILISATION PRÉVUE.
DESTINATION PRÉSUMÉE: GIBRALTAR.
CHARLES TOUSSAINT

Resté dans le réfectoire, le lieutenant Pépin a un demi-sourire. Il se doute très bien que le commandant va essayer de passer un message. À Moscou, le colonel Boulkine compte là-dessus.

Dans l'aube naissante qui annonce une autre journée de grisaille, Charles Toussaint regarde avec un mélange d'effroi et de nostalgie le mur blanc des falaises de son pays. Il doute fort de les revoir un jour et, pour la première fois de sa vie, ça l'embête.

***

Le *Viking* a depuis longtemps disparu à l'horizon, lorsque Vivianne Toussaint remercie une voisine qui l'a amenée sur le port.

Elle monte dans la *Peugeot* et remarque immédiatement la valise de son mari sur la banquette arrière. Elle fronce les sourcils, regarde du côté du quai afin de vérifier si le cargo a bien pris la mer. S'age-nouillant sur le siège du conducteur, elle se penche pour ouvrir la valise de Charles et constate que tout son linge propre est bien là et, comme elle s'en assure, le flacon de *tagamettes* qu'il doit prendre ré-gulièrement en raison d'un vilain ulcère à l'estomac.

Elle reste déconcertée quelques instants, cherchant à trouver les raisons de cet oubli qui ne ressemble pas du tout à Charles. Voulant en avoir le cœur net, elle met la voiture en marche et se dirige vers le bureau des autorités portuaires.

Le préposé à la réception est nouveau et ne la connaît pas:

«Que puis-je pour vous?

— Est-ce que je pourrais parler au pilote qui a reconduit le *Viking* au large ce matin?

— Avez-vous un parent à bord?

— Je suis la femme du commandant Toussaint.

— Oh, excusez-moi, je ne savais pas.»

Il tend soudain le doigt vers la porte d'entrée:

«Tenez, voici justement le capitaine Leroy qui arrive. C'est lui qui s'est occupé du *Viking* tout à l'heure.»

Leroy la reconnaît:

«Bonjour, madame Toussaint, quelque chose qui ne va pas?

— Bonjour, capitaine, je voulais justement vous voir. Avez-vous remarqué quelque chose d'anormal à bord du *Viking* ce matin?»

Il secoue la tête:

«Rien qui ne m'ait frappé. Il y a un problème?

— Oh, ce n'est pas grand-chose, mais mon mari a oublié sa valise dans la voiture et, comme ça ne lui ressemble pas, je me suis dit qu'il y avait peut-être quelque chose qui n'allait pas.»

Un sourire détend les lèvres de Leroy:

«Ce sont des contretemps qui arrivent.»

Tout en parlant, il a enfoui les mains dans les poches de son ciré jaune. Ses doigts doivent rencontrer quelque chose d'inhabituel, car il sort machinalement un morceau de papier de ses poches. Un froncement de sourcils indique qu'il ne se souvient pas de ce papier. Il le déplie et en parcourt le contenu du coin de l'œil dans un geste de politesse envers son interlocutrice. Soudain, il secoue la tête comme pour chasser une mouche inopportune sur le bout de son nez.

«Bordel!» ne peut-il retenir.

C'est au tour de Vivianne de demander ce qui ne va pas:

«Pardon?»

Il a l'air atterré. Il la regarde par deux fois, puis se décide:

«Madame Toussaint, reconnaissez-vous ici l'écriture de votre mari?»

Vivianne se penche sur le message, en parcourt les quelques lignes à son tour et finit par lever vers Leroy un visage blanc comme neige:

«C'est la sienne», articule-t-elle avec difficulté, la gorge contractée par l'angoisse.

Ils se regardent l'un l'autre, cherchant quelle attitude adopter.

«C'est affreux, murmure-t-elle en cherchant une définition à laquelle se raccrocher. Il faut prévenir la police.»

Leroy prend sa décision sur-le-champ et secoue négativement la tête:

«Je ne crois pas, dit-il. Cette affaire concerne directement le préfet.»

Une minute plus tard, ils sont tous les deux dans le bureau du pilote. Il appelle Rouen directement et après avoir aboyé quelques menaces aux divers agents de liaison il obtient le préfet lui-même.

Il lui explique comment il a trouvé le message et lui en lit le contenu.

«Ça ne peut être qu'une farce de mauvais goût, dit le préfet.

— Je ne crois pas, monsieur. J'ai avec moi la femme du commandant Toussaint, qui affirme reconnaître l'écriture de son mari.»

Une note d'angoisse perce dans la voix du préfet:

«En est-elle certaine?

— Je le crois, monsieur.»

Il y a un silence au bout de la ligne.

«Qui est au courant?

— Pour l'instant, il n'y a que vous, moi et madame Toussaint.

— Bon! venez à Rouen aussi rapidement que possible; de mon côté, je vais essayer de dénicher un graphologue. Quel est le nom du bateau déjà?

— Le *Viking*.

— Vous y étiez ce matin, avez-vous remarqué quoi que ce soit d'anormal?

— Non, rien de spécial.»

Il s'interrompt; un détail vient de lui revenir en mémoire:

«Si! il y avait une espèce de gros baril métallique jaune et noir au milieu de la passerelle; quand j'ai demandé au second de quoi il s'agissait, il m'a répondu que c'était de l'équipement électronique pour la Suède.

— Bon sang! Venez au plus vite.»

Ayant raccroché, il se tourne vers Vivianne, qui fixe le mur avec des yeux aussi grands que ceux d'une chouette.

«Avez-vous votre voiture? demande-t-il.

— Elle est garée devant les bureaux.

— Il faut que nous allions à Rouen au plus vite; je vais conduire si vous le voulez bien.»

Hagarde, elle approuve comme un automate et le suit.

ROUEN, FRANCE

Le préfet a immédiatement pris contact avec le ministère de l'Intérieur. Il a exposé la situation au ministre et lui demande maintenant ce qu'il faut faire:

«Est-ce que je dois déclencher le plan ORSECRAD, monsieur?

— Non, je ne crois pas. S'ils ont vraiment une bombe de type thermonucléaire à bord, nous ne pouvons rien faire de front. L'important, pour l'instant, est de localiser ce navire et de le suivre à la trace. Vous disiez qu'il se dirigeait vers Gibraltar?

— Le commandant du navire le présume dans son message.

— Ce qui fait que le problème concerne principalement nos voisins d'outre-Manche.

— Allez-vous mettre le président au courant?

— Immédiatement; j'ai l'impression que tout ceci concerne davantage la Défense.

— Y a-t-il autre chose, monsieur?

— Avez-vous prévenu le CODISC?

— Pas encore, monsieur.

— N'en faites rien pour le moment et veillez à ce que tout cela ne s'ébruite pas.

— J'y veillerai, monsieur.»

***

Seul dans une chambre mansardée d'une très vieille maison à colombages de la rue Saint-Gervais, Victor Ozoulof retire les écouteurs de ses oreilles. Il est satisfait: la mise en place des micros à la préfecture s'est révélée un jeu d'enfant et vient de porter ses premiers fruits.

Il va ouvrir une fenêtre donnant sur la cour et dirige vers l'horizon ce qui de loin ressemble à ces cornets que l'on retrouvait sur les premiers tourne-disques à manivelle: en réalité, une petite antenne parabolique.

Dans l'instant qui suit, il est en liaison avec un bureau de la place Dzerjinsky à Moscou.

«Petit frère Zéro-Huit à Grand-mère.

— Ici Grand-mère, à vous Petit frère Zéro-Huit.

— La croisière est commencée. Je répète: la croisière est commencée et Allah est grand.

— Bien reçu, Petit frère Zéro-Huit. Continuez votre travail. Terminé.»

Victor Ozoulof coupe la communication et referme la fenêtre. Il est content de lui. Descendant d'un aristocrate terrien devenu chauffeur de taxi parisien après avoir fui son pays pendant l'hiver 1917, il n'aime pas ce qu'a fait son aïeul et aujourd'hui il répare le mal causé par sa famille à son pays: la Russie, aujourd'hui maîtresse de toute les républiques soviétiques, et demain, du monde.

LA MANCHE

L'équipage au grand complet, y compris le commandant Toussaint, est réuni dans le réfectoire. Enfermé.

Le cargo est à l'arrêt et les machines se sont tues. L'angoisse se lit sur tous les visages.

«Que font-ils, commandant? demande Germain Picard.

— Comment voulez-vous que je le sache?»

Il a informé tous les hommes de la situation réelle et l'anxiété est à couper au couteau. Chacun s'attend, au fond de lui-même, à être pulvérisé d'un moment à l'autre.

Ils ne savent pas qu'à l'extérieur un sous-marin soviétique de classe *Alpha* vient d'émerger à quelques encablures de la coque du *Viking*, prenant visiblement soin de rester dans le prolongement du cargo. Les hommes du lieutenant Pépin ont jeté un pneumatique à l'eau et descendent le long de la coque à l'aide d'une échelle de corde.

Rendus sur le pont du submersible, ils saluent leurs compatriotes, puis Raslouleff alias Pépin alias Al-Atchhab sort de sa poche le même émetteur qu'il avait montré au commandant Toussaint, débloque le système de sécurité et envoie une fréquence radio que reconnaissent les trois mines que ses hommes ont placées tout au fond des cales, à l'avant, au centre et à l'arrière du cargo. Mines qui ont été extraites du cylindre que Pépin avait fait passer pour une bombe thermonucléaire.

Il n'y a pas d'explosion nucléaire, seulement trois violentes secousses qui ouvrent autant de brèches, par où s'engouffre la mer.

Dans le réfectoire, l'équipage comprend ce qui vient de se produire.

«Ils nous ont sabordés! s'exclame le chef mécanicien.

— On va crever comme des rats!» hurle le cuisinier.

La panique gagne rapidement tous les hommes. Charles Toussaint sort une clef de sa poche:

«Ces messieurs ont simplement oublié qu'un commandant possède très souvent un passe qui lui donne accès à n'importe quel point de son bâtiment.»

Tout en parlant, il se dirige vers la porte d'acier qu'il débarre de deux tours de clef. D'un même élan, les vingt-sept hommes se ruent vers le pont.

«Du calme! du calme! lance le commandant. Il y a plus de pneumatiques qu'il n'en faut.»

Charles Toussaint a toujours veillé à ce que son navire soit équipé d'un maximum de ces embarcations souples. Il n'a aucune confiance dans les lourdes chaloupes, soit qu'elles ne peuvent être mises à la mer si le bateau gîte du bord inverse, soit que leur manipulation s'avère trop lente. Il ne leur trouve aucun avantage.

Le cargo s'enfonce rapidement et les hommes se démènent pour lancer les radeaux de sauvetage par-dessus bord. Le commandant aperçoit le sous-marin. Une douzaine d'hommes sont alignés sur le pont, pistolets-mitrailleurs en joue. À l'évidence, ils attendent que le cargo ait sombré pour arroser les rescapés.

Il observe l'horizon dans l'espoir d'apercevoir un navire qui obligerait le sous-marin à plonger. Rien. Le contraire eût été assez étonnant, le lieutenant Pépin ayant choisi un point relativement à l'écart des grandes routes maritimes.

Une grande partie de l'équipage s'est déjà jeté à l'eau et s'agrippe aux radeaux. La plupart des hommes ont aperçu le submersible et demeurent dans une expectative bien incertaine. Le second essaye de calmer les autres:

«Ce sont des Russes, crie-t-il. Ils ont certainement eu vent de ce que voulaient faire les Libyens.»

Charles Toussaint n'est pas de cet avis. Il ne sait pas ce qui se passe exactement mais tout lui dit que si les Russes avaient de bonnes intentions, ils ne resteraient pas ainsi sur le pont, en pointant leurs PM, pour les sauver.

Il sait qu'il ne peut même pas lancer un appel radio, car c'est la première chose que les Libyens ont détruite dès que le pilote a eu quitté le bord.

Il estime que le navire va bientôt piquer du nez. Il n'y a vraiment plus rien à faire. Attrapant un gilet de sauvetage dans la caisse en bois du pont réservée à cet usage, il franchit la main courante et se jette à l'eau, laissant le cargo entre lui et le sous-marin. Sans attendre, il ne cherche pas à regagner l'un des radeaux mais se met à nager de toutes ses forces vers le large.

Il a déjà parcouru une certaine distance quand le *Viking* se redresse de la poupe et pique du nez dans l'eau pour disparaître presque aussitôt. Jetant un coup d'œil par-dessus son épaule, il aperçoit les radeaux qui dansent sur l'eau à quelques brasses du submersible. Les hommes attendent, hésitant entre l'espoir et la panique. D'un feu nourri le tir commence et, en même temps, le cri de ses hommes. Il ferme les yeux, essayant désespérément de ne plus entendre. La rage et la peur se mêlent dans sa tête et, pourtant, quelque part en lui, l'instinct de survie lui ordonne d'ôter son gilet de sauvetage et de flotter sans bouger entre deux eaux. Il lui semble que les tirs n'en finiront jamais; pourtant, quand le silence revient, il lui paraît plus terrible encore. Sur le dos, il fixe les nuages dans le ciel, essayant d'y trouver l'oubli de tout. Il sent qu'il a peut-être une chance de ne pas être aperçu, grâce à la houle.

Une longue minute passe, puis une deuxième. Il entend des éclats de voix dont il ne peut discerner les nuances, puis des pas qui courent sur le pont métallique et, enfin, un claquement qu'il suppose être celui du panneau d'écoutille que l'on vient de fermer. Un léger bourdonnement, puis un son ressemblant à celui de l'eau tombant dans de la friture bouillante. Il se redresse juste à temps pour apercevoir le sommet de la tourelle s'enfoncer dans l'écume. Redoutant une surveillance au périscope, il demeure encore quelques minutes sans bouger, pendant lesquelles il fait le point sur sa situation peu brillante. Il est seul, vraiment seul et sans ressources. La température de l'eau est glaciale et il commence déjà à ressentir des picotements sur la peau.

Il se remet à nager, essayant de se réchauffer un peu. Ayant retrouvé son gilet, il l'enfile et se dirige vers la zone du massacre. Il bute de la tête dans un radeau transpercé qui flotte encore entre deux eaux. Un corps est à moitié enroulé dedans. Charles Toussaint reconnaît l'un des mécaniciens, qui le fixe de ses yeux éteints. Il ne peut en supporter davantage.

«Est-ce que quelqu'un m'entend?» crie-t-il.

Son appel demeure sans réponse.

Il estime qu'il doit se trouver à une soixantaine de kilomètres de la côte la plus proche. Impossible à rejoindre à la nage, surtout par cette température.

«Je vais mourir de froid et d'épuisement, songe-t-il. Le mieux est d'essayer de se rapprocher le plus possible à l'est, vers la route Le Havre - Southampton. Peut-être qu'avec beaucoup de chance je repérerai un navire et que, par miracle, celui-ci m'apercevra.»

Il lui reste à trouver l'est, ce qui n'est pas facile avec le ciel bouché comme il l'est. Un vrai ciel normand.

ERFURT, R.D.A.

«Camarades, nous ne sommes qu'à deux cents kilomètres à vol d'oiseau de Francfort-sur-le-Main.»

C'est avec ces paroles qu'un officier de l'Armée rouge accueille, au pied de l'avion, les réservistes dont Nikolaï Sologdine fait partie.

Les rumeurs ont alimenté toutes les conversations durant le vol. De l'avis de la plupart, les prétendues manœuvres ne sont que poudre aux yeux.

GUERRE.

C'est le mot qui hante tous les esprits, et les paroles de l'officier qui les accueille ne sont pas pour démentir cette impression.

Un à un, des camions civils viennent embarquer des petits groupes. Nikolaï se retrouve dans un camion de livraison qui l'achemine vers l'une des bases avancées, réparties dans les bois bordant la frontière entre les deux Allemagnes.

Sitôt à la base, comme mise en condition, les hommes sont rassemblés dans un parking de chars, T-72 et T-80 principalement. Un colonel, perché sur la tourelle de l'un d'eux, entame un discours:

«Pour beaucoup d'entre vous, il y a déjà un certain temps que vous êtes retournés à la vie civile. Aujourd'hui, nous attendons de vous que vous retrouviez vos vieux compagnons – il parle des chars – pour en redécouvrir toutes les ficelles.»

Nikolaï regarde le T-80 sur lequel est perché le colonel. C'est bien ce matériel avec lequel il a manœuvré pendant près de deux ans. Toujours la même silhouette basse de quarante tonnes, le même canon de 125 mm. Il s'en rappelle maintenant toutes les particularités, depuis la protection NBC jusqu'au télémètre laser, en passant par le système d'armes guidées antichars (ATGW).

La seule chose qui a changé, c'est lui. Sa confiance dans le socialisme est fortement ébranlée depuis la veille, lorsque les sbires du KGB ont emmené Mouza. Le goût d'aller se faire tuer sur un champ de bataille pour une cause qui n'est plus la sienne, ne l'enchante guère.

Le colonel les rassure en leur affirmant que, sitôt l'entraînement terminé, ils seront renvoyés chez eux.

«À d'autres», murmure à voix basse un voisin de Nikolaï.

177

Ce dernier sent bien également qu'il vient d'être incorporé au Groupe des forces soviétiques en Allemagne de l'Est (GFSG) pour un bon bout de temps.

«Plus vite vous aurez renoué avec le maniement de vos armes, plus vite vous retrouverez vos familles», conclut le colonel.

C'est l'image de Mouza qui s'impose à Nikolaï, à cette affirmation du colonel.

MOSCOU, U.R.S.S.

Vassilii Smolosidov a demandé à son chauffeur de circuler sans but sur l'autoroute d'une centaine de kilomètres ceinturant Moscou. Il a besoin de réfléchir et, selon lui, nul endroit n'est meilleur à cette fin que sa limousine.

Le Politburo sait maintenant qu'il abrite un mouton noir en son sein. Étrangement, il n'a pas peur. La peur, il l'a connue sous Joseph Staline; depuis lors, il est vacciné.

Il se souvient encore clairement de ses rencontres avec le Petit Père. C'était le coup au cœur chaque fois qu'il était convoqué dans son bureau. Très nombreux étaient ceux qui y allaient pour en ressortir sous bonne escorte, en direction du poteau d'exécution. Il suffisait d'un rien; un rhume, par exemple, qui donnait à la voix une intonation différente, pouvait aussitôt être interprété par le despote comme étant une attitude trouble.

Il se rappelle parfaitement les yeux de hibou sans expression de Yosif Vissarionovitch quand il lui faisait un rapport. Smolosidov avait mis au point une tactique qui avait trouvé agrément auprès de son chef. Il suffisait d'enjoliver le rapport d'un cadre sanglant, contenant force détails concernant de supposées trahisons réprimées avec toute la vigilance qui s'imposait. Un simple compte rendu de chiffres et de faits ennuyait profondément Staline. Il lui fallait du vécu, et Smolosidov l'avait compris.

Malgré cela, chaque rencontre était un calvaire pour lui, car il savait parfaitement que l'homme au regard de rapace assis derrière le grand bureau n'avait confiance en personne et pouvait, entre deux bouffées de pipe, déclarer sèchement:

«Camarade Smolosidov, je crois que vous avez trahi notre confiance.»

Et ces quelques mots auraient signifié un arrêt de mort.

Malgré tout, Smolosidov qui, ironiquement, était un véritable traître, avait traversé toutes les purges sans préjudice, appliquant sans faute la règle par laquelle il ne faut jamais réussir trop brillamment et distribuant les tâches à outrance afin de diminuer l'impact des échecs personnels. Sans oublier toute la bonne volonté qu'il mettait à démasquer des traîtres qui n'en étaient pas. Il a ainsi contribué à envoyer outre-tombe près de trois cents bons et ardents communistes.

Le regard perdu dans les faubourgs gris, il calcule ses chances. Elles ne sont guère brillantes à ses yeux. Pour son propre malheur, Korotkov a attiré l'attention sur lui et il sait pertinemment qu'à cette heure des limiers du KGB étudient son cas.

Il regarde sa montre et sort un stylo *Parker* à plume d'or 18 carats ainsi qu'un carnet de rendez-vous relié en cuir fauve et, d'une fine écriture serrée, il entreprend de transcrire tout ce qu'il sait sur les événements qui se préparent. Il explique comment l'URSS a réussi à accumuler des actions, parfois majoritaires, dans près de 500 000 sociétés occidentales. Il détaille les informations qu'il a glanées sur la division fantôme de Thuringe ainsi que les différentes phases prévues du plan d'asservissement de l'Ouest. Mais il ne dit rien du détonateur prévu par Boulkine et connu seulement du Secrétaire général.

Quand il a terminé, la *Zil* a parcouru le périphérique sur toute sa distance. De nouveau il regarde sa montre.

«Cheremetievo», ordonne-t-il à son chauffeur.

L'aéroport construit pour les Jeux Olympiques n'impressionne pas Smolosidov quant aux capacités de l'Union soviétique. Il sait fort bien que plans, matériaux, cadres et ingénieurs, tout est venu d'Allemagne fédérale.

Smolosidov a trouvé dans son courrier, le matin même, une carte postale représentant le mausolée en marbre noir de Lénine. Elle était signée Tania.

Il sait ce que ça veut dire. Il doit se présenter dans les 24 heures à l'aéroport international de Moscou. L'aéroport a changé depuis la dernière fois qu'il a reçu une carte semblable mais l'invitation doit rester la même.

Il déambule sans but pendant cinq minutes à travers l'édifice avant de s'arrêter devant une baie vitrée, pour contempler le mouvement des avions sur les pistes. Les avions le fascinent, non pas tant par leur technologie mais par ce qu'ils représentent. Il semble si facile de grimper dans l'un d'eux et d'arriver quelques heures plus tard à Paris, Londres, Washington ou, pourquoi pas, Hawaii? Smolosidov n'est plus tout jeune et, pourtant, il lui semble qu'il a encore de longues années devant lui. Il aimerait bien les passer sur la plage de Waikiki à lorgner la physionomie des belles créatures qui ne doivent pas manquer de se trouver par là.

Il sursaute presque lorsqu'une jeune femme lui demande, carte

180

de Moscou en main, où se trouve le mausolée Lénine.

C'est le même signe de reconnaissance qu'il a déjà employé autrefois.

«L'ombre de Lénine plane sur tous les peuples libérés», répond-il.

La demoiselle semble encore très jeune. Elle a le type d'une étudiante, fille de la *Nomenklatura* de province, en voyage d'étude dans la capitale. Le genre à étudier la biologie moléculaire tout en écoutant de la musique anglo-saxonne et en fumant de la marijuana, dont la culture clandestine commence à fleurir en Géorgie.

«Avez-vous quelque chose pour nous?» demande-t-elle en traçant de son doigt un parcours imaginaire sur la carte.

«J'ai pris des notes», dit-il en donnant l'illusion qu'il aide la jeune fille à se retrouver.

«Sur vous?»

Il incline la tête:

«Sur un agenda.»

Elle réfléchit, l'espace d'une seconde:

«Allez téléphoner chez vous et laissez-le sous le téléphone.»

Elle le remercie vivement de son aide et s'écarte, tout en continuant à consulter sa carte.

Smolosidov fait comme convenu et demande à sa femme de chambre qu'elle lui prépare quelque chose de léger pour le soir.

Dès qu'il a raccroché, un jeune militaire prend sa place, compose un appel et, machinalement, met le carnet dans sa poche. Smolosidov traîne encore un quart d'heure dans l'aéroport, avant de regagner sa limousine.

Des agents du KGB en permanence à Cheremetievo qui l'ont reconnu, ne remarquent rien d'anormal. De toute façon ils n'ont aucune consigne à son égard et sa position ne peut que les intimider.

Cent dix minutes plus tard, alors qu'il a réintégré le bureau du Conseil des ministres, le carnet de cuir fauve est dans la valise d'un diplomate attaché à l'ambassade d'URSS à Ottawa. Ce dernier observe les nuages à bord d'un *Ilyushin 62* à destination de Montréal via Gander.

GÖTEBORG, SUÈDE

La nuit a été longue. Erik, réveillé, attend le petit déjeuner. Il installe les écouteurs de son walkman sur ses oreilles et se laisse emporter par la flûte magique de Zamfir. Son esprit s'envole au-dessus des Andes qu'il ne connaît pas mais qu'il se plaît à imaginer. Il est le condor planant silencieusement sur l'Altiplano. Sous lui se profile la crête blanche des hauts pics qui s'enfoncent vers des vallées verdoyantes, où courent les enfants des Indiens, descendants des illustres Incas. L'air est terriblement léger et lui, le condor, plus encore. Tout là-bas, vers le sud, s'étend la pampa d'Argentine et il devient ce fier gaucho qui fait tournoyer, dans un insoutenable tango, cette superbe fille aux cheveux noirs, aux yeux flamboyants. Empor-té par son rêve, il est heureux. Heureux d'appartenir à cette Terre si belle. Tellement belle. Chaque parcelle de lui-même est nourrie de cette Terre. Elle est lui. Il est elle. Comme la fille qui tournoie toujours au bout de ses bras. Il va la séduire, comme elle l'a séduit. Il l'emmènera quelque part dans les Andes, ils y construiront un palais d'amour, le peupleront d'enfants merveilleux, cultiveront un grand jardin de bonheur. La fille, qu'il tient par la taille, s'estompe irrémédiablement, il cherche son regard et trouve deux morceaux de ciel mauve.

Le rêve effacé, il se redresse et cherche, l'espace d'une seconde, où il a déjà vu ces yeux-là. Il se rappelle très vite qu'ils appartiennent à Éléonore, celle qui, non loin de là, comme lui, va mourir. L'envie de reprendre la conversation avec elle le fait se lever.

De nouveau, il la trouve en train de dormir mais cette fois, son sommeil paraît agité, elle semble avoir mal. Erik sent la douleur comme si elle était sienne; un élan de compassion et de tristesse l'envahit. Quelque chose le brûle au plus profond de sa poitrine et toute l'injustice de ce qu'il ressent monte en lui, faisant bientôt place à la révolte. Jamais encore il ne s'est senti aussi révolté contre la maladie. Que la maladie s'attaque à lui, passe encore. Pas à elle! Il la connaît peu mais il sait déjà qu'elle aurait pu être celle qui serait devenue l'autre partie de lui-même.

«Saloperie de maladie! murmure-t-il entre ses dents, vas-tu lui foutre la paix! Elle n'a pas dû faire grand mal à personne, pourquoi la faire souffrir? Pourquoi elle? Saloperie!»

Il lui pose doucement la main sur le front, essayant de la sortir de ce mauvais sommeil. Lentement, elle ouvre les yeux et le regarde sans dire un mot.

«Tu as mal quelque part?» lui demande-t-il.

Elle incline la tête affirmativement.

«Les os, dit-elle. C'est supportable, ne t'en fais pas. Tu n'as pas ça, toi?

— Un peu, des fois. Je vais aller chercher une infirmière pour voir si tu peux avoir un calmant.

— On m'en donne seulement avant l'heure du coucher.

— Eh bien! on t'en donnera maintenant, si c'est maintenant que tu as mal.»

Sur ces mots il se dirige vers le bureau des infirmières, où il avise Selma Meidner, qu'il informe de l'état d'Éléonore.

«Je vais vérifier, dit-elle, mais je pense qu'on ne lui donne ses analgésiques que le soir.

— Les analgésiques ne servent-ils pas à soulager la douleur?

— Bien sûr!

— C'est maintenant qu'elle a mal, alors donnez-lui ses calmants. Maintenant, s'il vous plaît!

— Je ne crois pas que...»

Erik serre les poings et son visage devient encore plus blanc qu'il ne l'était déjà.

«J'ai dit maintenant! Ou je casse tout ici dedans. Je n'ai absolument rien à perdre; le temps que ma cause soit entendue au tribunal et je ne serai certainement plus de ce monde!

— Qu'est-ce que vous avez vous deux? Vous voulez me rendre folle. Hier Éléonore qui refuse sa nourriture et envoie promener son plateau, et maintenant toi qui veux tout démolir.

— Ce n'est toujours pas si compliqué de lui donner un cachet quand elle a mal? Vous n'allez tout de même pas me dire que c'est mauvais pour elle? Quant à la nourriture, je partage son opinion et j'entame, dès à présent, une grève de la faim, jusqu'à ce que ce soit mangeable! Je vais de ce pas en informer la presse et leur en expliquer les raisons.»

L'infirmière perçoit sans peine la colère d'Erik et, comprenant vaguement les causes de celle-ci, croit à la détermination du jeune homme.

«C'est bon! dit-elle. Je vais voir ce que je peux faire. Attends une minute, s'il te plaît, avant d'appeler ton journaliste.»

Erik se retourne et aperçoit Éléonore debout devant la porte de sa chambre, pieds nus, qui l'observe mi-amusée, mi-surprise. Il se dirige vers elle.

«Tu vas mieux?» s'informe-t-il.

Elle fait un signe qui ne veut dire ni oui ni non.

«Tu as l'air fâché, demande-t-elle.

— C'est malheureusement souvent l'air qu'il faut avoir quand on veut obtenir quelque chose sur cette foutue planète.

— J'ai eu l'impression que c'était pour moi que tu étais en colère?»

Il la fixe une seconde avant d'ajouter sur un ton nettement adouci:

«Je crois bien que j'aime me mettre en colère pour que tu aies ce qu'il te faut. Comment expliques-tu cela?

— J'explique cela en disant qu'il va falloir que nous fassions attention tous les deux, si l'on ne veut pas tomber dans un piège dangereux.

— Il me semble deviner à quel piège tu fais allusion, si l'on peut appeler ça un piège.»

Il lui pose la main sur un bras pour l'entraîner dans la chambre. L'un et l'autre ressentent vivement ce contact électrisant qui, l'espace d'une fraction de seconde, les rapproche plus que ne le feraient mille mots.

Ils s'installent l'un à côté de l'autre sur le bord du lit. Chacun a du mal à retenir ses mains, comme si elles étaient habitées d'une volonté propre qui leur dicterait d'aller prendre contact avec l'autre.

«C'est chimique, se dit Erik en lui-même. Il faut que je me contrôle.»

«Je ne le connais que depuis quelques heures, se répète Éléonore. C'est totalement ridicule.»

Pianotant sur le bureau avec un crayon, Selma Meidner attend au téléphone qu'on lui passe le professeur Almqvist.

«Oui? demande-t-il.

— Ici la garde Meidner. J'ai un petit problème, professeur.

— Je vous écoute.

— Il s'agit, je crois, de ce que l'on pourrait appeler un coup de foudre.»

Le médecin marque une courte pause avant de demander, surpris:

184

«Je ne vous suis pas très bien?

— Excusez-moi, je m'explique mal. Il s'agit des deux jeunes, Erik et Éléonore. Ils se sont rencontrés hier et voilà que le jeune homme s'impose en protecteur de la belle.»

À l'autre bout de la ligne, le médecin réprime un sourire presque paternel.

«Je trouve cela charmant, dit-il. Ça ne peut pas leur faire de mal, au contraire. Je ne dis pas, si l'un des deux était en bonne santé, mais ce n'est pas le cas. Je ne vois pas en quoi ce puisse être un problème?

— Le problème, c'est qu'hier Éléonore a jeté son repas à travers sa chambre, car elle trouvait que la nourriture n'était pas celle que l'on peut espérer lorsqu'on sait que ses jours sont comptés. J'ai réussi à la raisonner sur ce point. Il y a quelques minutes, Erik est venu demander des calmants pour Éléonore qui souffrait. Je lui ai répondu que, conformément à votre ordonnance, il fallait attendre l'heure du coucher. Là-dessus, il s'est fâché et a menacé de tout casser si elle ne les avait pas immédiatement. Et, attendez, ce n'est pas tout. Il a déclaré qu'il entamerait une grève de la faim si la nourriture ne s'améliorait pas. Je devrais ajouter: si la nourriture ne convient pas à Éléonore. De plus, il menace d'ameuter la presse pour expliquer les raisons de sa grève. Je ne sais vraiment plus quoi faire.»

Le médecin garde le silence quelques secondes.

«Pour l'instant, vous allez donner un calmant léger à la petite, et je crois que je vais aller leur parler. Il me semble que notre jeune patient vient de se rendre compte de la puissance que lui confère son état. Le cas est fréquent. Ne vous faites pas de soucis, Selma, nous allons régler tout ça en douceur! À tout à l'heure.»

Une infirmière apporte le calmant à Éléonore; celle-ci regarde Erik: ils échangent tous deux un long regard de compréhension.

«Aurais-tu fait ça pour toi-même?» lui demande-t-elle.

Il secoue négativement la tête:

«Franchement, je ne crois pas.

— En tout cas, je trouve cela flatteur que, moribonde comme je le suis, un gars s'intéresse à mon sort.

— Je crois que nous avons un sort commun, et puis je ne te trouve pas moribonde.»

Chimique ou non, Erik ne peut pas résister plus longtemps, et prend les mains d'Éléonore dans les siennes. Elle ne fait aucun geste pour les retirer. Chacun est profondément troublé de sentir le contact de l'autre. C'est comme un baume qui lave corps et esprit. C'est merveilleux.

«Éléonore... je...»

Il se tait.

«Dis ce que tu voulais dire.

— Non. Rien... c'est sans importance.»

Lorsque le professeur entre dans la chambre, les deux jeunes gens écartent vivement leurs mains, se sentant pareillement en faute, comme s'ils avaient été surpris en flagrant délit de vol à l'étalage, ou autre méfait du même genre.

«Bonjour, les jeunes. Tout va bien, on dirait!»

Ils le saluent sans répondre, attendant la suite.

Du regard, le médecin examine Éléonore.

«Ça ne va pas très fort?» questionne-t-il.

Éléonore esquisse un léger sourire.

«J'ai mal, mais à présent que j'ai pris un calmant, je suppose que ça va passer.»

Le médecin approuve vaguement et se tourne vers Erik.

«Erik, je viens d'apprendre que tu avais pris une grave décision, à savoir que tu menaces l'hôpital d'une grève de la faim si la nourriture ne se fait pas plus gastronomique?»

Bizarrement, Erik se sent un peu en position d'infériorité. Aussi, prend-t-il un ton très énergique pour répondre par l'affirmative.

«C'est pour Éléonore que tu fais cela, n'est-ce pas?»

C'est plus une affirmation qu'une question et cela coupe les jambes du jeune homme, qui cherche quoi répondre. Devant elle il ne veut pas dire oui, elle pourrait prendre cela pour de la forfanterie. Il ne peut pas davantage dire non, ce qui serait faux et goujat en plus. Aussi se contente-t-il de répondre:

«Ma décision est prise, docteur.»

Il l'a appelé docteur, intentionnellement, plutôt que professeur; il ne désire absolument pas se trouver en position d'infériorité. Le médecin continue:

«Si ce n'est déjà fait, tu vas, excuse-moi d'être si direct, tu vas t'apercevoir que ton état te donne un pouvoir de persuasion. Toutefois, en regardant les choses en face, il ne s'agit ni plus ni moins que d'une forme de chantage faisant appel à la compassion.»

Erik approuve:

«J'ai réalisé cela, il y a dix minutes, dit-il.

— Et tu maintiens ta décision?»

On ne peut s'y méprendre, la question contient une accusation.

«Est-ce que, parce que je suis malade, je ne pourrais pas formuler de revendications? Pensez ce que vous voulez, docteur, car en ce qui me concerne j'ai la conscience en paix et vous le savez autant que moi.»

Intérieurement, le médecin apprécie l'intelligence de son patient et il ne s'en veut que davantage de ne rien pouvoir faire pour lui. Éléonore intervient dans la conversation. Elle vient de réaliser ce qui se passe, n'ayant pas entendu tout ce qui s'était dit entre Erik et l'infirmière-chef.

«Si j'ai bien compris, demande-t-elle à Erik, tu as décidé de faire une grève de la faim pour que j'obtienne une meilleure nourriture?»

N'obtenant pas de réponse immédiate à sa question, elle continue, l'air fâché:

«Mais de quoi te mêles-tu? T'imagines-tu que je n'attendais que toi pour s'occuper de mes affaires? Fais ce que tu veux avec ta grève, mais va jouer les héros ailleurs!»

Blessé à vif mais affichant un sourire indulgent, Erik se dirige vers la sortie de la chambre. L'émotion le submerge, accroissant sa faiblesse générale. Luttant pour tenir debout, il s'adresse au professeur:

«Ma décision est irrévocable.»

Puis, se mordant les lèvres, il sort de la chambre.

Resté seul avec Éléonore, le professeur la regarde: elle affiche la mine de quelqu'un qui vient de découvrir tous les malheurs du monde.

«Je sais que tu as fait ça dans son intérêt, dit-il, mais tu aurais peut-être pu y aller plus doucement.»

Elle se détourne pour cacher ses yeux voilés de larmes.

«Plus doucement il n'aurait peut-être pas compris, finit-elle par dire.

— Je n'ai pas l'impression qu'il ait compris. Le voilà même déterminé dans sa démarche. Ne vaudrait-il pas mieux que tu ailles le trouver pour t'expliquer?»

Elle secoue la tête farouchement.

«Non! s'exclame-t-elle. J'ai trop honte. Je ne sais pas ce qui m'arrive ces jours-ci, je ne cesse de faire des bêtises. J'en ai assez! assez! assez! Est-ce que cela va rapidement finir, professeur? Je veux que tout finisse au plus vite, je ne suis plus moi-même.

— Tu traverses une mauvaise période, il faut que tu passes à travers.

— Pourquoi ne pas en finir au plus vite? Avez-vous une bonne raison?

— Une seule et excellente. Il te reste du temps à vivre et tu dois le vivre et en profiter dans la mesure du possible. Ce temps ne te sera pas octroyé une nouvelle fois.»

Il a dit cela sur un ton ferme, afin qu'Éléonore comprenne bien ce qu'il veut dire et ne soit pas tentée de revenir sur cette explication. La voyant songeuse, il juge qu'il peut la laisser pour le moment.

«Bon! dit-il, j'ai malheureusement d'autres patients, je repasserai te voir dans le courant de la journée. Je vais laisser des instructions au poste d'étage, pour que tu puisses avoir ce qu'il te faut si tu souffres trop.»

Elle le regarde s'éloigner mais son esprit est ailleurs. La main dans la main, elle se promène avec Erik le long d'un petit chemin de son village. Les oiseaux gazouillent, l'herbe est verte et tendre, le soleil leur fait des clins d'œil.

Brusquement, elle enfouit son visage entre ses mains et à travers ses sanglots, murmure:

«Pourquoi est-ce que je lui ai fait du mal? Pourquoi?»

PARIS, FRANCE

Hans Myers a quitté sa forteresse privée de Miami, la veille au matin, pour s'embarquer sur son *Triple Crown* de quarante-huit pieds, à destination de Nassau, où il n'est resté qu'une heure avant de s'envoler vers l'est à bord de son *Mystère-Falcon 10*. Une courte escale technique aux Açores, et le jet privé a repris la route nord-est pour se poser à Deauville–Saint-Gatien où il s'est immobilisé loin des bâtiments administratifs. Aussitôt, une *Mercedes* six portes est venue attendre Myers au pied de la passerelle. Sans passer par les douanes ou autres tracasseries réservées aux masses laborieuses, la longue limousine a aussitôt pris la direction de Paris.

Autrichien d'origine, Myers vit à Miami depuis quelques années, et cela bien qu'il ne possède ni carte verte ni aucun autre permis d'immigration ou de résidence sur le sol des États-Unis. Comme nombre d'individus dans son genre qui vivent non loin aux alentours, sa résidence, où se mêlent bizarrement les styles hacienda mexicaine et château de Bavière, est entourée d'un haut mur de béton surmonté de barbelés électrifiés. Seul un lourd portail de bronze, avec surveillance électronique, permet l'accès à l'intérieur de l'enceinte. Un chemin pavé serpente jusqu'à la demeure à travers un terrain miné. Tout est prévu pour prévenir toute intrusion, même héliportée. De puissants gicleurs sont disséminés un peu partout, prêts à envoyer sous pression le contenu d'une citerne remplie de mille gallons d'acide chlorhydrique.

Myers doit évidemment compter sur de somptueux revenus pour s'assurer d'une telle sécurité. Sous le couvert d'une société dont la boîte postale se trouve au Liberia, il s'est spécialisé dans la vente d'armes en tout genre et pour toute destination.

Aujourd'hui, il va conclure une autre bonne affaire à l'ambassade parisienne de la République sud-africaine.

***

Klaas Jansma, citoyen danois et armateur de profession, contrôle quatre porte-conteneurs battant pavillon panaméen. Il est arrivé la veille dans la capitale française et, en fervent amateur de la chaîne *The Leading Hotels of the World*, a passé la nuit dans une chambre Louis XV du *Plaza Athénée,* avenue Montaigne. Une excellente nuit en compagnie d'une superbe Africaine, cadeau de Jan van Valkenkurch, qu'il doit rencontrer en compagnie de Myers.

***

Jan van Valkenkurch, plus spartiate, a passé la nuit au *Commodore*. Il arrive le premier à l'ambassade. Très grand, plus de deux mètres, c'est un homme dont le teint hâlé fait contraste avec ses cheveux blonds, presque blancs, qu'il porte très courts. Un visage froid et dur derrière de fines lunettes à monture en or. Il paraît mal à l'aise dans son costume civil, même s'il y a plus de deux ans qu'il a troqué son uniforme de colonel pour celui-ci en whipcord.

Son costume civil ne doit pas faire illusion, il fait toujours partie des cadres de l'armée. C'est, simplement, plus à propos dans son rôle de président de la société *Armscor*. Cette société s'occupe exclusivement, et par toutes les combines possibles, d'importer les armes nécessaires à la survie d'une société d'apartheid, depuis qu'une résolution de l'ONU interdit à toute nation d'exporter de l'armement vers l'Afrique du Sud.

Myers et Jansma arrivent en même temps à l'ambassade et sont dirigés vers un bureau où Valkenkurch les a devancés.

Les trois hommes se serrent la main et s'enquièrent mutuellement s'ils ont fait bon voyage, puis s'installent autour d'une lourde table de porphyre, à supports de marbre blanc représentant des lions ailés se tournant le dos. Myers, s'adressant à son client sud-africain, entre immédiatement dans le vif du sujet:

«Colonel, je dois tout de suite aborder le mode de paiement qui devait m'être remis sous forme de diamants. À la suite de ce qui vient de se produire en Turquie, vous comprendrez que je ne peux plus accepter une telle transaction.»

Valkenkurch hoche la tête:

«Je m'en doutais, quoique j'aie l'absolue certitude que les cours du diamant remonteront quand tout le monde aura réalisé la différence qui existe entre une pierre destinée à la joaillerie et une autre destinée à l'industrie. Comment aimeriez-vous être payé? En or?»

Myers a un sourire énigmatique et fait un signe de dénégation. Il sort un papier de sa poche.

«Savez-vous, dit-il, que le PNB de l'URSS avoisine les 1 000 milliards de roubles, ce qui, au taux officiel de 0,987 412 gramme d'or pour un rouble, nous donne quelque chose comme 31 milliards 597 millions 184 mille onces d'or d'une valeur moyenne de 480 dollars US l'once sur les marchés occidentaux, soit finalement la jolie somme de 15 166 milliards 648 millions 320 mille dollars? Si les Russes possèdent vraiment ne serait-ce qu'une partie de cet or, imaginez ce qui se produirait s'il leur prenait envie de le mettre sur le marché. Non, je désire tout autre chose.

— Je vous écoute?

— Quand j'étais petit garçon, je rêvais souvent qu'un jour j'aurais un parc d'animaux sauvages pour moi tout seul. Comme notre contrat représente la somme de 75 millions de dollars, je voudrais en contrepartie un territoire assez grand, où serait établi mon parc avec des lions, des éléphants, des girafes. Bref, tout ce qu'on peut imaginer.»

Il sort un petit dossier plié en deux de la poche intérieure de son veston de tweed.

«Voici les détails de ce que je désire.»

Le colonel examine attentivement la liste.

«C'est un gros morceau, dit-il.

— La commande est importante également. C'est à prendre où à laisser. Il est temps que je réalise mes rêves de jeunesse.»

La liste comprend, entre autres, 100 000 hectares dans le veld, le plan général d'une résidence princière, la clôture grillagée qui doit entourer la propriété, une liste exhaustive d'animaux qui devront être importés dans la réserve s'ils n'y sont pas déjà et, pour finir, l'assurance d'un approvisionnement en eau toute l'année.

Valkenkurch fait un rapide calcul mental et soupèse le pour et le contre:

«J'accepte», annonce-t-il.

Il sait qu'il n'aura pas de mal à faire admettre cette transaction par les trésoriers et il n'en est pas mécontent, car la chute des prix du diamant va certainement entraîner pour son pays un tarissement en devises étrangères.

Myers tend la main.

«Marché conclu», scelle le militaire, qui, à son tour, sort un dossier d'une serviette de maroquin rouge posée sur la table.

«Avez-vous des nouvelles de vos contacts de l'Est?

— La marchandise est prête.

— J'ai ici la liste du matériel, si vous voulez bien la revoir pour me confirmer que tout sera bien livré.»

Myers prend le document et le consulte de haut en bas.

«Tout y sera sauf pour les AK-47, il n'y en aura que 35 000 au lieu des 40 000 prévus. J'ai cru bon de remplacer ce qui manquait par un lot de AK-74 d'une valeur monétaire comparable.

— Le calibre n'est pas le même.

— J'ai prévu cela et j'ai fait répartir les munitions en conséquence.»

Valkenkurch approuve:

«Pour quand la livraison?»

Myers se tourne vers Jansma, qui répond immédiatement:

«J'ai deux navires qui attendent dans le port d'Istanbul. Ils pourraient charger à Burgas d'ici demain, ce qui veut dire que nous serions à Durban dans environ deux semaines.

— Aucun problème avec les vedettes turques dans le Bosphore?» demande le colonel.

Myers secoue la tête:

«Les gens de la *Kintex* ont tout arrangé avec les douaniers turcs; de toute façon, nous avons un certificat d'usager final, qui, entre parenthèses, m'a coûté à lui seul la coquette somme d'un demi-million de dollars. Les attachés militaires des républiques noires deviennent très gourmands.»

Il se tourne vers Jansma:

«Le montant de notre entente a été déposé à la *Banque de Paris et des Pays-Bas,* à Bruxelles. Dès ce soir, la moitié de la somme transitera vers votre compte à la *Kredit Bank* de Luxembourg, et le restant dès que vos navires toucheront Durban.»

L'armateur danois exprime son approbation par un simple hochement de tête.

Trois mois plus tôt, les trois hommes s'étaient rencontrés au même endroit et avaient établi la transaction. Le lendemain, Myers s'était rendu à Vienne rencontrer son contact local, en l'occurrence la maîtresse d'un dénommé Yog, directeur de la société bulgare *Inar*, filiale de la *Kintex*, dont le seul but est d'amasser les devises nécessaires aux opérations étrangères des services de renseignements bulgares (comme l'assassinat d'un pape ou le financement d'une action terroriste de la Tricontinentale). Sitôt sa commande passée à Vienne, il s'était ensuite rendu à Londres où, sous fausse représentation, il avait conclu une entente avec un attaché militaire de l'ambassade ougandaise, afin de se procurer le certificat d'usager final, qui est un document officiel certifiant que le gouvernement signataire se porte acquéreur du lot d'armes sous la responsabilité d'un transporteur. Bien entendu, le certificat, qui offre toutes les apparences de l'authenticité, est un faux dans ce cas-là, mais il permet dans les différents ports d'escale ou dans les eaux territoriales de prouver la destination de la marchandise, qui autrement serait confisquée s'il s'avérait qu'elle allait vers la République sud-africaine.

Les trois hommes se serrent la main et Valkenkurch reste seul dans le petit salon pour méditer sur l'entrevue qu'il doit avoir en soirée avec un représentant non officiel de la Société *Matra* et un autre, toujours non officiel, du Gouvernement. Il veut mettre la main sur quelques-uns de ces fameux missiles *Exocet*.

KREMLIN, MOSCOU, U.R.S.S.

Les membres du Politburo sont de nouveau rassemblés autour de la grande table ovale. Tous les regards sont braqués sur la place vide de Boris Korotkov.

Le colonel Boulkine, qui s'amuse intérieurement du suspense, décide qu'il est temps d'y mettre un terme:

«Le ministre d'État au Plan a été lavé de tout soupçon; il ne pourra toutefois être parmi nous ce soir, les effets de l'injection l'obligeant à garder le repos.

— Avez-vous de nouveaux éléments? demande le Secrétaire général.

— Certainement, camarade Secrétaire, et j'en profite pour demander la mise au secret de Vassilii Smolosidov jusqu'à ce que nous possédions des données supplémentaires.»

Smolosidov ne bronche pas et se contente de feindre la surprise la plus totale. Boulkine s'adresse directement à lui:

«Peut-être pourriez-vous nous renseigner sur l'origine de trois squelettes découverts dans un ancien dépôt de purin, sur ce qui devait être la ferme de vos parents?

— Aucune idée.

— Les restes ont été découverts en 1929 lors de l'établissement d'un parc d'engraissement. J'ai retrouvé ce détail cet après-midi en me faisant communiquer toutes les affaires locales restées sans réponse.

— Je ne vois pas du tout le rapport qu'il pourrait y avoir entre ces trois squelettes, qui me sont totalement étrangers, et une supposée défection de ma part au profit de l'Ouest?»

Le ton de Boulkine se fait des plus courtois:

«Il n'y en a peut-être aucun, mais en attendant de plus amples informations, vous comprendrez pourquoi je demande votre mise au secret.

— Je ne comprends pas très bien, mais si vous insistez, je n'ai pas le choix.»

Smolosidov sait à présent qu'il n'en a plus pour longtemps. Bientôt le KGB sera au courant de toutes ses allées et venues des derniers jours, et des rapprochements seront effectués. Il voudrait bien poursuivre son œuvre de sape et, surtout, aller finir des jours paisibles dans les îles du Pacifique, mais il doit se rendre à l'évidence que tout est fini. Il est vieux, et tout compte fait, il a assez bien vécu.

«Je crois que vous faites erreur, poursuit-il. La suspicion non fondée a déjà grandement bouleversé notre cause. Est-ce que je dois vous rappeler qu'entre 1934 et 1939, sur les 1 966 délégués du XVIIe congrès, 1 108 ont été arrêtés. Éliminés également, trois maréchaux sur cinq, 60 généraux de corps d'armée sur 65 et 136 généraux de division sur 199, la moitié des 70 000 officiers ainsi que la très grande majorité des cadres du pays. On comprend très bien pourquoi Hitler, mort de rire, n'a cru faire qu'une bouchée de nous. Si nous avions gardé et encouragé tous ces bons éléments, c'est l'Union soviétique qui n'aurait fait qu'une bouchée de l'Allemagne nazie. Peut-être serions-nous aujourd'hui les maîtres du monde. Ne recommençons pas les mêmes erreurs, à la veille de ce qui se prépare.»

Il se tait un instant, pour ménager l'effet de ce qui va suivre. Pendant des années, il a préparé un plan qui consiste à induire le doute sur des hommes véritablement intègres et dévoués à la cause du socialisme:

«Je possède moi-même une liste de personnages et, pour chacun d'eux, j'ai monté un dossier qui tend à prouver que ce sont, sinon des traîtres à la cause, du moins des personnes dévouées à leurs ambitions personnelles.

— Votre devoir était de communiquer ces renseignements au KGB, déclare froidement Boulkine.

— Avec des preuves certaines, je n'aurais pas manqué de le faire, mais le souvenir des années où tant d'éléments de valeur ont été exécutés sur de simples suppositions m'en a retenu.

— Il nous faudrait ces dossiers, dit le Secrétaire général sur un ton sans réplique.

— Absolument!» renchérit Poskrebychev.

Smolosidov joue son jeu jusqu'au bout:

«Je vous demande de ne pas m'y obliger: j'ai de nombreux amis parmi les personnages impliqués, et aucune preuve vraiment formelle.

— Il nous les faut, insiste Boulkine. Peut-être que le traître est sur votre liste.»

Smolosidov feint l'abandon résigné:

«Les dossiers sont chez moi, indique-t-il, dans le coffre de mon bureau de travail.»

Boulkine est visiblement alléché par les dossiers:

«Me permettez-vous d'envoyer un agent les chercher?»

La politesse est juste pour la forme. Il saurait se procurer les dossiers de toute façon.

Smolosidov sort un trousseau de clefs de sa poche et en détache une.

«Voici la clef du coffre. Vous pourrez en profiter pour vérifier que je n'ai rien à cacher.

— Nous vérifierons», certifie Boulkine.

Smolosidov jubile intérieurement. À force de patience, il a monté de toutes pièces des preuves accablantes pour plusieurs dignitaires du Parti ainsi que pour de nombreux militaires. À la veille de ce qui se prépare, il est certain que beaucoup seront écartés de leur poste, privant ainsi l'armée et l'administration de quelques-uns de leurs meilleurs stratèges.

Deux gardes tamans viennent chercher Smolosidov; Boulkine le rassure:

«N'ayez aucune inquiétude, vous serez très bien traité. Un appartement est à votre disposition en attendant quelques éclaircissements. Bien entendu, vous ne pourrez en sortir.»

Quand la haute porte se referme sur lui, le Secrétaire général rappelle chacun aux priorités :

«Général Yakkov, pourriez-vous nous faire un compte rendu de la situation des forces du Pacte?»

Yakkov arbore un sourire radieux:

«La situation est excellente. J'ai ici les compilations les plus récentes sur nos effectifs. Je peux vous les lire sommairement?»

Le Secrétaire général incline affirmativement la tête:

«Allez-y, camarade. Nous vous écoutons.

— Nous disposons de cinq millions d'hommes et de femmes sous les armes, dont près de la moitié en catégorie un, c'est-à-dire en disponibilité immédiate, pourvus au maximum en équipement, armes, munitions, approvisionnements, y compris le carburant, pour une action intensive de cinq jours. Les forces sont réparties comme suit: 45 divisions le long de la frontière sino-soviétique, 30 divisions à nos frontières méridionales; en Europe de l'Est, nous pouvons compter sur 16 divisions blindées, 15 motorisées, trois aéroportées. À quoi il faut ajouter 12 blindées et autant de mécanisées de Tchécoslovaquie et de Pologne, ainsi qu'une blindée et cinq mécanisées hongroises. En réserve sur notre territoire et susceptibles d'être acheminées dans les 72 heures: 25 blindées et 45 mécanisées. Je ne dois pas oublier en RDA la XVIe armée de l'air, fer de lance de nos ressources aériennes tactiques. Pour le front européen uniquement et prêts pour une intervention immédiate, nous pouvons disposer approximativement de 14 000 chars, 8 000 pièces d'artillerie, 1 100 avions de combat, 700 hélicoptères, dont plus de 300 *Paysan*, 8 000 ATGW. Nous évaluons que la supériorité des forces du Pacte de Varsovie sur l'OTAN joue en notre faveur dans une proportion de trois contre un, mais si nous avons la capacité de concentrer nos forces dans un très court laps de temps et si, comme c'est prévu, notre marine envoie par le fond une grande partie du ravitaillement arrivant d'Amérique, nous pouvons atteindre des proportions allant jusqu'à vingt contre un. Si les Américains veulent soutenir l'Europe, il leur faudra faire traverser l'Atlantique à un million et demi d'hommes ainsi qu'à quinze millions de tonnes d'équipement. Cela implique que, chaque jour, pendant les 20 premiers jours, 350 navires marchands de gros tonnage devront accoster dans les ports français. Les États-Unis devront, dans un premier temps, rapatrier nombre de leurs navires battant pavillon libérien ou panaméen, ce qui ne se fera pas en quelques heures. J'en profite pour rappeler que nos sous-marins de type conventionnel doivent déjà, à l'heure actuelle, se trouver sur les routes maritimes les plus fréquentées, afin d'être en mesure de couler le plus grand nombre possible de navires quand viendra l'heure. Notre capacité navale est de l'ordre de deux contre un en notre faveur. Pour le reste, je ne vous imposerai pas la description détaillée de notre force nucléaire, nous savons de toute façon que nous avons, d'un côté comme de l'autre, encore assez de missiles pour annihiler la planète.»

Poskrebychev s'éclaircit la gorge et prend la parole:

«Quelles sont réellement les forces de l'OTAN en regard des nôtres?

— En termes bruts, je peux dire que du côté aérien avec 8 500 avions nous possédons deux fois plus d'unités que l'Ouest. Il en est de même pour notre marine. Quant au secteur terrestre, nous dominons à trois pour un. Toutefois, nous ne pouvons déterminer tout ce qui sera mis en jeu du côté occidental. Que fera la Turquie avec son armée de 500 000 hommes? Le côté technique a aussi une importance énorme. Je vous donne pour exemple le conflit israélo-arabe, où la domination arabe en unités de feu était évidente mais où la contre-

197

offensive des missiles israéliens a renversé toutes les prévisions. Nous pouvons avoir 2 000 chars sur un terrain d'affrontement et l'OTAN 500, mais s'ils disposent de 3 000 missiles *Exocet* nous pouvons dire adieu à nos 2 000 chars.»

Le Secrétaire général fronce les sourcils:

«Nous avons aussi des missiles antichars.

— Bien sûr, mais c'est dans la bataille que nous saurons qui a les meilleurs.»

Poskrebychev se redresse:

«Laissez-vous entendre que nous n'avons pas toutes les chances de gagner?

— Pas du tout! Je veux simplement faire remarquer que la partie n'est jamais gagnée d'avance, il y a toujours des impondérables.»

Un silence oppressant plane quelques instants sur l'assemblée. Chacun essaye d'imaginer les conséquences d'un repli. Yakkov s'empresse de ramener l'optimisme:

«En fait, nous nous accordons des probabilités d'avance en territoire ennemi de l'ordre de 40 kilomètres par jour. Ces probabilités atteindraient 120 kilomètres si nous utilisions des armes nucléaires tactiques.

— Il n'en est pas question! s'exclame le Secrétaire général.

— Est-ce vraiment à rejeter?» retourne Kamenev.

Boulkine et Youdenitch se posent eux aussi la question.

Le Secrétaire général explique son point de vue. Il sait que le Politburo est divisé en deux sur cette question.

«Si nous commençons, nous ne savons pas où s'arrêtera l'escalade.»

Boulkine n'est toujours pas d'accord:

«Les armes nucléaires me font moins peur que les armes chimiques ou bactériologiques que nous comptons utiliser. Je ne suis pas un spécialiste, mais il me semble qu'il est beaucoup plus aléatoire pour nous de lâcher des virus en liberté qu'une bonne petite bombe qui nettoie tout et laisse la place nette.

— Vous oubliez les retombées? dit Yakkov.

— Il y a eu des retombées à Hiroshima et, pourtant, la ville et le Japon sont toujours là. Je ne sais pas s'il en aurait été de même si les Américains avaient lâché le choléra ou la peste bubonique sur les Nippons.»

Yakkov revient à la charge:

«Le Japon n'a reçu que deux bombes. En Europe, il nous faudrait en employer plusieurs centaines. Imaginez le charnier! Les cadavres en décomposition provoqueraient plus d'épidémies que quelques missiles à charge bactériologique dont nous connaissons la portée. Je ne parle pas de la riposte ni de l'escalade vers des armes thermonucléaires. De toute façon, tous les missiles à faible portée sont démantelés et c'est ce que visait notre politique de ces dernières années. Avec les euro-missiles nous étions à armes égales. Aujourd'hui, nous nous retrouvons sur un plan conventionnel, où nous dominons la situation. Leonid Brejnev nous avait promis que notre suprématie militaire en 1985 nous permettrait de dominer et de dicter nos volontés aux survivants du pouvoir capitaliste en Occident. Il ne s'était trompé que de quelques années: c'est vrai seulement depuis que les missiles européens pointés sur nous n'existent plus.»

La balle étant dans le camp des anti-nucléaires, le Secrétaire général en profite pour orienter autrement la conversation:

«Camarade Yakkov, pouvez-vous nous donner un aperçu de ce que sera la première rencontre?

— Certainement! Dès que les actions clandestines auront été accomplies contre les ressources énergétiques de l'Occident, une première salve de missiles bactériologiques sera dirigée sur toutes les concentrations militaires adverses. Nous avons retenu le virus de l'encéphalomyélite équine orientale, communément appelé virus EEE. Il provoque une mortalité à soixante pour cent et une morbidité nettement supérieure. L'incubation dure de cinq à dix jours, mais les effets sur le moral se feront sentir bien avant, croyez-moi. Ensuite, une deuxième salve d'obus contenant des gaz innervants organophosphorés, pour une incapacité immédiate. Conjointement, commencera un tir de saturation sur tous les fronts de la part des véhicules lance-fusées BM-21, armés chacun de quarante tubes de 122 mm qui inonderont les lignes ennemies d'obus de 55 kilos, dans un rayon de 16 kilomètres. Suivront immédiatement les véhicules antichars ATGW, qui seront déployés pour ouvrir des brèches. Les MTLB seront suivis des chars T-72 et T-80, qui seront appuyés par des canons de 180 mm et escortés d'hélicoptères *Paysan* équipés de missiles antichars que les Américains appellent avec raison les *Flying tanks*. La réplique aérienne, qui est notre plus gros souci, sera contrée par nos batteries de SA-7, 8, 9 et 10 pour les basses altitudes, de SA-6 et 3 pour les moyennes altitudes, de SA-5 pour les hautes. Le tout, de concert avec les canons ZU-23. Le gros de notre aviation sera principalement utilisé en arrière du front ennemi, afin de désorganiser les ravitaillements et surtout, d'appuyer les submersibles dans la chasse aux convois maritimes.

— Et quelle sera leur stratégie à eux?» demande le Secrétaire général.

Yakkov hausse les épaules:

«Elle ne pourra être que défensive. Je crois que nous pourrions considérer cela comme une partie d'échecs, qui débuterait alors que l'un des joueurs aurait développé toutes ses pièces, tandis que l'autre qui aurait déjà perdu sa reine n'aurait fait que déplacer l'un de ses cavaliers.

— Quelle est la reine de l'OTAN?

— La cohésion, camarade Secrétaire général. Ils seront tellement surpris que toute cohésion de leur part ne pourra se faire que dans un but défensif. Un seul exemple: selon les plans des Canadiens, il est prévu que ceux-ci seront affectés à la défense de la Norvège. Ces mêmes plans estiment à trois semaines le temps d'acheminer troupes et matériel sur le front scandinave. Quand ils arriveront, nous serons déjà sur les plages de débarquement pour leur souhaiter la bienvenue.»

Léon Kamenev secoue la tête avec vigueur:

«Ne vous y fiez pas, camarade Yakkov. Je suis certain que trois jours après le début des hostilités, les Canadiens seront sur un pied de guerre en Norvège. Comment? Je ne peux vous le dire, mais soyez sûr de ce que je vous avance. En un tournemain, les avions civils seront transformés en transports de troupes et ils circuleront sous notre nez avec des montagnes d'engins civils subitement reconvertis. Et ce que je dis pour les Canadiens est valable pour les autres membres de l'OTAN, qui se verront gonflés d'un tas de troupes qui jusque-là n'avaient rien à voir avec l'OTAN. Croyez-vous que les Australiens resteront chez eux à compter les moutons? Nous avons l'habitude de penser à la troisième guerre mondiale en nous référant à la seconde; je crois plutôt qu'il faudrait l'appeler la première vraie guerre mondiale. N'allez surtout pas croire que le Brésil, le Chili, le Mexique et quantité d'autres nations resteront tranquillement à attendre que nous venions planter le drapeau rouge sur leur territoire. N'oubliez pas que c'est le Capital qui domine à l'Ouest, et si le Capital est menacé, il montrera les dents. Ce vers quoi nous allons ne ressemble pas du tout à la Seconde Guerre mondiale, où Hitler ne représentait aucun risque pour les gros propriétaires sud-américains. Et je constate avec surprise que personne n'a encore soulevé la question chinoise.

— Il n'y aura pas de réaction chinoise contre nous, assure le Secrétaire général. Nous savons tous que nous avons reçu l'assurance de Pékin qu'ils ne se mêleront pas de notre lutte contre le Capital. En fait nos rapports n'ont jamais été aussi étroits. Après tout, nous travaillons dans le même but, même si nous voyons parfois les choses différemment.

— C'est bien ce qui me fait peur, reprend Kamenev. Quand le reste du monde se sera bien entre-déchiré, les Chinois eux seront tout neufs et tout souriants. Ils auront tiré les leçons du conflit et, alors que le monde entier devra songer à se nourrir et à se reloger, les Chinois à l'abri et le ventre plein recommenceront à faire valoir de sérieuses revendications frontalières.»

Aucun des membres du Politburo ne trouve à redire à cela; en fait, ils y ont tous déjà pensé. Pour la plupart d'entre eux, la Chine représente le premier ennemi à abattre.

«Que proposez-vous?» demande le Secrétaire général.

«Il n'y a que deux solutions: il faut obtenir leur participation totale à la lutte pour la victoire du socialisme; et s'ils refusent, nous n'aurons d'autre choix que de les arroser au nucléaire, en prenant bien soin d'avertir l'Occident que ça ne leur est pas destiné.

— Si je comprends bien, fait Poskrebychev, nous devrons dire à l'Ouest qu'entre nous c'est juste une bonne petite guerre à la mode d'autrefois. Ne vous fâchez pas si nous tuons cent millions de Chinois.

— Il en restera toujours un milliard, réplique ironiquement le général Youdenitch.

— Quelles sont leurs possibilités de riposte? demande le Secrétaire général.

— Inefficaces contre nos missiles antimissiles, le renseigne Yakkov.

— Vous en êtes certain?

— Pour autant que nous le sachions, mais, comme le dit le général Youdenitch, il en restera toujours un milliard.

— Alors, il faudra en anéantir un milliard, déclare Tikhonov, et rassurez-vous, les Américains seront ravis, leur plus grande peur étant que la Chine devienne un Japon à la puissance dix.»

Sergeï Simaroff, ministre d'État à l'Alimentation, qui a pris l'habitude de ne jamais intervenir en dehors de son sujet, se lève si brusquement que son fauteuil tombe à la renverse:

«Camarades, déclare-t-il, j'ai toujours eu conscience de travailler pour l'humanité et le communisme me paraît être la voie idéale pour cela. Je n'avais jamais pensé qu'il puisse travailler contre le genre humain. Quand je vous entends parler de la destruction d'un milliard d'individus, je me demande au nom de quoi? Certainement pas au nom du communisme, ils y sont déjà, ni au nom de la Russie, car elle n'a rien à y gagner. Au nom de quoi? Oubliez-vous que nous sommes des êtres humains? Vous semblez l'avoir perdu de vue et cela entraînera notre perte et celle de l'humanité. J'aimerais savoir maintenant combien parmi vous pensent sérieusement que si les Chinois ne veulent pas combattre à nos côtés, il faudra les anéantir?»

Les membres se regardent longuement dans le plus total mutisme, puis le Secrétaire général lève la main. Aussitôt, les autres participants l'imitent, à l'exception de Yakkov et de Poskrebychev.

Les yeux brillants, Simaroff se tourne vers le ministre de la Défense:

«Camarade Yakkov, je crois que notre devoir est d'arrêter ces hommes pour conspiration criminelle contre l'humanité.»

L'interpellé regarde le ministre à l'Alimentation avec des yeux effarés:

«Vous n'y êtes pas, camarade Simaroff: je n'endosse pas plus que vous le projet d'atomiser la Chine mais les décisions prises dans cette pièce le sont démocratiquement.

— Alors vous êtes coupable de complicité. Que peut-il y avoir de démocratique à ce qu'une dizaine d'hommes décident d'en faire disparaître un milliard? C'est une folie sanguinaire. Le camarade Tikhonov pense-t-il réellement que le peuple soviétique endossera ce massacre inimaginable? Notre propre population et le monde entier se lèveront contre nous et avec juste raison. Revenez sur terre, s'il vous plaît, vous vivez un rêve fou, dangereux et mégalomane.»

Comme venant d'une autre dimension, Poskrebychev prend la parole, d'une voix éteinte qu'on ne lui connaissait pas:

«Les loups ont toujours mangé les agneaux mais aujourd'hui les loups n'existent plus que dans les régions reculées ou dans les parcs zoologiques, alors que les agneaux pullulent sur toute la planète.

C'est également l'histoire des tyrans. Vous avez raison, camarade Simaroff, il faudrait arrêter ces hommes qui viennent de se prononcer sur un point qui mettra un terme à l'expérience communiste et plongera les survivants de cette planète – s'il en reste – dans un nouvel âge de barbarie. En ce moment même, vous êtes aux yeux de ces gens un illuminé, et moi un vieux radoteur. Plus rien ne les arrêtera dans leur volonté de détruire, et je me demande soudain si le Diable n'existe pas. J'ai toujours été ce que l'on appelle un dur, et pourtant, je constate après une vie au service du socialisme que j'ai travaillé pour rien. Le communisme ne se fera pas et personne ne verra venir l'âge d'or, car ces gens ont opté pour la destruction totale, et je crois sérieusement que ça les fait bander. J'ai moi-même beaucoup de sang sur les mains et je serais prêt à en verser d'autre s'il le fallait, mais toujours pour la cause de l'humanité, comme vous le dites si bien.»

Il se lève et pointe tragiquement du doigt chacun des membres dans un mouvement circulaire:

«Voici les technocrates de la mort. Koba lui-même vomirait s'il était là.»

Et brusquement il quitte sa place pour se diriger vers la porte. Simaroff, toujours debout, ne bouge pas. Ahuri, il fixe Boulkine qui pointe un automatique dans le dos du doyen du Politburo, sans que personne ait l'air de s'en émouvoir.

«N'allez pas plus loin, camarade Poskrebychev», intime le colonel.

Le vieil homme ne se retourne même pas et la détonation retentit alors qu'il pose la main sur la poignée.

«Arrêtez-les», rugit-il dans un dernier souffle, avant de s'écrouler.

Presque aussitôt, une patrouille de gardes tamans et d'agents du KGB se rue dans la pièce. Boulkine a eu le temps de se rapprocher de Simaroff:

«Cet homme vient d'abattre le camarade Poskrebychev, hurle-t-il à l'adresse des gardes. J'ai réussi à le désarmer. Emmenez-le et qu'il soit fusillé immédiatement; il ne mérite même pas un procès. Le camarade Poskrebychev était le meilleur d'entre nous, n'est-ce pas camarade Yakkov?»

Ce dernier incline la tête et le Secrétaire général, d'un signe de la main, indique aux gardes que l'exécution doit être immédiate.

Les yeux fous, Sergeï Simaroff se laisse emmener sans opposer de résistance.

Vingt minutes plus tard, le cadavre du doyen a été enlevé et la réunion se poursuit comme si rien ne s'était passé. Le Secrétaire général s'adresse à Tikhonov:

«Allez trouver les Chinois dès la fin de cette assemblée, il nous faut leur participation. Promettez-leur n'importe quoi et expliquez-leur que nous avons dû éliminer deux individus qui voulaient les faire disparaître de la carte. Ils comprendront le message.

— Il serait préférable d'attendre le début des hostilités: en cas de refus, ils seraient capables de prévenir les Américains de nos intentions.

— C'est juste, approuve le Secrétaire général. À propos, camarade Boulkine, pouvez-vous établir à présent dans quelle mesure l'OTAN est au courant de ce que nous leur préparons?

— Ils se doutent de quelque chose, c'est certain. La preuve en est que les Américains ont mis leurs forces armées sous DEF CON TROIS. Je ne crois pas, cependant, qu'ils se soient aperçus de notre effort de mobilisation. Notre tactique pour déplacer les troupes fonctionne à merveille et nos propres satellites ne montrent rien d'anormal, sinon une recrudescence de la circulation aérienne et des communications. Nous serons sur un pied de guerre avant qu'ils n'aient pu s'en rendre compte. L'affaire des diamants, de la bourse, du renversement à Oman et, maintenant, de l'opération commencée en France, tout cela détourne leur esprit de l'essentiel.

— Quand serons-nous prêts?

— Si l'opération commencée en France se poursuit normalement, le navire qui est, dans les faits, au fond de la Manche, poursuit sa route, d'après ce que peuvent en savoir les autorités françaises et britanniques. Elles vont certainement se demander pourquoi elles ne le retrouvent pas. Toujours est-il que, d'ici peu, un navire semblable arrivera dans le port d'Haïfa, et avant que quelqu'un ne puisse faire quoi que ce soit la bombe sautera. La vraie, cette fois. Voilà donc pour l'attentat libyen. Israël fort en colère devrait, selon toute probabilité, balancer une bombe sur Tripoli dans les heures qui suivent, ce que nous condamnerons énergiquement devant l'ONU et dans tous les médias du monde. La première bombe, tragique et regrettable, était un attentat terroriste, celle d'Israël un acte de guerre contre une nation. La Syrie, appuyée par nous-mêmes, entamera aussitôt une action militaire contre Israël et nous supposons que les Américains s'en mêleront. Leur président a beaucoup d'admiration pour la Knesset. Nous exigerons un retrait immédiat, ce qu'ils refuseront; alors un bataillon soviétique aéroporté tombera par malchance au beau milieu d'une position défendue par des *marines* qui n'auront d'autre choix que de tirer sur nos concitoyens. Les représailles en Europe devraient êtres immédiates. Je crois que d'ici cinq ou six jours nous serons en mesure de donner le feu vert au camarade Yakkov.

— Pour ma part, je serai prêt dans trois jours», affirme le ministre de la Défense.

***

Les gardes l'ont tout simplement emmené dans les sous-sols. Ils se trouvent dans une petite pièce aux parois de béton humide. Sergeï Simaroff regarde l'un des hommes du KGB dégainer un revolver:

«Camarade, je te laisse soixante secondes pour faire ton bilan.»

Il a dit cela sur le même ton égal que s'il lui avait donné rendez-vous, quelques minutes plus tard, à l'angle d'une rue.

Simaroff sait que tout commentaire est maintenant inutile. Dans quelques instants il ne sera plus, mais à toute vitesse son cerveau cherche une échappatoire. Il ne peut concevoir l'idée de sa propre fin. En s'imaginant étendu sans vie sur ce plancher de ciment, il sent une horrible panique monter du plus profond de lui-même.

«Ils veulent tuer un milliard de Chinois», s'écrie-t-il dans l'espoir d'amener ses gardiens à réviser leur jugement. «Il faut à tout prix les empêcher de nuire.»

L'homme du KGB, qui tient son revolver à bout de bras, hausse les épaules, indifférent:

«Bon débarras!»

Et soudain, Simaroff abandonne la partie. Plus rien n'a de sens. Il demeure toujours terrifié à l'idée de mourir mais le monde a brusquement cessé de l'intéresser.

Les soixante secondes écoulées, le garde s'avance, lève son arme vers la tempe de Simaroff et tire.

«Faites disparaître le corps discrètement», dit-il à ses compar-ses.

Regardant sa montre, il constate qu'il lui reste encore une longue heure avant la fin de son tour de garde. Une longue heure avant de pouvoir aller chercher une femme.

À chaque exécution c'est pareil; il est gagné par une folle envie d'entendre et de sentir une fille qui gémit sous ses reins.

***

Quelques instants plus tôt, un lieutenant du KGB a fait demander Boulkine. Quand le colonel revient dans la salle du conseil, les membres constatent qu'il a l'air soucieux.

«Quelque chose ne va pas?» demande le Secrétaire général.

— On m'apprend à l'instant que les Américains viennent d'envoyer l'Orbiter *Atlantis 002* de Vandenberg. Ce tir n'était pas prévu et n'a pas été annoncé à la population.

— Quelle peut en être la signification?

— Je ne sais pas. Toutes les suppositions sont permises.

— Tenez-vous prêt à le détruire s'il se trouve encore sur nos têtes le jour J.

— Il y a autre chose...

— Parlez!

— La VIᵉ flotte américaine vient de quitter la Méditerranée et se dirige à toute allure en direction de Panama. Il semblerait également que la plupart des sous-marins de classe *Trident* suivent le même chemin.

— Autre chose?

— Nous ne savons pas s'il y a un rapport, mais des milliers de camions, je dis bien des milliers, sont en ce moment même sur la route qui s'étend de Minneapolis à l'Alaska. De nombreux navires quittent eux aussi les ports de San Francisco, Seattle et Portland dans la même direction. Pareil pour les transports aériens.

— Qu'est-ce que ça veut dire?

— Aucune idée, camarade Secrétaire général.»

Ce dernier frappe la table de son poing.

«Il nous faut encore subir le contrecoup de la bêtise des tsars. Quand je pense qu'ils ont vendu l'Alaska pour une fraction du prix d'un bombardier aujourd'hui!»

LA MANCHE

Le petit chalutier dénommé pompeusement *Hastings* est commandé par Francis Leduc, patron de pêche, qui a dépassé l'âge de la retraite depuis longtemps. Taciturne, bourru, il ne parle qu'à lui-même et ne s'adresse aux autres que pour des reproches assenés à coups de jurons colorés. Il dit volontiers n'aimer personne et encore moins les Anglais, selon lui fainéants comme des ânes, d'où le nom dont il a baptisé son bateau. Beaucoup se demandent où il a entendu parler de cette bataille, puisqu'il est en général totalement inculte en dehors de tout ce qui concerne la mer et le rhum. À la façon de nombreux vieux de sa région, il emploie toujours le verbe être sans son sujet.

Le *Hastings* a quitté Dieppe à l'aube et louvoie à la recherche du hareng. Il ne rentrera au port que dans trois ou quatre jours, lorsque la cale sera comble.

Leduc repère lui-même le commandant Toussaint qui, épuisé et souffrant d'hypothermie, a perdu conscience. Il ballotte dans les flots, telle une souche.

«Est'qu'est qu'cha?» marmonne le vieux pêcheur.

Il fronce les sourcils et songe à passer outre, mais un fond d'humanité, ou de curiosité, le pousse à amener son petit chalutier pétaradant à la hauteur du naufragé.

«Qui fait là?» s'interroge-t-il.

Le chalutier glisse sur son erre, tandis que l'un des deux assistants de Leduc s'emploie à ramener Charles Toussaint à l'aide d'une longue gaffe. Leduc va les aider à le hisser sur le pont.

«Est-ti vivant? demande-t-il.

— Y semble respirer, mais y est pas fort.

— Y a eu frais, diagnostique le patron. Am'nez-le au chaud.»

Dans l'unique cabine qui sert tout à la fois de cuisine, de dortoir et d'atelier, ils l'allongent sur une couchette, le déshabillent et Leduc entreprend de le frictionner avec du rhum, seule médication à bord.

Charles Toussaint ne réagit pas. Tout son corps semble avoir pris une teinte de marbre violacé. Leduc a fait tout ce qui lui semble utile en pareilles circonstances.

«Si doit r'venir y r'viendra ben, dit-il.

— On le ramène pas à terre? s'étonne l'un des assistants.

— Est aussi ben ici que d'payer pour l'hôpital. Est l'temps de r'tourner au turbin.»

GÖTEBORG, SUÈDE

Étendu, Erik fixe le plafond. Il sent la Mort qui est là, toute proche. Depuis qu'Éléonore lui a si durement parlé, il se sent tellement seul qu'il l'a appelée. Maintenant, il la perçoit, la Mort, là, tout près de lui.

«Ce ne serait pas compliqué de se laisser aller, songe-t-il. Il faut pourtant que je vive encore un peu pour papa et maman. Va-t-en, faiseuse de charogne, tu sais bien que ce n'est pas encore l'heure. Tu sais également que tu n'auras pas longtemps à patienter.»

Et la Mort consent à se retirer un peu plus loin.

Erik réalise que si quelqu'un souhaite vraiment mourir il n'est pas nécessaire de prendre un fusil ou des barbituriques. La seule volonté de mourir est suffisante.

Les yeux noirs. Hagards. Le trident en position. Il s'avance. Au hasard.

LE DÉSESPOIR.

L'esprit qui tourne en rond et ne regarde plus le monde ni ses choses. Le temps qui s'arrête et s'étire pour regarder sa victime avec le rire sardonique du Diable. Le froid terrible qui s'installe dans les veines, et les larmes qui deviennent glace avant de se tarir.

Et puis ce vide affreux, ce vent hurlant, sifflant des entrailles du néant.

LA MORT.

La gorge serrée et un arrière-goût d'amertume sur la langue, Erik s'est finalement endormi. Une infirmière entre dans la chambre avec le plateau du souper. En service dans ce département depuis peu, elle n'est pas encore aguerrie à la vue de jeunes gens voués à la mort. Elle dépose le plateau sur la table de lit et secoue doucement Erik par l'épaule pour le réveiller. Il ouvre les yeux.

«Le souper, annonce-t-elle.

— Je m'en fous.»

L'infirmière a un léger sourire. La colère d'Erik a alimenté bien des conversations au poste d'étage.

«Regarde au moins ce que c'est; et je crois qu'Éléonore a le même menu que toi.»

Elle soulève le couvercle d'assiette pour laisser apparaître un filet de sole doré aux amandes.

«Ça n'a pas l'air de provenir des cuisines de l'établissement!

— C'est livré directement d'un restaurant. De plus, j'ai entendu dire qu'un nouveau cuisinier allait être affecté à ce département dans les prochains jours.»

Un sourire effleure les lèvres du jeune homme.

«Est-ce que ça veut dire que tous les patients ici ont des chances de recevoir une cuisine digne de ce nom?

— Il paraît.»

Erik demeure sceptique.

«Eh bien, goûtons à ce poisson, nous verrons bien.»

Il porte une bouchée à ses lèvres puis, vraisemblablement satisfait du test, hoche la tête avec satisfaction.

«Je m'étonne que personne avant moi n'ait songé à faire des revendications.

— D'après ce que j'ai compris, tu es le premier qui s'intéresse vraiment à quelqu'un dans la même situation que toi.

— L'histoire a vite fait le tour du département, à ce que je vois.

— Pas seulement du département.»

Elle rit une seconde.

«Le seul problème est que l'administration devra revoir son budget!»

Erik fait signe qu'il s'en lave les mains:

«Ce n'est pas de ma faute si l'humanité s'est donné un style de vie où le bonheur du genre humain doit passer par un budget.

— Ah l'argent!

— La bêtise!

— Je me sauve avant de commencer à philosopher avec toi, sinon il y en a qui n'auront pas leur souper, ce soir.»

Elle se retire, le laissant seul avec une victoire qu'il ne savoure pas.

***

Les remords d'Éléonore augmentent quand elle aperçoit de quoi est composé son menu.

«Pourquoi lui ai-je parlé ainsi? se dit-elle. Je suis certaine qu'il est malheureux et c'est de ma faute, alors qu'il était si bien intentionné pour moi qu'il connaît à peine. Comment lui faire comprendre que je ne l'ai fait que pour lui?»

MER DES CARAÏBES

Isaac Reeves Helmann, maintenant absorbé devant ses moniteurs, n'a pas jeté un seul coup d'œil à l'épais nuage de fumée noire qui a rapidement enveloppé toute l'île néerlandaise. De retour à son yacht, il a immédiatement ordonné l'appareillage pour Porto Rico, où il possède des intérêts hôteliers, et s'est couché pour un sommeil réparateur de seize heures, après avoir insisté pour qu'on ne le dérange sous aucun prétexte.

Il est maintenant réveillé et a appelé Lon, son secrétaire, afin de se faire expliquer la situation.

«C'est le foutoir, répond celui-ci. Tokyo et Hong Kong se ramassent par terre; même chose pour les marchés européens. Il n'y a pas eu d'ouverture aux États-Unis.

— Que s'est-il passé?

— C'est l'inconnu. Hier, les cours étaient parfaitement normaux, rien qui ne puisse laisser présager cette débâcle.

— Aucun événement politique majeur? Aucune déclaration intempestive?

— Oman est tombé dans le camp soviétique à la suite d'un coup d'État.

— Ce qui veut dire en clair que les Russes occupent une rive du détroit d'Ormuz et de ce fait, ont plain-pied sur la route du pétrole.

— Ce pourrait bien sûr être la cause mais les cours ont commencé à chuter avant le coup d'État.»

Helmann se passe la main devant les yeux pour chasser les séquelles d'images lascives de la veille qui balayent encore ses pensées.

«À votre avis, Lon, est-ce qu'un particulier ou une société d'investissement peut détenir un portefeuille assez puissant pour chambouler la Bourse s'il le désire?

— Je crois que c'est impossible. Ce serait suicidaire pour les intérêts en question; et puis, les premières ventes indiquent que la grande majorité des titres ont été atteints dès le départ. Seul un gouvernement puissant pourrait faire cela par l'intermédiaire de ses caisses de dépôt, mais ce serait contre toute logique.

— Je sais, Lon.»

Helmann s'installe devant ses moniteurs et, méthodiquement, entreprend d'interroger de multiples banques de données boursières.

210

Son premier geste est de mettre en liste une sélection des premiers titres fortement touchés sur les parquets d'Extrême-Orient. Ensuite, patiemment, il demande aux ordinateurs de dresser le portrait type des actionnaires de ces mêmes compagnies. Il ne se dégage rien de particulier. Par contre, il remarque que les premiers ordres de vente ont été lancés dans des proportions considérables pour chaque titre. Comme si, sans aucune rationalité, un puissant actionnaire avait décidé de se débarrasser de tout son capital actions. Accédant à des banques de données d'ordre nettement plus privé qui sont l'apanage des banquiers, il essaye de considérer qui sont ces «actionnaires fous». Rien ne le frappe tout d'abord; ce n'est que lorsqu'il aborde les marchés européens qu'il commence à y voir un peu plus clair. Trois appels téléphoniques auprès d'agences de courtage lui confirment ses soupçons: les détenteurs qui ont catapulté les ventes sont, dans la plupart des cas, des sociétés d'investissement n'ayant pour seule activité qu'une adresse postale au Liechtenstein ou aux îles Caïmans.

Ça ne veut pas dire grand-chose.
Lon Poole est perplexe:
«Je me demande ce qui se serait passé à *Wall Street* s'ils avaient ouvert?
— Pire qu'en Europe, déclare Helmann; regardez à Londres où, comme au *Stock Exchange*, les actionnaires transigent avec des *brokers:* les dégâts sont effarants.»
De nouveau, il appelle deux de ses amis, courtiers américains, et leur demande quels auraient été leurs ordres en cas d'ouverture.
«La panique!»
Ils lui apprennent que les sociétés non cotées pourraient subir le même traitement.
Helmann frissonne: une brusque dégringolade à New York porterait un coup très sévère à l'économie occidentale. Si *Wall Street* peut tenir à la réouverture, l'Europe et l'Extrême-Orient pourront retrouver leur équilibre. Sinon...
Wall Street représente quatre fois la capitalisation boursière du reste du monde. Près de trente millions de petits actionnaires. Huit séances au *Stock Exchange* représentent les échanges de la bourse de Paris pendant une année.
Qui est responsable de ce nouveau krach?

Lon Poole lui rapporte l'affaire des diamants sibériens. Stupéfait, Helmann dévisage son secrétaire comme s'il le voyait pour la première fois. Une idée vient de le gagner:

«Bon sang! s'écrie-t-il en frappant dans ses mains. Ce sont les *maisons rouges*!»

Le secrétaire regarde son patron sans comprendre. Celui-ci pianote frénétiquement sur son clavier. Se concentrant sur le marché de Hong Kong, il veut déterminer quel chemin a pris une certaine proportion des capitaux résultant des ventes.

C'est un exercice de longue haleine que seule sa connaissance de certains procédés lui permet de mener. Il lui faut d'abord trouver le courant conducteur à travers la masse des petits actionnaires qui, alertés, se sont jetés dans la mêlée de la vente à tout prix.

Il finit par trouver un mouvement important qui converge vers la *Kowloon City Merchant Bank*. Cette entreprise n'est pas une banque d'affaires: pas de caisse, pas de dépôts, pas de maniements numéraires. Les services rendus par cette institution sont d'un autre ordre. Le *merchant banker* en question, grâce à sa grande connaissance des marchés internationaux, des productions et des commerces qui s'y gèrent, a développé une activité rémunérée consistant à apposer sa signature sur des documents commerciaux permettant aux porteurs d'obtenir du crédit sur la place de Londres.

La piste s'arrête là. Comment savoir ce que deviendront ces documents? Il ne peut plus intervenir; seule l'administration britannique, avec des mandats extraordinaires, pourrait continuer les recherches.

«Ce sont les *maisons rouges*. J'en suis certain!

— Qu'est-ce que c'est? demande Lon.

— Une vieille théorie voulant que les Soviétiques aient acquis, au cours des ans, des actions dans d'innombrables sociétés occidentales. Aussi bien des titres cotés en bourse que des participations directes aux entreprises.

— Vous voulez dire que *Coca Cola* ou *Westinghouse* pourraient avoir des participations soviétiques?

— Exactement.

— Nous avons, aux États-Unis, une loi qui oblige un actionnaire détenant plus de cinq pour cent des parts d'une société à se faire connaître.

— Et puis après? Les prête-noms sont légion.»

Lon l'admet.

Helmann réfléchit tout haut:

«Il me semble me souvenir qu'un de mes amis à Washington m'a déjà parlé de quelqu'un qui, par je ne sais quel calcul, aurait démontré la chose. Il doit travailler pour la CIA, si ma mémoire est bonne.»

Il se redresse brusquement:

«Donnez-moi le gouverneur de la Banque Fédérale.

— James Larimer?

— Lui-même. Je ne sais pas si c'est déjà fait, mais il faut que quelqu'un sache où sont allés s'échouer les documents de la *Kowloon City*.»

Un adjoint de Larimer apprend à Lon que le gouverneur est à la Maison-Blanche. Il ne sait pas du tout quand il pourra lui retourner l'appel.

Helmann s'apprête à appeler ses journaux, quand un message de sa banque de Philadelphie s'imprime en crépitant sur le télex relié au réseau international par les ondes-satellites:

DE NOMBREUSES COMPAGNIES DÉPOSENT LEURS BILANS SANS RAISON APPARENTE. LE MOUVEMENT SEMBLE SE GÉNÉRALISER SUR TOUT LE TERRITOIRE. DEMANDONS INSTRUCTIONS. BIP – STOP –

Helmann réfléchit rapidement. La majorité des prêts accordés par ses banques sont couverts par une première hypothèque. En temps normal il n'y aurait pas de problèmes mais, advenant une déconfiture économique de grande ampleur, il sera difficile de revendre les immobilisations. Prenant sa décision, il compose le message de retour, tout en songeant que cette affaire éclaire sous un nouveau jour l'information qu'il a reçue autrefois, à savoir que les Russes auraient des intérêts dans près de cinq cent mille entreprises occidentales.

PRENEZ TOUTES LES DISPOSITIONS NÉCESSAIRES POUR REPRENDRE EN MAIN TOUTES COMPAGNIES EN DÉFAUT ET ASSUREZ LA CONTINUITÉ DES OPÉRATIONS DE CATÉGORIE VITALE EN TEMPS DE CRISE. ENVOYEZ VIA MODEM LES RAPPORTS DÉTAILLÉS POUR CHAQUE ENTREPRISE IMPLIQUÉE. INSTRUCTIONS NOUVELLES SUIVRONT. HELMANN – STOP–

«Eh bien! Lon, nous avons du pain sur la planche.

— Vous comprenez quelque chose à tout cela?

— C'est clair comme de l'eau de montagne. Les rouges liquident tout.

— Dans quel but?

— Déstabiliser notre économie.

— Ça va leur coûter très cher.

— Je crois que c'est le prix qu'ils sont prêts à payer pour nous mettre la main dessus. Lénine disait en 1921 que la politique ne pouvait manquer d'avoir la primauté sur l'économie.

— Vous songez à des opérations militaires?

— À la guerre, Lon! à la guerre!»

Comme conforté dans ses convictions par ses propres déclarations, il entame aussitôt les procédures afin de transférer au Brésil tous ses capitaux suisses.

«Pour moi, dit-il à Lon, la Suisse vient de perdre toutes ses garanties de sécurité. Si mon instinct dit vrai, nous verrons bientôt des moujiks faire du pédalo sur le Léman en croquant des crottes de chocolat.

— Vous croyez vraiment?

— Connaissez-vous l'article 70, alinéa 15, de la Constitution soviétique?»

Lon fait signe que non. Helmann récite de mémoire:

«L'URSS incarne l'unité étatique du peuple soviétique, rassemble toutes les nations et ethnies en vue d'édifier en commun le communisme.»

«Mais la guerre?

— On n'a encore rien trouvé de mieux pour imposer ses volontés à autrui, et je crois que militairement ils sont prêts.

— Pourquoi avez-vous choisi le Brésil?»

Helmann aime l'impression qu'il a d'être un maître devant son disciple lorsque Lon lui pose des questions; et Lon, sans le montrer, sait que son patron aime ça.

«Lon, je vous parle d'une guerre qui opposera les deux plus grandes puissances militaires jamais connues, et cette guerre ne pourra, à mon avis, finir que par un échange nucléaire. Tout ceux qui pensent comme moi vont se dépêcher de plier bagage pour l'hémisphère Sud, qui devrait être plus épargné.»

Il s'arrête et change de sujet:

«Maintenant, appelez-moi la Maison-Blanche et demandez Larimer en priorité.»

Pendant que Lon s'évertue à passer les barrières administratives pour rejoindre le gouverneur, Helmann est entré en communication avec ses rédacteurs en chef afin de préparer l'éditorial du lendemain. La conversation via *Inmarsat* a lieu sur le mode conférence téléphonique:

«Je veux, explique Helmann, que vous mettiez tous nos correspondants sur l'affaire; tâchez de rassembler le plus d'éléments prouvés ou subjectifs: des mouvements de troupes, des déplacements nombreux de militaires, l'activité dans les bases, bref tout ce que vous pourrez trouver.»

Ses rédacteurs sont stupéfaits. Celui de Boston veut encore une confirmation:

«Êtes-vous sûr, monsieur Helmann, que nous devons annoncer la guerre à la population avant d'en avoir la confirmation de Washington? Imaginez la panique.

— C'est à vous d'imaginer la panique si la guerre se déclare sans que personne s'y attende. Notre travail est d'informer aussitôt qu'un événement a lieu, mais aussi dès qu'il est prévisible.»

Le rédacteur de Boston demeure sceptique:

«Et si vous vous trompiez?

— Écoutez, Barry! Tout le monde peut se tromper, mais les chiffres jamais. Les Russes ne balanceraient pas toutes leurs actions sur le marché, accompagnées d'un train de diamants, uniquement pour le plaisir de plonger notre économie dans le chaos. Ils seraient aussi perdants que nous. Non! Leur but est de provoquer une déstabilisation avant de donner le grand coup. Arrangez-vous pour mettre nos lecteurs en face de cette vérité dès demain matin.

— Quel titre? demande le rédacteur de Philadelphie.

— Je fais les frais de l'encre rouge; imprimez en lettres capitales: MOSCOU PRÉPARE LA GUERRE, sur toute la surface de la première page, comme dans les bons vieux journaux d'antan. Faites en sorte que demain midi chaque plombier, chaque commis de bureau ne désire plus rien d'autre que d'aller foutre une tripotée aux cocos.»

Lon fait signe à son patron qu'il a Larimer en ligne.

«Tenez-moi au courant de tout ce que vous pourrez glaner», dit

Helmann à ses rédacteurs avant de prendre la ligne du gouverneur avec qui il a déjà travaillé dans le passé.

«Isaac, vous vouliez me parler?

— Oui, James, je crois avoir découvert qui fout la merde à la bourse.

— Ce sont les Russes, nous le savons.

— En avez-vous la preuve?

— Aucune de vraiment tangible, mais nous n'avons aucun doute.

— Vous devriez intervenir auprès des Britanniques afin qu'ils retrouvent des lettres de change provenant de la *Kowloon City Merchant Bank.*

— Vous avez quelque chose?

— C'est tout ce que je peux vous dire. Comme ça les popoffs nous mijotent une guerre?

— Qui vous a dit ça?

— Les faits parlent d'eux-mêmes. Je n'ai pas besoin de satellite espion pour observer la RDA en ce moment; je sais très bien ce qui doit s'y passer.

— Les satellites ne montrent rien de spécial. Que savez-vous exactement?

— Rien de plus que ce que je viens de vous dire, et si vous n'y avez pas pensé à la Maison-Blanche, vous devriez vous pencher sur le problème au plus vite.

— Nous explorons toutes les possibilités», répond Larimer sans se mouiller.

Helmann comprend qu'il y a une affirmation sous le couvert des mots.

«Il faut réagir! Hier ils ont bousculé la bourse et Oman, demain nous assisterons sûrement à des attentats contre nos sources d'énergie, comme j'ai déjà pu l'observer à Curaçao, et si nous ne faisons rien, après-demain ils chevaucheront nos femmes.»

Larimer éclate de rire:

«Vous êtes toujours aussi cru.

— En privé seulement, confie Helmann. Pour le grand public je reste toujours le digne descendant de l'aristocratie puritaine de la Nouvelle-Angleterre.

— Qui se fait du souci pour l'avenir de nos femmes, ajoute Larimer de bonne humeur.

— Quand je dis qu'ils chevaucheront nos femmes, c'est parce que je suis persuadé que derrière tous leurs grands discours politico-économiques, leur but profond et sûrement inconscient n'est rien d'autre que cela. Ils doivent être fatigués de leurs gros laiderons. Dans la tête de chaque troufion rouge, il doit y avoir le rêve de pouvoir mettre la main sur une vraie fille portant des petites culottes de dentelle, une fille parfumée au *Chanel* ou au *Jean Patou*. Bref, ils veulent l'œuvre d'art pour changer de l'industrie lourde.»

Larimer continue de rire:

«Je m'occupe de Londres, dit-il. Merci pour le renseignement.

— À charge de revanche.

— Bien sûr!»

Lon essaye d'analyser s'il n'y a pas une part de vérité dans les plaisanteries de son patron. Depuis la nuit des temps, des hordes sauvages ont surgi de l'Est pour piller et violer.

Frissonnant, il imagine une bande de Tatars déchaînés fondant sur l'Europe, transformant, comme dans les meilleurs récits bibliques, les rues en fleuves de sang et, apothéose, culbutant sans vergogne filles, femmes et mères sur leur passage. L'idée de se servir de ce scénario pour mobiliser l'Ouest lui vient, et il en fait part à Helmann:

«Rien de tel pour soulever la fureur d'une nation.

— Larimer l'aura bien compris dans mes propos. Il doit déjà être en train d'en faire part aux gens du Pentagone.

— C'est à présent que l'on comprend combien les Soviets nous ont bernés à la fin des années 80.

— À mon avis, ils devaient détenir quelque chose sur Reagan. Souvenez-vous de son attitude soumise sur la Place Rouge. Écœurant! Je n'ai jamais compris pourquoi cet homme, qui comparait l'Union soviétique à l'Empire du mal, ait pu si soudainement retourner sa veste et je ne comprends pas non plus pourquoi tout le monde s'est laissé embarquer.

— Peut-être que ça faisait plaisir à tout le monde d'y croire.

— Vous avez raison, Lon. On a tellement fait croire à l'Occident qu'il devait avoir mauvaise conscience, que toutes ces belles paroles de paix ne pouvaient que tomber dans des oreilles réceptives.»

David Cussler, arrivé la veille, est descendu au *Klondike Inn*. Il y a longtemps qu'il n'est pas venu au Yukon. Il est enchanté de retrouver ce coin de la Terre, qui semble encore épargné par les hommes.

Pour beaucoup, cette contrée demeure «la dernière frontière». C'est un peu vrai. Il y a dans l'air quelque chose qui dépasse le cadre habituel. Tout en survolant pics, forêts et lacs, David s'est fait la réflexion que ce serait peut-être une belle vie de se retirer sur le bord de l'un de ces torrents, d'y construire une bonne cabane en bois rond et de pratiquer la chasse et la pêche pour assurer sa subsistance. Il apprendrait à connaître les mœurs du loup, du grizzli, du carcajou. La question qui demeure est de savoir s'il pourrait faire fi de la civilisation?

Le Yukon semble vierge. Vierge des fantômes que laissent les générations passées et, pourtant, l'homme est venu ici bien avant de peupler le reste du continent. Ces êtres, que l'on qualifie de sauvages, ont laissé intact un territoire que la civilisation s'est empressée de défigurer. La civilisation technologique est-elle inévitable? La destinée humaine est-elle de s'incarner dans la machine? Peut-être qu'un jour les hommes inventeront une intelligence qui n'aura plus besoin de la leur et, alors, il pourront rejoindre les dinosaures. Peut-être est-ce le but suivant de l'évolution, si évolution il y a? David ne connaît pas l'avenir mais, pour ce qui est du passé, il trouve que la région lève fort bien le voile sur ce qu'a dû être le monde avant la civilisation. C'est beau. Mais cette beauté fait peur, car elle incarne la solitude que la technologie essaye de faire oublier. Et pour David, tout le problème est là: pour vaincre la solitude, l'homme se donne des moyens inadéquats.

Whitehorse. David retrouve, telle qu'il l'a connue, la ville, qu'il traverse à pied pour se rendre chez son ami Singapour.

***

La concubine de ce dernier lui apprend qu'il est en ce moment à Tuktoyaktuk et ne doit rentrer que le lendemain. David prévient la jeune femme qu'il attendra son ami au *Klondike Inn*.

Pour passer le temps il loue un véhicule chez *Tilden*, se rend à

Takhini profiter des sources d'eau chaude, et passe la soirée à se relaxer dans l'eau régénératrice, derrière les grandes baies vitrées qui le séparent d'un décor qui n'a pas changé depuis la création et sur lequel le froid de l'hiver s'installe irrémédiablement.

Le lendemain, il est dans le lobby de l'hôtel et parcourt le *Globe and Mail*, lorsque Singapour se présente.

«Toujours dans les Forces?» fait ce dernier par-dessus son épaule.

David se retourne et aperçoit son ami. Vêtu d'une éternelle salopette en denim, mesurant plus de deux mètres, une abondante chevelure rousse en bataille, des bras qui semblent capables d'étrangler un grizzli adulte, un visage énergique et avenant.

«Et toi, toujours à sillonner la banquise?

— Que veux-tu, on ne se refait pas. Alors, qu'est-ce qui me vaut le plaisir de ta visite?

— J'ai besoin de ton aide.

— Que ferait l'armée sans moi!»

David sourit, puis lui explique ce qui l'amène et son objectif.

«Connais-tu cette île?» demande-t-il.

Singapour fait signe que non:

«Je ne suis jamais allé jusque-là. Comment comptes-tu t'y rendre?

— J'ai pensé à plusieurs solutions et je crois que la meilleure est tout simplement d'emprunter le pack et d'y aller avec des chiens.

— Ça représente une belle trotte.

— À peu près huit cents kilomètres en ligne droite, depuis le cap Belcher, mais une grande partie du trajet peut être couverte en hélicoptère.

— En quoi puis-je t'être utile?

— Tu connais bien les Inuit et j'ai besoin d'eux pour me guider et conduire les chiens.»

Singapour réfléchit une seconde:

«Je crois connaître les personnes qu'il te faut. Si tu veux les rencontrer, il faut aller à Aklavik, dans les territoires du Nord-Ouest.»

David se redresse:

«Que fais-tu aujourd'hui?

— Rien de prévu.

— Tu m'accompagnes à Aklavik?

— Pas de problème.»

Vingt minutes plus tard, ils sont à l'aéroport et David établit sa check-list.

Dans le ciel, les deux hommes échangent blagues et souvenirs pendant que la ligne d'horizon s'assombrit. Quand les premières étoiles scintillent, le silence s'installe entre eux. Comme la plupart des pilotes, chacun respecte les méditations de l'autre, que l'environnement ne peut manquer de susciter. C'est l'heure des grandes pensées. Le regard de David se perd dans le cosmos, pendant que son esprit vagabonde d'une planète à l'autre. Depuis quelques années, les sondes spatiales ont envoyé à la Terre des clichés de Saturne, Jupiter, et de leurs satellites. Jusqu'alors, personne ne les connaissait autrement que par des taches plus ou moins nettes dans les télescopes. Depuis, l'humanité en a découvert l'effrayante beauté. Celle-ci est désormais inscrite dans la mémoire des hommes et fait partie de leur vie, influençant plus ou moins directement certains niveaux de pensée.

«Aklavik», annonce Singapour en pointant du doigt un îlot de lumières.

David entre en communication avec la minuscule aérogare pour annoncer son approche et, quelques minutes plus tard, l'avion se range en face d'un petit bâtiment. Les deux hommes gagnent au pas de course l'unique pièce où le radio-téléphoniste – seul occupant des lieux – feuillette un *Penthouse*. Il lève des yeux alourdis vers les arrivants et reconnaît Singapour:

«Il y avait un bout de temps qu'on ne t'avait vu.

— Le Nord est vaste. Toujours au poste?

— Rien trouvé de mieux.

— C'est pas à reluquer des revues pornos que ça va changer.

— Il faut bien que j'entretienne ma libido.

— Ouais. Pourrais-tu appeler Mamayak et le prévenir que je suis ici?»

Le radio compose un numéro et passe le combiné à Singapour. «Parle-lui toi-même.»

Une voix de femme répond en inuktitut.

«Est-ce que Mamayak est là?» demande Singapour.

Il y a un silence, puis une conversation s'engage entre Singapour et son interlocuteur, dans un dialecte où se mêlent l'anglais et l'esquimau. En raccrochant, il annonce à David que Mamayak vient les chercher:

«Il nous offre le gîte pour la nuit mais je ne pense pas que l'on dorme beaucoup. Il a une nombreuse marmaille, pas beaucoup de pièces et beaucoup de whisky.»

Un quart d'heure plus tard, deux hommes apparaissent, l'un légèrement en retrait de l'autre. Le premier, qui doit être Mamayak, s'avance bras tendus vers Singapour et les deux amis s'étreignent comme des frères se retrouvant après une longue séparation.

David n'arrive pas à donner un âge exact à l'Inuk. Son visage, cuivré et raviné, exprime aussi bien la trentaine que la quarantaine. Il salue David et présente l'homme qui l'accompagne.

«Angatkoq, le fils de ma mère.»

Comme David ouvre de grands yeux, il ajoute:

«Pas celui de mon père.»

Deux motoneiges *Skidoo* attendent dehors. Singapour monte avec Mamayak, et David avec son demi-frère.

La neige est déjà tombée sur la région. À n'en pas douter, le court été a cédé la place à l'hiver.

Aklavik n'est qu'un petit village. Les maisons, tassées les unes contre les autres, sont reliées par des canalisations aériennes isolées, qui assurent à la fois l'approvisionnement en eau et l'évacuation des égouts. La nature même du pergélisol ne permet pas de canalisations souterraines. De nombreux habitants circulent d'une maison à l'autre, charriant bouteilles de bière et d'alcool. David en conclut que l'on ne s'ennuie pas à Aklavik et le dit à Angatkoq. Celui-ci n'a pas l'air d'accord:

«Toutes ces bouteilles ne sont souvent que le reflet de l'ennui, pour ne pas dire du découragement», dit-il par-dessus son épaule.

Beaucoup d'enfants, pour un si petit village, courent dans les rues, emmitouflés dans de splendides parkas synthétiques de toutes les couleurs, manufacturés pour les magasins de la *Baie d'Hudson*. Ils poussent les mêmes cris que tous les enfants du monde.

Les motoneiges s'arrêtent devant une maison longue et basse, recouverte de bardeaux d'aluminium vert pastel. Les quatre hommes entrent dans une grande pièce qui fait à la fois office de salon, cuisine, salle à manger et tout ce que l'on veut, hormis la salle de bain. Dans un coin, une télévision débite un vieux western en noir et blanc, mettant en vedette le très preux Glenn Ford, mais le son en est couvert par une grosse radio-cassette, style Harlem, qui diffuse avec fracas une bande-annonce pour la bière *O'Keefe*. Des enfants jouent par terre sur un grand tapis tressé, tandis qu'une femme aux yeux rieurs et à l'embonpoint prononcé s'affaire aux casseroles.

«Kudnalik, mon épouse», la présente Mamayak.

Elle adresse un sourire poli aux visiteurs, lesquels s'installent autour d'une longue table coloniale en bois blanc, qui, comme tout le reste des biens de la maisonnée, vient du comptoir de *La Baie*. Mamayak fait un signe à sa femme afin qu'elle apporte quatre bières.

«Alors? demande l'Inuk au géant roux. Quel bon vent t'amène chez moi?»

Singapour désigne David à Mamayak, qui enfile la moitié de sa bière d'une seule lampée.

«Mon ami va tout t'expliquer.»

David s'exécute:

«J'ai besoin de guides avisés et possédant de bons chiens, pour me conduire loin sur l'océan. Très loin.»

Mamayak, dont les yeux n'apparaissent qu'à travers une mince fente des paupières, semble les fermer complètement.

«Qu'entends-tu par très loin?

— Connais-tu l'île de Wrangel?

— Je sais où elle se trouve mais je n'y suis jamais allé. Trop loin et c'est chez les Russes.

— Tu n'as jamais été en Sibérie?»

David sait que certains Esquimaux font parfois le trajet.

«Je connais des gens qui y sont allés.»

David explique qu'il compte d'abord faire une partie du trajet en hélicoptère, avant de finir en traîne à chiens. Mamayak l'écoute en tenant la paume de sa main devant ses yeux; finalement, il tord la bouche dans une espèce de grimace:

«C'est dangereux.»

Son demi-frère l'approuve d'un mouvement de paupière mais David se rend compte qu'il a dit cela pour la forme; en fait, même s'ils essayent de le cacher, ils semblent intéressés.

«Mon ami est prêt à très bien payer», dit Singapour.

L'Inuk a un geste furtif signifiant que ce n'est pas ce qui le préoccupe.

«Que veux-tu aller faire sur cette île?» demande-t-il à David, qui comprend, au ton, que c'est la question importante.

«Établir une liaison radio pour le gouvernement.

— De l'espionnage?

— Plutôt de l'observation.

— Qui vit sur cette île?

— Nous ne savons pas exactement; peut-être quelques nomades de la côte sibérienne.

— Des Tchouktches?

— Je crois que c'est bien le nom qu'on leur donne.»

De nouveau, Mamayak se plonge dans une profonde réflexion. Angatkoq prend la parole:

«J'ai connu des Tchouktches, certains étaient gentils, mais j'ai beaucoup entendu dire que la plupart d'entre eux n'étaient guère accueillants à notre égard. Tout comme les gens du Groenland. Je sais aussi que certains Sibériens sont au service du gouvernement soviétique, pour nous repousser ou signaler nos allées et venues.

— Combien es-tu prêt à payer? s'informe Mamayak.

— C'est d'abord à vous de m'établir un prix.

— Tout dépend du temps où nous devrons rester sur le pack et de l'équipement qu'il faudra emporter.

— Nous devrions pouvoir nous approcher en hélicoptère jusqu'à environ une journée de l'objectif. Combien de temps faudrait-il pour couvrir le retour?

— C'est très variable mais nous pouvons dire une ou deux semaines.

— Disons donc trois semaines avec le retour.

— Toi, tu restes seul là-bas?

— Je ne sais pas encore.

— Et comment reviendras-tu?

— En fait, je n'y ai pas encore pensé.

— Si nous allons avec toi, nous restons avec toi. Tu ne peux rester seul et puis pour nous, c'est l'occasion de faire du tourisme; ce ne sera pas plus long que de refaire le voyage pour aller te chercher.

— Je vous remercie. Quel est votre prix à la semaine?

— C'est une expédition avec des risques, je crois que deux mille dollars pourraient faire l'affaire.»

David approuve et n'essaye pas de marchander. Il n'aura aucun mal à faire accepter ce prix aux Forces.

«Je suis d'accord avec ce prix», dit-il.

Mamayak parle quelques instants dans sa langue avec sa femme, qui se contente de hocher la tête sans apporter d'expression à son visage. David se demande s'il s'agit d'indifférence, de soumission ou de fatalisme. Il opte pour la dernière hypothèse. L'Inuk s'adresse de nouveau à lui:

«Payable juste avant le départ. C'est un voyage à risques.

— Bien sûr!

— Ce serait pour quand?

— Très vite, peut-être dans quarante-huit heures.

— Il va nous falloir beaucoup d'équipement.

— Je me charge de tout, sauf bien entendu des traînes et des chiens. Nous pourrions commencer par établir une liste ensemble.»

Mamayak cligne de l'œil et affiche un sourire plein de malice.

«Viens voir ce que je possède», fait-il.

Ils se lèvent pour le suivre à l'extérieur, dans un petit garage qui côtoie la maison.

Fixés sur de longs patins, deux cylindres d'aluminium aplatis sur la base et mesurant environ un mètre cinquante de diamètre sur trois de longueur sont profilés à l'avant comme des fusées, tandis que l'arrière forme un sas d'entrée. Mamayak en ouvre un: la paroi intérieure du cylindre est tapissée de polystyrène expansé qui doit assurer une bonne isolation. L'Inuk désigne, au plafond, une chaufferette au naphta ainsi qu'une prise d'air.

«C'est le paradis là-dedans, explique-t-il. C'est un Américain d'Anchorage qui m'a fait construire ces engins-là l'an dernier. Il voulait faire du tourisme sur le pack au mois de janvier.

— Ce n'est pas trop lourd? demande David.

— Au contraire, rien que des matériaux ultra-légers, et puis j'ai déjà vu des chiens tirer près de quatre mille livres. Pour la nuit c'est très confortable.»

David est ravi. Depuis hier qu'il essaye de s'imaginer couchant sous une petite tente, par des températures de moins trente et des vents de cent kilomètres à l'heure. Ces deux traînes d'un nouveau genre augurent bien du voyage.

«Il faudrait les peindre avec une peinture caoutchoutée blanche, afin de ne être trop voyants, et pour ne pas attirer l'attention des radars.

— Au niveau de la banquise, dit Singapour, l'écho devrait se confondre avec elle.»

Mamayak passe à l'avant du tube et désigne deux hublots ovales en plexiglas.

«Il y a même des fenêtres, dit-il fièrement. Comme ça, bien au chaud, on peut profiter des aurores boréales.

— Et où sont les chiens?» demande David.

Mamayak les entraîne derrière la maison où une vingtaine de niches sont alignées à l'intérieur d'un périmètre clôturé de planches. L'Inuk lance un cri et aussitôt toutes les bêtes sortent de leur abri, sans émettre un seul jappement. La lumière d'un réverbère fait ressortir leur robe blanche immaculée.

L'Inuk semble fier de ses animaux:

«C'est une lignée issue d'un croisement de samoyède et de loup blanc. D'excellents chiens qui savent avancer seuls. Autrefois, il fallait toujours un homme devant pour les guider; à présent ils obéissent à la voix. C'est un très grand progrès.»

Il rit:

«C'est vrai qu'autrefois il arrivait souvent qu'ils soient mangés avant d'arriver à pleine maturité!»

Avant de rentrer à l'intérieur, l'Inuk demande à David de quelle nation étaient ses ancêtres.

«Ojibwas des plaines.»

Mamayak hoche la tête:

«Le progrès a quand même du bon, philosophe-t-il. Il y a deux siècles, nous nous serions étripés en nous rencontrant.»

Kudnalik a déposé des assiettes pleines de *maktaq* sur la table.

«Qu'est-ce que c'est?» demande Singapour.

Mamayak a un sourire malicieux:

«De la peau de baleine. Ça ressemble à la tête de veau et, ne t'inquiète pas, nous ne faisons plus faisander la viande, ici du moins.

— Je n'ai jamais mangé de tête de veau.

— Comme ça, tu sauras à quoi ça ressemble.»

David constate que ce n'est pas mauvais. Après le repas, ils établissent ensemble la liste du matériel, parlent de choses et d'autres et boivent beaucoup jusqu'au petit matin. Mamayak veut lever ses enfants pour offrir les lits à ses hôtes qui, bien sûr, refusent énergiquement la proposition. L'alcool aidant, les quatre hommes s'endorment, l'un après l'autre, à même la table.

***

225

Dès l'apparition du jour, David et Singapour ont rejoint la petite aérogare et s'envolent en direction de Whitehorse.

«Tout a très bien été, constate David. Je ne sais pas comment te remercier.

— Je me doutais bien que l'expédition intéresserait Mamayak. C'est le genre de bonhomme qui aime prendre des risques. De nos jours, la chasse n'est plus tellement ce qui fait qu'un Inuk se démarque des autres. Il lui faut autre chose pour se distinguer dans sa communauté. Tu n'as pas à me remercier; ce voyage avec toi m'a fait plaisir, et de plus je n'ai pas été d'une grande utilité.

— Au contraire! Je ne connaissais pas Mamayak, et sans toi il ne m'aurait certainement pas accordé son attention.

— La structure mentale de ces gens-là est très différente de la nôtre. Ils peuvent assommer leur voisin pour une broutille; par contre, ils ont un cœur gros comme ça. Dans notre monde de durs, c'est quelque chose de rare.

— Ça me rappelle que pendant la famine en Éthiopie, la simple vue, sur leurs postes de télévision, de ce qui se passait en Afrique, arrachait des larmes à des familles entières, et chacun de donner plus qu'il ne pouvait. Je crois me souvenir que les quelques Esquimaux du Nord ont donné autant que toute la population d'une province comme le Nouveau-Brunswik.

— Ce sont de braves gens, j'espère qu'Ottawa leur accordera *Nunavut* un jour.

— Il ne faut pas trop se fier aux gouvernements.

— Nous avons les gouvernements que nous nous donnons. Le malheur est que la population se sente obligée d'appartenir à un parti, au même titre qu'elle a besoin de soutenir un club de hockey ou de baseball.

— Tu sembles bien désabusé.

— De l'être humain non! De la masse oui!

— La masse est composée d'êtres humains.

— Qui ont abandonné leur individualisme. Hitler levait le poing à Nuremberg, et tous les Allemands levaient le poing. C'est là-dessus que tablent les politiciens et les publicitaires. Nous ne sommes pas informés, nous sommes programmés.»

David prend contact avec la tour de Whitehorse pour signaler son approche.

«Tu viens à la maison? demande Singapour.

— Merci, mais je dois continuer vers Cold Lake. Il reste encore pas mal de points à régler. Je dois aussi prendre livraison de mon ultra-léger qui doit être arrivé de Bagotville. Tu devrais essayer ça un jour.

— Non merci! M'envoler dans le ciel avec un jouet de trois cents livres et juste quarante-trois chevaux au derrière, très peu pour moi.

— C'est pourtant pratique, entièrement démontable, une autonomie de trois heures. C'est la liberté.»

Singapour a un regard ironique:

«Je ne suis pas dans l'armée, moi. J'ai toute la liberté que je veux.

— Menteur! j'ai bien compris que tu mourrais d'envie d'aller faire un séjour chez les Russes.»

L'avion roule sur la piste et vient se ranger à côté d'un appareil de *Canadian*, qui vient d'arriver d'Edmonton. Les deux hommes se saluent et, tandis que Singapour gagne le bâtiment, David attend que l'on vienne remplir ses réservoirs.

«Fais attention à toi», lui crie de loin le grand rouquin.

Mais le lieutenant David Cussler n'a plus d'œil que pour l'escadrille de B-1B qui croise très haut dans le ciel, en direction nord-ouest. Il se rappelle les paroles du colonel Wilson affirmant que du grabuge se préparait.

Une folle et vaine envie le prend de se retrouver dans le ciel violet et sans tache à cinquante mille pieds. À proximité du cosmos. À proximité de la pureté. À proximité du début et de la fin.

BILOXI, MISSISSIPPI, U.S.A.

Le rituel recommence chaque soir à 16 h 30. Lawrence Calder, professeur d'histoire-géographie, quitte le collège de Biloxi au volant de sa *Volkswagen* pour parcourir les vingt-deux kilomètres qui le séparent de Long Beach. Sur le chemin, il s'arrête au *Harvey's* pour se restaurer d'un double *cheeseburger* et d'un grand verre de jus de pêche.

À cette saison, il arrive sur la plage juste à temps pour le coucher de soleil. Il se dépêche de sortir du coffre de l'automobile chevalet, tabouret, boîte à peinture et une toile vierge de petites dimensions.

Chaque soir, il se donne complètement à la reproduction de l'astre du jour se coulant à l'horizon dans une débauche de teintes, allant du bleu le plus froid à l'or le plus chaud.

À ses débuts, il a commencé avec de la peinture acrylique mais il la trouvait trop difficile à mélanger et les teintes n'arrivaient jamais à reproduire ce qu'il éprouvait. La peinture à l'huile, par contre, lui donne maintenant entière satisfaction: les couleurs sont plus vivantes et paraissent beaucoup moins artificielles. Le seul problème réside dans le temps de séchage et comme, en plus, il emploie également de la térébenthine de Venise comme diluant, ses toiles peuvent prendre jusqu'à quarante-cinq jours pour être sèches. Étant donné qu'il produit une toile par jour, il se trouve dans l'obligation de les étendre un peu partout chez lui, ce qui fait de sa petite maison, où il vit célibataire, une vaste étude sur les couchants du golfe du Mexique.

Bientôt, ses séances de peinture prendront fin la semaine, car le soleil n'attendra plus la fin de ses cours pour se coucher. Il lui faudra patienter jusqu'au printemps pour revenir ici chaque soir.

Non loin de là, assis derrière le volant de sa *Lincoln Continental* de l'année, Robert A. Bader surveille le peintre sur la plage. Il y a longtemps qu'il attend une occasion comme celle-ci de servir à la fois son pays et ses idées, au demeurant fort simples: l'esclavage pour les Nègres, le poteau d'exécution pour les rouges, les camps de travail pour les fonctionnaires, la fin du droit de vote pour les femmes et les pédés, un président anglo-saxon bien à droite ainsi qu'une bombe atomique pour Cuba avec, quand même, une pensée émue pour les cigares.

Ce qu'il sait de l'homme qu'il surveille est suffisant pour le convaincre qu'il va *commettre une bonne action*. Lawrence Calder a commencé à se faire remarquer en se réfugiant à Torremolinos puis à Marrakech, pour échapper au Vietnam. Il a, bien sûr, expié sa faute en purgeant trois années de pénitencier; mais, aux yeux de Bader qui, lui, a vécu le Vietnam derrière une batterie héliportée, pour se retrouver ensuite humilié dans la débandade, Calder est l'une de ces vermines responsables de la défaite militaire et, surtout, de l'opprobre qui a entouré les *marines* à leur retour.

Pendant que lui risquait sa vie dans le ciel asiatique, le petit fumier était dans le sud de l'Espagne ou chez les *moricos* à fumer des joints, sauter les Suédoises qui s'agglutinaient dans ces parages et critiquer ouvertement les honnêtes gars qui allaient se faire hacher par les *Viets*.

Bien des années ont passé depuis le Vietnam. Bader, démobilisé, a vendu la petite plantation léguée par son père et s'est servi des capitaux pour ouvrir un cabaret réservé à une clientèle choisie. Dentistes, avocats, banquiers, commerçants, tous les membres du Klan local se retrouvent chez Bader les vendredis soir, pour assister à des spectacles style Moulin-Rouge et discuter entre eux sans être importunés par des gauchisants ou, pire encore, des négros.

Lawrence Calder a alimenté bien des conversations. La première fois, en conseillant à ses élèves de se trouver des correspondants en URSS, afin d'établir des liens de compréhension. Les plaintes de la part des parents ont été nombreuses et Calder a failli y laisser sa place, ce qui ne l'a pas empêché de récidiver. Après s'être fait nommer au conseil municipal, il a déposé une résolution visant à entamer des procédures pour jumeler Biloxi, Mississippi, et Tachkent, Ouzbekistan. «Afin, selon ses propres termes, de rapprocher deux cités valeureuses qui ont beaucoup de points communs, ne serait-ce que le coton.» Bader, tout comme ses clients, a été totalement indigné que l'on puisse comparer la bonne ville de Biloxi à un repaire de musulmans rouges d'Asie centrale.

Il y a aussi tous ces syndicalistes qui se bousculent à la porte de Calder et il y a, surtout, ses dernières vacances en Libye. Quel tourisme peut-on faire en Libye? Il y a tant à voir au pays, aux Bahamas ou, à la rigueur, en Europe occidentale.

L'homme qui s'est présenté à Bader, avec sa carte du FBI et la recommandation d'un Grand Dragon de ses amis, résidant en Alabama, n'y est pas allé par quatre chemins. Il l'a d'abord convaincu qu'il était un citoyen reconnu, auprès des autorités, pour son civisme et son patriotisme. Il appartenait maintenant à des gens comme lui de *nettoyer* la nation. Il lui a parlé de Calder et laissé clairement entendre que si un accident regrettable lui arrivait dans les quarante-huit heures, lui, Robert A. Bader, n'aurait pas à le regretter. Il y avait justement un charmant hôtel à vendre sur l'avenue Collins à Miami, un hôtel que certains services gouvernementaux pourraient fort bien choisir comme point de chute, au sud de la Floride. Il n'aurait aucun mal à obtenir les crédits nécessaires auprès d'une certaine banque.

«Ce sera un plaisir de faire le ménage», a répondu Bader.

Pour l'instant, il observe son homme, tout en grignotant une tablette de chocolat aux amandes. Il ne sait pas trop comment s'y prendre pour mettre son projet d'*accident* à exécution. La plage est déserte et le plus simple serait de l'assommer pour ensuite le jeter à l'eau, mais cela aurait-il l'air d'un accident? Il avait fait le tour de la maison du professeur, sans qu'aucune idée lumineuse germe dans son esprit. Calder gare même sa voiture à l'extérieur: impossible de faire le coup de l'asphyxie.

Tout en l'épiant, il remarque soudain que le professeur travaille en tournant le dos à sa voiture, qu'il a l'habitude de garer près de lui sur la plage. Un plan très simple prend forme dans le cerveau de Bader.

S'étant assuré qu'il n'y a personne d'un bout à l'autre de la plage, il met le contact, recule et engage sa voiture sur le sable, en espérant que sa *Lincoln*, beaucoup plus lourde que la petite voiture du professeur, ne s'enlisera pas.

Tranquillement, comme un romantique s'imprégnant de la beauté du crépuscule, il s'avance vers le peintre, qui ne voit rien d'autre que sa toile. Rendu à une cinquantaine de mètres de Calder, Bader s'assure une nouvelle fois qu'il n'y a personne d'autre aux alentours et, satisfait sur ce point, braque le volant en direction de Calder et appuie rapidement sur l'accélérateur.

Lawrence Calder se retourne à la dernière seconde et, dans un éclair, ne voit que l'éclatante rangée de dents blanches d'un sourire derrière le pare-brise teinté. Il n'a pas le temps de réagir; le pare-chocs de chrome étincelant le heurte sur son flanc gauche, brisant et enfonçant profondément les côtes dans les poumons. La colonne vertébrale vole en éclats au niveau des lombaires.

Bader recule, descend de sa voiture et va prendre place dans la

Volkswagen. À son grand désarroi, elle n'est pas équipée de transmission automatique et Bader, qui n'a jamais conduit autre chose que des automatiques, reste décontenancé quelques secondes. Il trouve enfin le point mort mais la voiture ne veut pas bouger. Sur de l'asphalte la pente serait suffisante, non sur du sable. Il doit mettre le contact et avancer en première jusque sur le corps du professeur qui, bien que n'étant pas encore décédé, est plongé dans un profond coma.

Bader ramène le levier de vitesse au neutre et sort du véhicule en pestant contre ce qui, à son avis, n'est qu'un anachronisme mécanique. Il n'y a que des rouges pour aimer ça. Des masos. D'un regard il évalue la scène et est assez content de lui. Il a bien visé et une roue avant écrase le torse du professeur pendant que l'autre est sur le chevalet. Pas de doute, il s'agit bien d'un accident bête. La voiture restée au neutre a glissée sur son propriétaire. Des pieds et des mains il s'applique à effacer les traces de pneu de sa voiture, puis de retour à celle-ci, en examine le pare-chocs demeuré intact. Il a mis juste la puissance nécessaire. Il décroche son radio-téléphone et demande la police.

Dix minutes plus tard, il explique à deux patrouilleurs que, se promenant sur la plage, il a vu l'accident se produire.

«J'étais là-bas et j'ai vu sa voiture avancer doucement vers lui. Je me suis précipité mais il était déjà trop tard. J'ai voulu reculer le véhicule, j'avais déjà mis le contact quand je me suis souvenu qu'il ne fallait jamais dégager quelqu'un bloqué sous un poids avant l'arrivée des secours. Je crois qu'il est mort, mais on ne sait jamais.

— Vous avez eu parfaitement raison», dit l'un des policiers.

La voiture de patrouille est arrivée toutes sirènes hurlantes, ce qui n'a pas manqué d'entraîner les curieux dans son sillage. Plusieurs badauds piétinent déjà les lieux et n'ont cure des policiers qui les préviennent qu'il n'y a rien à voir.

Curieusement, Bader ne ressent pas cette satisfaction du devoir accompli qu'il avait escomptée. Il voit le visage du professeur tourné vers la mer et n'arrive plus à comprendre pourquoi il lui en voulait tant. Il se baisse, ramasse le petit tableau incrusté de sable et le compare avec le firmament. Il se fait la réflexion que le peintre était vraiment trop porté sur le rouge.

***

Stanislaw Gierek a vécu la sanglante révolte ouvrière de Poznan le 27 juin 1956, mais non dans le camp avec lequel il a prétendu être, dans sa déclaration aux officiers d'immigration US. Il a quitté Dartowo à bord d'un petit bateau de pêche, en direction de l'île suédoise de Bornholm. Sa *légende* a été habilement montée par le SB polonais, et les États-Unis n'ont pu faire autrement que d'accueillir cet homme opprimé par les barbares communistes. Son exil a même fait l'objet d'une brève histoire dans *Sélection du Reader's Digest*. Le SB l'a laissé dormir pendant de nombreuses années, puis les services de renseignements polonais l'ont cédé au KGB, qui s'est chargé de le remettre sur les rails.

Ce soir, après plus d'une heure d'attente en face de la maison du professeur Calder au 61, *Ocean Lane*, Stanislaw commence à se demander ce qu'est devenue sa recrue, avec laquelle il s'est pourtant bien entendu sur le rendez-vous. Le Polonais est ennuyé car Calder représente plusieurs mois de conditionnement. Maintenant qu'il va avoir besoin de lui, celui-ci est disparu.

Comme beaucoup disparaissent ces jours-ci à travers tous les États de l'Union et de nombreux autres pays.

PENTAGONE, WASHINGTON D.C., U.S.A.

Le Président, cédant à une impulsion, a tenu à parcourir à pied la distance séparant le Capitole du Pentagone. Il a besoin d'être seul avec lui-même, de retrouver le même air que respirent ses concitoyens. Le panorama qui s'offre à lui ne peut que le confirmer dans la certitude de la grandeur de son pays. D'un seul coup d'œil, il peut embrasser le Mémorial Lincoln, qui veut restituer sur le Nouveau Monde la splendeur du Parthénon de l'Acropole, et la Maison-Blanche, dont l'aspect extérieur demeure, pour lui qui en occupe les murs, toujours aussi prestigieux; il y a aussi tous les entassements de marbres historiques, qui symbolisent parfaitement l'idée que le citoyen ordinaire peut se faire du pouvoir.

Le Président marche d'un bon pas et est heureux de se retrouver, comme n'importe qui, au niveau de la circulation. En traversant le Potomac, il s'arrête un moment sur le pont pour regarder s'écouler les eaux du fleuve et, pendant un instant trop court, tous les tracas des derniers jours lui semblent relever d'un mauvais rêve. La Terre est là, bien plantée sous ses pieds, qui ne demande rien d'autre qu'à poursuivre sa ronde tranquille.

Les gardes du corps, nerveux, sont soulagés quand ils arrivent, enfin, dans ce qui est le plus grand édifice à bureaux jamais construit de main d'homme. Cinq étages disposés en autant de cercles concentriques, reliés entre eux par dix couloirs comme les rayons d'une roue. Évitant la galerie marchande, qui fait de ce bâtiment complexe une véritable ville autonome, le Président passe une porte que rien ne distingue des autres, sinon qu'elle ne s'ouvre que de l'intérieur. Toujours suivi de ses gardes du corps, il se présente devant une caméra vidéo, avant de prendre place dans un ascenseur muni d'une porte digne d'un coffre-fort. Sans aucun bruit, l'ascenseur le descend dans les profondeurs du Pentagone, où se trouve le QG de crise. Équipés de tous les perfectionnements NBC, les locaux peuvent accueillir et faire vivre en véritable vase clos les responsables qui devront continuer à diriger les destinées de la nation, en cas de conflit total.

Les membres du NSC, arrivés en voiture, l'ont tous devancé. Pour l'instant, ils sont installés autour d'une grande table concentrique, équipée, devant chaque siège, de moniteurs et claviers intégrés ainsi que de téléphones et interphones. Chacun des membres peut, de cette pièce, communiquer avec n'importe quel point du globe et a, également la possibilité d'accéder à toutes les banques de données imaginables. Trois chefs d'état-major se sont joints au Conseil: l'amiral Greenberg, les généraux Harlow et Mitchum.

Ils s'entretiennent du renversement à Mascate, quand le Président vient s'installer à la table. Charles Niles lui présente aussitôt le carnet de cuir fauve qui vient d'arriver de Moscou.

Jamais un document subversif n'est arrivé de la capitale soviétique aux mains d'un président des États-Unis en aussi peu de temps. Discrètement, le carnet de Smolosidov a changé de mains à Gander, et aussitôt un chasseur a mis le cap sur la Virginie. Le F-4 a même été ravitaillé en vol pour éviter toute perte de temps.

Un interprète que Niles a introduit fait la lecture du carnet pour le bénéfice de l'assistance. Quand il en a terminé, un silence lourd de signification plane quelques secondes, avant que le Président ne prenne la parole:

«Eh bien, messieurs, nous savons au moins à quoi nous en tenir à présent.»

Son secrétaire d'État, Matt Vaughan, semble découragé:

«Nous nous sommes laissés aveugler trop longtemps par tous leurs beaux discours de paix et de négociation.

— Nous n'avons pas le temps de faire notre acte de contrition, coupe le Président. Il nous faut établir notre stratégie dès maintenant et nous y tenir.

— Il y a une question à laquelle ce carnet ne répond pas, intervient Dave Fawcett, le secrétaire à la Défense. Quel détonateur les Russes inventeront-ils pour justifier leur agression?»

Personne ne peut répondre à cette question. Seul Charles Niles émet ses commentaires:

«Je suppose qu'il va falloir être très vigilants afin de le déterminer. Il faut porter une attention spéciale à tous les incidents frontaliers et, aussi, obtenir de nos partenaires une surveillance accrue des ambassades soviétiques. Les Russes sont bien capables de faire abattre l'un des leurs, pour ensuite en faire porter le blâme sur les Allemands, par exemple.

— Comme vous le savez, dit le Président, j'ai rejoint, à l'heure actuelle, tous nos alliés. Ceux de l'OTAN sont très anxieux de constater que nous n'acheminons rien de nouveau en Europe. Le chancelier ouest-allemand m'a même rappelé pour me demander des explications sur l'évacuation de la VIe flotte vers l'ouest.

— Que lui avez-vous répondu? demande Fawcett.

— Que nous avions développé une stratégie nouvelle. Furieux, il m'a pour ainsi dire accusé de ne pas respecter nos engagements vis-à-vis de l'Alliance atlantique.

— Qu'ils pensent ce qu'ils veulent, fait Steelman. Nous devons faire ce qu'il faut et c'est tout. Ce serait une erreur stratégique que de mettre toutes nos forces là où les Russes nous attendent.

— Comment le faire comprendre aux Européens?

— Peut-être en appliquant immédiatement le plan B?» propose Niles.

Le Président sait de quoi il s'agit. Ce plan a été imaginé sous l'administration Kennedy et mis au point sous celle de Johnson. Depuis ce temps, plusieurs dizaines d'agents dormants attendent en Pologne, RDA, Hongrie, Roumanie, Bulgarie, Tchécoslovaquie et même en URSS, un signal qui les enjoindra de souiller les approvisionnements en eau de toutes les concentrations militaires. Déjà, depuis vingt-quatre heures, la plupart d'entre eux reçoivent, sous forme de banales bouteilles de vin blanc, une bouillonnante culture de toxines botuliques de la variété américaine, plus mortelle que les autres. Le taux de mortalité après ingestion a été évalué à environ soixante pour cent. Les premiers symptômes se manifestant de cinq à trente heures après l'absorption, il importe que l'action soit menée simultanément. De préférence dans les heures précédant le repas du midi, où la consommation d'eau est la plus abondante. Les variétés du bacille ont été multipliées afin de retarder au maximum le traitement, lequel ne peut se faire que par sérothérapie, soit l'injection d'un sérum antitoxique spécifique de la variété causale. Les décès attribués à cette intoxication surviennent généralement entre deux et six jours, après paralysie respiratoire. Pour corser la dose, des biologistes du Pentagone ont cru bon d'ajouter une nouvelle toxine synthétique, dont personne ne pourrait découvrir l'antidote en quelques heures. Quelques années plus tôt, un obus chargé de cette toxine avait été accidentellement perdu en mer, causant, pour des motifs inconnus du public, la mort de grands cétacés, ainsi que l'empoisonnement de mollusques et de certains poissons qui s'en nourrissent, sur toute la côte est du continent nord-américain.

Si le plan B se déroulait exactement comme prévu, les forces de l'OTAN auraient moins à craindre du côté de la guerre conventionnelle.

Le Président n'est pas d'accord:

«Il est encore trop tôt. Nous devons attendre qu'ils tirent les premiers.

— Quand ils seront alignés devant nos positions, il sera trop tard pour les empoisonner, souligne Fawcett.

— Avant qu'ils ne s'alignent, il va automatiquement se passer quelque chose. C'est seulement alors, que nous pourrons mettre le plan en application.»

Charles Niles, qui a répondu au clignotement de son téléphone, trouve le moyen d'écouter le Président d'une oreille, pendant que l'autre enregistre son interlocuteur en ligne.

«Il y a du nouveau», dit-il après avoir raccroché et, s'adressant directement au Président:

«Je crois que vous devriez communiquer immédiatement avec le 10, *Downing Street*, il paraît que des Libyens s'apprêtent à faire exploser une bombe H sur le rocher de Gibraltar.»

Le Président se redresse brusquement:

«Quoi?

— Selon nos services, un cargo français aurait été kidnappé par des terroristes libyens sur la côte normande. Ils auraient une bombe thermonucléaire à bord.»

Le Président ne fait aucun commentaire et demande à Rose Hataway, qui vient tout juste de le rejoindre, de lui établir une communication avec Londres.

Au même instant, Tom Fooley de la NSA appelle Niles pour l'informer que le roi d'Angleterre lance, en ce moment même, un appel sur tous les postes du Royaume-Uni.

«Faites transférer sur nos écrans», demande le directeur de la CIA.

Immédiatement, via un satellite de l'*US Navy*, la retransmission est acheminée vers les terminaux géants accrochés aux quatre murs de la pièce. Le Roi se présente, assis derrière une somptueuse table à écrire qui, remarque futilement Niles, doit être signée J.G. Grace, un parfait exemple du style gothique non réformé du début de l'époque victorienne. Le souverain britannique arbore une expression très sévère, inconnue des médias.

«...Et nous tenons à informer le gouvernement de Tripoli que si jamais un acte belliqueux devait se produire contre le peuple de la Grande-Bretagne, nous n'hésiterions pas à demander au gouvernement d'exercer des représailles immédiates et définitives contre la souveraineté libyenne. Pour l'heure, nous osons espérer que tout ceci ne soit qu'une vaste méprise.»

Le message se termine par des paroles encourageantes pour la population du Royaume et lui rappelle combien, en des époques aussi difficiles, elle s'est montrée digne de tout éloge.

Quelques instants plus tard, le Président est en ligne avec celui qui doit assurer l'intérim du pouvoir, pendant que le Premier Ministre élu se remet des suites d'une légère attaque cérébrale.

«Pouvez-vous me donner des détails?» demande le Président, après quelques brèves formules de courtoisie.

Le représentant britannique ne lui en apprend pas plus que Niles.

«Et vous n'avez pas repéré ce navire? interroge le Président.

— Il demeure introuvable; pourtant, nos avions et hélicoptères, ainsi que ceux des Français, sillonnent la Manche en tous sens. Nous craignons qu'ils ne s'attaquent directement au pays plutôt qu'à Gibraltar.

— Pourquoi ne pas nous avoir prévenus plus tôt? Avez-vous besoin de quoi que ce soit?»

Le suppléant britannique ne répond pas à la première question:

«Ce serait une bonne chose si vos satellites militaires pouvaient balayer le secteur. Les nôtres, je le crains, n'offrent pas de résolution suffisante.

— Je m'en occupe immédiatement et, s'il vous plaît, tenez-moi au courant.»

Il raccroche et demande au général Mitchum de l'USAF de s'en charger. Ce dernier communique immédiatement avec Fort Meade, au Maryland.

«À propos, lui demande le Président quand il a terminé, où en est-on avec *Atlantis*?

— Tout fonctionne à merveille, selon les dernières nouvelles. La seconde navette sera bientôt sur son aire de lancement et, dans quarante-huit heures, *Gold Bird* devrait être opérationnel.»

Mitchum parle d'un satellite laser de classe *Alpha*, capable de développer un faisceau pouvant atteindre dix millions de watts. Utilisant la technologie chimique, il mesure vingt-quatre mètres de diamètre et deux navettes sont nécessaires pour mettre ses cinquante tonnes en orbite.

Capable de détruire n'importe quelle cible au sol ou dans les airs, avec une précision de l'ordre du centimètre, il est muni d'un cerveau apte à déceler une attaque éventuelle à son endroit et n'est vraiment vulnérable que contre un autre laser. L'état-major a décidé d'en placer quatre sur orbite, afin que si l'un d'eux est détruit, un autre exerce instantanément une riposte contre la source destructrice. Des centaines de techniciens s'emploient, vingt-quatre heures sur vingt-quatre, à ressortir les fusées *Titan*, aménagées de façon à pouvoir chacune placer un satellite, les navettes étant désormais affectées à d'autres fins.

Satisfait sur ce point, le Président se tourne vers Dave Fawcett: «Où en sommes-nous du côté de l'Alaska?

— Les transports civils ont effectivement commencé à acheminer les vivres et équipements vers le nord. Toutes les opérations sont coordonnées depuis Minneapolis. Le seul problème est que toute cette agitation est repérable par les Soviétiques. Ils vont sûrement se douter de quelque chose.

— Il n'y a pas moyen d'organiser des convois factices?

— C'est fait, monsieur. Quarante-six navires doivent quitter le port de Halifax ce soir, en direction de l'est. De plus, des colonnes de camions ont été organisées sur le parcours est-ouest du territoire. Si les Russes ont remarqué qu'il se passait quelque chose en direction de l'Alaska, leur attention sera bientôt détournée par les convois bidons.»

Perplexe, le Président change de sujet:
«Le Vice-président Barrett est arrivé à Pékin. J'espère qu'il nous en rapportera de bonnes nouvelles; je n'ai rien pu tirer de l'ambassadeur chinois, sinon qu'il m'a affirmé que, quoi qu'il arrive, la Chine resterait neutre, sauf évidemment s'ils reçoivent des coups, auquel cas ils répliqueront sans l'ombre d'une hésitation.

— Espérons que les Russes feront la gaffe», murmure Steelman.

Le Président se tourne vers le général Harlow et lui demande de décrire en résumé les forces dont peut disposer l'OTAN.

Le général se dirige vers un tableau de papier blanc et, à l'aide d'un marqueur rouge, commence à aligner des chiffres que visiblement il connaît par cœur.

«Voici exactement le potentiel maximum dont peuvent disposer le SACEUR et le SACLANT en termes de matériel opérationnel, ou en disponibilité dans quelques jours. J'inclus dans ce tableau les forces françaises et espagnoles, dont nous ne doutons pas de la coopération.»

	OTAN	PV
DIVISIONS:	133	230
TANKS:	27 125	55 500
ARTILLERIE:	21 350	42 000
TRANSPORTS:	50 000	54 000
HÉLICOPTÈRES:	1 420	1 250
CHASSEURS–BOMBARDIERS:	3 800	2 600
CHASSEURS–INTERCEPTEURS:	1 480	2 800
RECONNAISSANCE:	460	690
BOMBARDIERS:	165	460
PORTE–AVIONS V/STOL:	11	0
CLASSE KIEV:	0	2
PORTE–HÉLICOS:	6	3
CROISEURS:	19	24
FRÉGATES:	312	201
ESCORTEURS:	289	591
AMPHIBIES LONG–COURS:	57	24
AMPHIBIES CÔTIERS:	76	190
MINES WARFARE:	276	338
SOUS–MARINS TOUTES SÉRIES:	216	306
AÉRONAVALE,		
BASE EN MER:	864	215
BASE À TERRE:	471	219
TACTIQUE:	400	536

Chacun connaît déjà les effectifs mais les expressions se font néanmoins soucieuses. Personne n'aime voir de plus gros chiffres du côté des forces du Pacte.

L'amiral Greenberg prend la parole:

«Dans le cas des submersibles, je dois ajouter que nous ne faisons pas le poids. Je vous rappelle que leurs sous-marins de classe *Typhoon*, aussi longs que deux terrains de football, disposent d'une double coque qui les rend capables de mettre à feu simultanément vingt missiles SSN-X-20 et de recharger immédiatement pour envoyer une seconde salve. Chaque missile étant doté d'une douzaine d'ogives, cela nous donne 480 cibles, réparties sur le territoire visé. Faut-il parler aussi de ce submersible de type *Alpha*, dont la coque est en titane et qui peut avancer sous l'eau à près de 44 nœuds? Il peut virer de 180 degrés en 90 secondes et est capable d'atteindre des profondeurs qui ne nous sont pas accessibles. Et les services de renseignements de la *Navy* font également mention d'un autre sous-marin, capable d'atteindre 63 nœuds avec un système de propulsion issu de la technologie cryogénique. Nombre de nos torpilles ne seraient même pas capables de le rattraper. Je ne veux pas avoir l'air de discréditer nos *Trident* II et maintenant IV, mais simplement rappeler ce commentaire de l'amiral sir Henry Leach, ex-Premier lord naval britannique: «La puissance navale soviétique est fantastique et continue inexorablement de croître. Le rythme dépasse toutes les exigences raisonnables qui s'imposeraient à des fins de défense et peut être interprété uniquement comme étant de nature offensive.»

— Doit-on comprendre, d'après vos propos, que nous ne sommes pas de taille à nous mesurer aux Russes? interroge le Président avec froideur.

— Pas du tout, monsieur, mais nous devons admettre que nous ne sommes pas supérieurs non plus. Seules la technologie et la détermination des troupes feront la différence.

— Et la surprise», ajoute Steelman.

L'amiral a une moue sceptique:

«Quand des sous-marins adverses peuvent s'épier à trois cents kilomètres de distance, il n'y a plus beaucoup d'effet de surprise.

— Sauf si les unités russes, regroupées dans l'Atlantique pour nous liquider, ne nous trouvent plus, ajoute Steelman.

— Évidemment, concède l'amiral.»

Le conseiller à la Sécurité nationale s'approche à son tour du tableau:

«Il est temps de dévoiler, à l'intention de ceux qui l'ignorent encore, le dernier bijou de notre arsenal.»

Il ouvre une serviette de cuir et en sort une photo qu'il accroche au tableau. Les militaires ont un regard entendu mais le secrétaire d'État et le directeur de l'OEP n'ont pas l'air de savoir de quoi il retourne.

«Un nouvel avion? croit constater Alan Pearson.

— Effectivement, admet Steelman. Mais ce que la photo ne révèle pas, c'est que cet avion n'est en fait pas plus long qu'une *Chevrolet* familiale; de plus, en vous approchant, vous pourrez constater qu'il n'y a pas de pilote, pas plus que de cockpit d'ailleurs.

C'est un étudiant canadien en stage au MIT qui a développé cette idée, peut-être en partant du principe *Small is beautiful*. Nous avons là un appareil réunissant ce qui se fait de mieux dans trois domaines: l'intelligence artificielle, les explosifs et la poussée réactée. L'intelligence artificielle permet à cet appareil de voler en évitant les obstacles, tel un missile de croisière, mais aussi et surtout de choisir une cible. Le cerveau de cet engin est capable de reconnaître la grande majorité des cibles ennemies, que ce soit un avion, un hélicoptère, un char, un navire et même un missile. Quand il l'a reconnue, il détermine les meilleurs paramètres d'attaque et fond sur sa victime à la manière des kamikazes japonais. Le plus beau de l'histoire est qu'entre plusieurs cibles il peut choisir la meilleure. Son périmètre d'action est de l'ordre d'une centaine de kilomètres, mais il est préférable de se rapprocher au maximum, pour permettre à l'appareil d'esquiver une riposte en augmentant sa vitesse jusqu'à six fois celle du son, et pour cela il est nécessaire de garder une réserve optimum de carburant. D'un autre côté, plus il reste de carburant (propergol et poudre), plus l'effet destructeur est important. L'explosif employé, à base de TNT, est capable d'une perforation de l'ordre de six cents millimètres, ce qui est largement suffisant. J'ajouterai enfin que notre *jouet* peut choisir le point d'impact le plus vulnérable sur sa cible.

— Et ça existe? demande Pearson.

— Non seulement ça existe, mais nous avons monté un vaste laboratoire de production dans les entrailles du Nevada, dont les activités, par je ne sais quel miracle, sont demeurées secrètes jusqu'à ce jour. Nous avons aujourd'hui plus de cent mille de ces engins en disponibilité. Ce qui est fabuleux, c'est qu'une fois que cette merveille a été mise au niveau de la production en série, chaque unité ne revient pas plus cher qu'une petite voiture familiale. Pour le prix d'un sous-marin *Trident* II, nous avons pu édifier un véritable arsenal dévastateur au point de vue conventionnel.

— Et ce sera notre contribution sur le théâtre européen, ajoute le Président, en plus, bien entendu, des forces déjà en place.

— Au jour J, reprend Steelman, nous infligerons de sévères dégâts aux survivants du botulisme, sans qu'un seul de nos hommes ait encore levé le petit doigt. Je crois que si les Allemands avaient possédé cette arme en 44, ils auraient pu clouer au sol les 18 000 avions basés sur les Îles britanniques, qui ont préparé et appuyé le

Débarquement. Aujourd'hui, les forces du Pacte de Varsovie n'alignent en tout et partout que 7 500 appareils. Ce n'est pas si terrible.

— Beaucoup plus sophistiqués, spécifie Mitchum.

— Certes.

— Malgré toute la technologie, s'inquiète Pearson, il ne faut pas oublier qu'une des principales menaces demeure le syndrome EMP.

— Qu'est-ce que c'est?» demande le Président.

Chacun le regarde, stupéfait de constater qu'il puisse ignorer de quoi il s'agit. Mitchum le renseigne:

«C'est un phénomène qui devrait se produire – certaines expériences menées dans le Pacifique le prouvent – si une explosion nucléaire avait lieu à très haute altitude. Les rayons gamma dégagés par l'explosion rencontreraient les électrons de l'atmosphère supérieure, et dans la collision les électrons s'en trouveraient accélérés. Lorsqu'ils atteindraient le champ magnétique terrestre, les électrons engendreraient des flux électriques dont la puissance atteindrait 5 000 volts au mètre, cet effet s'étendant sur des centaines de kilomètres. Une seule explosion de dix mégatonnes, à une altitude de 400 kilomètres au-dessus du territoire américain, serait capable de détruire complètement tous les systèmes de communication et équipements électriques du pays.

— Quelle est la parade? demande le Président atterré.

— Il faudrait pouvoir infliger la même chose à l'ennemi, mais pour cela nous devrions avoir quelqu'un en orbite pour le faire, car au sol nous serions complètement démunis.

— Et les sous-marins?

— Ils ne lanceront de missiles que s'ils en reçoivent votre ordre, suivi du code, et dans le cas que nous évoquons, vous seriez incapable de communiquer d'ici au Capitole.

— Ne pourrions-nous pas expédier tout de suite une navette pour parer à cette hypothèse?

— Ce serait certainement inutile, déclare Steelman. S'ils voulaient faire cela, la navette serait certainement anéantie sur-le-champ par un rayon à particules, comme ils en possèdent à Saryshayan, ou par un satellite tueur comme les *Cosmos 1379* ou *1381*, qui sont pour eux l'équivalent de nos deux escadrons anti-satellites basés à Langley. Nos services de renseignements font également état d'un premier véhicule spatial de combat de vingt tonnes.

— Que pouvons-nous faire alors?»

Steelman a l'un de ses sourires glacials à figer une nappe de plomb en fusion.

«L'idéal serait que nous soyons les premiers à envoyer cette bombe.»

Le Président s'insurge:

«Il n'en est pas question! Nous ne devons pas porter le premier coup.

— Je suis d'accord avec vous.

— Peut-être que nos prédécesseurs auraient dû écouter la proposition de la G*eneral Electric*, songe tout haut Dave Fawcett.

— Qu'est-ce que c'était? demande Matt Vaughan.

— Une idée un peu farfelue de leur département des véhicules spatiaux, qui aurait consisté à faire exploser un chapelet de bombes H derrière l'un des astéroïdes qui gravitent entre Mars et la Terre, pour ensuite diriger ce projectile d'un nouveau genre vers le sous-continent soviétique. Les rares survivants, croyant à une catastrophe naturelle, n'auraient pas l'idée de lancer leurs missiles de riposte en représailles.

— C'est faisable?» s'enquiert le Président.

Fawcett hausse les épaules:

«Les spécialistes de la tectonique ne sont pas d'accord sur les conséquences. Peut-être serions-nous balayés ensuite par un raz de marée ou ensevelis sous un séisme grandiose.»

Au même instant, le téléphone du Président clignote. Rose Hataway le prévient que le Premier ministre suédois est en ligne.

Ils ne parlent pas longtemps; pourtant le Président arbore un grand sourire quand il repose le combiné.

«Le Premier ministre suédois vient de m'informer que son pays demeurait neutre mais que si, toutefois, les Soviétiques se manifestaient sur son sol, dans son espace aérien ou même dans ses eaux territoriales, il serait contraint d'adopter une attitude défensive et pourrait autoriser l'OTAN à évoluer sur son territoire.

— C'était prévu, fait Steelman.

— Oui, mais ça fait toujours plaisir de se l'entendre confirmer. Bien! si nous nous occupions maintenant de ce que nous allons faire de nos deux millions de militaires et du million de réservistes. Il va bien falloir prouver que nous n'avons pas dépensé 1 000 dollars par habitant pour rien pendant toutes ces années.»

Steelman pianote sur son clavier et une carte détaillée apparaît sur son moniteur. Il s'agit des côtes de l'Arctique et de l'Est sibérien.

Chacun se met en code réseau et la carte apparaît sur tous les moniteurs. Steelman appelle un fichier, qui introduit sur la carte apparue précédemment des légendes graphiques indiquant les positions stratégiques. Il va ensuite se poster derrière le Président, pour lui expliquer comment interroger l'ordinateur sur des stratégies éventuelles.

«Voyons comment nous allons appliquer l'opération SAND-WICH!» lance le chef d'État, agité comme un enfant devant son premier jeu vidéo.

COLORADO SPRINGS, COLORADO, U.S.A.

Bessie King inspecte, dans le miroir de sa loge, sa longue robe de lamé blanc. Satisfaite, elle quitte la pièce et se dirige vers la petite scène du *Mississippi Bar*. L'auditoire est le même que d'habitude: toujours le même gros pourcentage de Noirs, principalement de l'*USAF Academy*, et aussi quelques Blancs qui, pour diverses raisons, se sont ralliés à la musique négro-américaine – la vraie – le soul, directement issu du gospel, qui a vu le jour, au début du XIXe siècle, dans les plantations du Sud et s'est développé durant les cinquante dernières années d'esclavage.

Dans une lumière bleue tamisée par la fumée des cigares et cigarettes, au milieu des applaudissements de ceux qui l'ont déjà entendue, Bessie entame son tour de chant par *Don't cry Motherland*. D'abord un vibrato appuyé, soutenu par le saxo ténor. Le rythme lent et profond, qui ne peut laisser indifférent, brusquement devient swing alors que les synthétiseurs accompagnent le refrain. Le rythme lent et massif du début appelle d'abord les sentiments les plus nobles, avant d'atteindre tous les muscles du corps et de leur imprimer les mouvements propres au swing. Le morceau parvient à toucher autant l'esprit que les tripes. Au pouvoir émotionnel d'une Mahalia Jackson, Bessie allie le style plus enlevé d'une Sister Rosetta Tharpe. Bien sûr, les sonorités ont changé depuis l'époque de ces grandes dames du soul mais l'esprit, lui, reste toujours identique.

Elle attaque maintenant *When the Saints*, un autre spiritual, surtout connu dans le répertoire du jazz. Bientôt, toute l'assistance est debout et frappe des mains.

Installé près de la scène, Karl Heidegger, qui tient un cabaret non loin de la base américaine de Mutlagen en RFA, la trouve tout simplement merveilleuse.

«Ça, c'est du vrai jazz!» fait-il à l'adresse d'un lieutenant installé à la table voisine.

— Ce n'est pas du jazz.»

L'Allemand regarde le militaire comme si ce dernier se moquait de lui:

«Qu'est ce que c'est?

— Du soul.

— Quelle différence?

— Le jazz, d'abord lié aux endroits louches, est issu d'un

mélange de blues, qui est une version profane et plus désenchantée du gospel où s'expriment les misères du peuple noir américain et du gospel lui-même. Certains grands jazzmen ont beaucoup puisé dans le répertoire spirituel. Le soul aujourd'hui est une transposition plus profane du gospel. Il a ses grands noms comme Charlie Mingus, Donald Silver ou, plus récemment, Ray Charles ou Aretha Franklin, qui par erreur sont souvent associés au jazz.»

Heidegger, qui n'est pas sûr d'avoir tout compris des explications, incline la tête:

«Quoi qu'il en soit, c'est très bon.»

Bessie, qui sait comment réchauffer un auditoire, interprète une version bien personnelle de *What I say*, où le public doit pousser des «hein» et des «ho».

Elle termine la première partie de son spectacle et s'apprête à rejoindre sa loge, quand elle est interceptée par Heidegger, qui lui demande de venir à sa table.

«Vous êtes formidable! lui dit-il dans un anglais un peu cassé. Je voudrais vous engager.

— Quel genre d'établissement dirigez-vous?

— Mon cabaret est le lieu de prédilection des militaires de la base de Mutlagen.

— Intéressant! fait Bessie dont le regard vient de s'allumer.

— Vous connaissez l'Allemagne?»

Elle secoue la tête en riant:

«Non, juste Beethoven et Herbert von Karajan. En fait, je n'ai jamais quitté le territoire des États-Unis, sinon une fin de semaine pour un récital à Acapulco, au Mexique.

— Eh bien, si cela vous tente, vous pouvez être avec moi demain dans l'avion de la *Lufthansa*.

— Demain?

— Oui, mon séjour ici tire à sa fin. J'étais venu rendre visite à ma sœur, qui a épousé un rancher des environs.

— C'est rapide comme départ, je dois encore donner plusieurs soirées dans ce cabaret.»

Bessie ne sait plus que penser: elle rêve depuis toujours d'aller en Europe mais, d'un autre côté, elle a un contrat à respecter qui, même s'il n'est que verbal, n'en a pas moins de valeur à ses yeux. Elle a trop vu, dans son métier, des bris de parole, et elle ne veut pas manger de ce pain-là sous le prétexte qu'elle est une artiste.

«Quelles seraient les conditions? s'informe-t-elle néanmoins.

— Les frais de voyage aller et retour à ma charge; là-bas, vous seriez logée gratuitement dans un bon hôtel et je vous offre cent dollars par soir, cinq soirs la semaine.

— Et la durée de l'engagement?

— Un mois pour commencer mais je suis certain que nous pourrons prolonger bien au-delà.

— C'est vraiment ennuyeux, j'ai dit au patron du *Mississippi* que j'étais disponible.

— Vous n'avez qu'à lui dire que vous lui remettrez les soirées à votre retour. Voulez-vous que je lui parle?

— Ma foi, je veux bien.»

Heidegger se lève et va demander le patron au bar. Bessie voit le barman lui indiquer la porte de l'office.

Quand il revient vers elle, il arbore un grand sourire:

«Tout est arrangé avec votre patron, dit-il. Il ne reste plus que votre décision. Avez-vous un passeport?

— Depuis des années. J'attends toujours une occasion comme celle-ci.

— Je crois comprendre que vous êtes d'accord?

— Je le suis.

— Vous m'en voyez ravi. Vous allez faire un malheur en Allemagne.»

Il réfléchit une seconde:

«Je vous attendrai demain matin, à dix heures, à l'aéroport où nous prendrons vos billets pour New York et, de là, pour l'Allemagne.

— Il y aura de la place?

— Ce serait bien le diable s'il n'y avait pas un siège de libre.»

Bessie s'imagine déjà visitant Berlin, Rome, Paris, les châteaux de la Loire, et, pourquoi pas, aller jusqu'au bout de son rêve? en Grèce.

«Il sera dit que je devrai toujours chanter pour des militaires.

— C'est un bon public.

— Rien à redire. En fait, ce sont bien souvent les derniers hommes avec un grand H, dans une société qui s'entête à rejeter les valeurs viriles. Je n'ai pas encore trouvé ce qu'il y avait de tordu, chez un homme, à vouloir protéger une femme ou à défendre ses idées et sa liberté, par la guerre s'il le faut.

— La guerre?

— C'est bien souvent la soupape de sécurité d'une société qui s'ennuie. Je suis d'une génération qui ne l'a pas vraiment connue, et la décadence est notre seule récolte. Les jeunes ne meurent plus sur les champs de bataille mais dans la poubelle des avorteurs. Ceux qui sont morts à la guerre auront quand même eu le temps de vivre leur jeunesse. Le plus beau de l'existence.

— Il doit quand même y avoir d'autres solutions que la guerre.

— C'est sûr! Nous pourrions, par exemple, reporter tout notre instinct de compétition sur la conquête spatiale. À qui Titan! À qui Mars! Cette compétition-là serait constructive.»

L'Allemand éclate soudain de rire:

«J'ai bien l'impression que si vous étiez un homme vous seriez certainement du type macho.

— Et alors? macho ou masculin, quelle différence? Ne me parlez pas de toutes ces tapettes qui sont en train de transformer notre pays en réplique de la Rome de Néron. Regardez le Vietnam: une sale guerre à ce que disaient les médias. À croire qu'une guerre puisse être propre! Aujourd'hui, les médias d'information s'appliquent à flatter nos instincts les plus vils, comme la trouille ou la tolérance envers les pervers. Ces mêmes médias ont réussi à nous faire croire que l'entreprise au Vietnam était immorale; mais ce qui est immoral, c'est d'avoir laissé la gangrène s'installer dans cette partie du monde. Regardez ce qui s'est passé ensuite au Cambodge quand nous sommes partis.

— Les médias sont le reflet de notre société.

— Mais non! La société est un troupeau. Si on lui dit «vive le cul», elle criera «vive le cul». Le tout serait de savoir qui exactement a circonvenu les médias, mais si vous voulez parier, moi je dirai que c'est une confrérie de pseudo-intellectuels dont la seule science est celle de la jouissance. C'est pour cela qu'ils louchent vers la gauche, les homos, ou le rejet des valeurs fondamentales. Le contraire demanderait du caractère. Une denrée fort rare de nos jours. Tout ça explique la puissance de la presse aujourd'hui: ils colportent l'idée de la jouissance qui ne peut que plaire au peuple. Comme à Rome, du pain et des jeux; le reste, on s'en fout.

— À ce que je vois, vous ne faites pas juste chanter, vous réfléchissez aussi.

— Ce n'est pas incompatible, malgré ce que certains peuvent en penser. Comme tout le monde, j'ai fait des bêtises et j'en tire mes conclusions.

— Est-ce indiscret de vous demander quelles sont ces erreurs?

— Rien que de très banal: j'ai cru à la femme nouvelle et je suis seule, j'ai cru au sexe et je suis seule, j'ai cru à la paix et je ne vois plus d'amour. Bref, lorsqu'on pense en fonction de sa petite personne on reste seule. Terriblement seule.

— C'est quand même curieux de vous entendre plaider en faveur de la guerre.

— Oh non! vous vous trompez ou je me suis mal expliquée. La seule chose que j'aie voulu dire est que dans l'état actuel de l'humanité, si la guerre devient inévitable, il ne faut pas s'enfermer dans le raisonnement qu'elle est inhumaine et la rejeter. Il faut la faire. L'homme n'a pas beaucoup changé depuis 1940: imaginez ce qui se serait produit si, à cette époque, nous avions dit que la guerre était trop moche pour la faire.

— Je suis assez mal placé pour vous répondre.»

Elle réalise brusquement qu'elle s'adresse à un Allemand.

«Qu'auriez-vous fait si vous étiez né à cette époque?

— Comme les autres, je suppose.

— Vous auriez suivi Hitler?

— Je crois que n'importe quel peuple aurait suivi et suivra encore aveuglément un personnage qui promettra de l'élever au plus haut niveau.

— Même si cela implique les horreurs qui se sont produites?

— Qui était vraiment au courant?»

Elle a un mouvement de lassitude morale:

«L'Allemagne au complet, je crois. Coupable tout au moins de ne pas avoir voulu regarder.»

Elle consulte sa montre.

«Oh! ça va être l'heure de remonter en scène, ajoute-t-elle.

— Avec joie!»

Pour lancer sa deuxième partie, elle déroge du style soul et interprète *I'll be Thunder*, rendue célèbre par Tina Turner.

La mélopée rock ne peut manquer d'accrocher les auditeurs, qui se suspendent à ses lèvres.

I'll be thunder
You'll be lightning
And we'll collide on dry land...

Bessie met toutes ses émotions dans sa voix et les mots deviennent images. Celle de Jonathan Yeager se profile un instant dans sa tête, elle en souffre pendant qu'un tonnerre d'applaudissements retentit à la dernière note.

La chanson suivante parle d'une petite chapelle perdue dans le ghetto d'une grande ville du Nord. Les paroles lui rappellent son enfance à Chicago, où son arrière-grand-père, musicien de *spasm bands*, a immigré en 1917, quand les autorités de la Louisiane ont fait fermer Storyville. Elle se souvient très bien du petit temple où la communauté noire se réunissait tous les dimanches. Pendant une heure ou deux, chacun oubliait la rue, la misère, les rapines et l'envie, pour glorifier l'ami qui demeurait leur seul et unique espoir: Jésus. Quand le pasteur levait les bras, hommes, femmes et enfants se regroupaient au centre de la salle, pendant que le *Spirichie* inondait l'atmosphère. Tous commençaient à marcher en rond, d'abord normalement, puis en frottant les pieds sur le plancher les uns derrière les autres. Progressivement, les mouvements devenaient de plus en plus saccadés, jusqu'à ce que les corps soient entièrement secoués par le rythme et comme habités d'une seconde nature qui amenait tous les participants vers un état de communion quasi extatique, que seuls pouvaient procurer la musique, les chants et la certitude d'être en présence de ce sauveur qui les aimait tant.

Emportée par ces réminiscences, Bessie communique son atmosphère intérieure à la salle, et chacun se lève une nouvelle fois pour prendre le rythme avec la tête, les pieds et les mains.

Karl Heidegger, lui, frotte les siennes: il est certain de faire de bonnes affaires à Mutlagen.

L'ambiance est en train de tourner au délire, quand des MP entrent dans l'établissement. Ils ont ordre de renvoyer tous les militaires vers leurs affectations.

CEDAR FALLS, IOWA, U.S.A.

La légende dans le bas du petit écran annonce:
QUELQUE PART DANS LE FUTUR
Le jeune garçon doit avoir huit ou neuf ans. Gilet de coton rayé, jeans, *running shœs*, il porte des cheveux blonds un peu longs et son franc regard bleu attire immédiatement la sympathie.

C'est l'heure du petit déjeuner: l'horloge au mur de la cuisine, qui indique sept heures, le signale. Il vient de se lever et s'emploie à ouvrir toutes les portes des placards de la cuisine.

«Où sont les *Corn Flakes*? demande-t-il à sa mère, occupée à presser des oranges.

— Il n'y en a plus.

— Et tu n'en a pas acheté?

— Il n'y en a plus dans les magasins.

— C'est pas possible qu'il n'y ait plus de *Corn Flakes*!

— Notre pays a dû vendre toutes les céréales aux Russes pour empêcher qu'ils ne meurent de faim. Nous avons gardé l'essentiel.

— C'est à cause des Russes s'il n'y a plus de *Corn Flakes*?

— À cause de leur gouvernement, Jim.

— Mais on ne peut pas vivre sans *Corn Flakes*!»

L'annonce publicitaire s'achève sur cette remarque et, sur fond de boîte de céréales, les mots en lettres rouges:
ET SI CELA ARRIVAIT...

John Adams, les jambes étendues sur le divan du salon, serre une canette de bière vide entre ses doigts.

«Ben merde! s'exclame-t-il. Si les cocos s'imaginent qu'on va se priver pour eux autres...

— C'est juste une réclame», l'amadoue Gail qui feuillette *Esquire* dans le fauteuil en face de lui.

John ne désarme pas: quelque chose, il ne sait quoi, le met en rogne.

La bande-annonce terminée, le film reprend: *Amerika*, une reprise condensée d'un feuilleton qui a connu ses heures de gloire quelques années plus tôt. Entièrement filmé dans un décor grisâtre, conforme à l'idée véhiculée sur les pays de l'Est, avec souvent en premier plan des arbres morts aux branches tordues et, comme toile de fond, de pauvres hères regroupés dans de sombres terrains vagues et se réchauffant autour d'un feu malingre. Le film se veut une préfiguration de ce que deviendraient les États-Unis, advenant une occupation soviétique. L'ensemble peut paraître désolant, mais si l'objectif est de créer une répulsion au simple mot «Russe» c'est une réussite totale.

John Adams hurle en voyant un commissaire du Kremlin se promener en limousine devant le Capitole, où flotte le drapeau rouge.

«Les salauds! Jamais!»

Gail, qui a posé sa revue, l'approuve. Au cours de la même journée, elle a vu un vieux reportage sur Soljenitsyne, un film en noir et blanc des années 50 sur la fin des Romanovs, un entretien sur la tornade, imputée aux Soviétiques, qui a ravagé les marchés boursiers, un vieux reportage sur le massacre des cétacés par les baleiniers russes, les nouvelles principalement axées sur le renversement à Oman, des messages publicitaires brusquement renouvelés, et maintenant ce film.

«Ça ne serait pas drôle si ça devait arriver», fait-elle à son mari.

Celui-ci secoue brusquement la tête:

«Nous nous défendrons jusqu'à la mort avant que ça n'arrive.

— Tu crois? J'ai lu quelque part que les deux tiers des personnes interrogées préféreraient un régime communiste à une guerre nucléaire.

— Pas moi! Plutôt crever que de vivre ça.

— Ce serait la fin du monde.

— J'imagine qu'il restera bien un homme et une femme quelque part pour perpétuer l'espèce, et je t'assure qu'ils n'auront pas l'idée d'instaurer un régime communiste.

— Moi, je ne suis pas intéressée à mourir ni à vivre sous l'hégémonie russe.»

Adams regarde sa femme avec un brin de paternalisme et de condescendance.

«Il faudra pourtant faire le choix un jour.

— Oh! je suis bien aise que d'autres feront ce choix pour moi.»

RIO DE JANEIRO, BRÉSIL

Allongée sur la paillasse qui lui sert de lit, Trinidad ne trouve pas le sommeil. Elle a beau se tourner d'un côté ou de l'autre à la recherche d'une position qui pourrait lui apporter le repos, rien n'y fait. L'image de son père les quittant avec son baluchon sur le dos ne cesse de la hanter. Autour d'elle, toute la famille dort profondément, à en juger par le rythme des respirations. Ses frères n'ont pas fait grand cas du départ de leur père. Ils ont simplement assuré Clarice qu'ils ramèneront de quoi vivre. La petite fille ne peut s'empêcher de penser à ce que son père lui a dit à propos de Rosa, juste avant de la quitter. Sa grande sœur est justement passée dans la soirée. Il y a un certain temps qu'ils ne l'avaient pas vue, et elle a beaucoup changé depuis sa dernière visite. Ses beaux cheveux sont tout ternis, sa peau ressemble à celle des gens âgés, ses joues sont toutes creuses et ses yeux, qui semblent démesurés, brillent d'un éclat sinistre.

«Es-tu malade? lui a demandé Clarice.

— Juste un microbe, ça va passer.»

Trinidad, malgré sa jeunesse, a déjà vu des gens qui ressemblaient à Rosa. Ils étaient tous morts, peu après.

Avant de partir, la sœur aînée a laissé un peu d'argent, et Trinidad a vu sa mère se mordre les lèvres et essuyer furtivement ses yeux.

Un vent qui vient de l'océan charrie des odeurs lourdes: l'iode de la mer, les épices de la côte, les parfums des femmes d'Ipanema, le mazout du port, l'échappement des automobiles, les cuisines de la ville et les égouts de la favela. Pour la première fois de sa vie, Trinidad tente d'analyser tout cet air chargé qui vient la caresser dans l'obscurité moite.

Agacée de chercher un sommeil qui ne veut pas venir, elle se lève, enfile sa petite robe blanche de tous les jours et sort dehors. Grimpant sur un vieux baril à côté de l'habitation, elle s'en sert comme appui pour atteindre le toit de tôles ondulées sur lequel elle s'assoit face à l'horizon.

Elle peut voir la ville qui s'étale sous elle, un peu comme si elle se trouvait dans la plus haute rangée d'un amphithéâtre. Des lumières multicolores clignotent dans la demi-teinte nocturne; d'autres, celles des navires croisant au large, se déplacent dans l'obscurité sur une ligne imaginaire entre le ciel et la terre. Trinidad s'amuse à penser que ce sont des esprits ou des anges qui profitent de ces instants magiques pour se promener. Elle se demande si l'atmosphère bien spéciale de la nuit est le fruit du sommeil des hommes. Comme si l'activité de la journée et l'esprit en éveil de chacun empêchaient de mieux saisir le monde et les choses.

Elle se sent bien et, les yeux fixés vers ce qui doit être les beaux quartiers, elle a brusquement une vision qui la fait frissonner, non de froid mais de l'envie et de la quasi-certitude de l'atteindre, qu'a fait naître en elle une fugitive illumination. Comme si soudainement des œillères lui étaient tombées des yeux, elle entrevoit ce que pourrait être la vie, ailleurs que dans la favela. Un monde où sa maison, au milieu de fontaines scintillantes, de fleurs ensorcelantes et d'arbres aussi vieux que mystérieux, serait faite de pierres blanches, de tuiles ocre et de céramiques bleu turquoise. Sa chambre, à elle seulement, s'ouvrirait sur un parc émeraude, qui s'étendrait vers des brisants auxquels l'océan se marierait dans des tourbillons d'écume. Le soleil diffuserait des rayons tendres et lumineux dans les grands rideaux de tulle blanc, qu'une brise légère et odorante agiterait soyeusement. Ses murs de pierres blanches comme le sable des îles, accumuleraient la chaleur du jour et renverraient la fraîcheur stimulante des matins roses. Chaque pierre chuchoterait, pour elle seule, la grande histoire du monde brûlant qui les a engendrées. Elle les écouterait longue-ment, paresseusement étendue sur le grand lit à baldaquin de bois sombre, dur, noueux comme les membres des vieillards. Son corps flotterait dans les draps de fin coton brodé qui sentiraient bon la lavande, tandis que sur la maison, le ciel pervenche et bienveillant accueillerait les oiseaux colorés et tendrait un voile de douceur.

Un klaxon, un cri ou tout simplement le contact de ses doigts sur la tôle rouillée, la ramène à la réalité brutale de son environnement.

«Je posséderai tout cela un jour!» décide-t-elle.

Autour d'elle, Rio ballotte toujours entre la beauté et la misère, la joie et la souffrance, l'exaltation et le fatalisme, la passion et la luxure. Plus que nulle part ailleurs, s'exacerbe le ballet de la vie et de la mort, sans se soucier de la longue quille noire du sous-marin *Typhoon* qui croise loin au large. Image saisissante d'une vieille sorcière ricanante vêtue de noir et fauchant la vie de sa grande faux aux reflets lunaires.

WRANGEL, MER DE SIBÉRIE ORIENTALE

Mouza Krilov a tout essayé: cuisiner longuement, écrire un poème, travailler avec son ordinateur, nettoyer méticuleusement la pièce; rien n'arrive à entamer l'ennui et la solitude qu'elle ne cesse de ressentir. Elle a même tenté une sortie mais est rentrée au bout de trois minutes, non pas tant à cause du froid que de l'environnement: hostile, implacable, sans aucun rapport avec ce qu'elle est. En esprit, elle l'a doté d'une aura maléfique, même si elle comprend que ce n'est rien d'autre qu'un monde minéral sans vie. À l'intérieur de son refuge, la tête sous les couvertures, elle a parfois l'impression que le paysage extérieur n'est que le regard mauvais d'un diable, auquel on ne lui a pourtant pas appris à croire. Elle se met alors à chanter à tue-tête, la voix entrecoupée de sanglots.

Son sommeil est très mauvais, elle se réveille sans arrêt, croyant entendre le bruit des pales d'un hélicoptère. La plaisanterie a assez duré, on vient la chercher. Ce n'est que le bruit du vent.

Il n'y a que vingt-quatre heures qu'elle est là et, pourtant, elle jurerait que des semaines ont passé.

Allongée sur son lit, paupières fermées, elle a jeté ses vêtements en tas dans un coin. Essayant, en imagination, de faire apparaître un homme très beau et très fort, un homme qu'elle aimerait, elle a posé une main sur son sein droit et le caresse longuement, pendant que ses autres doigts glissent, avec hésitation, vers sa toison. Mais l'image de l'homme ne veut pas apparaître. Découragée, honteuse et remâchant son chagrin, elle se recroqueville sur son flanc et ramène ses genoux sous son menton.

Elle s'est endormie dans cette position, quand deux heures plus tard, des coups retentissent à la porte. Elle se redresse brusquement, se demandant si elle n'est pas encore la proie d'une illusion. De nouveau, les coups se font entendre.

«Voilà!» s'écrie-t-elle presque joyeuse en sautant de son lit et enfilant rapidement une chemise.

Le temps de passer de son lit à la porte, elle s'est demandé si elle n'avait pas affaire à un ours polaire, puis a écarté cette possibilité.

Deux personnages emmitouflés dans des fourrures retournées se tiennent sur le seuil. Elle ne peut en distinguer les visages, à cause des immenses capuchons qui leur recouvrent la tête. L'un d'eux s'exprime dans une langue qu'elle ne connaît pas. Elle fait signe qu'elle ne comprend pas et les invite à entrer.

Une fois à l'intérieur, ils retirent leurs capuchons et Mouza découvre un homme et une femme aux traits mongoloïdes. Des visages totalement dénués d'expression, qui l'observent sans paraître la voir. De nouveau l'homme parle et, encore une fois, Mouza, manifeste qu'elle ne comprend pas. L'homme hausse les épaules, puis lui et sa compagne font longuement le tour de la pièce comme des locataires visitant un nouvel appartement. Apparemment satisfaits de leur inspection, il retirent leurs gros parkas et s'installent, sans plus de préambule, dans les deux fauteuils près du poêle. Mouza, qui ne sait que penser, s'assoit sur le bord de son lit en attendant qu'il se passe quelque chose.

Il ne se passe rien, ses deux visiteurs restent dans leurs fauteuils sans dire un mot. Mouza conclut qu'ils veulent se réchauffer.

Au bout d'un long moment, la femme se lève et va fouiller dans les provisions puis dans la vaisselle. Ayant trouvé ce qu'elle cherche, elle entreprend de faire du thé. Elle prépare deux tasses et revient s'asseoir auprès de l'homme.

«Vous pouvez vous faire à manger», dit Mouza.

Son offre demeure sans réponse. Elle a l'impression qu'ils ne la voient même pas.

Le temps passe et les deux Tchouktches ont l'air d'avoir élu domicile. Ils se sont préparé à manger sans s'occuper de leur hôtesse bien involontaire. Elle observe leurs visages couleur de terre cuite, sillonnés de profondes rides ou plutôt de crevasses. Leurs lèvres sont charnues et leurs paupières ne s'entrouvrent que par une mince fente, où brillent des prunelles aussi noires que du charbon. Leurs intentions n'ont pas l'air mauvaises, ni bonnes non plus.

Mouza commence à douter qu'ils puissent seulement en avoir.

Elle a besoin d'une présence humaine et ces deux-là se comportent comme si elle n'existait pas. Qui plus est, une certaine angoisse vis-à-vis de leurs intentions s'installe en elle. Les actes de ces gens ne semblent répondre qu'à la survie. Que feront-ils s'ils la jugent encombrante?

Le temps passe; il devient évident qu'il n'y a plus rien d'autre à faire que de se coucher. Les deux visiteurs repoussent les fauteuils et, sans plus de formalités, s'allongent à même le sol près du poêle. Mouza va éteindre les lumières et revient se coucher dans son lit. Elle se demande combien de temps ils comptent rester. Elle ne sait que penser: d'une certaine façon ils lui font un peu peur et, d'un autre côté, même s'ils ne s'occupent pas d'elle, ils rompent sa solitude. Remuant toutes ces questions dans sa tête, elle les entend bientôt ronfler bruyamment. Cela la rassure et elle finit par s'endormir elle aussi.

***

La lumière que l'homme vient d'allumer la réveille. Elle constate par la petite fenêtre au-dessus de l'évier que le jour se lève. La femme va faire chauffer de l'eau et apporte une tasse de thé à Mouza, qui la remercie. La femme la regarde quelques secondes. Mouza croit discerner un sourire sur les lèvres charnues et une marque de sympathie dans ce qu'elle peut voir des prunelles.

Ayant déjeuné, le couple s'habille puis, comme il est venu, passe la porte et disparaît.

Mouza se retrouve seule. Le sifflement lugubre du vent, qu'elle a oublié depuis la veille, se fait de nouveau omniprésent et elle ressent, malgré la chaleur de son refuge, le froid mortel de l'extérieur.

Elle se prend à regretter ses visiteurs et se persuade qu'elle aurait mieux fait de les suivre. Leur existence doit bien avoir un sens.

Un raz-de-marée de découragement la submerge. Une fraction de minute, l'idée d'en finir lui vient à l'esprit. Épouvantée par ce qu'elle ressent, elle saute du lit et entreprend de faire des exercices physiques. Il ne faut pas que cette idée-là lui revienne. Jamais.

Pourtant, le poison est maintenant en elle et entreprend insidieusement d'éroder son goût de vivre, dissolvant sans merci ce qui lui reste d'espoir. Un seul obstacle subsiste: la peur de l'inconnu. Tiendra-t-il encore longtemps? Ce qu'elle vit ne ressemble-t-il pas à la mort?

MOSCOU, U.R.S.S.

Le troisième étage du grand immeuble situé au 26, avenue Koutouzov, est entièrement réservé aux appartements privés du Secrétaire général.

Ce dernier a pris la décision de se délasser quelques heures, avant le départ pour la mer d'Aral. Dans vingt-quatre heures, l'immeuble qui abrite à Moscou toute la haute direction du Politburo sera déserté de ses occupants.

Le Secrétaire général et le Président des États-Unis ont, ce qu'ils ignorent, une passion commune: les romans de science-fiction. Plus encore, un auteur préféré dans ce domaine: Arthur C. Clarke. La seule différence est que si les goûts du Président vont plutôt vers les œuvres plus techniques du savant britannique, telles: *Rendez-vous avec Rama* ou *Les Fontaines du Paradis*, ceux du Secrétaire général privilégient les récits où l'accent est mis sur des comportements de sociétés futuristes, comme *Chants de la Terre lointaine* ou *Les Enfants d'Icare*, dont la surprenante conclusion l'a amené à se poser les inévitables questions sur le devenir et l'aboutissement de l'évolution humaine.

Deux heures plus tôt, confortablement installé dans une chaise longue dessinée par Michel Breuer et qu'il a lui-même choisie, il a commencé *La Cité et les Astres*. Maintenant, la tête pleine de nouvelles interrogations, il repose le livre sur une petite table basse en bois lamellé et ployé. Le livre décrit une société humaine évoluant dix mille siècles plus tard. Une société où tout est parfait. Pourtant, le lecteur, tout comme le personnage principal, qui est un marginal, ressent un malaise. Tous ces siècles pour en arriver à cette société parfaite, mais toujours sans joie véritable. À quoi bon?

L'idée que le Secrétaire général se fait de l'âge d'or communiste ressemble fort à ce que décrit Clarke dans la cité utopique de Diaspar. Au niveau le plus haut, statut identique pour chaque être humain, disposant de tout ce dont il peut avoir besoin, le travail étant accompli par des machines; les hommes, assurés d'une longévité quasi perpétuelle, ne sont plus occupés que par les arts et le plaisir des sens.

Le malaise éprouvé par le Secrétaire général s'explique par le fait qu'il ne voit pas la finalité de la chose. Il essaye bien de se persuader qu'elle n'est pas nécessaire; pourtant, une voix, au plus profond de lui, demande à quoi tout cela aura servi, quand l'Univers sera retombé sur lui-même. Ce n'est pas pour demain, bien sûr, mais cela touche directement à la notion du pourquoi de l'existence.

Se peut-il qu'il y ait autre chose que la matière? Il voudrait répondre par la négative à cette question, sans y parvenir réellement.

«Il faut croire, s'efforce-t-il de conclure hâtivement, que la matière engendrera quelque chose qui assurera la continuité de ce qu'elle a commencé. Il le faut, sinon je suis dans l'erreur.»

Il reprend son livre mais, au bout de quelques pages, la grande question s'impose de nouveau à lui.

Au malaise vient s'ajouter une peur confuse. Féru d'histoire, il a toujours cru que l'histoire humaine, essentiellement peuplée de guerres et de batailles, est un combat de la bonne cause contre la mauvaise. Il y a toujours un antagoniste qui semble défendre le bien. Si ce qui se prépare en ce moment est, comme il le croit, une bataille de la Vérité contre l'obscurantisme, représente-t-il vraiment la Vérité? Jusqu'à présent, il n'en a jamais douté; pourtant, cette simple histoire de science-fiction sème une crainte dans son esprit. Il n'a aucun doute sur les vertus du socialisme; ce qui le trouble, c'est l'idée, nouvelle pour lui, que la matière considérée comme unique peut mener à une impasse sans retour.

Que peut-il y avoir d'autre? Les religions, sous toutes leurs formes, ne sont pour lui que contes pour attardés. Ce n'est pas logique.

L'homme ne peut être une entité propre appelée à l'existence afin d'y subir un examen de passage en vue, ultérieurement, de se fondre dans un esprit immatériel. Chaque individu n'est que le maillon d'une chaîne dont le but final est de s'assurer l'immortalité et la connaissance. Croire à la première hypothèse relève d'un pari stupide.

Son épouse, femme de caractère à l'esprit vif et ayant sur lui une influence impossible à contester, entre dans le salon et vient s'asseoir en face de lui.

«Tu as l'air bien songeur? remarque-t-elle.

— Beaucoup de préoccupations», dit-il, chassant brusquement les pensées qui l'assaillent.

Sachant tout ce qui se prépare, elle fait signe qu'elle comprend:

«Tout est prêt pour le voyage, annonce-t-elle. Je me demande

259

combien de temps nous resterons là-bas.

— C'est une question à laquelle je ne peux te répondre. Tout dépendra de la réaction américaine.

— Crois-tu encore qu'ils puissent riposter en ayant recours aux armes nucléaires?»

Il pousse un profond soupir:

«Je ne le croyais plus jusqu'à il y a quelques minutes.

— Qu'est-ce qui a changé?

— Je viens de réaliser que nos deux blocs défendent une conception bien différente de l'existence.

— Tout le monde a besoin d'un toit sur la tête et de pain sur la table. Tout le monde veut vivre.

— Pour beaucoup d'Occidentaux, et même si cela ne paraît pas, la vie correspond à une épreuve à passer en vue d'obtenir un paradis *post mortem*. Pour nous, c'est un devoir envers la réalisation de l'épanouissement humain en ce monde.»

Elle croise les jambes et son mari constate combien elle est encore attirante et élégante dans son tailleur *Yves Saint-Laurent*. Elle n'a pas l'air d'endosser les propos de son mari:

«À voir agir les Occidentaux, je crois que tu te leurres sur leurs motivations. Ce qui les intéresse, comme tout le monde, c'est de participer au maximum des plaisirs de l'existence. Il n'y aura pas beaucoup de saints dans les lignes ennemies. De toute façon, les saints sont pour la non-violence.

— Tu as peut-être raison, je me suis laissé aller à des réflexions trop profondes pour qu'elles aient une signification dans le domaine temporel.»

Elle éclate de rire, ce qui ne fait qu'accentuer de légères pattes d'oie autour de ses yeux.

«Tu penses trop! Tout ce qui importe, c'est de gagner. Quand nous aurons vraiment le pouvoir sur le monde, il sera toujours temps de penser quelle direction lui donner si la nôtre n'est pas la bonne, ce qui m'étonnerait.»

La conversation est interrompue par la sonnerie du téléphone, posé à côté du livre sur la table basse. Le Secrétaire général décroche et reconnaît la voix du ministre des Affaires étrangères, Tikhonov:

«Camarade Secrétaire général, nous avons un nouveau problème du côté des Chinois.

— Que se passe-t-il?

— Le Vice-président américain vient d'obtenir d'eux un traité de non-agression mutuelle et d'assistance en cas de conflit.»

Un rictus de désappointement tord les lèvres du Secrétaire général:

«Est-il possible d'évaluer avec justesse la portée du traité d'assistance? Sera-t-il tenu?

— Pour répondre un peu à votre question, j'ajoute que les Américains s'engagent à fournir à Pékin des missiles de croisière *Tomahawk*, ainsi que les véhicules TEL qui les accompagnent. Ils ne fournissent pas de matériel nucléaire mais vous savez comme moi que les Chinois le possèdent et qu'ils n'ont pas signé de traité.

— Il se passe quelque chose: je suis certain que les Américains savent ce que nous préparons.

— Il n'y a pas de doute. Ce qui reste étrange, c'est qu'ils n'ont pas l'air de se préparer défensivement.

— Et les mouvements vers l'Alaska?

— Uniquement civils et très difficiles à interpréter. La VIe flotte, qui se dirigeait vers Panama, a brusquement fait demi-tour et paraît regagner la Méditerranée.

— Mais à quoi jouent-ils? Que disent nos informateurs?

— Certains rapports indiquent que le Président et le Conseil de sécurité se sont installés dans les abris du Pentagone.»

Le Secrétaire général a de la difficulté à débrouiller la situation:

«Serait-il possible que, par le plus grand des hasards, ils ne soient pas au courant de nos objectifs et qu'eux-mêmes préparent quelque chose de vilain?

— Une attaque nucléaire massive?

— Par exemple?

— Je crois la chose impossible. Tout comme nous, ils savent ce qui les attendrait en retour. Contre n'importe qui oui, mais pas contre nous.»

Le Secrétaire général réfléchit quelques instants puis prend une décision:

«Faites savoir aux Chinois que pour chaque missile pointé contre nous, nous en alignerons cinq. Il n'y a pas de diplomatie possible avec ces gens-là. Ah! dites aussi aux Vietnamiens qu'ils se tiennent en état d'alerte à la frontière chinoise.»

Tikhonov s'éclaircit la gorge et demande l'autorisation d'émettre une opinion.

«Toutes les idées sont accueillies, camarade.

— Ne vaudrait-il pas mieux remettre toute l'opération à plus tard, en attendant d'y voir plus clair?

— Non! Tout est trop avancé pour reculer maintenant. Si les Américains veulent faire du tourisme en Alaska, je ne vois pas en quoi cela pourrait nous nuire. De toute façon, nous n'y verrons jamais vraiment clair, c'est comme ça depuis 1917.

— Excusez-moi, je suis peut-être trop prudent.

— Il n'y a pas de mal, la prudence n'est pas un défaut, à moins qu'elle ne devienne couardise.»

À peine le Secrétaire général a-t-il raccroché que la sonnerie retentit de nouveau.

«Camarade Secrétaire général?

— C'est moi.

— Ici le colonel Boulkine. Nous avons des renseignements intéressants.

— Si c'est à propos des Chinois, je suis au courant.

— Il ne s'agit pas d'eux mais des émissions télévisées d'Occident, dont la programmation est complètement chamboulée. À longueur de journée, ils diffusent des émissions à saveur nettement anti-soviétique.

— Je viens justement de dire au camarade Tikhonov que j'étais persuadé qu'ils nous attendent de l'autre bord.

— Il n'y a pas que la télévision; dans tous ces pays il y a présentement un nombre tout à fait effarant d'accidents personnels.

— Quels genres d'accidents?

— Circulation, électrocution, chasse, noyade, tout ce que l'on peut imaginer. L'ennui est que tous ces accidents semblent n'atteindre qu'une seule catégorie d'individus.

— Nos sympathisants, j'imagine?

— C'est exact. Journalistes, syndicalistes, politiciens, ouvriers, tout le monde.

— C'est ennuyeux pour nos opérations de sabotage?

— Oui! D'autant plus que nos cibles principales sont maintenant patrouillées, jour et nuit, par des unités de vétérans qui viennent de se mettre en place comme par magie.

— Les cornichons de Curaçao ne pouvaient pas attendre qu'on leur en donne l'ordre?

— Après interrogatoire de nos éléments sur place, il ressort que ce ne sont pas eux les responsables. Les dégâts de Curaçao sont le fait d'un commando arabe.

— Je croyais que nous les contrôlions.

— Pas tous, notamment les Iraniens.

— Les Iraniens ne sont pas des Arabes, camarade.

— J'ai toujours tendance à confondre arabes et musulmans.»

L'Iran est une épine dans le pied soviétique. Pour le Secrétaire général, l'Iran fait le jeu de l'Occident. Même s'ils affirment ouvertement être en guerre sainte contre les Américains, l'incertitude dans le Golfe maintient les prix du pétrole, la montée foudroyante du fanatisme religieux empêche toute percée socialiste, l'abolition d'une monarchie privilégiée a fait taire les courants gauchistes. Le maître du Kremlin soupçonne fort les services secrets de l'Ouest d'y être pour quelque chose, même si cela coûte quelques otages de temps en temps.

Le Secrétaire général change brusquement de sujet:

«Du nouveau sur Smolosidov?

— Rien de concret contre lui, sinon quelques faits irrationnels.

— Comme?

— Aller se promener à l'aéroport sans aucune raison apparente.

— Peut-être aime-t-il les avions?

— C'est ce qu'il dit.

— Et sur le dossier qu'il a constitué?

— Beaucoup plus grave de ce côté: de nombreuses personnes de haut niveau sont impliquées.

— Au Comité central?

— Personne, à part le défunt Poskrebychev qui aurait eu partie liée avec Mao. Même après la rupture de nos relations.

— Pas étonnant.

— La plupart des suspects sont membres de l'armée. Dans la haute hiérarchie.

— Les accusations?

— Elles paraissent tenir debout. Les enquêtes seront longues.»

Le Secrétaire général lève les yeux sur sa femme et lui adresse un petit sourire avant de continuer:

«Nous n'avons pas le temps d'attendre le résultat des enquêtes. Arrêtez-les et envoyez-les où ils ne pourront pas nuire, en attendant de futurs développements. Nous avons peut-être eu tort d'accuser le camarade Smolosidov.

— Devons-nous lui rendre sa liberté?

— Attendons encore un peu. De toute façon si nous nous sommes trompés, le mal est fait.

— Autre chose, camarade Secrétaire général?

— Oui, vous devriez établir un plan pour que les dissidents subissent le même sort que nos amis de l'Ouest. Voyez aussi pour la télévision. Il ne faut pas demeurer en reste.

— Tout a déjà été prévu.

— Avez-vous des nouvelles du bateau pour Haïfa?

— Notre navire est en route. Tout va bien de ce côté-là.

— Parfait! Enfin une bonne nouvelle. Faites en sorte qu'il y soit au plus vite, toute cette attente devient insupportable.»

Ayant raccroché, le Secrétaire général regarde son livre, ouvert à la page où il s'était arrêté. D'un geste brusque il le referme, fatigué de se poser des questions qui ne le mènent nulle part.

«Je le reprendrai quand tout sera fini», songe-t-il.

LOGAR PAKTIA, AFGHANISTAN

Alusia et Hafizullah ont mis toute une journée de marche entre le massacre des deux novices et leur position actuelle. Une autre journée les attend encore avant de rejoindre le village du montagnard. Le décor a légèrement changé. Encore plus sec, plus minéral. L'ombre des montagnes cache le soleil une grande partie de la journée.

Mettant un pied devant l'autre, Alusia avance comme un automate. Elle ne peut s'empêcher de repenser à sa réaction haineuse envers les occupants des hélicoptères. Elle se demande ce qu'aurait été celle de Mère Teresa en pareille circonstance. Est-ce qu'Agnes Gonxha Bojaxhiu aurait éprouvé pareille haine?

La sœur se demande si, en certaines circonstances, un être humain a le droit de prendre la vie de l'un pour sauver celle de l'autre. Elle se rappelle soudain avoir posé la question à un frère de Rome. Il lui avait répondu par une autre question:

«Qu'aurait fait Jésus si, se promenant un soir dans une ruelle déserte de Palestine, il avait rencontré un homme voulant en tuer un autre?»

Alusia avait eu un mouvement d'ignorance. Le frère avait posé des hypothèses:

«Se serait-il sauvé?

— Non!

— Aurait-il assommé l'assaillant?

— Je ne crois pas.

— Aurait-il essayé de parlementer?

— Peut-être, mais si le tueur ne voulait rien entendre?

— Aurait-il continué son chemin comme si de rien n'était?

— J'ai du mal à l'imaginer.

— Si je résume, il ne se serait pas sauvé, il n'aurait pas usé de violence, il n'aurait pas fait l'autruche. Que lui restait-il?»

Alusia avait réfléchi quelques instants avant de hasarder une réponse:

«Peut-être aurait-il offert sa vie en échange.

— C'est ce que je crois.»

Alusia transpose la situation. Si elle en avait eu l'occasion la veille, aurait-elle offert sa vie en échange de celle des novices?

Elle croit pouvoir répondre affirmativement. Oui, si elle avait pu, elle se serait sacrifiée à la place des deux jeunes femmes.

«Certainement serions-nous mortes toutes les trois, mais si tout le monde pouvait accomplir cela il n'y aurait plus de guerre. Le but du chrétien n'est pas d'attendre que tout le monde fasse le bien pour commencer à le faire.»

Ces conclusions la fortifient moralement. Tout haut, elle demande pardon et implore la Vierge d'intercéder en faveur des mitrailleurs soviétiques afin qu'ils ouvrent les yeux.

Hafizullah marche toujours du même pas. Alusia ne sent plus ses jambes et lutte pour penser à autre chose. Il ne faut pas qu'elle songe à la fatigue ni au chemin qui reste à parcourir.

Pour se distraire, elle s'attache à revivre en images une pleine journée de son noviciat. La journée commençait à 4 h 40, les novices avaient dix minutes pour se vêtir et faire leur lit, avant de passer une heure en prières et méditations qui aboutissaient à la messe de 6 h, laquelle se terminait quarante-cinq minutes plus tard pour le petit déjeuner, la lessive et les ablutions. À 7 h 50, de nouveau dix minutes de prières avant d'entamer quatre heures de cours où on leur enseignait les soins infirmiers, la cuisine, la façon de se conduire en face de la souffrance, l'imitation du Christ. Puis 12 h 15 annonçait le repas du midi, composé principalement de riz, de pâtes, de légumes frais et, quelquefois, de poisson ou de viande. Comme les novices étaient déjà debout depuis huit heures, une sieste de trente minutes suivait le repas. À 13 h, une cloche invitait à retourner aux cours, qui se poursuivaient jusqu'à 18 h 30 alors qu'une nouvelle heure était consacrée à la prière. À 19 h 30, le dîner, où apparaissaient principalement du pain et des patates. Pendant l'heure qui suivait, les novices pouvaient vaquer à leurs occupations personnelles, puis une autre heure de prière clôturait la journée avant le coucher à 22 h précises.

Malgré la rigueur de ce régime spartiate, Alusia avait beaucoup aimé son noviciat. Les filles, qui étaient là comme elle, avaient tout quitté pour s'offrir au service des malheureux et, par là, de Jésus. La joie, les sourires, la chaleur et la lumière qui illuminaient tous les regards, faisaient que chaque jour en était un de fête pour le cœur. Totalement démunies, les novices ne possédaient chacune que deux saris de coton, le matériel de literie, les sous-vêtements, une bassine pour la lessive, un ou deux livres de prières, un crayon et du papier pour les devoirs. C'était tout. Rien d'autre. Elles ne possédaient ni ne désiraient aucun bijou, aucun argent personnel, aucun objet propre.

Quand viendrait le temps de prononcer le vœu de pauvreté absolue, chacune le ferait avec joie et consentement, ayant éprouvé combien cela pouvait les libérer.

Alors que les vocations religieuses se font de plus en plus rares dans tous les autres ordres, les Missionnaires de la Charité voient leur nombre augmenter: 350 maisons dans le monde, 123 écoles, 1 100 cliniques mobiles, 3 800 religieuses, 600 frères, une famille spirituelle de trois millions et demi de membres, accueillent, nourrissent, éduquent, soignent, assistent et consolent chaque année: 200 000 lépreux, 17 000 enfants, des milliers de sidatiques, intoxiqués, clochards, près de dix millions de mourants. En tout, presque deux milliards de repas par année.

Ils avancent dans le lit d'un torrent desséché, encastré par de hautes pentes abruptes. Hormis quelques buissons épineux ici et là, aucune végétation ne croît en ces lieux. Hafizullah s'arrête et pose son paquetage à terre.

«Il faut manger», dit-il à Alusia.

Il sort de son sac des amandes et quelques lanières de mouton séché.

Choisissant chacun une roche plate pour s'asseoir, ils grignotent sans hâte. Alusia se sent tellement fatiguée qu'elle a l'impression qu'elle ne pourra plus se relever. Hafizullah porte ses deux mains jointes le long de son visage, dans un geste démontrant à Alusia qu'il comprend sa fatigue.

Elle hoche la tête à plusieurs reprises.

La nourriture qui est censée lui apporter des forces ne fait que lui procurer une sensation de lourdeur. D'un bond, elle se relève pour chasser l'engourdissement qui la gagne et aperçoit une petite colonne de montagnards qui avancent vers eux.

«Là!» indique-t-elle à Hafizullah en pointant le groupe du doigt.

Ce dernier les a aperçus avant elle.

«Des amis», la rassure-t-il.

Le groupe arrive rapidement à leur hauteur. Il n'est composé que d'hommes, chacun transportant sur son dos un véritable arsenal: fusils américains, pistolets-mitrailleurs russes, lance-roquettes, grenades, sans oublier les armes blanches les plus diverses, allant du coutelas au sabre.

La conversation s'engage entre eux et Hafizullah. Alusia, saisissant quelques mots, croit comprendre que l'armée a encore attaqué un village. La colonne s'apprête à répliquer en allant à la recherche d'un convoi à pulvériser. L'un d'eux désigne Alusia du menton, Hafizullah leur explique qui elle est et tous les maquisards s'inclinent vers elle, qui leur répond par un signe de la main. Elle n'aime pas l'armement qu'ils portent sur le dos mais comment leur faire comprendre que ces armes ne font que les desservir? Elle a elle-même, parfois, du mal à réaliser que la violence ne doit pas être employée.

«Non loin, un village a été attaqué par les hélicoptères, lui dit Hafizullah.

— Il y a des blessés?

— Beaucoup de morts, beaucoup de brûlés. Encore les gaz.

— Il faut y aller», dit-elle.

Il incline la tête. Elle sait qu'il préférerait se rendre directement à son village où son fils est mal en point et que ce détour qu'il accepte généreusement peut aggraver la situation de son enfant.

«Nous y serons avant la nuit», dit-il.

Immédiatement, Alusia oublie sa fatigue et est pressée de partir vers ceux qui ont besoin de son aide. Si petite soit-elle.

NELLIS A.F.B., NEVADA, U.S.A.

Vingt C-5 *Galaxy* ont été affectés au pont aérien vers la RFA, le Benelux, l'Italie et la Turquie: 67 mètres d'envergure sur 75 de longueur, leur gigantisme effraie toujours celui qui les voit s'élever pour la première fois, dans le fracas assourdissant des quatre réacteurs TF-39 de la *General Electric*, capables de développer une poussée unitaire maximale de 18 642 kilogrammes.

Une véritable petite armée de chariots élévateurs jaunes vont et viennent entre les avions et les camions militaires qui font la navette, depuis le *Lookout Peak* de Nellis Range jusqu'à la base, en empruntant la *Federal Highway 95*.

Oliver Thompson, le soldat de première classe qui manipule l'un des chariots, se demande bien ce qu'il y a dans ces caisses de bois de la grosseur d'une automobile. Il céderait peut-être à la tentation d'en *échapper* une juste pour satisfaire sa curiosité, si le colonel n'avait pas informé tout le monde que les accidents, peu en importait la nature, seraient sanctionnés d'une mise aux arrêts, suivie d'une très très longue période sans permission. Thompson ne peut imaginer rester trop longtemps loin des chaudes et douces cuisses de la pulpeuse Poly.

Le capitaine Preston, commandant de l'un des vingt appareils comprenant chacun six hommes d'équipage, étudie son plan de vol. Premier ravitaillement à Langley, Virginie, second à Sculthorpe, dans le nord du Norfolk anglais, et fin de la balade à Hissarlik, Turquie. Un parcours d'une vingtaine d'heures. Des équipages de relève sont arrivés sur place la veille, pour un retour immédiat.

Preston sait qu'aux vingt appareils viendront s'en ajouter de nombreux autres dans les jours qui vont suivre. Notamment des *Hercules*. Un seul détail le tracasse: il ne sait pas ce qu'il transporte. La seule chose dont il soit au courant, c'est que les avions et les équipages n'auront aucun répit durant les deux prochaines semaines.

Son appareil est le premier à être chargé. Un voyant lumineux lui indique que les soutes sont fermées. Il en demande confirmation puis appelle la tour pour obtenir l'autorisation de rejoindre la piste d'envol.

«*Over*. Whisky Fox Zero-One-One.»

Quelques minutes plus tard, le transporteur emporte pour la première fois vers l'est, des kamikazes imaginés par un étudiant canadien qui n'avait rien de mieux à faire ce jour-là.

En moins de vingt minutes, l'appareil atteint son altitude de croisière; le radio s'adresse au navigateur:

«Les femmes turques, elles sont comment?»

Le navigateur roule des yeux dans le beurre:

«Chaudes, expertes et elles dansent du ventre... hum... tu vois le topo?»

Le radio fouille dans la poche de sa chemise et en ramène deux condoms.

«Paré à tout», lance-t-il, mimant l'extase.

LA MANCHE

«On voit ben à quoi qu'sert nos impôts», bougonne Francis Leduc, qui observe dans le ciel le ballet ininterrompu d'hélicoptères et d'avions, tant de la Marine française que de la *Royal Navy*.

«Qu'est qui peuvent ben chercher?»

À aucun moment il n'a fait le rapprochement entre cette agitation inhabituelle et le naufragé, qui commence à reprendre des couleurs dans la cabine.

Charles Toussaint n'a pas repris connaissance depuis la veille. De temps en temps, l'un ou l'autre des pêcheurs vient lui tenir un carré de sucre entre les lèvres, jusqu'à ce que la salive l'ait dissous.

«Est pas fort, mais y s'remettra», a estimé Leduc.

La mer, fortement houleuse, agite le *Hastings* dans tous les sens. L'un des hommes s'occupe du treuil mécanique servant à ramener le chalut, tandis que l'autre à l'arrière surveille le bon déroulement de l'opération. Parfois, il dresse le bras pour indiquer à son coéquipier d'arrêter et va libérer le poisson des mailles avant que le filet ne s'enroule. D'autres fois, pour remettre en place le filet qui se tortille.

Brusquement, l'extrémité du chalut apparaît gonflée de poissons et d'autre chose qui ne devrait pas se trouver là. Les deux hommes, stupéfaits, s'immobilisent.

Dans le fond du filet, gît le corps d'un homme qui, bien que gonflé par l'eau, est visiblement criblé de balles.

«Patron! crie l'un des pêcheurs, venez voir.»

Leduc arrive et contemple la prise inattendue, sans proférer un son.

«Qu'est-ce qu'on en fait? demande celui qui s'occupe du treuil.

— Foutez-le à la baille. Est rien qu'un tas d'enquiquinements.

— On n'a pas le droit, la police...»

Leduc s'emporte:

«Est toi qui va l'dire aux flics?

— Non, mais...

— Ferme ta gueule et fous-moi ça par-d'sus bord.»

L'autre fait front:

«Y a pas de raisons pour que ce soit moi. Cet homme-là a droit d'aller au cimetière.

— Des conneries. Au cim'tière y va s'faire bouffer par les

271

asticots pendant des mois. Est mieux dans l'eau, l'poiscail l'aura digéré en quèques jours.»

Leduc, interpellé, n'a pas eu le temps de brancher le gouvernail automatique. Le *Hastings* se présente de bâbord contre un paquet de mer qui arrose copieusement tout ce qui se trouve exposé.

Furieux, le patron va extirper le cadavre du filet en le tirant par les pieds.

«Voyez ben qu'a été assassiné, dit-il. Si on va à la police avec, s'ra des emmerd'ments sans fin.»

Le cadavre dégagé, Francis Leduc fait un rapide signe de croix, imité par ses deux hommes, et, sans plus de cérémonie, le retourne à la mer.

Il n'y a rien là qui puisse l'émouvoir. Il a vécu les longues campagnes morutières de six mois et plus dans les eaux glacées de Terre-Neuve et du Groenland. La promiscuité, le travail sur le pont ou au saloir pendant des périodes allant jusqu'à dix-huit heures par jour, par des températures au-dessous du point de congélation, l'absence de femmes, le rhum, tout cela entraînait des rixes et des haines, qui bien souvent se terminaient par-dessus bord. Il était rare qu'un morutier revienne avec son équipage au complet. Ça faisait partie de la norme, tout comme les coups de pieds au cul que le mousse Leduc recevait de son commandant chaque matin.

«Café trop chaud, Leduc, trop froid, pas assez de sucre, trop de sucre, pas assez de rhum, trop de rhum, jus de chaussette, extrait de soutane.»

SUFFOLK, ANGLETERRE

Le petit bâtiment de béton s'élève à l'orée d'un bosquet qui se pare des couleurs automnales. Devant lui s'étend une prairie, où des vaches paissent tranquillement dans l'herbe humide. Pas de fenêtre, seule une prise d'air sur le toit plat en assure l'aération. Juste à côté, deux antennes paraboliques sont pointées vers l'horizon.

À l'intérieur, un poste de travail se résume à une table d'un épais plastique moulé, sur laquelle sont imbriqués huit écrans vidéo de dix pouces et un micro-ordinateur dont le seul périphérique d'entrée est un clavier comportant seulement deux larges touches métalliques.

Le major Perry explique au général de division Harper le fonctionnement de l'appareil:

«Ce que vous voyez sur les moniteurs correspond à la vision panoramique de 360 degrés entourant notre char *Challenger* qui se promène actuellement dans la campagne allemande. Il est équipé de huit caméras vidéo ayant chacune une focale de 45 degrés; c'est ce qu'elles enregistrent que nous voyons en ce moment, en temps réel plus une demi-seconde. Les messages, en bas des écrans, correspondent à ce qu'indiquent les divers capteurs placés sur le char: infrasons, ultrasons, température et même radioactivité ambiante. La vision peut aller beaucoup plus loin que l'œil humain, car l'optique des caméras couvre tout le spectre électromagnétique, depuis les ondes radio jusqu'aux rayons X. L'ordinateur analyse tout cela et, de ce fait, nous pouvons apercevoir l'ennemi bien avant qu'il ne soit dans le champ de vision humaine.

— Vous êtes certain qu'il n'y a absolument personne dans ce char?

— Non, je suis le seul conducteur. Vous voyez, mon index et mon majeur sont posés sur ces deux touches, qui ne sont rien d'autre que des électrodes. Tout cela est bâti à partir du concept *Mindlink*, fondé sur les réponses électriques de l'épiderme, qui reçoit une grande variété de conductivité électrique résultant des émotions. Les signaux électriques partent du cerveau, passent par mes doigts et de là aux électrodes qui les retransmettent à l'ordinateur, dont le rôle est de les interpréter selon son programme, et de relayer ces interprétations au satellite via l'antenne qui est sur le toit, puis du satellite vers le char dont les commandes sont actionnées par ces signaux.

— Autrement dit, vous activez ce char par la pensée à plusieurs centaines de kilomètres de distance?

— Exactement, mon général.

— Quel est l'avantage?

— Vous allez voir.»

Dans la plaine allemande, un char apparaît subitement sur l'écran vidéo qui dévoile l'horizon vers l'arrière gauche du *Challenger*. La base inférieure du nouveau venu n'est pas encore visible que la tourelle du char britannique, supportant le canon rayé de 120 mm, se pointe dans la direction de *l'ennemi* et fait feu, le pulvérisant dans l'instant qui suit.

«Pas mal! admet le général.

— Je n'ai fait que réagir par la pensée à la situation donnée. Mouvement de la tourelle, télémétrie laser, mise à feu, tout s'est produit dans ma pensée et a été retransmis au char à la vitesse de la lumière. C'eût été aussi rapide si le char s'était trouvé au fin fond de la Sibérie ou même sur la Lune.

— Pas mal! répète le général. La seule chose qui me chiffonne, c'est l'absence d'hommes dans le char.

— Pourquoi, mon général?

— La tension ne sera pas la même pour le combattant. Vous imaginez-vous rentrant chez vous le soir pour raconter à votre femme que les Russes vous ont eu deux fois sur le front allemand? Je n'aime pas cette idée, car je connais l'importance de l'adrénaline dans une bataille.

— Cela peut épargner bien des vies humaines.

— Si la guerre doit se faire entre machines, les stratèges finiront par choisir des cibles civiles. La guerre n'est pas un jeu, major! C'est LE JEU dont la seule règle que je connaisse est: vaincre ou mourir.»

THURINGE, R.D.A.

De l'avis de Nikolaï Sologdine, comme de la plupart des hommes déjà présents ou qui viennent d'être réaffectés à la Première armée de chars de la Garde, ce sont là de bien curieuses manœuvres: aucun mouvement de char, les hommes ont tout juste été invités à prendre place à l'intérieur afin de se refamiliariser avec l'environnement.

À part cela, depuis la veille, on leur a seulement demandé de procéder au graissage des véhicules qui leur sont assignés. La chose faite, chacun vaque à des occupations personnelles dans le seul but de leurrer l'ennui. Cartes, dames et échecs meublent le temps.

Dans le réfectoire réservé aux équipages des chars, des hommes vont et viennent, usant fréquemment de boissons chaudes pour tromper la froide humidité qui plane sur la région.

Nikolaï Sologdine, assis à une table de bois blanc, a trouvé un collègue qui vient de terminer un travail de prospection en Roumanie. Naturellement, ils ont entamé une conversation se rapportant à leur domaine.

«Nous avons un métier sans avenir à long terme, fait le collègue. Encore vingt ans, et le pétrole devenu trop rare ne sera plus qu'un souvenir au même titre que la bougie de cire.

— Nous aurons le temps de nous recycler d'ici ce temps-là.

— À moins que ce qui se prépare ne réduise considérablement le nombre des consommateurs.

— Tu crois à la guerre?

— Est-ce que tu t'imagines qu'ils nous ont offert un voyage en Allemagne à bord d'avions civils uniquement pour nous tenir en condition?

— C'est évidemment dur à avaler.

— Il fallait bien en arriver là un jour.

— Je n'aime pas ça!»

Nikolaï pourrait dire: «J'ai peur», ce qui résumerait mieux son état, mais ce ne sont pas des choses à se dire entre soldats. Un «je n'aime pas ça» expose très bien l'état d'esprit et chacun peut y prendre ce qu'il veut. Le «j'ai peur» serait admis seulement sur le champ de bataille, s'il n'était assorti d'aucun mouvement de recul. Le collègue de Nikolaï prend cette déclaration pour ce qu'elle est mais n'ajoute rien. Il est délicat, entre soldats du Pacte, de confier ses états d'âme sur la bataille qui engagera l'avenir de la *Rodina*. Toute opinion ouverte, autre que l'optimisme, est très mal interprétée par les *tchekistas* qui rôdent partout.

À l'extérieur, la légère bruine a fait place à une pluie drue qui ruisselle sur les fenêtres à petits carreaux, brouillant la vue.

Un homme, qui arrive de l'extérieur, grimpe sur un banc pour allumer le poste de télévision surélevé. *Bronenosec Potemkine*, que chacun a déjà vu mille fois, occupe les ondes. À chaque fois c'est pareil, l'esprit ne peut manquer d'être attiré par le jeu des formes, valeurs, rythmes et mouvements. Quand arrive la fameuse scène de la fusillade à Odessa, alors que s'opposent avec violence les lignes géométriques, froides, coupantes, des soldats descendant les marches comme des *cyborgs*, et les silhouettes toutes en courbes des femmes et des enfants terrifiés, chacun dans le réfectoire ressent encore une fois, au fond de lui-même, la colère du juste contre les acolytes de la mort.

Ce que certains cinéastes italiens ont obtenu en opposant, dans leurs westerns, des brutes ignares, violant sans vergogne une jeune fille pure et vertueuse, Eisenstein l'a réalisé par le jeu des formes, de la lumière, du mouvement, plus proche de l'âme slave, culturellement mélancolique et davantage sensible à ces détails.

À la fin du film, les hommes demeurent silencieux devant leurs tasses de thé fumantes. Chacun pense à sa jeunesse, à sa famille, aux rues et aux plaines de l'enfance, aux printemps lumineux qui finissent toujours par avoir raison de l'hiver, à l'odeur unique des petits bois de bouleaux dans l'automne pluvieux. Chacun sent les racines et les liens qui l'unissent à son pays. Ce pays qu'ils ne voient pas à travers son système, mais bien à travers les villes ou les villages qui les ont vus grandir, les mères qui les ont consolés, les filles riantes qui pour la première fois ont fait monter la sève en eux, les camarades des premières ivresses, les odeurs de la chambre, de la cuisine ou du grenier. Tous sentent le poids oppressant de la guerre, non annoncée, mais qu'un phénomène mystérieux dilue inéluctablement dans l'air. Sans qu'ils en aient vraiment conscience, ils se battront tous pour préserver ces images du passé. Surtout pour cela.

BURGAS, BULGARIE

Le petit bureau vitré offre une vue complète sur le port, dont les infrastructures illustrent bien sa vocation d'importateur d'hydrocarbures. La journée est ensoleillée, le ciel est bleu et le commandant Jeppe Skjoldborg préférerait nettement se trouver en ce moment à la station de villégiature des Sables d'Or, un peu plus au nord.

Son navire, propriété du Danois Klaas Jansma, est à quai depuis une heure, pour prendre livraison des armes à destination de Durban.

Il y a quelques minutes que les ennuis ont commencé, alors que le représentant local de la société *Inar* lui a signifié que la livraison n'aurait pas lieu.

Jeppe Skjoldborg n'aime pas le personnage, dont les traits asiatiques révèlent qu'il a en face de lui un lointain descendant des nombreux bâtards issus de l'invasion tatare de 1240. De longues moustaches aile de corbeau, descendant jusqu'au menton, accentuent la mine patibulaire du fonctionnaire, qui s'exprime dans un anglais mielleux.

«Vous ne pouvez pas livrer le chargement?» demande le commandant, qui n'entend pas se laisser dominer par cet homme qui essaye visiblement de l'impressionner.

Il en a vu d'autres: hormis son second et le premier mécanicien, Danois tous les deux, le reste de l'équipage est composé d'hommes sous contrat, venant principalement de Malaisie ou des Philippines. Ce ne sont pas tous des tendres. Au grand ennui de ses officiers, qui sans être vraiment racistes préféreraient la compagnie de compatriotes, Jansma accepte cette situation en échange de profits plus alléchants.

«La commande est annulée, susurre le fonctionnaire.

— Pourtant j'ai eu l'avis de mouvement pas plus tard qu'hier à Istanbul et n'ai reçu aucun contrordre.

— Vous n'avez pas compris, commandant: c'est nous-mêmes qui avons annulé cette commande.

— Voulez-vous me faire comprendre que vous m'avez laissé venir à Burgas pour rien?

— Croyez que nous en sommes profondément désolés.»

Son attitude, débordante de contentement, le dément.

«Ce sont des pratiques commerciales inacceptables!

— Ce qui est inacceptable, et vous devez comprendre notre point de vue car vous venez d'un pays civilisé, c'est de livrer des armes à un gouvernement raciste.

— Il me semble que cela ne vous a jamais dérangé jusqu'à ce jour.»

C'est plus une constatation qu'une question. Le fonctionnaire se rebiffe:

«Vous offensez mon pays et moi-même, qui ne suis que l'un de ses humbles citoyens. Nous avons été abusés par des êtres sans scrupules. Des gens comme l'armateur de votre navire.»

Skjoldborg se lève si brusquement qu'il manque renverser sa chaise:

«Allez vous faire foutre!»

L'ombre de sourire placide disparaît instantanément du visage du fonctionnaire. Un éclair méchant passe dans ses yeux.

«Vos paroles doivent dépasser votre pensée: vous devez admettre qu'il est raisonnable que je vous demande des excuses.

— Sinon?

— Nous pourrions dire que vous avez essayé de me soudoyer, et un simple appel sur ce poste téléphonique suffirait à vous faire arrêter.»

Pour toute réponse, le commandant, dans un geste universellement significatif, replie ses doigts, à l'exclusion du majeur qu'il pointe vers le ciel, puis sort de la pièce en claquant la porte.

En arrivant sur le quai, il aperçoit le second navire de Jansma qui s'apprête à accoster. Dès qu'une échelle de coupée est installée, il se précipite à bord et se dirige vers les quartiers de son collègue, un Norvégien gigantesque, à la voix de baryton, qui répond sans s'offusquer au surnom de Big (commandant Big pour l'équipage).

En apercevant la tête de Skjoldborg, il devine immédiatement que quelque chose ne va pas:

«Des ennuis?

— Les Bulgares ne veulent pas livrer la marchandise.

— Pourquoi?

— J'en sais foutrement rien.

— Il faudrait appeler Jansma.»

Sitôt que le navire est relié au câble téléphonique Skjoldborg s'occupe d'effectuer l'appel à Copenhague. Une secrétaire lui passe l'armateur auquel il expose les faits.

Jansma le prie d'attendre de nouvelles instructions, et atteint Myers, qui vient juste de regagner sa résidence de Miami.

Ce dernier est franchement surpris. C'est la première fois qu'une chose semblable se produit:

«Je vous rappelle dès que j'ai des nouvelles», dit-il.

Myers communique avec Vienne où son contact l'informe que Yog est en Bulgarie. Une heure plus tard il parvient à le rejoindre à Sofia, où le directeur de l'*Inar* lui confirme froidement ce que lui a appris l'armateur danois. Il le prévient que la décision est irréversible et qu'il n'a aucune justification à fournir.

Le commerçant d'armes est furieux: la perte financière ne l'inquiète pas du tout, celle de son petit royaume un peu plus, mais le fait qu'il risque fort de perdre son nom dans cette affaire le met hors de lui.

«Les salauds me paieront ça», se jure-t-il tout haut avant de rappeler Copenhague.

Jeppe Skjoldborg n'est pas là lorsque Klaas Jansma rappelle. Quatre policiers en uniforme et deux en civil sont venus l'arrêter, sous l'inculpation de tentative de corruption de fonctionnaire.

Le commandant Big se demande s'il doit appeler le consul de son pays. Ça ne ferait certainement pas l'affaire de Jansma si toute l'affaire s'étalait au grand jour. Ça ne fait pas plus la sienne de moisir . oublié dans une cellule bulgare.

Quelques heures plus tard, c'est au tour de Big d'être arrêté pour complicité dans l'affaire de corruption. En attendant l'issue du procès, les navires sont retenus à quai.

MER MÉDITERRANÉE

Le *Hurriya* a quitté le port de Tobrouk depuis l'aube. Battant pavillon libérien, il a pour propriétaire avoué un Grec, en réalité homme de paille du KGB. L'équipage est composé en majorité de ressortissants arabes, ce qui est l'idéal étant donné que ce cargo fait principalement du cabotage sur la côte nord-africaine.

Il a pour particularité méconnue d'être le frère jumeau du *Viking* de Charles Toussaint. Construit sur le même plan aux chantiers navals de Saint-Nazaire, il a pris la mer il y a vingt-cinq ans. Bien qu'il ait changé plusieurs fois de propriétaire, les archives du constructeur, si elles existent encore, pourraient faire le lien entre les deux navires; celles de la *Lloyd's* y parviendraient sûrement.

Le capitaine – grec lui aussi – est assis derrière son bureau, la tête entre les mains. Ce voyage l'intrigue au plus haut point: c'est la première fois qu'il fait la liaison Libye - Israël, et jamais il n'aurait pensé que cela puisse se faire. Charger du matériel agricole à Tobrouk pour le livrer à Haïfa, relève pour lui de la plus haute fantaisie.

Il ignore qu'en ce moment le registre du port de Tobrouk disparaît dans un incendie; que son patron, dans les bras d'une fille ravissante, est victime d'un accident cardiaque dans une chambre de Plaka; qu'un cargo soviétique suit le même chemin que le sien à distance respectueuse; que le moteur d'un des tracteurs dans la cale n'est en fait qu'une ogive nucléaire n'attendant qu'un signal radio pour libérer sa puissance et que, à 3 300 kilomètres à vol d'oiseau vers l'ouest – à Gibraltar – les Britanniques recherchent activement un bâtiment qui ressemble fort au sien.

Il ne comprend pas pourquoi il a reçu pour instructions, quand il arrivera en vue d'Haïfa, que ses hommes se suspendent par-dessus bord pour effacer les lettres HURRIYA et les remplacer par VIKING. Encore moins le fait qu'avant d'arriver au port il devra baisser son pavillon pour hisser celui de la France. Tout ça n'est pas très réglementaire.

Il hausse les épaules. Après tout, l'armateur doit savoir ce qu'il fait; et il est payé pour exécuter ses ordres.

KALAHARI, NAMIBIE

Le clan de Xam a erré en rond avant de prendre le chemin de l'ouest. Sans quitter le plateau désertique, ils sont passés, sans s'en rendre compte, du Botswana à la Namibie.

Le désert est le même et les femmes, dès qu'elles aperçoivent un *mangetti*, courent recueillir ses noix. D'autres fois et tout en marchant, elle ramassent les rares morceaux de bois mort qui serviront au feu du soir.

Xam, lui, a entrepris de débusquer serpents et larves de *cladocora*, qui sont utilisés pour fabriquer le poison dont les chasseurs enduisent leurs fléchettes.

La joie n'est pas revenue dans le clan et aucune femme ne donne des signes de grossesse. Un vieillard décédé durant la migration a été enterré avec ses quelques objets, dans la position du dormeur – couché sur le flanc, genoux repliés. Xam, comme les autres, s'est demandé si le clan n'allait pas périr ainsi, sans nouveau-nés pour remplacer les morts.

La mort lui est égale: un paradis d'abondance, qu'il imagine comme le royaume giboyeux et plein d'eau d'où ses ancêtres ont été chassés par les Bantous et les Européens, l'attend de l'autre côté de la vie.

Sa peur est que le clan ne disparaisse sans enfants pour le perpétuer, d'autres âmes qui parviendraient un jour au paradis.

Xam a décidé de ne pas retourner vers les Blancs pour leur soumettre sa découverte. Il veut demeurer avec les siens, partager le sort qui sera le leur. Il désire rester près de Tlick pour la protéger si besoin est. Il la trouve très belle et ne se trompe pas. L'âge n'a pas encore alourdi ses seins ni parcheminé sa peau. Depuis son retour, chaque nuit qu'elle passe blottie contre lui, Xam se demande comment il a pu la laisser aussi longtemps.

Plus que jamais, ils sont devenus le réconfort l'un de l'autre. La nuit, enlacés, ils s'observent dans l'obscurité et s'étreignent très fort, chaque fois qu'ils sentent sur eux l'haleine froide du destin.

Le clan tente parfois d'oublier les sombres présages tissés par la nature. La veille au soir, autour du feu, ils ont essayé de jouer de la musique et de danser mais les *gaukas* sonnaient faux et les pieds étaient lourds.

Plus rien n'est comme avant. Il n'y a plus que cette marche sans but vers l'ouest.

R.S.F.S.R.

L'*Ilyushin 86* a quitté Oukouno II une heure plus tôt et navigue à une altitude moyenne de 27 000 pieds.

Le vol emporte vers la mer d'Aral le Secrétaire général et Yakkov, le ministre de la Défense. Ce dernier est en liaison directe avec ses officiers d'état-major. Les rapports qui arrivent de tous les secteurs ne signalent rien d'anormal, sinon que les districts militaires du Transbaïkal et d'Extrême-Orient font part de plusieurs violations de l'espace aérien. On signale, également, le mouvement de quelques transporteurs *Galaxy* vers l'est mais rien qui ne sorte vraiment de l'ordinaire.

De son côté, le Secrétaire général, tourné vers le hublot, semble prendre plaisir à contempler le moutonnement formé par le tapis de nuages blancs. Il a toujours trouvé que la lumière du ciel a quelque chose d'irréel à cette altitude. Comme un air de fête. C'est la première fois qu'il se rend aux installations de la mer d'Aral – pourtant construites sous ses ordres, deux ans plus tôt, alors qu'il apparaissait qu'aucun abri ne serait véritablement sûr dans la région de Moscou. Il a consulté les plans de l'abri, qui offre des appartements privés pour lui et chacun des membres du Politburo. Leurs proches, femmes et enfants d'âge scolaire, sont admis. À six cents mètres sous terre, à la verticale de la mer, tout est prévu pour le confort et la sécurité. En plus des unités de production maraîchère et d'une basse-cour, l'étable, qui procure les produits laitiers, est approvisionnée en fourrage pour six mois; un élevage de truites fournit le poisson frais. Le côté culturel n'a pas été oublié, avec une vaste bibliothèque et un service de cinéma vidéo en circuit fermé. L'architecte a même pensé à installer un petit jardin d'agrément avec des arbres nains, une charmante fontaine centrale, des bancs, le tout éclairé par une profusion de fluorescents, tendant à recréer la lumière du jour. Tout a été pensé de manière à ce que les décisions les plus difficiles puissent se prendre en toute quiétude personnelle. La grande salle du Conseil, ce qui se fait de mieux en matière de communications, ne dépayserait pas les gens du Pentagone. Chaque membre du Politburo peut, sur simple demande, être présent par les ondes sur n'importe quel théâtre d'opération. Toute décision ou événement peut, de surcroît, être analysé par une batterie d'ordinateurs qui, les comparant au but final du scénario, donnera ses recommandations.

L'emplacement d'Aral a été choisi en fonction des chances de survie de la nation en cas de conflit nucléaire massif. Situé à l'écart des grands centres, qui sont des cibles majeures, il offre, contrairement à l'immensité sibérienne, un climat permettant des chances de survie à une société désorganisée. Si les météorologues ne se trompent pas, un échange nucléaire entraînera un refroidissement brutal et l'on peut espérer que ce qui n'est qu'un désert deviendrait alors habitable.

À l'avant de l'appareil, l'épouse du Secrétaire général et celle du ministre, amies de longue date, se demandent pourquoi leur si vaste pays n'offre pas plus d'endroits de villégiature. L'épouse du ministre fait des comparaisons:

«Nos stations de la mer Noire paraissent si ternes quand on les compare ne serait-ce qu'aux îles yougoslaves de l'Adriatique.

— Il est vrai que si nous sommes choyés par l'étendue, la qualité par contre...

— Enfin... bientôt nous aurons accès à toutes les beautés.

— Si...»

La femme du Secrétaire général s'interrompt. Elle a failli se laisser aller à des visions pessimistes, ce qui est considéré comme étant du plus mauvais goût.

«Je sais à quoi vous pensez, ne craignez rien! Les hommes ne seront jamais assez fous.

— Les militaires américains m'inquiètent.

— Vous croyez?

— Avez-vous vu *Docteur Folamour*?

— Ce n'est que de la fiction.

— Je ne sais pas. Lors de la signature du traité des Bermudes, j'ai eu l'occasion de croiser le conseiller militaire du Président américain.»

Elle se détourne, pour s'assurer que son mari ne peut l'entendre:

«Alors que nous portions un toast à ce traité, il m'a adressé un clin d'œil que l'on ne pourrait qualifier autrement que de coquin.»

La femme de Yakkov pouffe:

«Qu'avez-vous fait?

— Rien, bien sûr, mais plus tard, alors qu'il passait juste derrière mon dos, il a murmuré: «Peu importent les moyens, ma bannière flottera sur le monde, et alors... »

283

— En avez-vous parlé à votre mari?»

La Première dame soviétique pouffe à son tour et s'approche de l'oreille de son amie:

«Il est très jaloux. Sous la colère il aurait été capable de déchirer le traité. On sait ce que ses célèbres colères ont coûté au vieux Nikita.

— Et c'est là-dessus que vous vous basez pour imaginer la politique des militaires du Pentagone?

— Qui sait?

— Les Américains sont des fleurs bleues qui se donnent des airs de durs. Je suis certaine que votre conseiller militaire, comme tous les autres, symbolise la femme sous les traits de Blanche-Neige.

— Les fleurs bleues, comme vous dites, n'ont jamais reculé quand il s'agissait de massacrer l'ennemi. Hiroshima en est un exemple et je crois qu'ils n'auraient pas hésité à recommencer lors de la crise des missiles à Cuba. Leur président était alors la plus belle fleur bleue que l'on puisse imaginer.

— C'était un bel homme, dommage qu'il ait fallu le supprimer.

— Il était dangereux, paraît-il.

— Un coup habile. D'après ce que je sais, nous avons fait d'une pierre deux coups: un, abattre l'ennemi, deux, réussir à laisser croire que le mal venait de l'intérieur. Cela dit, en tant que femme, je trouve ça dommage. Un si bel homme.»

Elles pouffent toutes les deux.

Yakkov reçoit, à ce moment-là, une communication d'un centre d'écoute et de collecte de données-satellite, situé dans un bois de bouleaux à l'ouest de Moscou, non loin de Viazma.

Traités par les systèmes informatiques, les relevés des *Cosmos* affectés à la surveillance océanique, orbitant à une hauteur de 1 000 kilomètres avec des inclinaisons variant de 60 à 80 degrés, indiquent que la grande majorité des bâtiments US du Pacifique se dirigent imperceptiblement mais sûrement, vers une zone s'étendant du nord de l'île d'Hokkaïdo à la péninsule d'Alaska, en passant par les Aléoutiennes.

Yakkov en informe le Secrétaire général.

«Avez-vous une idée de ce que cela signifie? demande ce dernier.

— Une hypothèse, mais elle me paraît absurde.

— Dites toujours.

— Les Américains ne comptent peut-être pas accroître leurs forces en Europe. Peut-être songent-ils à un débarquement sur notre côte du Pacifique.

— Quel serait l'avantage? Je veux bien échanger l'Europe contre le Kamtchatka, d'autant plus que lorsque nous en aurons fini à l'ouest, nous pourrons aller leur donner la réplique qui convient.

— C'est également mon avis.

— Ils espèrent peut-être créer une diversion afin de nous obliger à dégarnir le front occidental?

— Il faudrait que je soumette l'idée à nos généraux. J'ai l'impression que s'ils posent le pied sur le continent, nous aurons à faire face à une guerre beaucoup plus longue que prévu.

— Moi, je pense que s'ils veulent aller s'empêtrer dans les glaces, il faut les laisser faire. Ils n'iront pas très loin; il suffira de nous comporter comme nous l'avons fait avec Napoléon et Hitler.»

Yakkov arbore un large sourire:

«Jamais deux sans trois.

— Exact, camarade!

— Nous pourrions, nous aussi, créer une diversion en envoyant, le jour J, une division aéroportée au Nicaragua, afin de nous emparer du Costa-Rica, du Honduras, du Salvador et, pourquoi pas, du Guatemala. Ce ne devrait pas être impossible avec l'aide des Cubains, des sandinistes et de tous les guérilleros en mal de Castro qui foisonnent dans cette région.

— Excellent! excellent!»

Le Secrétaire général fait signe au steward:

«Apportez-nous une bonne bouteille de vodka. Je sens que ce voyage est en train de me rajeunir.»

LA MANCHE

Une odeur mal définie de mazout et de poisson est le premier élément de réalité dont Charles Toussaint prend connaissance. Tout de suite après, le *teuf-teuf* des machines. Son cerveau embrouillé essaie d'analyser ces sensations avant qu'il n'ouvre les yeux.

Lentement il entrouvre les paupières. Il lui faut plusieurs secondes avant que le décor flou autour de lui ne s'éclaircisse.

Où est-il?

La sombre cabine, l'odeur, le bruit, tous ces éléments lui apprennent qu'il doit se trouver à bord d'un petit chalutier.

Mais pourquoi?

Brusquement, avec la force d'un raz-de-marée, les souvenirs lui reviennent en bloc: les Libyens, la bombe, le *Viking* coulé, le sous-marin, le massacre, l'eau froide, très froide... Il se redresse vivement et essaie de se lever mais dès qu'il pose le pied à terre, le vertige s'empare de lui. Il doit se réallonger pour chasser l'affreuse impression des sens qui s'échappent.

«Y a-t-il quelqu'un?» appelle-t-il.

Il doit s'y reprendre trois fois avant que n'apparaisse Francis Leduc.

«Est réveillé, constate ce dernier.

— C'est vous qui m'avez repêché?

— Qui d'autre?

— Je vous remercie.

— Pas d'quoi.

— Il y a longtemps?

— Hier. Z'avez roupillé un bon bout d'temps.

— Mon Dieu! Avez-vous une radio?

— Pour sûr! Y a quèqu'chose qui presse?»

Les deux hommes d'équipage se présentent à ce moment. Charles Toussaint les salue et entreprend de conter son histoire.

«Ben merde! s'exclame l'un d'eux, quand il a terminé.

— Il faut que je contacte les autorités immédiatement.

— Z'allez d'abord manger quèqu'chose, prescrit Leduc. Dans l'état qu'êtes, z'iriez pas jusqu'à la timonerie.»

Il quitte le poste et l'un de ses hommes entreprend de préparer une soupe.

«Est rien moche, votre histoire. J'me disais ben que c'était pas naturel de vous repêcher si loin de la côte. Un sous-marin, des Russes, vous parlez d'une histoire! Y a longtemps qu'on aurait dû leur casser la gueule à ces loustics-là.»

Charles Toussaint ne l'écoute que d'une oreille; il a encore devant les yeux les cadavres flottants de ses hommes et ne peut se défaire de cette image.

La soupe lui apporte un léger réconfort physique, puis un énorme sandwich jambon et gruyère que le pêcheur lui a confectionné parachève le traitement.

«Cette fois ça va mieux!» affirme-t-il.

Il se lève et constate que, malgré une certaine faiblesse, il arrive à mettre un pied devant l'autre. Le pêcheur l'accompagne jusqu'à la timonerie, où Leduc lui désigne le radio-téléphone.

«J'comprends maint'nant pourquoi y avait tant d'hélicos dans l'ciel, dit-il.

— Beaucoup?

— Jamais rien vu d'pareil.

— Je suppose qu'ils auront trouvé le message que j'avais glissé dans la poche du pilote.»

Il décroche le téléphone et, via satellite, rejoint directement les autorités portuaires de Fécamp.

«Commandant Charles Toussaint», s'annonce-t-il.

Le correspondant paraît très nerveux:

«Commandant Toussaint! C'est vraiment vous?

— Bien sûr!

— Ne quittez pas, commandant, j'ai des instructions pour vous mettre en communication directement avec le préfet.

— Très bien, j'attends.»

Trente secondes plus tard, il a le préfet en ligne:

«Commandant Toussaint?

— Moi-même.

— Où êtes-vous, commandant? Nous recherchons votre navire partout.

— Je suis en mer à bord du...»

Il interroge Leduc du regard.

«*Hastings* de Dieppe, le renseigne ce dernier.

— Le *Hastings* de Dieppe, répète-t-il au préfet.

— Où se trouve le *Viking*?

— Par le fond. Coulé.

— Comment?»

C'est plus une exclamation de surprise qu'une question.

«Les terroristes libyens l'ont coulé et ont massacré tous mes hommes.»

Il y a un silence au bout de la ligne.

«Qu'est-ce qui me prouve que vous êtes bien le commandant Toussaint?

— J'ai à mes côtés le capitaine Leduc qui m'a recueilli en mer. Je vous le passe.»

Leduc prend le combiné.

«Est vrai, dit-il. J'l'ai r'cueilli hier et y a dormi près d'vingt-quatre heures. Était tout bleu quand on l'a r'pêché.»

Leduc rend l'appareil au commandant.

«Très bien, dit le préfet. Pouvez-vous m'expliquer ce qui s'est passé?»

Pour la deuxième fois depuis son réveil, Charles Toussaint raconte tout le drame.

Un point stupéfie le préfet:

«Vous êtes certain qu'il s'agissait d'un sous-marin soviétique, commandant?

— Absolument! L'équipage parlait cette langue ou quelque chose qui lui ressemble terriblement, et c'était bien une étoile rouge qui était étampée sur son massif. Mes connaissances sont limitées en matière de submersibles, mais je dirais qu'il était du type *Alpha*.

— Avez-vous une idée sur leurs motivations?

— Aucune! Un salopard m'a entortillé avec une histoire de bombe H; le reste, je l'ignore totalement. Tout ce que je peux affirmer, c'est que ce sont des assassins de la pire espèce, et j'espère bien trouver le moyen de leur faire la peau.

— Pouvez-vous me donner vos coordonnées?

— Je vous repasse le capitaine Leduc.

— Merci. J'envoie un hélicoptère vous chercher.

— Vous avez trouvé mon message?

— Oui, voulez-vous que je prévienne votre femme que vous êtes sain et sauf?

— Elle est au courant?

— Il fallait qu'elle authentifie votre écriture.

— Où est-elle?

— À Paris. Nous lui avons demandé de visionner des photos de

288

terroristes. Il se pourrait qu'elle en ait aperçus autour de vous.

— Je crois que nous avons plutôt affaire à l'Armée rouge.

— Je la fais prévenir immédiatement.

— Merci.»

Charles Toussaint passe le combiné à Francis Leduc afin qu'il communique sa position.

ROUEN, FRANCE

Un besoin naturel a obligé Victor Ozoulof à quitter son poste d'écoute pour quelques minutes.

En reprenant place, il constate qu'il a oublié de brancher le magnétophone.

«Bah, se dit-il. Il n'a pas dû se passer grand-chose en si peu de temps. De toute façon, ils sont en plein cirage.»

Il consulte sa montre et voit qu'il est l'heure de son compte rendu. Il ouvre la fenêtre, installe l'antenne parabolique et allume son poste.

«Petit frère Zéro-Huit à Grand-mère?

— Ici Grand-mère. Clair et net, à vous Petit frère Zéro-Huit.

— Les enfants sont sages. Je répète, les enfants sont sages.

— Bien reçu, Petit frère Zéro-Huit. Vous devez maintenant régler votre poste sur la fréquence convenue. N'oubliez pas de le faire deux fois.

— Bien compris Grand-mère. J'exécute.

— Nous attendons, Petit frère Zéro-Huit.»

Victor règle son cadran sur la fréquence qu'il a mémorisée préalablement. Il attend dix secondes montre en main, change de fréquence puis revient à la première.

Trois secondes plus tard, la vieille maison de la rue Saint-Gervais est pulvérisée. Victor compris.

À Moscou, 2, place Dzerjinsky, Grand-mère, qui est en fait un homme d'une quarantaine d'années, responsable des communications clandestines à la division S, a une grimace souriante qui étire son visage vérolé.

«Petit frère Zéro-Huit n'est plus», murmure-t-il.

Il est important que tous les maillons de la chaîne qui ont mis l'amorce en place soient retirés du circuit, au cas où un contretemps se produirait.

Le préfet de la Seine-Maritime, qui vient juste d'établir la communication avec le ministre de l'Intérieur, entend bien une explosion au loin mais il l'attribue à un moteur défectueux.

LOGAR PAKTIA, AFGHANISTAN

Le petit village fait d'habitations de terre séchée et cuite au soleil se dresse aux pieds d'une paroi rocheuse abrupte, et s'ouvre sur une petite vallée offrant une maigre végétation, broutée par chèvres et moutons aussitôt sortie du sol.

Une trentaine d'habitations en tout, personne à l'extérieur. Certains toits de chaume calcinés indiquent qu'il s'est produit quelque chose.

Hafizullah pousse la porte de bois de la première maison pour y apercevoir deux cadavres étendus sur le sol. Il sort avec une grimace.

Alusia, qui s'est avancée, aperçoit le corps d'un adolescent recroquevillé sur le côté d'un mur. Elle s'approche, se baisse et constate immédiatement qu'il n'y a plus rien à faire. Des traces de brûlures marquent son visage et ses mains. Ses lèvres ont l'apparence d'un rôti de bœuf.

Elle n'a jamais eu affaire à des gaz aussi violents. Elle peut encore sentir dans l'air une odeur qui se rapproche de celle que dégage une allumette qui s'enflamme.

Elle soulève une paupière du garçon et recule brusquement, le cœur au bord des lèvres. À la place du regard sans vie auquel elle s'attendait, il n'y a qu'un globe vitreux couleur vieille brique.

Au même instant, elle entend des râles provenant d'une habitation du centre du village. Hafizullah a également entendu; ils se précipitent tous les deux dans cette direction. Au passage, Alusia aperçoit un petit clos entre deux bâtisses où trois chèvres gisent sur le dos, les pattes en l'air.

Dans la maison d'où proviennent les râles, une femme qui doit être dans la trentaine, est étendue sur un lit fait de peaux tendues sur un cadre de bois, paupières closes, mains jointes sur sa poitrine; elle respire avec beaucoup de difficulté.

Alusia s'approche.

«Nous sommes des amis», chuchote-t-elle doucement.

La femme sursaute et ouvre des yeux qui, bien que beaucoup moins brûlés que ceux de l'adolescent, ne voient plus la lumière. Son regard exprime terreur et souffrance.

Alusia pose une main sur celles de la femme, et de l'autre, l'aide à se réallonger. La victime respire avec douleur, en sifflements brefs et aigus. Ses lèvres sont brûlées au premier degré. En les observant,

Alusia imagine facilement l'état des bronches irritées qui doivent produire une abondante quantité d'eau. Elle est désarmée. Dans une unité de soins ultra-moderne, il serait difficile de sauver la femme. Ici...

Elle se tourne vers Hafizullah qui l'observe et a un mouvement d'impuissance.

«Morphine», dit-il.

Elle acquiesce. Il n'y a rien d'autre à faire que d'atténuer les souffrances. Elle déballe sa trousse de soins et emplit une seringue du contenu d'une ampoule renfermant une forte dose de démérol.

«Allez voir s'il y a d'autres personnes en vie», demande-t-elle au montagnard.

Il sort après l'injection de l'intraveineuse à la femme.

Peu de temps après, les traits de la victime se détendent. L'injection allège à la fois sa souffrance physique et son angoisse.

Alusia s'assoit près d'elle et regarde les mains de la femme. Posant les siennes à côté, elle est surprise de constater qu'elles se ressemblent beaucoup.

Pourvues de doigts épais et noueux, d'ongles carrés presque masculins, ces mains-là n'ont rien de celles des courtisanes.

Elle se rappelle avoir parlé de ses mains, un soir au souper, alors qu'elle était encore une petite fille allant à l'école primaire.

«Les autres filles ont des belles mains, pas moi», avait-elle dit.

Avec douceur son père lui avait affirmé le contraire:

«C'est toi qui a de belles mains, ma chérie. Des mains faites pour le travail et le réconfort. Les mains, comme les yeux, sont souvent le reflet de notre âme; n'envie pas les mains fines et aristocratiques qui n'ont d'autre usage que la parure. Des doigts qui aiment en portent la marque, car aimer c'est souffrir pour celui qui a mal.

Alusia contemple toujours les doigts de la malheureuse et sent des larmes lui monter aux yeux. Elle ne sait trop si c'est parce que cette similitude la rapproche d'elle, ou si parce que, soudain, les paroles de son père en ces lieux trouvent enfin tout leur sens.

Dehors, le ciel s'obscurcit rapidement. Alusia se lève pour allumer une lampe à huile. La lumière dansante éclaire la pièce austère: trois lits comme celui de la femme; un vaste tapis coloré magnifiquement tressé, où les habitants ont dû prendre place en toute occasion; le coin cuisine qui n'est rien d'autre qu'une cheminée où l'on cuit les aliments. Les ustensiles de fer et de fonte sont accrochés au mur de la cheminée. Alusia remarque que le feu doit être principalement alimenté par des excréments séchés de chèvres et de moutons.

La femme pousse un râle et Alusia se rapproche davantage d'elle, en lui tenant la tête sous son bras.

«Dieu vous aime, dit-elle doucement. Moi aussi je vous aime.»

Elle ne peut savoir si la femme comprend son afghan approximatif, mais la femme hoche lentement la tête et une larme s'insinue le long d'une ride qui s'étend du coin de l'œil et va se perdre vers l'oreille.

Alusia pose son autre main sur son front dans un geste apaisant. Hafizullah réapparaît.

«Il y a des enfants vivants, dit-il. Je crois qu'on a dû les cacher quand les soldats sont venus. Ils sont dans une cave où les habitants remisent les légumes pour l'hiver.

— Comment sont-ils?

— Bien, mais ils ont très peur.

— Nombreux?»

Il lève les cinq doigts d'une main et un de l'autre.

«D'autres blessés?»

Il secoue tristement la tête:

«Tous morts.»

Alusia se demande pourquoi cette femme a survécu. Peut-être n'a-t-elle pas été exposée directement aux gaz?

«Allez chercher les enfants, dit-elle à Hafizullah. Il faut les nourrir.

— Ils ont trop peur et ne veulent pas me suivre.»

Alusia hésite à laisser la femme seule. Il ne fait pas de doute qu'elle va bientôt expirer et elle tient à demeurer près d'elle. Les enfants ne sont pas en danger, d'après ce que lui a dit le montagnard.

En même temps que la nuit tombe, la température fraîchit rapidement. L'Afghan voit Alusia frissonner.

«Je vais faire du feu», dit-il.

Alusia ne comprend pas pourquoi les soldats attaquent si sauvagement les villages. Les partisans qu'ils ont rencontrés dans la montagne ont affirmé que c'était partout la même chose, à croire que l'Armée rouge a pris la décision de régler, une fois pour toutes, la question afghane dans un bain de sang.

Elle ferme les yeux et implore la Vierge d'intervenir pour faire cesser ce cauchemar:

«Pardonnez notre ignorance, notre bêtise et notre méchanceté. Faites que l'Esprit saint nous visite et nous apporte sa lumière afin que notre cœur s'ouvre à nos frères.»

La femme ouvre brusquement les yeux, se redresse sur son séant et tend les bras vers le plafond. La bouche grande ouverte, elle cherche l'air qui ne peut plus parvenir jusqu'à ses bronchioles remplies d'eau.

Alusia la prend par la taille et la serre contre elle. De nouveau, elle voit les doigts de la femme et a l'impression que la mort emporte quelqu'un qui lui ressemble.

La bouche de la malheureuse se tord dans un mouvement désespéré. Elle se contracte violemment une dernière fois avant de s'abandonner, vaincue, aux mains de l'inconnu.

C'est fini.

Alusia lui étend un linge sur le visage et, bouleversée, sort sur le seuil de la petite maison.

La lune se lève et éclaire la vallée d'un éclat froid et blafard. La religieuse polonaise a soudain le désir fou de retrouver le pays de son enfance, de revoir les siens.

Pourquoi est-ce si dur ici? La mort, la cruauté, la misère, la douleur et l'intolérance, n'y a-t-il rien d'autre?

Elle voudrait aller se blottir dans les bras de son père, pour qu'il la console et calme cette douleur indéfinie qui lui tenaille la poitrine.

Oublier un tout petit peu cet enfer créé de main d'homme et se réfugier près de la cuisinière à charbon, où sa mère, avec peu de chose, sait préparer des plats qui sentent si bon.

Soudain, elle se secoue et s'en veut de ces pensées qu'elle juge égoïstes.

«Il y a là des enfants, maintenant orphelins, qui ont peur et faim, et je pense à me réfugier en Pologne. Pense à eux, Alusia, cet enfer est leur pays. Ils n'ont pas de refuge, eux.»

Elle rentre et adresse un sourire chagriné à Hafizullah, qui se tient devant le feu les bras ballants.

«Je suis triste pour ton pays», dit-elle.

Il incline le front. Ses traits, habituellement impassibles, dévoilent un instant l'angoisse qui l'habite.

«Pas d'espoir, dit-il.

— Il y a toujours de l'espoir, Hafizullah.»

Il la regarde, pensif, s'approche lentement et étend ses grands bras autour de ses épaules.

«Pourquoi souffrez-vous pour les autres?

— Parce que je les aime. Allons, il faut enterrer cette femme et aller chercher les enfants.

— Il y a beaucoup trop de morts à enterrer.

— Nous ne pouvons pas les laisser.

— Il faut d'abord s'occuper des vivants.

— Enterrons au moins cette femme.»

Alusia est épuisée mais elle a l'impression qu'elle pourrait creuser toute la nuit. Hafizullah ne la laisse pas faire; à la lumière d'une lampe à huile, il creuse une fosse juste à côté de la petite maison. Quand c'est fait, Alusia insiste pour l'aider à porter la dépouille en terre.

Alusia ne se détourne pas quand les pelletées de terre recouvrent le corps de la femme. Pour celle-ci, le calvaire est fini.

«Allons chercher les enfants», dit-elle.

Quatre garçonnets et deux fillettes, entre trois et huit ans, sont assis dans la cave obscure qui, du fait de son herméticité, a été épargnée par les gaz. Éblouis par la lampe du montagnard, ils reculent en voyant entrer les deux inconnus.

«Nous sommes des amis», dit Alusia affichant un sourire dont Hafizullah se sent incapable.

«Nous sommes là pour vous aider, il faut venir avec nous.»

Les enfants demeurent, terrorisés, les uns contre les autres. Alusia s'approche doucement et s'assoit en tailleur à même le sol tout près du petit groupe. Elle étend les mains:

«Moi c'est Alusia, et toi?» demande-t-elle en fixant une fillette qui demeure silencieuse.

Visiblement ils ont tous pleuré. Les traces de larmes sont apparentes sur leurs joues maculées de terre.

Qu'y a-t-il qui les terrorise à ce point? Elle le demande au garçon le plus âgé.

Il ne réagit pas immédiatement puis, soudain, désigne du doigt un point à l'extérieur, de l'autre côté du monticule de terre qui recouvre la cave.

«Qu'y a-t-il?» demande Alusia.

L'enfant ne répond pas. La religieuse fait un signe de tête à Hafizullah afin qu'il aille voir.

Elle n'a pas encore réussi à les amadouer, quand il revient, le visage défait et les yeux hagards.

«Qu'est-ce qui se passe?» l'interroge-t-elle vivement.

Il secoue la tête pour toute réponse.

Juste à le voir, Alusia est certaine qu'il a découvert quelque chose que l'imagination ne peut concevoir. Elle se lève pour aller se rendre compte elle-même. Il la retient par le bras quand elle passe devant lui.

«N'y allez pas!

— Il le faut.

— Non!

— J'ai déjà tout vu, affirme-t-elle en repensant aux deux novices baignant dans leur sang.

— Je le croyais, moi aussi, mais pas ça! jamais!

— Que s'est-il passé?

— Les enfants ont dû sortir et ils ont vu. Je crois pouvoir reconstituer ce qui est arrivé.»

Jamais Hafizullah ne lui en a dit aussi long.

«Continuez, fait-elle.

— Une patrouille soviétique est venue. Les partisans les auront massacrés, les corps sont toujours là. D'autres sont arrivés et avant de gazer le village, rendus fous par la mort des leurs, ils ont exercé leur vengeance.

— Mais qu'avez-vous vu?»

Il ne répond pas tout de suite, puis le fait d'une voix éteinte:

«Deux poteaux, un câble d'acier tendu entre les poteaux, des bébés pendus par les bras au câble, les restes d'un feu sous le câble et les bébés calcinés.»

Alusia reste sans voix. Elle ne peut croire pareille chose. Le regard terrorisé des enfants lui dit pourtant le contraire.

«Aucun être humain n'est capable de faire ça!» dit-elle, cherchant un démenti.

Comme elle prononce ces paroles, les images des camps de concentration lui passent devant les yeux, ainsi que toutes celles que l'imagination peut recréer dans les faits de l'histoire des hommes.

Elle tombe à genoux, la tête entre les mains.

«Pourquoi? s'écrie-t-elle. Pourquoi?»

Sa vive réaction en entraîne une autre chez les enfants. Les plus vieux se regardent puis, ensemble, ils s'approchent d'Alusia sans dire un mot. Relevant la tête, elle aperçoit un petit qui doit avoir dans les quatre ans et le serre contre elle.

«Mes pauvres petits, n'ayez plus peur.»

Elle voudrait trouver des mots pour effacer de leur mémoire le spectacle qui les a traumatisés.

Hafizullah, en voyant la religieuse et l'enfant dans les bras l'un de l'autre ne sait pas très bien qui console l'autre. Il est las et voudrait lui aussi donner libre cours à ses émotions. Seule son éducation d'homme de la montagne l'en empêche.

«Sortons d'ici», dit-il au bout de quelque temps.

Les enfants les suivent.

PENTAGONE, WASHINGTON D.C., U.S.A.

Le Président déteste l'endroit. «Seuls les rats peuvent se contenter des sous-sols.» Il s'est retiré dans ses appartements privés, où son épouse est venue le rejoindre. Elle non plus n'aime pas l'endroit, mais pour des motifs différents. La Première dame de la nation vit un conte de fée depuis l'accession de son mari à la Maison-Blanche. Elle raffole de Washington, trouvant une indéniable grandeur à la capitale conçue par Pierre-Charles L'Enfant. Hollywood l'a satisfaite sur bien des points mais le monde du spectacle a fini par l'ennuyer, et les comédiens, qu'elle considère bien souvent comme des épaves de luxe, n'ont pas à ses yeux l'aura de l'administration fédérale. Comme pour s'imprégner de la ville, elle aime – le soir, dans une limousine anonyme – demander à son chauffeur de la conduire au gré des artères. Elle ne se lasse jamais de l'impression de puissance qu'elle éprouve en remontant le *George Washington Memorial Parkway*, jusqu'au grandiose *Mall*, d'où elle découvre sa maison – La Maison-Blanche. Elle aime parcourir lentement les grandes avenues comme la Massachusetts, où siègent les ambassadeurs de toutes nations, et ne dédaigne pas non plus d'observer, à l'abri des vitres teintées de la limousine, la faune des hauts fonctionnaires qui hantent *Dupont Circle* ou Georgetown en quête de divertissements. Dans son esprit, de par le pouvoir de son mari, tout lui appartient. La Banque Mondiale, le FMI, le *National Institute of Health*, la *National Gallery of Art*, le *Lincoln Memorial*, la *Library of Congress* avec ses 75 millions de volumes et, pourquoi pas, le reste de l'Union. Jamais, à aucun moment, elle n'a pris conscience de l'autre façade de la ville quand elle devient *Chocolate City*. Elle ne s'est jamais attardée sur le fait que la ville compte 70 % de Noirs sans la moindre perspective d'avenir, que le passe-temps favori des adolescentes de 15 ou 16 ans est de se faire engrosser par les fonctionnaires, dans le vain espoir d'acquérir un certain statut social.

Washington flatte son ego et c'est tout ce qu'elle demande, maintenant que son physique de starlette est un souvenir du passé. Elle offre à présent la façade d'une grande dame ayant suffisamment d'esprit pour traiter d'égal à égal avec les plus hautes instances du pouvoir. Elle sait compenser Harvard ou Princeton par une aptitude à écouter, longuement mise au point, qui consiste à se faire le caméléon de chacun.

Il y a longtemps que le Président sait tout cela et l'a accepté avec le fatalisme d'un cardinal observant le célibat pour les besoins de son statut.

Il n'aime pas les sous-sols et pour cause, tout en lui le porte vers les grands espaces. Son rêve secret pour un monde utopique se résume à peu de chose: une seule nation universelle sur le calque américain, un petit ranch pour chaque famille où celle-ci produirait tout ce qui lui serait nécessaire, et – il ne trouve à cela aucune contradiction – des villes uniquement réservées aux universités, aux arts, à la médecine et à la conquête spatiale, qui est à ses yeux la suite logique du chemin tracé par les Pères fondateurs, les pionniers du Far West et le premier pas de Neil Armstrong sur le satellite naturel de la Terre.

Tout cela est différent du projet de société qu'il a présenté au peuple américain lors de la convention républicaine. Pendant les primaires de l'Iowa et du New Hampshire, ses discours ont été soigneusement élaborés en fonction des souhaits du plus grand nombre; autrement dit, le jeu consistait à assurer la majorité que son administration serait celle qui protégerait au mieux le portefeuille de chacun. Le reste n'étant que décorum, l'habile acteur qu'il est n'a eu qu'à exalter la vision d'une Amérique traditionnelle, forte, religieuse et enthousiaste.

Pour l'instant, rien d'autre ne le préoccupe que la tempête qui s'amoncelle à l'horizon. Il est persuadé que tout cela aurait pu être évité si seulement le projet de l'IDS lancé par Ronald Reagan en 1984 avait abouti. À ce jour, malgré tous les milliards investis, rien n'est concrétisé. Il est maintenant persuadé que les Soviétiques vont déclencher les hostilités avant la réalisation de ce projet qui devrait déjà être en place.

Rageur, il se dirige vers l'interphone et demande à Rose Hataway de lui envoyer Harry Steelman.

Sa femme est en train d'arranger un bouquet sur un petit guéridon du salon qui, hormis la lumière du jour, n'a rien à envier à celui de la Maison-Blanche.

«Chérie, lui dit-il, pourrais-tu voir à organiser quelques activités délassantes pour nous tous ici-bas.»

Elle comprend qu'il ne désire pas qu'elle reste dans le salon. Non pas pour des raisons de secret mais parce qu'il a remarqué que sa présence met ses adjoints mal à l'aise.

«J'y songeais justement. Il faut faire quelque chose, sinon l'ennui aura raison de beaucoup d'entre nous, bien avant de supposées retombées radioactives.

— Ne parle pas de ça aussi légèrement, s'il te plaît!»

Quand Steelman apparaît, elle s'est retirée dans son bureau personnel, certainement affairée à rejoindre les autres femmes ayant accompagné leurs maris sous la fourmilière du Pentagone.

Steelman est vêtu d'un polo bleu ciel et d'un pantalon de coton beige. Décontracté, il paraît totalement dans son élément.

«Un bourbon, Harry?

— Volontiers!»

Harry Steelman est parmi les rares, sinon le seul, à ne pas donner constamment du «monsieur» ou du «monsieur le Président». Ils s'installent dans deux profonds fauteuils de cuir bourgogne. Le Président regarde son conseiller militaire quelques secondes, avant de lui poser la question qui le tracasse:

«Harry, expliquez-moi, une fois pour toutes, pourquoi l'IDS ne marche pas. Tout les responsables crient à tue-tête qu'ils manquent de capitaux; pourtant, à ce jour, il nous a coûté beaucoup plus cher que tout le programme *Apollo*. Qu'est-ce qui ne fonctionne pas? Les armes ne sont pas au point? Bush avait-il raison de le laisser de côté sous son mandat?

— Les armes sont au point, c'est le logiciel qui ne l'est pas.

— N'avons-nous pas les meilleurs programmeurs?

— Pour que vous vous fassiez une idée, je dois vous donner quelques chiffres. Pour en arriver à un programme viable, il est établi que le logiciel devra contenir quelque chose comme dix millions de lignes d'instructions. Cela signifie, sans exagération, le travail de trente mille années-hommes.

— Soit, si je sais encore compter, à peu près 6 000 programmeurs travaillant pendant cinq ans?

— Exactement, et c'est le problème numéro un. Il est impensable de faire travailler en symbiose intellectuelle 6 000 individus. En fait, il est prouvé que 500 personnes constituent un maximum. Cette estimation ne prend pas en compte le fait que sur 6 000 personnes, il y aurait des décès ou des démissions qui entraîneraient d'inévitables erreurs de logique. Pire encore, sur un tel nombre, il faudrait s'attendre à trouver un éventuel saboteur à la solde d'étrangers, qui pourrait glisser une instruction neutralisante, impossible à dépister.

— Ne pourrait-on pas programmer des systèmes experts qui à leur tour programmeraient le logiciel?

— Un système expert se fonde sur l'expérience humaine. Personne n'est expert en conflit nucléaire massif.

— Au risque de passer pour un ignorant, ce que je suis en ce domaine, il me semble qu'il suffirait d'un petit programme simple portant l'instruction: Si missiles tirés de l'URSS, alors élimine ces missiles.»

Steelman réprime un sourire indulgent:

«Ce n'est pas aussi simple. Si la mise à feu est celle d'un lanceur civil pour une mise en orbite, si les tirs sont pointés vers la Chine, si un système tombait en panne... les éventualités peuvent se dénombrer par dizaines de milliers et il ne faut en oublier aucune. Je vous donne, comme exemple, la destruction du HMS *Sheffield* lors de la guerre des Malouines, où les systèmes d'alerte radar étaient programmés pour ignorer les missiles *Exocet* qui faisaient partie de l'arsenal britannique. Le système ignora l'*Exocet* argentin qui détruisit le destroyer.

— Où en est le logiciel aujourd'hui?

— Au stade de la conception, mais il faut encore faire beaucoup de retours à la planification. L'incrémentation, la simulation et la correction sont encore loin devant nous, et pour cause: comment simuler, alors que nous n'avons que des connaissances théoriques? Le système de défense aérienne AEGIS, beaucoup plus modeste et sur lequel nous avons des connaissances plus pratiques, est conçu pour suivre à la trace des centaines d'objets aériens dans un rayon de 300 kilomètres et peut allouer les armes nécessaires à la destruction de 20 cibles. Lors du premier test opérationnel, le système manqua 6 cibles sur 16 à cause d'une petite erreur dans le logiciel. Cette erreur a été corrigée, les tests suivants et futurs permettront encore de relever d'autres failles et les performances s'amélioreront constamment. Avec l'IDS, aucune véritable simulation n'est possible. Comment effectuer les corrections et, davantage encore, la maintenance? Un simple oubli, un simple chiffre inversé dans les 10 millions de lignes, pourrait être irréparable en cas de conflit.

— Donc, vous êtes sceptique quant à la réalisation du logiciel?

— Beaucoup! J'ai un autre exemple relié au programme lui-même: en juin 1985, l'organisation pour l'IDS effectua une expé-

rience bien simple. L'équipage de la navette spatiale devait positionner le vaisseau de manière à ce qu'un miroir installé sur son flanc réfléchisse un faisceau laser émis d'un sommet, dont l'altitude était de
10 023 pieds. Ce fut un échec total, car le programme comportait une
erreur ridicule comme il en arrive souvent. Le programmeur, distrait,
avait calculé 10 023 milles marins.

— Selon vous, tous ces milliards ont été engloutis inutilement?

— Non! Mais, à mon avis, il faudrait repenser tout le programme pour y introduire l'élément humain en même tant que le
silicone. Ce qui impliquerait, comme les Russes l'ont fait, un entraînement humain de longue durée en milieu spatial.

— C'est possible rapidement?

— Tout est possible.

— Sauf le logiciel de la guerre des étoiles.

— Il serait réalisable, à la condition de pouvoir livrer quelques
guerres nucléaires pour le tester.

— Vous croyez que des hommes là-haut seraient d'une plus
grande utilité?

— Nous n'avons encore rien trouvé qui dépasse le cerveau
humain.

— Pas en ce qui concerne la rapidité d'exécution.

— Les systèmes de détection et de destruction seraient informa-
tisés; il ne resterait à l'élément humain que l'analyse et la décision.»

La conversation est interrompue par le grésillement de l'interphone. Rose Hataway réclame le Président à la salle du Conseil.

Tandis qu'ils s'y dirigent, Steelman le rassure:

«Tout n'est pas perdu, dit-il. Le cerveau électronique du *National
Test Bed* nous a permis, grâce à ses 2 300 ordinateurs interreliés, de
concevoir de nombreuses stratégies d'interception spatiale. Nous
avons les ERIS et FTV capables de détruire les missiles en milieu de
course, les FLAGE de White Sands pour la dernière phase du
parcours ainsi que les roquettes de Martin Marietta, basées dans
l'espace, pour les interceptions en phase d'élévation. Nous sommes
en mesure d'intercepter une bonne quantité de missiles ennemis, au
moins la moitié de ceux qui proviendraient du territoire soviétique,
car pour les sous-marins c'est une autre histoire.

— Ce qui importe pour le moment, c'est de se parer au mieux,
fait le Président», sans réaliser qu'il n'y a pas une grosse différence,
quant au résultat final, entre cinq ou dix mille ogives.

Charles Niles n'est pas présent mais le Conseil de sécurité au complet attend le Président. Matt Vaughan lui fait signe:

«Monsieur, nous avons des nouvelles de France à propos du navire kidnappé et de la bombe H.

— Ils l'ont repéré?»

Vaughan secoue la tête:

«Le bateau a été coulé par les pirates, l'équipage massacré. Seul le commandant a pu s'en sortir, et ce qu'il rapporte est à faire dresser les cheveux sur la tête. Selon lui, un sous-marin soviétique aurait recueilli les pirates et les Russes auraient participé au massacre.

Le Président, du regard, fait le tour de ses collaborateurs d'un air perplexe. Personne ne paraît pouvoir fournir une explication.

«Ça sent le roussi», déclare finalement Steelman.

Au même instant, le général Harlow se frappe la tête de la main:

«J'y suis! Une bombe H! Des Libyens! Le voilà, leur scénario d'amorçage!

— Expliquez-vous? dit le Président.

— Les Russes, se faisant passer pour des terroristes libyens, j'entends des terroristes au service de la cause d'Allah, font péter un pruneau atomique en Angleterre; celle-ci réplique massivement sur la Libye, et Moscou accuse l'Angleterre d'avoir exercé des représailles inadmissibles, étant donné que ces dégâts sont le fait de terroristes et non d'une nation. Excellente justification pour une intervention armée en Europe.»

Steelman frappe dans ses mains:

«C'est ça! dit-il.

— Pourquoi avoir coulé le bateau?» demande le Président.

Steelman répond immédiatement:

«Pour qu'il disparaisse. Il ne doit faire aucun doute que ce sont bien des Libyens les responsables. Nous avons affaire à des Russes se faisant passer pour eux, et la bombe doit se trouver quelque part dans un port anglais. Quand elle aura sauté, inutile d'essayer de prouver que le navire kidnappé n'y était pas.»

Le visage de chacun est devenu grave; les choses se précisent. Tous essayent mentalement de se représenter une ville britannique réduite en cendres. Le cauchemar que tout le monde redoute commence à dévoiler sa face grimaçante.

«Quelle ville ont-ils pu choisir?» interroge le Président.

À cette question, Steelman pianote sur son clavier pour faire apparaître la carte du Royaume-Uni.

«Ils ne choisiront certainement pas Londres, explique-t-il. Psychologiquement, il faut que les dégâts subis par les Anglais soient bien inférieurs aux représailles qu'ils exerceront. Je verrais bien une petite bombe dans un port moyen.»

Le Président observe la carte avec un regard incrédule:

«Ça pourrait être n'importe où.»

Il relève la tête sous le coup d'une idée:

«Il suffit d'annoncer à Moscou que nous savons ce qu'ils mijotent. Ils abandonneront le scénario.»

Dave Fawcett secoue vivement la tête:

«Ils nieront.

— C'est évident mais la bombe n'explosera pas.»

Le secrétaire à la Défense n'est toujours pas d'accord:

«Cette bombe n'explosera pas et ils trouveront autre chose que nous n'identifierons peut-être pas à temps. Nous n'aurons pas toujours un informateur au Politburo. À l'heure actuelle nous savons ce qu'ils préparent, il ne faut pas perdre cet avantage.»

C'est au tour du Président d'exprimer son désaccord:

«Nous ne pouvons pas les laisser agir sous le prétexte que cela nous donne des avantages!

— Il le faut», dit Fawcett d'une voix métallique.

Du regard, le Président consulte son entourage. Tous semblent d'accord avec le secrétaire à la Défense.

«Il le faut, renchérit Steelman. De toute façon, les Russes agiront d'une manière ou d'une autre. Ils l'ont décidé. Je crois qu'il est temps de donner le O.K. à nos agents de l'Est, afin de disperser les toxines.

— Laissez-moi réfléchir un peu.»

Le Président masque ses yeux avec la paume de sa main pour se concentrer. Tous respectent son silence.

Il se trouve face à l'un de ces dilemmes moraux auxquels autrefois – avant de poser sa candidature – il s'était demandé s'il réagirait de façon chevaleresque face au pragmatisme. Il avait opté pour la première hypothèse. Maintenant, il est réellement devant ce choix et l'esprit chevaleresque perd des plumes face aux enjeux.

Il essaye de tergiverser:

«J'ai une idée! Il faudrait recommander aux Anglais de ne pas réagir. Ils savent comme nous que ce ne sera pas le fait des Libyens. Je vois mal comment les Soviets pourraient justifier des hostilités?»

Dave Fawcett a la réponse que le Président attend:

«En tant que chef de gouvernement, resteriez-vous sans réagir si une ville américaine était rayée de la carte par de présumés terroristes libyens?»

Le Président admet que ce serait un suicide politique; il poursuit néanmoins:

«Êtes-vous certains que les Britanniques, sachant que les véritables responsables sont à Moscou, répliqueront en Libye?

— Je vois mal Londres déclarer la guerre à l'URSS, rétorque Steelman. Et il leur faudra un bouc émissaire.»

Le Président prend sa décision brutalement comme si cela pouvait le disculper au regard de sa conscience:

«O.K.! dit-il. Les Russes veulent la guerre, ils l'auront!»

Il s'adresse à Matt Vaughan:

«Dites à Charles Niles de procéder à la mise en route du plan B.

— Passons-nous en DEF CON DEUX? demande Fawcett.

— Attendons que ça pète en Angleterre. Nous pouvons toujours nous tromper.»

Personne n'y croit, et le Président moins que tout autre. Il vient de perdre, une fois pour toutes, les quelques illusions sur lui-même et sur le monde qui le rattachaient jusque-là à l'adolescence. Pour la première fois, il considère sérieusement qu'il aura peut-être besoin du *footballeur* qui, jour et nuit, le suit comme une ombre, avec la mallette EWO.

Steelman, de son côté, songe que, lorsque le Président aura regagné ses appartements, il ouvrira des paris à savoir où et quand cela se produira. Il est prêt à parier sur Torquay au cours des prochaines vingt-quatre heures. Torquay parce que le nom lui plaît, et dans les vingt-quatre heures, parce qu'attendre plus longtemps serait éprouvant pour les nerfs.

BOSTON, MASSACHUSETTS, U.S.A.

Le camelot installé à la sortie du *Prudential Building,* est satisfait des affaires. Les gros titres attirent tous les passants et le quotidien se vend comme des petits pains.

«Moscou prépare la guerre!» hurle-t-il une fois de plus.

La teneur de son cri ne manque pas d'attirer l'attention. Pour la deuxième journée, tous les autres quotidiens tirent leurs manchettes des remous économiques engendrés par l'effondrement des bourses étrangères. Aucun n'est vraiment en mesure d'expliquer les raisons réelles de cette chute, mais chacun fait ses choux gras des hypothèses, parfois les plus contradictoires, formulées par les économistes de renom.

Le quotidien d'Isaac Reeves Helmann vient de se démarquer de ses concurrents. L'éditorial, qui occupe toute la page 2, explique ce que sont les *maisons rouges,* comment et pourquoi Moscou a mis son grain de sable dans l'engrenage bien huilé de l'économie occidentale. L'éditorialiste aborde ensuite le coup d'État d'Oman sous un jour nouveau: «Le pétrole n'est-il pas le second nerf de la guerre, après l'argent?» Pour terminer, plusieurs questions sont posées: «Où est le Président qu'aucun journaliste n'a aperçu depuis deux jours? Où se trouve le *National Security Council* dont tous les membres sont introuvables? Pourquoi *Atlantis* a-t-elle décollé sans aucune explication? Pourquoi toute cette agitation sur l'ensemble des bases de lancement? Pourquoi, selon certaines sources, les forces de l'Armée, celles de la *Navy* et l'*Air Force* sont-elles placées en DEF CON TROIS, toutes permissions annulées? Quel est ce curieux mouvement civil qui s'intensifie tout le long de l'*Alaska Highway?* Qu'en est-il exactement de cette histoire de bombe nucléaire avec l'apparition du souverain britannique? Pourquoi le C en C de NORAD, le site radar PAVEPAWS de la base d'Otis au Massachusetts, ainsi que les sept autres sites identiques, sont-ils placés en quarantaine? Pourquoi cette activité accrue des bombardiers à Plattsburg et dans le Dakota? Pourquoi le système de positionnement *Navstar* vient-il d'effectuer un nouveau brouillage de ses données? Quel est ce grand chamboulement des émissions télévisées pour faire place à une programmation à saveur nettement propagandiste? Quelle est cette fébrilité à Omaha où se trouve le QG du *Strategic Air Command* (SAC), qui, comme chacun le sait, n'est pas à l'épreuve des bombes?»

306

La liste des questions s'allonge, leur nature ne laisse aucun doute sur les réponses.

Nombreux sont ceux qui n'attendent pas la maison, le métro ou le bus pour lire leur journal et s'attardent debout sur le trottoir. Un jeune couple en voyage de noces sur les lieux où le mari a décroché sa licence en droit, parcourt l'éditorial avec un masque d'anxiété.

«Est-ce que tu crois à tout ceci? demande la jeune mariée.

— Ça paraît sérieux et ça pourrait expliquer beaucoup de choses.

— Ce n'est pas un journal à sensation?

— Non, je le connais bien, il est même assez réputé dans les milieux d'affaires.

— J'ai peur!»

Il la regarde avec un sourire protecteur et l'enlace.

«Ne crains rien, je suis là.

— Sans vouloir te vexer, je crains que tu ne puisses pas grand-chose contre une bombe atomique.»

Il ne sait que répondre; elle poursuit:

«Il nous reste 18 jours avant que tu ne reprennes tes fonctions à l'étude: ça nous donne le temps d'aller nous cacher quelque part en attendant la suite des événements.

— Mais où veux-tu aller?

— Pas dans une grande ville! Je n'ai pas envie d'être atomisée.

— Je ne connais aucune place sécuritaire dans tout le territoire américain, à part peut-être la vallée de la Mort ou d'autres lieux du même acabit.

— Je ne sais pas, moi. Allons au Mexique?

— Nos économies pour la maison s'en ressentiraient.

— À quoi servira une maison si nous sommes morts?

— Tu oublies que je suis réserviste. Je dois répondre à l'appel si le pays a besoin de moi.

— C'est moi qui ai besoin de toi!»

Il l'observe, pensif, et considère vite qu'il a plus envie de s'occuper d'elle que de tout autre chose, où sa présence ne ferait aucune différence. De toute façon il n'a pas été appelé. Il l'enlace de nouveau.

«Tout compte fait, dit-il, il y a longtemps que je rêve du soleil du Sud.»

La décision prise, ils s'engouffrent dans la première agence venue pour réserver deux sièges à bord du prochain vol à destination du Mexique. L'agence est bondée et ils doivent attendre un bon bout de temps avant d'être écoutés par l'un des agents, qui les informe qu'il n'y a rien de disponible pour le Mexique avant 72 heures.

«Je ne sais pas ce qui se passe, dit-il. On dirait que la peste bubonique s'est déclarée aux États-Unis et que tout le monde cherche à fuir au soleil.

— Et vers le Costa Rica? s'informe le jeune marié.

— Complet, comme pour le Mexique. La même chose pour les Antilles ou l'Amérique latine, à l'exclusion, bien entendu, de Cuba et du Nicaragua. Tout ce que je peux vous proposer à l'heure actuelle, c'est Hawaii ou les îles Fidji.»

Les deux tourtereaux se consultent du regard. Au nom de Fidji, les yeux de la jeune femme se sont éclairés.

«Les lagons bleus, fait-elle. Robinson Crusoë à deux. Ça doit être magnifique! La place idéale pour perpétuer la race», ajoute-t-elle, sans faux semblant.

L'agent dissimule une grimace ironique.

«Encore des innocents qui croient que le paradis est à quelques heures d'avion.»

«Quand le prochain départ pour les Fidji?» demande le mari.

L'agent s'active quelques instants sur le clavier de son ordinateur.

«Je peux vous avoir des places pour Los Angeles ce soir, départ pour Suva demain matin.

— Suva?

— La capitale des Fidji. Vous ne connaissez rien des Fidji?

— Je sais que c'est indépendant, qu'il y a des plages bordées de palmiers et que c'est loin de tout. C'est tout.

— C'est ça, répond l'agent sans se compromettre.

— O.K. pour les Fidji», fait le jeune marié qui sort sa carte *Visa* en se demandant combien il leur restera pour bâtir leur nid d'amour.

«De toute façon, si c'est une folie, c'est le temps où jamais de la faire. Ce n'est pas quand la maison retentira des cris de nos héritiers que nous pourrons faire une escapade aux Fidji.»

ATLANTIQUE-NORD

Filant plein cap sur le Brésil, le yacht d'Isaac Reeves Helmann a abandonné la route de Porto Rico pour celle du Sud. Le banquier a hâte de se trouver en sécurité. Non pas vraiment parce qu'il a peur de mourir – cette idée ne l'a encore jamais effleuré – mais parce qu'il veut continuer à diriger. Le pouvoir. Il use de son pouvoir avec le même état d'esprit qu'un enfant dispose de son train électrique le matin de Noël. Le pouvoir est son jouet, c'est pourquoi il a toujours tourné le dos à la politique active, qui, selon lui, ne peut apporter que l'illusion de la puissance – à moins d'exercer une dictature, mais cela ne dure jamais bien longtemps. Seule, la finance procure liberté d'action et mainmise sur autrui.

Il est absorbé dans l'étude du dossier d'une petite compagnie de composantes électroniques, lorsque le capitaine l'appelle par l'intercom.

«Qu'y a-t-il, capitaine?

— Venez sur le pont, vous verrez quelque chose qui vaut le coup.»

Helmann pousse un soupir, recule son fauteuil et se dirige vers le pont.

«Regardez!» fait le capitaine en désignant le côté tribord.

Le banquier écarquille les yeux:

«Merde! qu'est-ce que c'est?»

Un long navire effilé croise à quelques encablures du yacht. Il pourrait facilement passer pour un paquebot si ce n'était des deux énormes sphères qui dominent les superstructures, par ailleurs hérissées d'un entremêlement d'antennes et de radars. Le capitaine le présente:

«C'est le *Cosmonaute Vladimir Komarov*, un navire de poursuite.

— Militaire?

— Non, observation astronautique.

— Il est immense!

— Près de mille hommes d'équipage, je pense.

— Que peut-il fabriquer dans les parages?

— Il se trouve dans son aire opérationnelle. En fait, il est basé principalement à La Havane.

— Ça ferait un beau carton en cas de conflit.»

Le capitaine dévisage son patron avec un regard de reproche.

«Ce ne sont pas des militaires. La plupart doivent être des scientifiques.

— Raison de plus, ce sont les plus dangereux. J'ai bien envie de communiquer sa position à nos compatriotes.

— Inutile, il doit être sous surveillance.»

Helmann s'accoude sur la main courante.

«Les cocos sont quand même équipés, c'est impressionnant.»

Un officier, dont ils distinguent le sourire, se tient sur la passerelle extérieure du *Komarov*. Il leur lance un salut amical.

«Dans le cul!» fait Helmann pointant son doigt en l'air.

Sans abandonner son sourire, l'officier pointe ses deux index, mains tournés vers l'intérieur.

«Sale con!» lance Helmann.

Rien ne peut le laisser supposer que dans la salle de contrôle du navire, en liaison directe avec le centre du Tsoup de Kalinine, près de Moscou, les techniciens s'apprêtent à suivre les lanceurs F-1-m qui, depuis Plessetsk, vont placer en orbite deux RORSAT et trois EORSAT pour assurer une couverture complète, capable de préciser la position de toutes les unités de l'OTAN sur tous les océans.

Helmann en a assez vu. La présence d'un bâtiment soviétique dans des eaux qu'il considère comme «libres», l'enrage.

«Pourquoi ne restent-ils pas dans leurs steppes?»

À peine est-il de retour dans son bureau que son éditorialiste de Boston l'appelle:

«Je viens d'avoir la visite de ces messieurs du Pentagone. Pas contents du tout.

— Que voulaient-ils?

— Ils accusent le journal de vouloir semer la panique.

— C'est le cas!

— Disons que, depuis quelques heures, nombreux sont ceux qui mettent les voiles. Les standards de réservation sont débordés. Les presses radiophoniques et télévisées viennent de nous emboîter le pas.

— Aucune déclaration de Washington?

— Rien du tout. C'est le blackout total. Je... Attendez, je reçois un télex AFP intéressant.»

Helmann attend quelques secondes en pensant aux gens du Pentagone. Ont-ils peur que les Russes se froissent?

«Ça y est! s'exclame le journaliste; le gouvernement français vient de mettre le CODISC en état d'alerte.

— C'est juste la sécurité civile.

— C'est déjà quelque chose!

— Motif?

— Danger nucléaire, source non identifiée.

— La mobilisation n'est pas prescrite?

— Pas encore.

— Ça doit avoir rapport avec l'affaire des Libyens.

— Tripoli dément énergiquement.

— Je sais. C'est étrange.

— Je n'arrive pas à trouver le fil conducteur de cette histoire.

— Dommage, ça ferait un bel article.

— Une chose est sûre, tout doit venir du Kremlin.

— Essayez de pondre un texte là-dessus pour demain. Autre chose?

— Oui! À quoi peut-on relier cette avalanche d'accidents qui secoue toute la nation?

— C'est vous le journaliste. Trouvez!

— Une tendance commence à se dégager: c'est que dans la majorité des cas, nous avons affaire à des gauchistes notoires. Beaucoup trop pour mettre tout cela sur le compte du hasard.

— Vraiment?

— Il n'y a pas de doute.

— Alors oubliez cette affaire!»

Après avoir raccroché, Helmann n'a plus la tête aux dossiers qui l'attendent. Il est certain qu'un conflit majeur est imminent. Il le sent. Pour l'instant, il regrette un peu de ne pas avoir de poste au sein de l'état-major militaire. Il aimerait bien établir des stratégies, avancer des pions dans la bataille qui s'annonce.

Il gagne le salon, se concocte un punch, va placer un disque de Sinatra et s'installe dans une chaise longue. Dehors, le ciel est du bleu le plus pur et l'océan comme un lac. S'insinuant dans la pièce, une légère brise, provoquée par les alizés du nord-est, est chargée de l'odeur revigorante du grand large. Paupières mi-closes, il écoute les paroles de *It was a very good Year* et repense à sa propre jeunesse, faite de filles faciles sous des airs d'ingénues, de voitures sport pour des randonnées bucoliques torturées au rock and roll, d'études en dilettante, sous les frondaisons romantiques ornant les sévères murs de briques des vénérables campus, de soûleries mémorables dans les tavernes où se refaisaient le monde et l'Amérique, où chacun se réclamait d'un F.S. Fitzgerald, d'un Dos Passos, d'un Faulkner, d'un Kerouac ou d'un Henry Miller, avant de sombrer dans des discours plus scabreux à propos des qualités distinctives de telle ou telle fille soumise à leurs ardeurs conquérantes.

Tout ça s'était brusquement terminé l'automne suivant le diplôme tant attendu. Il avait fallu reprendre le flambeau de papa et plonger tête baissée dans l'affreuse grisaille des emmerdements qui ne cessent de survenir lorsqu'on devient sérieux. Heureusement qu'il y a le pouvoir à la clef de tout cela. Mais les filles d'autrefois, elles, sont disparues.

COLD LAKE, ALBERTA, CANADA

Dans le bureau du colonel Wilson, ce dernier et David Cussler repassent les différents points de la mission du lieutenant.

«C'est entendu avec les Américains, dit Wilson. Un de nos hélicos vous prendra demain à Aklavik avec votre matériel et vos équipiers. De là, il vous amènera à Pointe Barrow, où un de leurs *Iroquois* vous déposera sur le pack, à environ 100 kilomètres de Wrangel.

«Nous allons être chargés.

— Plus que vous ne le pensez. J'ai pris la décision de faire venir un X-jet à la place de votre ultra-léger.

— Un de ces engins en forme d'obus décapité sur lequel le pilote se tient à la verticale?

— Exactement. Cette nouvelle variante du tapis volant, très manœuvrable, peut circuler au ras du sol ou bien s'élever jusqu'à 10000 pieds et accélérer jusqu'à 60 milles à l'heure. Comme cet engin est mû par un turbofan dérivé du missile de croisière F-107, il est totalement indépendant de l'aérodynamique et, par là, aussi facile à piloter qu'une bicyclette.

— C'est comique! Vous m'aviez choisi pour mes capacités en ultra-léger, que, finalement, je n'utiliserai pas.

— Ce n'est pas le seul critère qui a motivé votre choix. Pour continuer à propos du X-jet, je dois ajouter que son inconvénient pour vous réside dans son poids: 240 livres, auxquelles il faut ajouter une certaine quantité de carburant, 150 livres pour chaque envolée de trente minutes.

— Je ne dispose que de deux attelages, et je ne sais pas si l'on pourra caser votre engin dans l'habitacle des traînes dont je vous ai parlé.

— N'y a-t-il pas moyen d'atteler une traîne supplémentaire?

— Il le faudra bien mais je crains que la manœuvrabilité ne soit délicate.

— Vous ferez pour le mieux. Je dois aussi vous parler de la radio à pointage satellite. Vous travaillerez dans la bande EHF de 20 à 44 GHz. Les fréquences exactes vous seront précisées à Pointe Barrow. Le poste et son antenne ne pèsent que 15 livres, accumulateurs compris. Pas de problème de ce côté. Vous devrez, toutefois, y veiller comme à la prunelle de vos yeux, parce que sans ce poste votre présence à Wrangel serait inutile.

— Je me demande toujours ce que l'état-major désire apprendre sur cette île?»

Le colonel observe un silence prolongé en regardant fixement David.

«Lieutenant Cussler, le but de votre mission est classé top secret, aussi savez-vous ce qui convient en cette circonstance.»

David a un bref mouvement d'approbation.

«Bon! Votre tâche consiste à reconnaître les lieux, les forces ennemies s'il y en a, et, aussi, à choisir les zones les plus propices en vue d'un débarquement aéroporté pour prise de possession.»

David Cussler ne peut s'empêcher d'exprimer sa stupéfaction: «Hein?

— Je ne suis pas autorisé à vous en dire plus, et le serais-je, que je n'en sais pas davantage.

— Peut-être savez-vous à quoi rime toute cette circulation vers l'Alaska, que j'ai pu observer du ciel?»

Le colonel hausse les épaules:

«Je ne suis pas dans le secret des dieux mais tout cela ne peut avoir qu'une seule signification.

— Les Russes ne songent tout de même pas à traverser le détroit de Béring?

— Peut-être pas les Russes...

— Je comprends. On file tout droit vers un affrontement.

— C'est dans l'air.

— Prions pour que ça s'arrange.

— Ça, c'est le boulot des curés. Le nôtre est de circonscrire l'ennemi.

— Je me suis toujours demandé pourquoi les nations se choisissent un ennemi à la mesure de leur puissance.

— Sûrement parce que le danger ne peut venir que de là.

— Je crois plutôt que le danger vient de quelques circonvolutions mal connectées dans le cerveau de l'homme.»

Le colonel se lève, impassible et froid:

«Lieutenant, vous pensez trop pour un soldat!

— Excusez-moi, mon colonel.»

LA MANCHE

Sous les yeux pleins d'un reproche informulé de Leduc, l'*Écureuil 2* de la Marine française stationne à la verticale du *Hastings*. Le harnais suspendu au bout d'un câble arrive à la hauteur de Charles Toussaint, qui l'enfile et adresse un dernier salut à son sauveteur. Il agite sa main vers l'hélicoptère pour signifier qu'il est prêt. Quelques secondes plus tard, il est à bord.

«Bonjour, commandant», hurle le militaire qui l'a hissé, essayant de couvrir le bruit du rotor.

«Où va-t-on? demande le commandant, une fois le panneau extérieur fermé.

— Directement à Rouen», répond le pilote.

L'appareil cesse de survoler la mer écumeuse à la hauteur de Saint-Valery-en-Caux et pique droit sur Rouen. Charles Toussaint observe sous lui le damier de la campagne normande. Tout paraît si naturel. Comme si rien ne s'était produit. Il trouve cette sérénité apparente déplacée. À son avis, tout devrait se trouver sens dessus dessous. Sur les routes, les voitures circulent et il imagine au volant de chacune d'elles un conducteur, absorbé par les petits soucis quotidiens, se dirigeant vers un but tout aussi banal. Ils ne savent donc rien du drame qui s'est déroulé à quelques milles au large? Depuis son réveil, il a l'impression de poursuivre un mauvais rêve, que tout ce qu'il a vécu depuis deux jours ne peut avoir existé. Il va bientôt se réveiller à bord du *Viking,* et les hommes de l'équipage seront là à plaisanter sur les filles de Göteborg.

Ils aperçoivent enfin les contreforts de Rouen, nichée au creux d'une cuvette naturelle qui contribue à retenir un smog triste vers lequel s'élancent, telles les piques d'une armée médiévale, les multiples clochers d'une des villes les plus humides de France et, aussi, des plus polluées.

Le ciel est crasseux autour de l'hélicoptère; au-dessous, la Seine charrie des eaux d'un vert douteux. Le pilote désigne une tour au passager:

«La préfecture.»

Charles Toussaint, qui l'a reconnue, fait un signe affirmatif. Ils se posent sur une aire de stationnement spécialement dégagée à proximité de la tour. Un homme l'attend, le secrétaire du préfet. Tout frais émoulu de l'université, à en juger par l'allure empêtrée qu'il a dans son complet-veston.

«Savez-vous qui je suis?» demande Charles Toussaint.

Le secrétaire fait signe que oui et le dirige à l'intérieur, vers l'ascenseur.

«Ma femme a-t-elle été prévenue?

— Je crois que monsieur le préfet a fait le nécessaire.»

Le bureau du préfet est à l'image de son occupant, et ce dernier à l'image de sa ville: bourgeois, pédant et n'ayant pas peur de se prendre au sérieux. À l'entrée de Charles Toussaint, il retire ses lunettes à fines montures d'argent et se lève pour lui tendre la main:

«J'eusse préféré faire votre connaissance en des circonstances moins pénibles», lui affirme-t-il.

Le marin pense, sans le dire, qu'il aurait préféré ne pas faire sa connaissance tout court.

«Ma femme est-elle toujours à Paris?

— Oui, mais j'ai jugé inutile de la faire revenir, puisqu'il nous faut rejoindre la capitale nous-mêmes.

— Que voulez-vous dire?

— Vous devez comprendre que les gens de la Sûreté ont beaucoup de questions à vous poser. Peut-être pourrons-nous identifier les responsables.

— Je peux surtout parler de leur chef, qui semblait avoir sa place dans la Marine française.

— Il sera certainement inévitable que vous assistiez à des projections, afin que vous puissiez identifier le sous-marin qui, selon vous, a ramassé les pirates.

— Vous n'avez pas l'air de me croire?

— Certainement! mais il peut arriver qu'ayant subi un traumatisme, vous puissiez faire erreur.

— Il n'y a pas d'erreur.

— Bien sûr!

— Pourquoi ne pas m'avoir conduit directement à Paris?»

Le préfet joint ses doigts comme un premier communiant le ferait pour prier.

«À la demande expresse des ministres de la Défense et des Affaires étrangères, je dois d'abord m'assurer que vous n'envisagez pas d'ébruiter cette affreuse affaire. Vous comprendrez que tout ceci doit rester confidentiel, jusqu'à ce que nous sachions exactement ce qui se passe.

— Qu'allez-vous dire aux familles de mes hommes?

— Nous devrions avoir le temps de tout éclaircir avant de contacter les familles.

— Et si je croise ces gens à Fécamp? Vous oubliez aussi ceux qui m'ont repêché: dès qu'ils seront de retour à Dieppe, la nouvelle va se répandre dans tous les bistrots.

— Nous avons considéré tout cela. Pour vous-même, il est évident que vous ne pourrez pas retourner à Fécamp d'ici à ce que tout soit réglé.

— Ma femme? mes enfants?

— Vos enfants sont à Paris avec votre épouse.»

Charles Toussaint sent la moutarde lui monter au nez.

«Pourquoi tous ces mystères? fait-il le plus calmement possible. Mon bateau est kidnappé, mes hommes abattus comme des chiens galeux, un sous-marin coco est mêlé à tout ça, et il faut fermer sa gueule? Le Gouvernement aurait-il déménagé à Vichy depuis mon départ?»

Un sourire pincé se dessine sur les lèvres du préfet:

«Soyez raisonnable, commandant. Nous ne pouvons pas insulter Moscou avant d'avoir au moins quelques preuves.

— Je suis la preuve!

— Ce n'est pas suffisant.»

Charles Toussaint en a assez de ce sbire mielleux.

«Vous les politiciens, vous êtes bien tous les mêmes! De grands discours pleins d'emphase sur la grandeur de la France, mais quand arrive le temps pour la nation de montrer qu'elle a du poil au cul, tout le monde se réfugie derrière une prétendue diplomatie de mes deux...»

Le préfet n'abandonne pas sa superbe.

«Les événements que vous avez subis vous ont fait perdre votre contrôle, c'est très compréhensible.»

Le commandant réalise qu'il ne servirait à rien d'essayer de faire entendre la voix de la justice à ce politicien imbu, par son éducation locale, de cette pondération infecte et pleine de suffisance, qui caractérise les hautes sphères du pays. Il réalise également qu'il doit jouer leur jeu s'il veut avoir une chance de régler son problème.

«Je me suis laissé emporter, fait-il avec assurance.

— C'est tout naturel, qui ne l'eût fait?»

J.F. KENNEDY AIRPORT, NEW YORK, U.S.A.

En transit dans la métropole, Bessie a l'impression qu'elle pourrait rester assise là pendant des heures, sans jamais s'ennuyer. Les spécimens les plus variés de ce que l'humanité peut produire, vont et viennent dans un tourbillon incessant.

Karl Heidegger lui a demandé de l'attendre sur ce banc pendant qu'il s'occupe des billets.

Depuis la veille, les événements se sont déroulés à un rythme fou. Elle ne réalise pas encore que d'ici quelques heures elle foulera le sol allemand. La vie est surprenante. Des jours, des mois, des années se déroulent selon le tempo des habitudes et de la banalité, et soudain un événement, une proposition, peuvent tout chambarder et vous projeter hors de la routine. Pendant quelque temps, la vie prend alors une autre dimension.

Bessie observe la foule de gens qui se précipitent, les uns vers New York, les autres vers les guichets de leur compagnie respective. Les personnes qu'elle suit des yeux seront demain qui à Wichita, qui à Buenos Aires, qui à Londres, qui à Hong Kong ou Bombay. Devant le guichet de la Lufthansa, un couple s'embrasse avec fougue. L'homme part, la femme reste. Bessie essaye d'imaginer ce que sera la vie de l'un et l'autre pendant leur séparation. Ce soir, la tristesse engendrée par la séparation se lit dans les yeux que chacun porte sur l'autre. Ils se tiennent par les mains, et Bessie peut apercevoir leurs doigts blanchis dans la pression qui les lie. À en juger par la seule petite valise qui est sur son chariot, il ne doit pas partir pour longtemps; pourtant, leurs étreintes sont plus celles d'un adieu que d'un au revoir. Sûrement que si l'homme s'absentait pour une même durée, mais à destination du Maine ou du New Jersey, les étreintes ne seraient pas aussi passionnées. L'océan qui va les séparer donne un autre cadre à leur isolement. Peut-être l'obscur sentiment que l'autre cherchera à tromper la solitude issue du dépaysement, y est-il pour quelque chose. La peur de perdre celui ou celle à qui l'on s'est donné, celui qu'on s'est donné.

Bessie n'a pas ces tourments, elle ne laisse que souvenirs et déceptions. Elle a une pensée pour Jonathan Yeager, dont elle n'a plus eu de nouvelles depuis qu'elle l'a raccompagné à sa voiture, et n'en aura probablement plus jamais. Elle lui en veut un peu et se le reproche. N'est-ce pas elle qui l'a ramené chez elle?

Peut-être aussi que s'il avait été célibataire...

Elle secoue la tête pour chasser ces suppositions qui ne peuvent aboutir que nulle part. Il n'en reste pas moins qu'elle ne peut oublier ce bref instant où chacun a été le complément de l'autre. Il l'a vécu aussi, elle le jurerait. Les lois du cœur voudraient que cette histoire ait une suite.

Heidegger revient, en agitant devant ses yeux un billet de la compagnie allemande.

«C'est fait, dit-il. Nous pouvons passer à l'enregistrement. Quel effet ça vous fait d'aller en Europe?

— C'est un vieux rêve qui se réalise.

— Vous me voyez ravi d'y être pour quelque chose.»

Au même instant, un groupe d'une vingtaine d'hommes en provenance du Nevada se présente à l'enregistrement.

«Des militaires, souffle Bessie.

— Comment le savez-vous? Ils sont en civil.

— J'ai appris à les reconnaître de loin.»

Plus tard dans la salle d'embarquement, Bessie remarque que l'homme qui a eu du mal à quitter sa femme, ou sa maîtresse, s'est joint au groupe de ceux qu'elle juge être des militaires. Tous ces gens ont l'air soucieux. La chanteuse se demande pourquoi: d'habitude, les militaires, en civil ou pas, se montrent toujours un peu braillards.

«Tout va bien en Allemagne? s'enquiert-elle auprès de Heidegger.

— L'économie a pris un sale coup aux dernières nouvelles mais ce n'est pas particulier à l'Allemagne.

— Mauvais pour vos affaires?

— Au contraire! Quand tout va mal, les hommes vont se consoler dans les cabarets.»

Elle rit.

«Vous êtes un charognard, dit-elle sur le ton de la plaisanterie.

— Qui ne l'est pas?

— Moi, je crois.

— Ne vous servez-vous pas des tourments de chacun pour rendre vos chansons plus accrocheuses?

— Je me sers surtout des miens, mais si vous le voyez comme ça, c'est votre affaire.

— Tout le monde se sert des besoins d'autrui pour mettre du beurre sur ses épinards.

— Les besoins ne sont pas nécessairement des malheurs.

— Ils le deviennent s'ils ne sont pas comblés.»

Une voix féminine, au timbre pur et artificiel, demande aux passagers de bien vouloir se présenter à l'embarquement.

Heidegger se lève, Bessie l'imite. Son cœur bat un peu plus vite qu'à l'ordinaire. L'Allemand voit qu'elle se mord les lèvres.

«Ça ne va pas?

— Si! Ça fait un peu drôle de quitter son pays et tout ce que l'on a connu. J'ai la bête impression que je ne reverrai plus tout ça.»

Elle a englobé le «tout ça» dans un large mouvement de bras qui n'a de véritable signification que pour elle.

«Tout ça», c'est son quartier de Chicago avec ses vents et ses odeurs; c'est le Colorado avec son histoire épique, ses montagnes et ses dancings. «Tout ça», c'est surtout les gens de tous les jours, la faune innombrable qu'abrite le sol américain avec toutes ses facettes bigarrées, qui se réunissent en ce moment en une seule image confondue: celle de ses racines. Elle ne s'est jamais posé la question, mais à cet instant elle a pour son pays un amour infini. Elle se sent pleinement l'une des multiples parcelles de ce grand tout qui a forgé chaque fibre de son corps et de son âme.

«Ne vous inquiétez pas», veut la tranquilliser Heidegger, ignorant tout de l'état d'esprit de sa recrue. «L'Amérique restera toujours l'Amérique. Rien n'aura changé à votre retour.

— Je sais, mais...»

Elle est incapable de définir ce qu'elle ressent.

GQG NORAD, COLORADO, U.S.A.

Jonathan Yeager prend la liaison avec Falcon AFB. Le *Consolidated Space Operation Center* assure une double mission: contrôler les satellites du département de la Défense et assumer le suivi des missions militaires de la navette américaine, des informations du STC de Sunnyvale en Californie, et de celles des réseaux du Pacifique, de Thulé, d'Alaska, de Turquie, etc. Le CSOC demeure en liaison permanente avec le MCC (*Mission Control Center*) à Clear Lake City, dans la banlieue de Houston, et le GSFC (*Goddard Space Flight Center*) près de Washington qui, lui, contrôle les stations STDN (*Spacecraft Tracking and Data Network*) de Ascension, Canberra (Australie), Goldstone, Guam, Hawaii, Fresnedillas (Espagne), Rosman, Santiago (Chili), Fairbanks, Merrit Island, ainsi que les installations de lancement de Wallops Island.

«Ici C en C de NORAD, répond Yeager au colonel du CSOC.

— Je confirme, je répète, je confirme la mise en orbite, à partir de Plessetsk, de deux RORSAT et de trois EORSAT. Les Russes disposent maintenant d'une couverture océanique complète.

— Bien compris Whisky-Contrôle. Je prends note et fais suivre.»

Yeager pose le combiné et communique la nouvelle au général Pears.

«Voilà qui met les points sur les «i», fait ce dernier.

— L'affrontement?

— Évidemment! La seule fois où les popoffs ont lancé une couverture semblable, c'était lors de nos grandes manœuvres dans le Pacifique. Il n'y a pas de manœuvres en ce moment, que je sache. Je passe la nouvelle à Langley, ils voudront sûrement vérifier les ASAT.

— On n'est pas près de sortir de ce trou.

— Eh bien, colonel! on s'ennuie?

— Pas vous, général?

— Ma foi, pas du tout! Je trouve même que ça commence à être passionnant.»

Jonathan Yeager a une pensée pour sa femme, ses enfants et... la gentille Bessie.

Que va-t-il se passer en surface?

GÖTEBORG, SUÈDE

Erik a longuement regardé le nuage roux, formé par les lumières de la ville se reflétant sur les couches atmosphériques. Puis la neige s'est mise à tomber à gros flocons. Bercé par leur longue descente, il s'est finalement endormi.

Éléonore, elle, ne trouve plus le sommeil. Le visage d'Erik quittant sa chambre la hante toujours. N'y tenant plus, elle enfile sa robe de nuit et prend la direction de la chambre du jeune homme endormi. Sans faire aucun bruit, elle s'installe dans le fauteuil qui fait face au garçon.

Le temps passe et elle ne se lasse pas de le contempler dans son sommeil. Elle en ressent une gêne fébrile, qui, délicieusement, lui fait battre le cœur. Plus elle le regarde, plus elle est certaine de s'attacher à lui. Une force mystérieuse lui recommande d'avancer son visage près de celui du jeune homme et de lui parler doucement. Elle s'en défend mais imperceptiblement, sans bruit, elle se rapproche quand même. Qu'a-t-il donc de plus que les autres pour lui donner ce besoin impérieux de poser sa tête sur son épaule? Il bouge pour se retourner. Elle croit un moment qu'il va se réveiller et s'en trouve mal.

Il lui tourne maintenant le dos et elle doit faire le tour du lit pour apercevoir de nouveau son visage dans la pâle clarté que diffuse la petite veilleuse. Une mèche de cheveux lui barre le front. Doucement, du bout des doigts, elle la remonte. Ce geste suffit pour ramener Erik à la réalité. Cependant, comme elle l'a déjà fait, il n'ouvre pas les yeux. Intuitivement, il sait tout de suite qui se trouve près de lui: Éléonore, qui sent un impalpable changement dans l'atmosphère.

«Erik?» murmure-t-elle.

Il ne répond pas, désirant que cette curieuse intimité continue. Comme s'il pouvait en apprendre plus en faisant semblant de dormir. Il hume le parfum naturel de la jeune fille et s'en trouve tout remué.

Elle chuchote doucement à son oreille:

«Erik, je crois que tu ne dors pas.»

Il ouvre les yeux et rencontre directement ceux d'Éléonore, qui tient son visage à la hauteur du sien.

«Je savais que tu faisait semblant de dormir.

« — Il y a longtemps que tu es là?

— Au moins une heure. Je t'observe sous tous les angles. J'hésite encore entre tes deux profils.

— Hein?»

Il se redresse comme pour donner corps à sa surprise.

«Qu'est-ce que j'ai donc de si particulier pour que l'on se donne la peine de me regarder dormir pendant une heure?»

Elle plisse les yeux et adopte une attitude espiègle.

«Je ne sais pas, je n'ai pas trouvé...»

Un silence avant qu'elle n'ajoute:

«Sérieusement, je voulais t'expliquer mon comportement, qui a dû te faire mal. Excuse-moi, je ne voulais pas que tu te prives de nourriture pour moi mais je me suis rendu compte que je t'avais blessé profondément. Je voudrais que tu saches que j'en ai éprouvé du chagrin. Je ne connaissais pas ce sentiment. Je t'ai blessé et, même si je l'ai fait parce que je pensais que c'était dans ton intérêt, mes paroles envers toi m'ont fait souffrir. Tu me crois?»

Il hoche affirmativement la tête:

«Je ne veux pas que tu souffres pour ça, Éléonore! Je ne sais pas moi-même comment je pourrais m'y prendre pour t'en vouloir, ne serait-ce qu'une seconde. Je ne connaissais pas plus que toi un tel sentiment.»

Avec la même conviction que la première fois, ils se prennent les mains avec la certitude que, cette fois, rien ne pourra les séparer avant qu'ils ne le veuillent bien.

«C'est drôle, dit-elle, je suis malade et théoriquement je devrais être au lit et dormir, surtout à cette heure de la nuit. Au lieu de cela, je suis ici en train de te parler et je veux que cet instant se prolonge indéfiniment. Tu y comprends quelque chose, toi?

— D'autant mieux que j'ai le même sentiment. Si tu veux mon avis, on est en train de s'accrocher l'un à l'autre et, tout compte fait, ce n'est pas pour me déplaire.

— Si je n'étais pas malade, que ferais-tu?

— Il faudrait bien que je t'envoie promener. Ce n'est pas ce que tu ferais dans pareil cas?»

Éléonore confirme d'un mouvement de tête.

«Je n'ai jamais passé une nuit à discuter avec un garçon, dit-elle.

— C'est une première pour moi aussi. Es-tu libre au moins?

— Oh! l'année dernière, en bonne étudiante qui se respecte, j'ai eu le béguin pour mon prof de physique. C'est toute l'histoire sentimentale de ma vie. Toi?»

Prenant un air désinvolte, il dit:

«Je ne saurais compter...»

Elle lui donne une bourrade dans l'épaule.

«Vieux coureur!»

Il s'esclaffe.

«En fait, jusqu'à maintenant, je n'ai eu que deux passions: la première pour les plantes, et la seconde pour la musique. Ou vice versa.

— Tu es musicien?

— Non, je trouve que je ne suis pas assez doué et je ne voudrais surtout pas massacrer une composition où quelqu'un d'autre a mis tous ses sentiments et son génie. La musique me fait rêver, je me fais du spectacle intérieur à grand déploiement. J'aimerais assez être metteur en scène, pour concrétiser tout ce que je vois.

— Il faudra que tu me racontes ton cinéma personnel.

— Cela me paraît assez compliqué. Mon idée est que les hommes ont commis une grosse erreur en inventant la parole. Il me semble que tout serait tellement plus beau si l'on s'exprimait en musique. Les sentiments seraient vraiment plus faciles à extérioriser.

— J'ai du mal à m'imaginer comment je pourrais dire quelque chose comme: passe-moi le pain, en musique.

— Facile! Un groupe de notes voudrait dire: donne, et un autre: pain.»

Tout bas, Éléonore se met a fredonner l'air de *La vie en rose*.

«As-tu compris ce que ça voulait dire?

— Je crois, mais je n'en suis pas certain.

— Tu veux aussi les paroles?»

Il se redresse, le cœur en chamade, la tête en feu, et, doucement, l'attire contre lui.

«Ce n'est pas nécessaire», réussit-il à articuler.

Elle se penche à son oreille:

«C'est vrai que c'est beau, la musique.»

Ils restent là, l'un contre l'autre, se gardant de faire un geste, ne prononçant aucune parole, de peur de briser cet instant merveilleux. Ils sentent, pour la première fois de leur jeune existence, qu'ils ne sont plus seuls. Sans parole et sans mouvement, en proie à une profonde extase, chacun ressent l'autre comme partie de lui-même.

Erik voit une larme rouler sur la joue d'Éléonore. Il l'attrape doucement du bout de l'index.

«Tu pleures?»

Elle hausse les épaules, signifiant qu'elle n'y peut rien.

«C'est parce que je suis bien et que je voudrais que ça dure tout le temps.

— Si tu le veux comme moi je le veux, ça durera tout le temps. Promis!»

La nuit est irréelle, comme en dehors du temps. Jamais ni l'un ni l'autre n'a songé qu'il pourrait se sentir lié à ce point en aussi peu de temps.

Il vient à l'esprit d'Erik que si le temps qui lui reste peut s'écouler ainsi, sa vie sera bien remplie. Il pourra partir en ayant connu ce qu'il faut connaître.

Éléonore se trouve dans le même état d'esprit que lui. À le sentir contre elle, elle a l'illusion de recouvrer les forces qu'elle a perdues jusqu'à maintenant et se sent brûler d'une énergie nouvelle. Dans le sang qui coule en ses veines, le mal continue irrémédiablement son œuvre destructrice mais dans son âme, un jour tout neuf se lève, lui apportant un nouveau goût de vivre.

«Vivre avec lui. Pas plus, pas moins que lui», décide-t-elle intérieurement.

Les yeux dans les yeux, nez contre nez, ils se contemplent et s'attirent mutuellement, chacun percevant en l'autre une totale compréhension. Chaque seconde les attache davantage l'un à l'autre. À ce rythme, il leur semble qu'ils ne feront bientôt plus qu'une seule et unique personne.

Ils hésitent, ne sachant s'il faut s'approcher davantage des lèvres de l'autre. C'est le dernier obstacle, ils en sont certains, avant le bonheur total. Faut-il le franchir tout de suite? Ou attendre? Attendre pour être certain que ce soit vrai. Combien de temps cette attente peut-elle durer? Est-ce possible de rester comme cela plus longtemps sans risquer une attaque cardiaque?

Avec émerveillement, chacun ressent le corps de l'autre. Comme pris de folie, leurs doigts pourvus d'une sensibilité nouvelle, ne savent où se poser. Les sentiments les plus divers se bousculent dans leurs têtes, se réunissant en bouquet d'artifice.

«Éléonore...

— Oui?

— C'est peut-être prématuré mais si ça continue comme ça, je vais finir par te dire... Je t'aime.

— Ce sont les seuls mots qui me trottent dans la tête», chuchote-t-elle, consciente de livrer une grande part d'elle-même.

Erik se lève et va s'appuyer au rebord de la fenêtre. Sans qu'il y prête attention, ses yeux suivent les flocons de neige. Éléonore le rejoint.

«On ne s'y attendait pas, hein? fait-elle à mi-voix.

— Pas du tout! J'ai du mal à croire ce que je ressens.»

À ce moment, ils ne voient ni n'entendent une des infirmières de nuit qui, faisant sa ronde, les observe par l'entrebâillement de la porte. Elle sourit puis continue son chemin. Ardente lectrice de romans-photos italiens, elle se dit que tout cela ferait un bon sujet.

Devant la fenêtre, ils regardent la ville qui s'étend plus bas.

«Pour la première fois, cette ville me paraît presque humaine», s'étonne Éléonore.

Erik a déjà vu quelque part que tout paraît beau quand on aime. À bien y réfléchir, cette ville, comme toutes les autres, n'a rien de plus que la veille mais, étant le théâtre de leur nouveau bonheur, elle est maintenant devenue leur complice, tout comme cet hôpital ou cette chambre. Tout prend une nouvelle dimension.

Côte à côte, leurs regards tournés vers la fenêtre, dans le silence total, chacun est certain de faire partie de l'autre.

«Pour un peu, remarque Éléonore, j'aurais le sentiment de me trouver dans une chambre d'hôtel.

— C'est vrai qu'avec un peu d'imagination on pourrait se croire au *Ritz*, en train de regarder je ne sais quelle étourdissante cité, par la baie vitrée.

— On fait vraiment tout ce que l'on veut avec sa tête.»

Erik examine brièvement la pièce autour d'eux. Rien ne ressemble davantage à une chambre d'hôpital. Chaque objet est strictement rationnel, aucune place pour la fantaisie. Seule la présence d'Éléonore à ses côtés transforme radicalement l'ambiance des lieux.

«Tu sais, lui avoue-t-il, sans toi je ne me sentirais pas aussi bien, même si je me trouvais dans le meilleur palace de Tahiti.»

Il lit du bonheur dans les yeux qui croisent les siens. Elle répond gravement:

«C'est un compliment que je te retourne sincèrement.

— C'est plus un état d'esprit qu'un compliment.

— Je sais! Je me suis mal exprimée.»

Il s'avise soudain qu'elle se cramponne pour tenir debout; l'inquiétude le submerge brusquement.

«Ça ne va pas?

— Je crois que j'ai abusé de mes forces, dit Éléonore. Il faudrait peut-être que j'aille me reposer, mes jambes ne veulent plus me soutenir.»

Inquiet, Erik la regarde. Elle lui paraît terriblement fragile. Malgré le peu de clarté que diffuse la petite veilleuse, il peut remarquer combien elle est pâle.

«Je vais aller te reconduire à ta chambre, propose-t-il.

— Ce n'est pas la peine, il faut que tu te reposes aussi. Le premier réveillé ira trouver l'autre, d'accord?

— Je vais quand même te raccompagner. Ne t'inquiète pas, je ne me glisserai pas dans ton lit.

— Je crois que pour la première fois de ma vie, je regrette presque de ne pas être une fille plus légère. Il me semble que nous serions tellement bien tous les deux, l'un contre l'autre.

— Malheureusement, tu n'es pas une fille légère et moi je ne suis pas un tombeur. Ce qui fait qu'il va falloir patienter avant d'être si bien.

— Hélas!

— Ce n'est pas drôle de voir comment l'éducation peut faire de nous des gens si compliqués. On dirait bien que nous avons reçu la même, c'est rare dans ce pays.

— Ma mère dit souvent que c'est l'acquis de plusieurs millénaires de civilisation et qu'il doit bien exister une très bonne raison justifiant l'édification de toutes ces barrières. Je la crois.

— Espérons que nous ne nous trompons pas!»

Dans le couloir, ils sont légèrement éblouis par la lumière plus vive. Le silence n'est troublé que par des ronflements et des raclements de gorge provenant des chambres. Éléonore a une moue:

«Décidément, ce n'est pas très gai.

— C'est la vie, comme disent les vieux sages, ou ceux qui se prennent pour tels.»

Il l'accompagne jusqu'à son lit où, la prenant par les épaules, il l'attire et la presse contre lui. Elle répond à son étreinte.

«Repose-toi comme il faut, dit-il sur un ton faussement autoritaire. Nous avons un tas de choses qui nous attendent.»

Il la quitte brusquement pour retourner vers sa chambre avant que la tentation ne devienne irrésistible.

Assis sur son lit, il se demande ce qui lui arrive. Il vient à peine de la reconduire et déjà il s'ennuie. Éléonore n'est plus là et son absence crée un vide en lui.

Plus tard, quand le sommeil parvient enfin à le gagner, les derniers mots qui lui viennent à l'esprit avant de s'endormir sont pour elle:

«Mon amour.»

Ça fait du bien.

Juste avant de s'endormir, Éléonore murmure ce nouveau nom qui lui emplit déjà la tête:

«Erik!»

AKLAVIK, T.N.O., CANADA

David Cussler est de retour à Aklavik avec tout son matériel. Le transporteur militaire l'a déposé sur le petit aéroport quarante-cinq minutes plus tôt. Mamayak est venu le chercher.

«Tu n'as pas chômé, dit-il à l'Inuk en voyant que tout l'équipement est prêt.

— N'as-tu pas appelé pour dire que nous partions demain?»

David confirme.

Ils passent une bonne heure autour de la table de la cuisine à étudier une carte de l'Arctique. À la fin, Mamayak pointe un doigt noueux sur un point de l'océan glacial.

«Là!» dit-il.

Ils entament une bouteille de *Canadian Club*, puis David demande à utiliser le téléphone en montrant sa carte d'appel.

Mamayak plisse les yeux jusqu'à les fermer:

«Une femme», dit-il convaincu.

David hoche la tête en souriant et compose le numéro de Zoé, qu'il connaît par cœur.

«Allô?»

Il reconnaît sa voix chaude et pleine d'entrain.

«Zoé, c'est David.

— David! Où est-tu?

— Dans le nord, à Aklavik. Je t'appelle pour te dire que tu seras sûrement un bon bout de temps sans recevoir de mes nouvelles. Je pars en mission.

— Je suppose que tu ne peux pas me dire où?

— Tu supposes bien. Tout ce que je peux te dire, c'est que tu n'auras pas à être jalouse du climat. Je serai loin du soleil des tropiques.

— Tu m'intrigues.

— C'est bien! J'aime t'intriguer.»

Elle réfléchit quelques secondes et croit deviner.

«Ce ne serait pas à Goose Bay? J'ai lu quelque part que l'OTAN veut installer une base au Labrador, si ce n'est pas déjà fait.

— Ce n'est pas à Goose Bay. Ne cherche pas, tu ne trouveras jamais.

— Moi, je pars et je peux te dire où, et tu vas être jaloux. Je voulais justement t'écrire pour t'apprendre la nouvelle.

— Ça y est! Tu pars pour Hawaii?

— Mieux que cela.

— Je ne vois rien de mieux.»

Elle a un rire cachottier et coquin.

«Sans trop y croire, j'ai posé ma candidature, au printemps, dans le cadre du programme *Hubble*.

— Le télescope spatial?

— C'est ça! Figure-toi que je suis acceptée, j'ai reçu la nouvelle ce matin, et je pars la semaine prochaine pour le *Space Telescope Science Institute* de Baltimore, dans le Maryland.

— C'est magnifique!

— J'espère que tu es jaloux.

— J'en crève!

— Tu devrais démissionner, j'aurai peut-être besoin d'un homme de ménage à Baltimore.

— J'y songerai, mais ce n'est pas la meilleure route à suivre si je veux avoir une chance d'aller un jour au-delà de l'atmosphère.

— Ne crains rien, je parlerai de toi dans tous les milieux concernés.

— C'est gentil.»

Pendant quelques secondes, le silence s'installe sur la ligne. Un silence lourd de pensées contenues.

«David?

— Oui.

— Ta mission va-t-elle durer longtemps?

— Aucune idée.

— Ce n'est pas dangereux au moins?»

Jusqu'à présent, David n'a jamais abordé la question de sa mission sous cet angle-là. Il lui est bien venu à l'idée qu'il pourrait se faire ramasser par les Soviétiques. Au pire, il s'est vu traduit dans un procès à la Gary Power. Mais l'idée d'un risque pour sa vie ne l'a pas encore atteint.

«Aucun danger! affirme-t-il d'une voix qu'il veut catégorique.

— C'est bien! Nous avons encore des tas de choses à découvrir tous les deux.

— Tu as raison.»

David se demande s'il y a des sous-entendus dans cette phrase. C'est la première fois que Zoé emploie, avec lui, des mots pouvant contenir un double sens. Leur amitié est-elle rendue au stade des équivoques?

Aucun des deux ne sait vraiment si ce qu'il éprouve pour l'autre est de l'amour, de l'amitié ou les deux. Est-ce une amitié si forte qu'elle a les allures de l'amour? Comment faire la différence? Ce n'est certainement pas juste de l'amour, qui, lui, n'a pas nécessairement besoin de l'amitié. Bien des fois, comme en ce moment, ils ont envie de dire à l'autre un simple «je t'aime» mais ça ne veut pas sortir. Comme s'ils avaient peur de briser quelque chose, peut-être de tomber dans un moule trop commun?

«C'est bien, fait David. Il va falloir que je raccroche. N'oublie pas d'envoyer ta nouvelle adresse à la maison, j'irai te voir au Maryland dès mon retour.

— Chouette! je vais m'arranger pour que tu puisses venir avec moi passer quelques nuits au Centre.

— Ce sera formidable!

— Je t'embrasse, David.

— Moi aussi, Zoé, je t'embrasse. À bientôt.»

Ils restent tous les deux sans raccrocher.

«Tu es encore là? fait-elle.

— Toi aussi.

— C'est toi qui as appelé, c'est toi qui raccroches.

— Zoé, je...

— Oui?

— C'est sans importance, bonne nuit.»

Il raccroche d'un mouvement un peu brusque.

Mamayak l'observe du coin de l'œil avec un étrange sourire.

«Le monde est parfois compliqué», dit-il sur un ton évasif.

David approuve sans réserve.

PECOS, TEXAS, U.S.A.

Espérant une vie plus facile pour son enfant, la mère d'Antonio Lopez avait traversé le Rio Grande quelques jours avant sa naissance, afin qu'il vienne au monde au Texas et puisse ainsi prétendre à la nationalité américaine.

Dès sa majorité, Antonio, qui a passé toute sa jeunesse à Nuevo Laredo du côté mexicain, a retraversé la frontière pour se placer dans une station-service de Pecos, Texas.

Si officiellement il est citoyen américain, pour lui (et beaucoup d'autres) il est et restera Mexicain.

Tout au long de son adolescence, la grande différence qui existe entre Laredo et Nuevo Laredo a fait naître en lui la haine des yankees. Il n'a jamais compris pourquoi, alors que tout est propre, aligné et prospère du côté texan, le contraste fait loi de l'autre côté du fleuve, à quelques centaines de mètres. Tandis que les Mexicains passent majoritairement en fraude pour se dénicher un travail sous-payé, notamment depuis les nouvelles lois d'immigration établies sous l'administration Reagan, les Américains, eux, traversent la tête haute pour acheter selles, bottes ou chapeaux, et, surtout, s'envoyer en l'air dans le vaste bordel qui doit occuper la majorité des filles ayant atteint l'âge de la puberté. Les uns traversent pour le labeur, les autres pour épancher leur lubricité.

Antonio met cette disparité sur le dos des yankees et, par là, sur leur système. Il fait partie d'une petite organisation socialiste, dont les seuls agissements consistent à lever des cotisations pour payer les avocats de ceux qui en ont besoin. La lutte est simple: il s'agit d'installer le plus grand nombre de leurs frères aux États-Unis afin que – comme Abraham – ils se multiplient.

Il n'est jamais venu à l'idée d'Antonio que la richesse démesurée de certains Mexicains est scandaleuse. Seule celle des yankees l'est.

Il est vingt-trois heures maintenant, il s'apprête à quitter son travail et ferme les portes de la station *Exxon*. Après s'être installé derrière le volant de son vieux pick-up GM, il avale le contenu d'une flasque de tequila, démarre et entreprend de remonter lentement l'unique grand boulevard de la ville, pour aller se sustenter d'un *michigan* au restaurant du motel *Town and Country*. (Il trouve infect le chili *civilisé* à la texane.) Ce doit être le jour de congé de Conchita, sa serveuse habituelle, car elle n'est pas là. Cela le met de mauvaise humeur, il aime bien parler un peu mexicain avec elle. L'anglais l'assomme. L'espagnol est tout ce qui le rattache à son enfance, il le voit chaud et coloré, contrairement à l'anglais qui n'est pour lui qu'un simple mode d'échange pratique.

Il se console en se disant que d'ici un siècle les hispanophones devraient être majoritaires aux États-Unis.

L'estomac rempli et le cerveau un peu embrumé par l'alcool, il remonte dans son pick-up pour retraverser le boulevard, cahin-caha, sans remarquer la voiture de patrouille qui le suit.

Bill et John sont de service pour la nuit. Assez grands tous les deux, la panse imposante, la voix traînante et une façon de marcher, les mains à quelques centimètres des cuisses – prêts à dégainer – qui a dû être copiée sur celle des cow-boys dans les bons vieux westerns. Pecos est une petite ville relativement calme; aussi passent-ils le temps à se conter des histoires salaces, glanées chez Max entre les heures de service.

Bill se tourne vers John:

«Combien de temps faut-il à une Mexicaine pour sortir ses vidanges?

— J'sais pas?

— Neuf mois.»

Ha! ha! ha! ha!

«Regarde devant, il n'a pas l'air clair.

— Mets les lumières, on va voir avec quoi il carbure.»

Antonio voit les lumières rouges et bleues dans son rétroviseur en même temps qu'il entend un bref coup de sirène.

«Putain!» grince-t-il en rangeant son véhicule le long du trottoir.

Dans la lumière des phares, les policiers reconnaissent un Mexicain.

«Un bronzé, dit Bill.

— On va lui faire le grand jeu.»

John dégaine son revolver, ouvre la portière et s'avance les deux bras tendus, pointant l'arme vers Antonio.

«Sors!» hurle-t-il.

Antonio pousse un profond soupir, sort et s'appuie sur son véhicule, jambes écartées, comme il l'a vu faire de nombreuses fois.

«Tes papiers, et doucement.»

Il obéit et, sans précipitation, glisse la main dans sa poche et en extrait son portefeuille, qu'il tend au policier derrière lui sans tourner la tête. John passe les papiers à Bill, qui va donner les coordonnées d'Antonio à la radio dans la voiture.

«Vous avez bien dit Antonio Lopez?» demande la voix d'un homme, le répartiteur, que l'on vient visiblement de réveiller.

«Je l'ai dit.

— Pour Antonio Lopez, nous venons de recevoir un avis du FBI. Il serait mêlé au trafic d'alcool.»

Bill se souvient qu'une liste d'individus à surveiller de près est arrivée du FBI dans la soirée.

«Merci, dit-il à la voix endormie. On s'en occupe.»

Il revient près de John et lui glisse quelques mots à l'oreille.

«On va fouiller ta guimbarde, dit celui-ci à Antonio.

— J'ai rien à cacher.

— Ta gueule!

— Vous n'avez rien contre moi, vous pourriez être polis.»

Bill s'approche et lui envoie son poing droit dans les côtes.

«Mon collègue t'a dit de la fermer! O.K.?

— Si.

— Si, c'est du charabia qu'on comprend pas. Ici, on parle blanc.»

Antonio ne répond pas et Bill lui allonge son pied dans le postérieur.

«As-tu compris, face de métèque?»

Pour Antonio, un coup de pied comme celui qu'il vient de recevoir fait partie des insultes suprêmes, au même titre qu'une appellation de *fils de pute*. Il voit rouge, se retourne brusquement et, à son tour, décoche son pied dans les parties génitales de Bill, qui semble se dégonfler comme une baudruche. John intervient: la crosse de son revolver tournée vers l'extérieur, il en frappe le visage de l'interpellé. Après quoi, il ajoute ce qu'il ne faut pas:

«Sale bâtard de chienne en chaleur!»

Fou de colère et de douleur, Antonio se redresse prestement et lance une autre fois son pied dans les parties de John.

«Maudit sans couilles! hurle-t-il. Maudit baiseur de truies! Ça passe son temps à s'enculer en patrouille et ça emmerde les braves gens.»

Le langage d'un Mexicain furieux est souvent très imagé. Trop pour Bill, qui commence à reprendre son souffle et, sans réfléchir à ce qu'il fait, dégaine son arme à son tour.

«Couche-toi à terre et magne-toi le cul!» intime-t-il.

Antonio ne se contient plus:

«Va sucer ton pote, il a mal au gland d'avoir défoncé le trou du cul de ta bonne femme qui en réclame encore.»

C'en est trop pour Bill, qui appuie deux fois de suite sur la gâchette avant de voir Antonio s'écrouler dans un gargouillis de sang.

«Il l'a cherché, dit-il, soudain plus tranquille. Le voilà calmé.»

Quelque part dans des bureaux à Langley, en Virginie, ils sont plusieurs à espérer que nombreux seront les gauchisants à être ainsi calmés.

LONDRES, ANGLETERRE

Il y a maintenant six heures que Brian Winkler, assisté d'un archiviste, compulse archives et banques de données dans l'un des bureaux de la *Lloyd's*. Winkler frissonne: la pièce, bien qu'à l'abri de l'humidité, est glaciale – comme tout le royaume. Depuis trois semaines qu'il est de retour d'une véritable sinécure en tant qu'agent de liaison à la Jamaïque, l'agent du MI-5 peste contre son pays qui n'a pas encore trouvé le moyen de se chauffer convenablement. Il sort un mouchoir en songeant que, même en des temps aussi lointains que ceux de Pompéi, les hommes connaissaient le chauffage central, qui fait cruellement défaut en Angleterre.

Près d'une étagère qui croule sous les dossiers, l'archiviste est debout, en train d'étudier un document:

«J'ai peut-être quelque chose», dit-il en s'approchant de Winkler.

L'agent jette un coup d'œil vers le document.

«Qu'est-ce que c'est?

— Il est fait mention ici que le *Viking* a, ou a eu, un sosie.

— Bon sang!»

Winkler arrache presque le papier des mains de l'archiviste et lit ce qui est un condensé des activités des chantiers de Saint-Nazaire pendant les années soixante. Il arrive vite au passage qui doit retenir son attention:

...DEUX BÂTIMENTS STRICTEMENT IDENTIQUES DONT L'UN BAPTISÉ «VERLAINE» FUT MIS À L'EAU EN JUIN ET L'AUTRE BAPTISÉ «RIMBAUD» MIS À L'EAU EN SEPTEMBRE...

Winkler sait que le *Rimbaud* est devenu plus tard le *Viking*.

«Avez-vous un téléphone? demande-t-il sous le coup de l'excitation.

— Dans le bureau à côté.

— Merci.»

Jusque-là, il ne savait pas trop ce qu'il cherchait, mais il tient enfin une piste. Si petite soit-elle, c'est un point de départ.

Winkler rejoint directement Whitehall, où se trouve présentement celui qui, jusque dans les aventures de *James Bond*, se fait appeler «M».

«Il existe un navire identique au *Viking*, lui apprend-t-il.

— Où?

— Je l'ignore pour l'instant.

— Trouvez, Brian. Trouvez, pour l'amour du ciel!»

Moins d'une heure plus tard, Winkler rappelle le ministère de la Défense:

«Il appartient à un Grec, monsieur. Il bat pavillon libérien et se nomme *Hurriya*.

— Où se trouve-t-il?

— Je l'ignore; il a été assuré la dernière fois cet été pour une liaison Tanger-Alexandrie. Un chargement de blocs de ciment. Depuis, plus rien.

— Avez-vous l'adresse de l'armateur?

— Oui.»

Il lui donne un numéro de boîte postale au Pirée.

«C'est tout ce que j'ai.

— C'est bien, on va voir ce qu'on peut faire en Grèce ou à Monrovia. Merci, Brian; voyez si vous ne pouvez pas trouver autre chose.»

Ayant raccroché, le directeur du MI-5 réfléchit quelques secondes et appelle directement le Premier Ministre, qui se repose dans sa résidence de campagne officielle de Chequers:

«Nous avons peut-être une piste», lui apprend-t-il.

Seuls l'amiral Greenberg, les généraux Harlow et Mitchum et le conseiller Steelman se trouvent dans la salle d'état-major. Le Président et les autres sont allés prendre quelques heures de sommeil. Le Président a demandé qu'on le réveille au moindre fait nouveau.

Les quatre hommes fignolent ensemble le plan d'invasion de l'Est sibérien. Le plan s'articule autour de trois points stratégiques placés sous la responsabilité du Seizième district militaire soviétique, celui d'Extrême-Orient.

Steelman résume les différentes phases arrêtées:

«Premièrement, haro sur la flotte soviétique du Pacifique: destruction du croiseur lourd de classe *Kirov*, des deux porte-aéronefs V/STOL de classe *Kiev*, des frégates *Krivak*, des différents destroyers et navires de débarquement ainsi que, bien sûr, des sous-marins actuellement sous écoute électronique. Cette destruction sera essentiellement soutenue par l'*Air Force*.»

Le général Mitchum approuve:

«Tout débutera par le décollage de nos F-15 qui, équipés d'ASAT, auront pour mission de détruire les *Cosmos* les plus nuisibles. Ensuite, sous la couverture électronique des avions NSA et des E-2C *Hawkeye*, nos ravitailleurs KC-6, KC-10, KC-135 décolleront des porte-avions, d'Hokkaïdo, de Corée du Sud, des Aléoutiennes et d'Alaska. Ils seront suivis par les EA-6B *Prowler* pour brouillage radar, et des EF-111 brouilleurs de réception. Ensuite, les F-18 et A-7 détruiront les bases radar, permettant aux F-111 et aux A-6 *Intruder* d'attaquer les cibles sous la couverture des F-14 *Tomcat*.»

Steelman remercie et continue:

«Avec la flotte du Pacifique, nos trois objectifs principaux sont la base navale de Vladivostok puis (il vérifie sur la carte le nom qu'il n'arrive jamais à mémoriser) Petropavlovsk-Kamchatskiy et, enfin, Magadan.

— Certains de nos bâtiments devraient être alors assez rapprochés pour y aller de quelques missiles si besoin était, ajoute l'amiral Greenberg.

— Ensuite, poursuit Steelman, débarquement naval et aéroporté autour de ces trois objectifs.»

Mitchum précise:

«Nos transporteurs sont sur le pied de guerre. La plupart des

Douglas C-17 sont actuellement stationnés dans les bases d'embarquement. Nos ordinateurs travaillent aux plans de réquisition les plus immédiats pour les transporteurs civils, qui devront acheminer le gros de la troupe une fois les objectifs nettoyés.

— J'ai hâte de voir la tête des Sibériens quand nos boys séduiront les filles de Vladivostok, fait Harlow.

— Ils n'auront pas grand temps pour conter fleurette aux indigènes, dit Steelman, car à partir de ces trois objectifs ils devront *pacifier* la région jusqu'au 130e méridien, soit à la hauteur de Yakoutsk.

— C'est vraiment le gros morceau, pense Harlow tout haut.

— Ça l'est, mais nous n'avons pas le choix. Le front européen devrait tenir; les Soviétiques ont toujours privilégié ce front avec celui de la Chine, qui mobilise le quart de leurs forces. Si nous enfonçons celui du Pacifique, ils seront obligés de faire relâche sur les deux autres fronts, ce qui donnera du lest aux Européens et, espérons-le, incitera les Chinois à se jeter dans la mêlée. Il sera temps alors de voir à ouvrir un quatrième front par la Turquie. Les Russes ont toujours estimé que leur principal ennemi était l'OTAN, ils ont raison, mais les États-Unis peuvent et doivent être un autre ennemi à part. Si nous voulons en finir un jour avec le problème russe, c'est en URSS qu'il faut aller. L'humanité ne peut pas poursuivre ce chassé-croisé pendant des siècles.»

Charles Niles arrive sur ces paroles. Il paraît fatigué et les poches violacées qu'il porte sous les yeux ne sont pas pour démentir cette apparence. Il se sert une autre tasse de café noir dont l'odeur imprègne toute la pièce, en se demandant si son cœur ne va pas sauter. Une chose est certaine, tout ce café commence à perturber sa vessie.

«Les Anglais viennent de découvrir qu'il existe un double du *Viking*, dit-il. Ce dernier aurait disparu de la carte et son propriétaire, un Grec, vient de mourir dans des conditions plus ou moins douteuses. J'y perds mon latin.

— Ce n'est pas sorcier, réplique Steelman, cela veut simplement dire que la doublure du *Viking* va arriver dans un port sous l'appellation *Viking*, juste le temps de se faire reconnaître, et elle sautera. Ce qui porte à croire que ce n'est pas nécessairement la Grande-Bretagne qui est visée.

— Qui, alors? demande Mitchum sans cacher une vive inquiétude.

— À l'égard de qui la Libye aime-t-elle se montrer méchante?

— Nous, mais ce ne sont pas des Libyens.

— Les Russes ne savent pas que nous le savons, dit Niles d'une voix monocorde.

— Alors ils vont faire péter leur pruneau chez nous! tonne Harlow.

— Je ne crois pas, ils ne se risqueront pas à ce jeu-là.

— C'est aussi mon avis, fait Steelman. Je crois qu'il faut plutôt chercher du côté d'Israël.»

Niles se laisse tomber dans un fauteuil:

«Je n'aurais jamais cru que le mot Harmaguedon puisse être aussi judicieux.

— J'avertis la VIIe flotte qu'ils opèrent des recherches, décrète Greenberg.

— Le Président serait fâché si nous ne le réveillions pas avant, hasarde Steelman.»

Les yeux ouverts dans le noir, sans savoir pourquoi, le Président voyage dans son passé. Loin. Quand son chiot a disparu, il avait tout de suite deviné que c'était eux. Pour s'en assurer, il s'était dirigé furtivement dans le petit bois en direction de la cabane du Clan. Le clan des Justiciers noirs, comme ils s'étaient pompeusement appelés, comptait six membres entre neuf et quatorze ans, dont le passe-temps favori consistait en des incursions dans les quartiers huppés, afin d'y exercer les représailles qui s'imposaient contre les «suceurs de sang»; ceux-là n'étaient autres que des enfants ayant la chance d'avoir des parents qui ne soient pas des chômeurs invétérés, s'adonnant à l'alcool et dont les plus hauts faits se caractérisent le plus souvent par des gnons et des taloches sur les membres de leurs familles.

Il ne s'était pas trompé mais il était trop tard. Juste devant la cabane, son chiot beagle était cloué sur une croix de vieilles planches.

Les yeux pleins de larmes, il était retourné chez lui à la course. «Je vais les tuer, se jurait-il.» Peut-être l'aurait-il fait si sa mère ne l'avait vu dévaler l'escalier, armé du colt de son père, bien trop lourd pour ses dix ans.

«Où vas-tu avec ça?

— Tuer ceux du Clan!

— Quel clan?»

La voix entrecoupée de sanglots, il lui expliqua qui était le Clan et les pénibles détails de la crucifixion du chien.

«Tu ne peux pas les tuer, tu n'en as pas le droit. Personne n'a ce droit.

— Ils ont bien tué mon chien!

— On ne peut pas prendre la vie d'un être humain contre celle d'un chien.

— Pourquoi?

— Les hommes sont les enfants de Dieu. C'est Lui qui nous a créés, nous ne pouvons pas tuer les créatures de Dieu.

— Max aussi était une créature de Dieu.

— Ce n'est pas pareil.

— Alors, je vais les dénoncer à la police!

— C'est ton droit mais à ta place je ne le ferais pas.

— Pourquoi, encore?

— C'est à toi de régler tes affaires, en Américain. Si tu les dénonces à la police, cela ne t'apportera rien et quand ils seront relâchés, ils te tomberont sur le dos.

— Ils vont continuer à faire du mal si on ne fait rien.

— Je ne t'ai jamais dit de ne rien faire.

— Quoi alors?

— Rends-leur la monnaie de leur pièce.

— Comment?

— C'est à toi de juger, c'était ton chien.»

Il s'était creusé la tête pendant deux jours. À partir de la deuxième nuit, son idée était faite. Ils lui avaient pris ce qu'il avait de plus cher, il leur rendrait la pareille.

S'étant levé vers trois heures du matin, il était passé par le garage pour prendre le bidon d'essence de la tondeuse à gazon, puis s'était dirigé tout droit vers le petit bois. Dans sa détermination, l'obscurité n'avait réussi à éveiller aucun malaise en lui. Arrivé à la cabane du Clan, il l'avait observée deux minutes sous la lueur blafarde de la lune, avant d'en faire le tour en arrosant d'essence ses quatre murs. Une seule allumette avait suffi. Après avoir contemplé son œuvre quelques secondes, il s'était enfui.

Il avait détruit le refuge du Clan mais en réintégrant son lit il était surpris du fait de ne pas être content de lui.

Comme c'était un printemps sec, son geste avait eu pour consé-quence de ravager entièrement le petit bois ainsi qu'un bungalow qui le bordait, et dans le bungalow, un vieillard hémiplégique.

Il avait tremblé pendant trois mois avant d'enfouir tout cela dans les méandres de sa mémoire.

Pourquoi cette histoire ressort-elle ce soir?

Cela a-t-il rapport avec la vengeance? Cela veut-il dire qu'il ne faudra pas rendre aux Soviétiques la monnaie de leur pièce? Des innocents paieront-ils une fois de plus?

Un autre souvenir émerge de son subconscient.

Il avait alors seize ans, fréquentait le collège et se trouvait au cœur de sa période mystique. Au point qu'il songeait sérieusement à la vocation religieuse. Comme tous les adolescents de son âge, il avait son meilleur ami et sa petite amie. Comme ceux de son âge, il n'avait jamais imaginé que le meilleur ami puisse conter fleurette à la petite amie.

La réalité fut cruelle à accepter. Il chercha une solution dans la Bible. «Œil pour œil, dent pour dent» ne le satisfaisait pas – il en avait déjà fait l'expérience. Il continua pour finalement aboutir à: «Si l'on te frappe une joue, tends l'autre joue.»

Fort de cette découverte, il alla trouver ami et amie pour les réconforter:

«J'ai compris que vous vous aimiez et même si cela me fait du mal, je ne peux rien contre ça. Je suis content pour vous.»

Il avait lu une pointe de mépris dans leurs regards.

«J'aurais préféré un coup de poing sur la gueule, lui avait dit son ami. Tu es un pauvre type. Un perdant.»

Quelques années plus tard, il avait déjà plusieurs films à son actif, il les avait revus, mariés et propriétaires d'un hôtel de villégiature à Big Sur, où il était descendu.

Elle était devenue quelconque et lui devait s'ennuyer, car son appendice nasal prouvait qu'il malmenait son foie avec autre chose que de l'eau de source. Ils avaient l'air sincèrement heureux de le revoir et quand il était reparti, ils avaient insisté, sans faux semblant, pour qu'il revienne régulièrement.

Ce jour-là il s'était senti heureux.

Mais peut-on tendre l'autre joue aux Russes? S'ils balancent une bombe nucléaire, peut-on leur dire: «Vous êtes dans l'erreur, essayez de ne pas recommencer, ça nous fait du mal»?

Il oublie toutes ces pensées quand le téléphone sonne. Il a peut-être une guerre sur les bras et ce n'est pas le temps de rêvasser.

WRANGEL, MER DE SIBÉRIE ORIENTALE

L'angoisse des premières heures s'est très légèrement estompée. Mouza ne s'habitue pas à cette solitude oppressante, elle ne cherche qu'à l'oublier provisoirement en concentrant ses pensées sur son nouveau partenaire: le logiciel de jeu d'échecs qu'elle a apporté avec son ordinateur. Elle essaye de lui donner une présence humaine en lui parlant.

«Tu as peur pour ton fou, hein!»

Tout en jouant avec la machine, il lui est venu à l'idée qu'avec tout le temps dont elle dispose, elle pourrait peut-être travailler à se fabriquer un partenaire artificiel qui pourrait faire autre chose que de jouer aux échecs. Un partenaire, qui pourrait soutenir quelques petites conversations via le clavier et le moniteur.

Pour cela, il faut trouver et définir exactement ce qu'est l'intelligence. Les meilleurs neurologues ou psychanalystes ne le savent pas vraiment. Certains ne sont même pas persuadés qu'elle soit l'apanage du cerveau.

Tant bien que mal, Mouza a passé plusieurs heures à élaborer sur papier la base d'un algorithme, pour tenter de remonter à la source.

NÉCESSITÉ = SURVIE
SURVIE = PROCRÉATION
PROCRÉATION = ÊTRE
ÊTRE = BESOIN
BESOIN = ACTION
ACTION = RAISONNEMENT
RAISONNEMENT = VERBE
VERBE = AMOUR
AMOUR <> HAINE
HAINE = DESTRUCTION
DESTRUCTION = MORT
MORT = NÉCESSITÉ 0
SI NÉCESSITÉ N'EST PAS = 0 ALORS RETOUR AU DÉBUT
SI NÉCESSITÉ = 0 ALORS FIN

Tout cela est bien joli mais elle ne trouve toujours pas comment cerner l'étincelle qui pourrait provoquer l'intelligence. Il est intéressant de savoir que l'intelligence peut provenir de la nécessité et que celle-ci ne peut découler que de l'amour, mais comment faire un logiciel intelligent à partir de ces données?

Le cerveau est une démocratie où chaque neurone a sa fonction et son droit de vote. Un bureau central compile les résultats et la majorité obtient satisfaction, et ce aussi bien pour se gratter les fesses que pour dire «je t'aime.» Mouza suppose qu'il lui faudrait attribuer une fonction et un droit de vote à chaque adresse-mémoire. Pour chaque demande de l'utilisateur, l'unité centrale réclamerait le vote de toutes les adresses et fournirait la réponse proposée par la majorité.

À présent, comment faire comprendre le sens du verbe et comment donner les notions du bien et du mal à la machine? Y a-t-il seulement une frontière bien définie entre les deux? Pour Mouza c'est simple: si elle fait mal à quelqu'un, c'est le mal; si elle fait du bien, c'est le bien; et si elle ne fait rien c'est le mal, car elle ne fait pas de bien (ce dernier point de vue ne rallie pas l'opinion de la majorité absolue de ses neurones).

Il n'est pas difficile de monter un programme qui répondrait à des dialogues simples. Il est aisé, par exemple, de faire afficher sur le moniteur «Je suis content pour toi» à l'énoncé «Je suis heureuse», mais Mouza ne veut pas se contenter de cela: elle veut quelqu'un, elle veut qu'il pense. Bien que n'ayant pas été élevée dans la religion, elle entrevoit soudain son souhait comme étant sacrilège.

«Suis-je prête à n'importe quoi pour meubler ma solitude?»

À cette remarque, elle se demande:

«Si Dieu existe vraiment, n'a-t-il pas eu les mêmes impulsions quand il a créé l'homme?»

Comme elle.

Elle éclate soudain en sanglots et toute l'horreur du vide qui l'entoure s'insinue de nouveau dans chacune de ses fibres.

«Je suis monstrueuse, s'écrie-t-elle tout haut. Comment peut-on vouloir remplacer l'être humain par une machine? Je deviens folle!»

Dehors, comme pour l'éprouver davantage, le hurlement du vent redouble de vigueur. Un courant glacial traverse la pauvre tiédeur du refuge.

MER D'ARAL, R.S.S. DU KAZAKHSTAN

Le Secrétaire général est satisfait des installations. Il pense même qu'il va se plaire dans cet univers, où tout est ordonné et fonctionnel. Aucune place pour l'anarchie. La lumière du jour et les odeurs de l'extérieur sont, à son avis, largement compensées par l'atmosphère feutrée et sécurisante des lieux.

Il est étendu près de sa femme et, à la lueur reposante d'une petite veilleuse bleue, se familiarise avec son nouvel environnement. Elle ne dort pas non plus et se tourne vers lui:

«Ce n'est pas si mal ici, dit-elle à voix basse.

— Je m'en faisais justement la remarque.

— Nous sommes en sécurité.

— N'oublions pas que nous le sommes parce que nous sommes la tête et que la tête doit être protégée. Cette sécurité n'a pas été conçue pour nous en tant qu'individus, elle est là pour la tête.

— Il n'empêche que nous sommes en sécurité.»

Il ne répond pas. Il ne croit pas avoir de préjugés vis-à-vis des femmes mais ne peut s'empêcher de penser que, dans certaines circonstances, elles se montrent d'un égocentrisme déconcertant. Peut-être, après tout, voient-elles les choses sous leur vrai jour? Peut-être sont-elles plus terre à terre?

«Parfois je me dis que je préférerais que tu fasses autre chose, dit-elle. D'autres fois, j'en suis ravie. C'est passionnant.

— Pour ma part, il m'arrive de penser que j'aurais aimé être un pasteur gardant les brebis dans la montagne ou un pêcheur solitaire sur l'océan. J'ai parfois l'impression que l'action ne mène à rien. Je me fais l'illusion de ressembler à ces cafards qui montent le long d'un tuyau de poêle et qui, rendus en haut, n'ont plus d'autre choix que de retomber en bas.

— Tu crois que l'action est inutile?

— Il m'arrive de le penser. Pourquoi vouloir absolument construire la société?

— J'imagine que c'est parce que tu ne voudrais pas que d'autres le fassent à ta place.

— Tu es sûrement dans le vrai.»

Elle ramasse ses genoux et, dans son mouvement, frôle la cuisse de son mari. Il se tourne vers elle:

«Nous pourrions étrenner ce lit.»

Elle prend une voix teintée de taquinerie et de feints reproches:
«Tu te décides.

— Tu sais, les événements de ces derniers temps occupent toutes mes pensées.

— Nous avons quelques heures devant nous.»

Il se redresse à demi:
«C'est vrai! Le temps de passer à la salle de bain et tu vas voir!

— Je t'attends.»

Dans la salle de bain, le Secrétaire général ouvre une petite trousse contenant sa pharmacie personnelle, sort une seringue hypodermique, casse l'extrémité d'une ampoule de papavérine et en aspire le contenu à l'intérieur de la seringue. À l'aide d'une bande élastique réservée à cet usage, il se fait un garrot sur le bras gauche et, quand la veine est bien gonflée, il s'injecte le contenu de la seringue.

Des ennuis de circulation ont condamné le Secrétaire général à des problèmes d'érection. Seule la papavérine lui permet de retrouver sa vigueur d'antan.

L'effet ne se fait pas attendre: l'homme d'État regarde avec satisfaction son pénis prendre l'ardeur requise pour une pénétration.

«Madame, voici l'étalon», annonce-t-il d'une voix enjouée en retournant dans la chambre.

La Première dame glousse et fait semblant de se cacher sous les couvertures.

Après échange de caresses, il entreprend une première pénétration et, comme elle pousse un râle de satisfaction, le téléphone sonne.

«Non!» s'emporte-t-il.

Il y va d'un coup de reins plus violent que les autres. Une nouvelle fois la sonnerie retentit.

«Laisse sonner, dit-elle d'une voix essoufflée. Ils comprendront qu'ils dérangent.»

Nouveaux coups de reins, nouvelles sonneries.

Il se retire brusquement, s'assied sur le bord du lit et prend le combiné:

«Oui?» hurle-t-il.

Tikhonov, des Affaires étrangères, a un ton ennuyé.

«Excusez-moi de vous déranger, camarade Secrétaire général, mais nous venons de recevoir un appel à l'aide de la part de Hanoï. Il semblerait que la Chine mobilise des forces importantes le long de

346

leur frontière commune.»

Le Secrétaire général contemple son sexe tendu qui, agité de soubresauts, réclame une suite.

«Qu'en pensent nos agents locaux?

— La situation serait sérieuse.»

La main de sa femme lui frôle le dos et vient s'activer doucement sur sa verge.

«Eh bien... attendons que... la situation se développe. Qu'ils se débrouillent un peu sans nous, nous ne pouvons rien faire pour l'instant.

— Vous croyez que nous pourrons récupérer la situation si nous laissons les Vietnamiens seuls?

— Aucun problème! Et soyez gentil de ne pas me déranger pour rien, j'ai pris un somnifère. J'ai besoin d'un peu de repos si je veux garder les idées claires.

— Bien sûr, camarade Secrétaire général!»

Il raccroche, oublie Hanoï et les Chinois et reprend son va-et-vient. La sonnerie retentit de nouveau.

«Bordel!»

Il attrape le combiné d'un geste furieux:

«Quoi encore?»

Le colonel Boulkine appelle de Moscou où il se trouve encore.

«Deux journaux de Boston et Philadelphie ont annoncé que nous préparons une guerre et que la Maison-Blanche s'y prépare également. À présent, toute la presse a repris le sujet et se demande pourquoi le Président, ou l'un des membres du Conseil de sécurité, n'apparaît pas pour démentir ou confirmer les rumeurs. Selon certaines sources, le Président serait actuellement dans l'abri du Pentagone.

— Où est le problème, camarade Boulkine?

— Le problème est que les pays européens se mettent sur le pied de guerre sans en donner les raisons, que les Américains mijotent on ne sait quoi et que notre effet de surprise semble à l'eau.»

Le Secrétaire général pousse un profond soupir.

«Où en est notre bateau?

— Il sera bientôt à Haïfa.

— Bon! vous verrez que ce soir l'attention du monde entier va se porter vers le Moyen-Orient.

— Il y a aussi des nouvelles de Hanoï.

— Je sais!»

À Moscou, Boulkine affiche un rictus dégoûté. Visiblement il dérange.

«Je regrette de vous avoir dérangé, affirme-t-il sans que sa voix le laisse entendre.

— Aucune importance, mais je veux du concret, uniquement du concret.»

Boulkine ne riposte pas qu'il trouve que tout ceci lui paraît effectivement concret.

«Je serai à Aral en fin de journée, dit-il.

— Parfait, colonel! Dormez bien!»

Encore une fois, Boulkine ne relève pas que l'aube va se lever et qu'il a déjà pris quelques heures de sommeil.

«On dirait que notre Secrétaire général confond les installations d'Aral avec un centre de villégiature.»

Il ne sait pas qu'au même instant le ministre des Affaires étrangères s'est fait couler un bain chaud, servi un grand verre de vodka polonaise et commence à trouver que la vie est belle, en sécurité à six cents mètres sous terre. Ce qui se passe en surface apparaît avec beaucoup moins d'acuité.

«Si le Numéro un n'est pas nerveux, pourquoi l'être?»

PARIS, FRANCE

Charles Toussaint, sa femme et ses enfants ont été logés dans un meublé confortable de l'avenue de Breteuil, relevant directement de la DGSE.

Pour l'instant, le commandant, debout devant la fenêtre, regarde l'avenue bourgeoise qui, à cette heure de la nuit – 4 h 30 – a les apparences d'une nourrice veillant sur le sommeil de ses enfants. En bas, devant l'immeuble, un planton assis dans une *Peugeot* grille cigarette sur cigarette. Un autre est posté devant la porte de l'appartement.

La veille, à plusieurs reprises, il a dû débiter une nouvelle fois son histoire. Au ministère de la Marine, il a dû visionner d'innombrables portraits d'officiers. Après un temps qui lui a paru interminable, il s'était soudain redressé devant le portrait du lieutenant Hugues Pépin.

«C'est lui!

— Vous êtes certain?»

L'agent de la DST en civil ne semblait pas convaincu.

«Absolument!» confirma-t-il.

Peu après, lui et sa famille ont été conduits à cet appartement.

«Pour votre sécurité, a-t-on voulu le convaincre.

— Je suppose que je n'ai pas le droit d'en sortir?

— Il nous fera plaisir de vous apporter tout ce dont vous aurez besoin.

— Et si je veux aller au cinéma?

— Nous vous apporterons un vidéo.»

Sur l'avenue, un léger vent se lève et la lumière tamisée des réverbères éclaire la chute lente des feuilles roussies arrachées aux arbres séculaires qui donnent son cachet à l'avenue.

Charles Toussaint enrage: il voudrait se lancer à la recherche de Pépin, même si cela doit le conduire jusqu'à Moscou. Pour la première fois de sa vie, il se sent animé d'une véritable fringale de meurtre. Liquider Pépin et tous ceux qui ont conçu cette sombre histoire: il n'y a que ça qui pourra le soulager.

Sa femme Vivianne se réveille et se redresse sur les coudes:

«Tu ne dors pas, Charles?

— Peux pas!»

Elle a pleuré de joie la veille quand ils se sont retrouvés.

«J'ai eu si peur pour toi, a-t-elle dit.

— J'ai eu peur aussi. Je t'aime.»

Il l'a serrée dans ses bras comme jamais auparavant.

Elle se lève et s'approche de lui.

«Le cauchemar est derrière nous, dit-elle. Il faut commencer à oublier.»

Il s'emporte:

«Oublier! Oublier! Comment veux-tu que j'oublie le *tacatacatac* des armes russes fauchant mes hommes? Comment oublier leurs cris et toute cette flotte glacée?

— Tu n'es pas responsable, Charles.

— J'étais le commandant et je suis le seul survivant. Ce n'est pas normal.

— Tu ne peux rien faire.

— Si! dès que l'occasion de sortir d'ici va se présenter, crois-moi, je vais faire quelque chose. Je suis persuadé que notre gouvernement n'a même pas adressé de reproches polis à l'URSS. Ils ont le trouillomètre à zéro.

— Allons, viens te coucher, il faut que tu te reposes, tu as encore des cernes gros comme des valises sous les yeux.»

Il secoue négativement la tête.

«Je vais plutôt prendre une douche, ça me remettra.»

Des coups frappés timidement retentissent à la porte de la chambre mitoyenne qu'occupent Didier et Chantale.

«Entre», fait Charles Toussaint sans savoir lequel des deux a frappé.

Chantale passe la tête par l'entrebâillement de la porte.

«Papa, maman, je voudrais vous parler.

— Tu ne dors pas? demande son père.

— Pas moyen. Didier et moi, on a discuté à propos de la perte du *Viking* et on a pensé que...»

Elle se tait, cherchant comment placer ses mots. Son père l'encourage à poursuivre:

«Continue.

— On a pensé que puisque tu n'avais plus de bateau, tu n'auras plus tellement les moyens, alors je... je crois que je vais devoir abandonner mes études pour aller travailler.»

Pour la première fois depuis le drame, Charles Toussaint retrouve le sourire.

«Vous vous faites du souci pour rien. Le *Viking* est assuré. Pour quel innocent me prenez-vous?»

Elle affiche un sourire ravi:

«Vraiment? Tu vas pouvoir avoir un autre bateau?

— Je ne sais pas si j'aurai un autre bateau mais la prime du *Viking* devrait suffire à couvrir vos études.»

Il fait une courte pause et reprend sur un ton grondeur:

«N'allez pas vous imaginer que vous allez pouvoir quitter l'école aussi facilement!

— Oh non! Je suis bien contente.

— Y a-t-il autre chose qui t'empêche de dormir?

— Pourquoi est-ce qu'ils ont fait ça?»

Sur le visage de son père, le sourire fait place à une grimace douloureuse.

«J'y ai beaucoup pensé et j'en arrive à la conclusion qu'ils vont sûrement faire sauter une vraie bombe quelque part.

— Atomique?

— Oui, atomique.

— Mais pourquoi?»

Il a un geste d'ignorance.

«Les hommes n'ont aucune difficulté à se trouver des motivations pour être cons.»

Il se tait quelques secondes avant de poursuivre plus gravement:

«J'ai l'impression qu'en haut lieu on nous prépare l'apocalypse.»

Une ombre de frayeur passe sur le visage de sa fille:

«Oh! non!» fait-elle.

Vivianne fixe son mari avec reproche.

«Pourquoi est-ce que tu dis ça, Charles?

— C'est mon sentiment.

— Tu peux te tromper.

— Je l'espère.»

Vivianne est persuadée, à cet instant, que le fait pour son mari d'avoir cru être la cible d'une bombe thermonucléaire, l'a situé dans un contexte s'écartant de la réalité. Pour elle, il est inconcevable que l'on puisse se servir de ces armes. Tout en elle le refuse. Elle veut le ramener à ce qu'elle pense être le bon sens.

«Tu as eu de dures épreuves et tu vois tout en noir à cause de cela.

— Je vois tout en noir à cause de cela comme tu dis mais c'est justement cet acte qui dépasse notre cadre habituel, qui me fait penser au pire.

— Je crois que papa a raison.»

Ils se tournent vers Didier qui vient d'apparaître.

«Nous allons mourir, tout le monde va mourir», dit Chantale d'une voix éteinte.

Sa mère secoue vivement la tête.

«Mais non! mais non! Il est très tôt et nos esprits s'emballent facilement à cette heure. Allez vous coucher et, quand le jour se lèvera, vous verrez que tout va continuer comme d'habitude.»

Ils regagnent leur chambre et elle s'adresse, sévère, à son mari:

«Pourquoi leur conter de pareilles histoires?»

Il la regarde fixement avant de répondre:

«Pour moi, il n'y a plus rien de normal, quand bien même le jour se lèvera.

— Tu leur as fait peur.

— La peur est le premier mouvement vers la défense. Il vaut mieux accepter la peur avant, plutôt que de paniquer quand viendra le temps.»

Sur ces paroles et sans en attendre de repartie, il se dirige vers la salle de bain.

Sous le jet d'eau brûlante de la douche, il essaye de faire le vide en lui, sans y parvenir réellement. La tête penchée en arrière, il fixe depuis un certain temps une petite fenêtre horizontale s'ouvrant de haut en bas. Il en prend soudainement conscience.

Quittant la douche sans fermer le robinet, il prend le tabouret de la coiffeuse pour voir ce qu'il y a de l'autre côté de la vitre.

Deux mètres plus bas, à la verticale du mur, se trouve un toit d'ardoise en pente douce, qui surplombe lui-même un autre petit toit couvrant une remise qui donne sur une cour intérieure. De sa place, il ne peut apercevoir la porte ouvrant sur la rue, mais il doit obligatoirement y en avoir une.

Quelques secondes suffisent pour que sa décision soit prise. Il arrête la douche, s'essuie et retourne dans la chambre chercher ses vêtements.

«Que fais-tu? demande Vivianne.

— Je m'habille et je vais aller réclamer le petit déjeuner au planton devant la porte.

— À cette heure?

— J'ai faim.»

De nouveau dans la salle de bain, il inspecte le costume de flanelle grise fourni par ceux qu'il commence à appeler ses geôliers. Il fait une moue, il a les costumes en horreur. Sans surprise, il constate que les pantalons sont garnis, dans le haut, d'une ceinture de cuir noir à boucle dorée. Ayant un système digestif allergique à toute contrainte, il y a des années qu'il a abandonné la ceinture au profit des bretelles.

«Les ceintures, c'est bon pour les cow-boys. Comme Gary Cooper dans *Le train sifflera trois fois*. Ils sont vraiment cons à la Sûreté.»

Ayant fini de s'habiller, il grimpe sur le tabouret, ouvre la fenêtre dont le panneau vitré se rabat sur le mur et, d'une traction de bras prenant appui sur le châssis, se hisse par l'ouverture. L'idée lui vient – qui le fait sourire – qu'il n'est plus tout jeune. Il reprend sa respiration avant de se retourner et de se laisser glisser le long du mur. Pendu à bout de bras, il n'est plus qu'à quarante centimètres du toit sous ses pieds. Il saute. Une tuile craque sous son poids, il reste aux aguets un instant puis, s'étant assuré qu'il n'a pas attiré l'attention, il longe le toit et se laisse glisser pareillement sur l'autre bâtiment avant d'atterrir dans la cour.

Un bref regard lui permet de découvrir un porche séparant la cour de l'avenue, sans aucune autre barrière. Il sourit de nouveau.

«Décidément, ils sont encore plus cons que je pensais, à la Sûreté!»

À l'angle du mur, il observe le planton dans la *Peugeot*. Il semble somnoler, la nuque reposant sur l'appuie-tête. Le plus naturellement du monde, Charles Toussaint sort d'un pas décidé et remonte l'avenue à la recherche d'une brasserie ouverte.

L'avenue déserte ne semble pas vouloir offrir d'escale. C'est un quartier tranquille pour hauts fonctionnaires et officiers à la retraite, qui ne doivent pas vouloir être dérangés par la présence bruyante d'un débit de boisson. Il marche longtemps avant de rencontrer un établissement qui vient d'ouvrir, non loin de l'Observatoire.

S'accoudant sur le zinc, il commande un café-calva avec du pain beurré, et demande le téléphone ainsi que l'annuaire. Le garçon, qui porte encore des marques d'oreiller sur une joue, le sert sans un mot.

Simon Lincourt est le seul contact que Charles Toussaint ait gardé de son escapade à Katmandou. Ils sont revenus dans le même avion, tous deux rapatriés avec les deniers familiaux. Pendant que

Charles Toussaint faisait l'apprentissage de la mer, Lincourt, lui, faisait ses premières armes en tant que journaliste, dans le petit hebdomadaire régional auvergnat que son père avait bâti. Au fil des ans, Lincourt avait progressivement délaissé le journal paternel pour écrire à la pige dans différents quotidiens influents de la capitale. Il réside maintenant à Paris, rue de Belleville, où, selon ses propres dires, les odeurs de la vie n'ont d'équivalent qu'en Extrême-Orient. Les contacts entre les deux hommes, bien qu'espacés, se sont poursuivis et, bon an mal an, une lettre, un coup de fil ou, plus rarement, une visite, maintiennent le lien.

La sonnerie du téléphone l'arrache des abîmes d'un sommeil qui ne fait que commencer, après une autre folle nuit à courir les endroits à la mode, à la recherche constante d'un nouveau sujet d'article.

«Ouais? fait-il.

— Simon? Ici Charles Toussaint.»

Il faut un laps de temps au pigiste pour placer son interlocuteur: «Charles?... Ah! Charles! Qu'est-ce qui se passe?

— Je te réveille?

— Un peu, oui.

— Excuse-moi, mais je suis dans un merdier pas possible.»

Ces quelques mots font retrouver à Lincourt toute sa lucidité: «Raconte: où te trouves-tu?

— Dans une brasserie tout près de l'observatoire de Paris. Il faut que je te parle de vive voix, c'est très important.

— Viens chez moi, je vais préparer une omelette et sortir un bon pinard.

— Il vaudrait mieux que toi tu viennes, car je suis à pied, sans un sou vaillant, et je viens de commander une consommation qu'il va falloir payer.»

Lincourt éclate de rire.

«Eh bien, mon vieux! Moi qui te croyais rangé.

— L'affaire est sérieuse, Simon.

— O.K., je vais te rejoindre. Disons trente minutes?

— Ça ira très bien. Merci.»

Charles Toussaint raccroche et rencontre le regard soupçonneux du garçon qui, tout en faisant sa mise en place, a suivi la conversation:

«On n'aime pas trop les problèmes ici», dit-il.

Le commandant affiche son regard le plus martial, capable à lui

354

seul de réprimer une mutinerie.

«Quels problèmes?

— Bah...

— Un autre café, s'il vous plaît.

— Avez-vous l'argent?»

Charles Toussaint pose ses mains bien à plat sur le comptoir et avance la tête vers le garçon:

«Puisque vous écoutez les conversations téléphoniques, vous devez savoir que je ne partirai pas sans que l'addition soit réglée. Est-ce que j'ai une tête à ça?

— Non.

— Parfait! Un autre café.»

Il va s'installer le long de la vitrine et observe, détaché, les premiers véhicules qui commencent à circuler.

«Me voici dans une brasserie inconnue à contempler Paris qui se réveille.»

Sa situation lui paraît brusquement tenir de l'irréel. Que fait-il à cette heure, dans une avenue parisienne, en complet de flanelle grise, alors qu'il devrait être du côté de Göteborg?

Dehors, une pluie fine se met à tomber, éclaboussant la vitrine et allongeant la lumière des phares qui s'y reflètent. Un apprenti boulanger apporte une corbeille de croissants, dont l'odeur lui chatouille agréablement les narines. Sans savoir pourquoi, dans ce milieu inconnu où planent l'odeur des croissants, de la sciure fraîche sur le carrelage et celle, tonique, du café, il se détend et se sent bien.

«Je suis vivant, bordel!»

Cette constatation lui paraît quelque peu égoïste et, pourtant, le ragaillardit.

Autour de lui, la ville et ses ramifications sortent peu à peu de la torpeur nocturne pour attaquer une nouvelle journée. Il essaye d'en imaginer les millions d'habitants anonymes, tous rivés à leurs habitudes. Pour la grande majorité d'entre eux, cette journée doit commencer dans l'environnement coutumier, la tiédeur familière du lit familier, le café familier dans la cuisine familière sous la musique du poste familier, la rue familière et ses bruits familiers. Pour lui tout est nouveau et pourtant, installé devant cette table de mica, il imagine toutes les particularités de la ville, toutes les facettes de la vie de ses habitants. Comme s'il les avait vécues.

Pour la première fois depuis qu'il connaît cette ville, il lui trouve un charme. Il l'a toujours vue sous les traits de foules pressées et blafardes ou sous le joug des technocrates constipés des ministères où il avait à faire. Ce matin, il découvre une âme à la fourmilière.

Il en est à supputer les effets et conséquences d'une bombe sur Paris, quand Lincourt arrive.

De petite taille, presque chauve, un regard aigu derrière des lunettes rondes cerclées finement, il aurait tout du rat de bibliothèque si ses vêtements, étonnants, qui proviennent du surplus militaire, ne venaient infirmer la première impression qu'il donne en lui ajoutant la touche «aventurier ».

Il est un peu des deux. Il peut passer deux semaines consécutives le nez dans les livres puis sauter dans un avion à destination des points les plus chauds du globe, pour en ramener un reportage «sur le vif». On l'a vu avec les *Tupamaros*, les passeurs colombiens et des dizaines d'autres entités sociales réputées dangereuses. Il a à son actif des interviews les plus diverses, avec, par exemple, Pinochet, Sinatra, Kamal ou le dernier en date des assassins pédophiles.

«Peux-tu me dire ce que tu fous ici?» dit-il derrière l'épaule de Charles Toussaint.

Ce dernier se lève et lui tend la main:

«Bonjour Simon. Merci d'être accouru à mon appel.

— Venant de toi ça ne peut pas être banal.»

Il ajoute avec le sourire:

«Après tout, tu es un monsieur bien!

— Pour l'instant, je suis un monsieur furieux et emmerdé.»

Lincourt se tourne vers le garçon et commande un double expresso.

«Raconte-moi tout, dit-il à Charles Toussaint.

— Avant tout, je voudrais que tu me dises s'il existe un journal honnête et qui a des couilles au cul?

— Honnête est un mot qui ne doit plus exister dans ce milieu, mais pour la partie colorée de ta double question, je dirais que si le jeu en vaut la chandelle, tu trouveras ce qu'il te faut. Il y a des canards pour tout le monde, depuis l'extrême droite jusqu'à l'extrême gauche, en passant par les pédés, les féministes, les mystiques et les exaltés de tous genres. Si ton histoire satisfait les exigences d'un de ces groupes, tu trouveras preneur. Si c'est un scoop, ce sera la curée.

— Ce n'est pas un scoop, c'est une bombe.

— Tu me fais languir.»

En commençant par sa première rencontre avec le lieutenant Pépin, Charles Toussaint raconte à son ami tous les événements qu'il a vécus. Au fur et à mesure qu'il avance dans son récit, il voit d'abord l'étonnement, puis la stupéfaction se peindre sur le visage de Lincourt. Quand il termine, son interlocuteur ne réplique pas immédiatement.

«Ça explique l'alerte décrétée par le Gouvernement, finit-il par dire.

— Penses-tu me trouver un journal qui soit autre chose qu'une feuille de chou?

— Et comment! Tu avais pleinement raison de dire que c'était une bombe.»

Il regarde sa montre.

«Allons-y, peut-être sortiront-ils une édition spéciale.

— Ils accepteront?

— Je ne peux rien te jurer mais c'est possible. Si l'un ne veut rien savoir, nous irons en voir un autre.»

Il réclame l'addition, paye et les deux hommes sortent pour monter en voiture. Lincourt traverse les boulevards presque déserts à tombeau ouvert.

***

Avenue de Breteuil, Vivianne Toussaint, assise au pied de son lit, a constaté la disparition de son mari et se demande ce qu'elle doit faire.

«Je vais attendre une heure, puis j'irai les trouver pour leur dire que Charles a disparu pendant mon sommeil.»

Elle ouvre la radio en sourdine et entend un journaliste commenter les rumeurs de guerre qui se sont emparées de la presse américaine.

«Et si Charles avait raison?»

LOGAR PAKTIA, AFGHANISTAN

Le soleil du matin émerge brusquement au fond de la petite vallée. Ses premiers rayons orangés éclairent d'une chaude lueur les façades du village.

Alusia, Hafizullah et les enfants dorment tous dans la maison où la femme est décédée. Alusia, malgré son épuisement, a été la dernière à s'endormir. Passant d'une couche à l'autre, elle a réconforté les enfants du mieux qu'elle a pu.

Hafizullah ronfle, les enfants ont le sommeil agité et se retournent souvent, secoués de soubresauts. Alusia, allongée sur le dos, semble somnoler.

Le disque d'or du soleil est maintenant dans son entier sur l'horizon et sa lumière dorée éclaire les parois montagneuses. Au pied de l'une d'elles, une colonne militaire avance d'un pas rapide en direction du village. Un observateur averti reconnaîtrait une unité de la 105e division aéroportée de la Garde.

Leur mission est de *nettoyer*. Ils doivent terminer le travail commencé par les hélicoptères et s'assurer que les villages isolés n'abritent plus aucun rebelle – autrement dit, plus âme qui vive.

«Que ces hameaux soient prêts à recevoir nos amis», a bien fait comprendre l'officier supérieur.

Ils pénètrent dans le village et commencent à fouiller les habitations une à une.

Alerté par ces bruits insolites, Hafizullah se réveille le premier. Silencieux, il se lève, arme son faux kalachnikov de fabrication pakistanaise et va entrebâiller la porte pour se rendre compte immédiatement qu'ils sont trop nombreux pour qu'il tente quoi que ce soit. Ce serait la mort certaine pour Alusia et les enfants. D'un autre côté, s'ils sont pris avec lui, ils seront certainement tous abattus. Il lui faut se cacher.

Surveillant les allées et venues, il profite de ce que personne ne regarde de son côté pour sortir et contourner la petite maison. Fouillant des yeux le décor autour de lui, il voit le cours desséché d'un ruisselet qui sourd d'une anfractuosité de la paroi rocheuse. Le terrain à découvert n'est que d'une trentaine de mètres. Il a sa chance. D'un pied sûr, ne heurtant aucune roche et d'une souplesse que ne laisse pas soupçonner son gabarit, il franchit la distance en quelques bonds rapides et se retrouve à l'abri des regards. L'anfractuosité est juste assez large pour lui et s'enfonce en se rétrécissant. Si un soldat jette un seul coup d'œil, il sera pris au piège. Tout ce qui lui reste à faire est de grimper dans la faille pour atteindre le sommet de la falaise. Les mains dans le dos, s'appuyant sur une face de l'anfractuosité et les pieds sur l'autre, ce devrait être un jeu d'enfant. Il s'agit seulement de ne pas faire dégringoler de cailloux. Il entame son ascension.

Alusia est réveillée par un soldat ouvrant la porte. Celui-ci, apercevant tout ce monde à l'intérieur, appelle ses confrères.

«Tout le monde contre le mur», hurle-t-il ensuite en russe, bien que lui-même soit tadjik.

En parlant russe, il est certain de ne pas être compris et ainsi d'avoir là une motivation raisonnable pour tirer, pour refus d'obéissance. Il est surpris d'entendre Alusia lui répondre dans la langue qu'il a utilisée et qu'elle comprend fort bien, étant donné que c'est la deuxième langue en Pologne.

«Ce ne sont que des enfants.»

Il s'aperçoit immédiatement qu'elle n'a pas du tout le type afghan.

«Vous êtes russe? demande-t-il radouci.

— Polonaise.

— Que faites-vous ici?

— Je suis religieuse et médecin. J'ai trouvé ces enfants abandonnés et je m'en occupe.»

Alusia se demande où est passé Hafizullah.

L'affaire dépasse le soldat qui hèle son officier. Ce dernier arrive déjà, alerté par son premier appel. Il est mis au courant de la situation en quelques mots.

L'officier, qui, lui, est russe, s'approche d'Alusia:

«Comment êtes-vous arrivée ici?

— À pied.»

Les enfants, maintenant tous réveillés, commencent à paniquer devant les militaires en armes.

«À pied! ce n'est pas une réponse. D'où venez-vous et pourquoi?»

Elle ment un peu:

«Je viens de l'Inde. Les Missionnaires de la Charité, l'ordre de Mère Teresa. Je suis envoyée pour secourir les malheureux.

— Mère Teresa?»

Alusia feint une profonde stupeur:

«Vous ne connaissez pas Mère Teresa? Elle est connue dans le monde entier!»

L'officier se sent en terrain mouvant. Il ne sait pas quoi faire avec cette Polonaise.

«L'Afghanistan est un pays en cours de pacification, dit-il. Vous n'aviez pas le droit de passer la frontière et je ne m'explique pas comment vous êtes parvenue jusqu'ici?

— Je suis venue à pied, répète-t-elle. Les envoyés de Mère Teresa sont accueillis partout.»

Il détourne la conversation.

«Qui sont ces enfants?

— Des orphelins qui ont survécu aux gaz lancés sur ce village. Ils sont tout petits, ils ne peuvent faire de mal.»

Sur ce point l'officier a des instructions très claires. Il fait un signe au soldat qui est entré le premier et celui-ci lâche aussitôt une rafale sur les petits corps, qui s'écroulent dans une confusion de cris et de sang. En quelques secondes tout est terminé, sauf pour Alusia tombée à genoux face contre le sol.

«NOOOOOON!»

L'officier et le soldat se regardent en haussant les épaules.

«Nous allons vous emmener, dit l'officier. En attendant de savoir ce qu'il convient de faire avec vous.»

Alusia, prostrée, se laisse attacher les mains dans le dos par un nouveau venu.

Elle n'entend plus rien, ne sent plus rien. Une fois de plus, elle ressent une haine sauvage qui monte en elle:

«Seigneur! pourquoi ne les foudroyez-vous pas?»

Hafizullah a presque atteint le sommet quand il entend la rafale. En esprit, il imagine Alusia baignant dans son sang et manque tomber sous le choc que lui impose cette image. Il se rend soudain compte qu'il est amoureux de l'étrangère. Il ne comprend pas cet amour car, à aucun moment, il ne l'a désirée comme il a désiré d'autres femmes.

Pendant tout le temps que dure l'inspection du village, Alusia doit suivre les soldats. Ses liens sont serrés trop fort, et ses mains commencent à la faire souffrir sans qu'elle s'en rende vraiment compte. Tout se mêle dans sa tête: les deux novices, la femme agonisante qui avait des mains comme les siennes, les enfants déchiquetés sous les balles, et maintenant les cadavres dans les maisons, que les soldats retournent du pied sans ménagement.

Ils arrivent ainsi à l'endroit qu'Hafizullah n'a pas voulu qu'elle voie. De nouveau elle pousse une longue plainte devant les corps calcinés des poupons qui se balancent sous le câble.

«Vous semblez très sensible, dit l'officier très courtoisement. Je pensais que la Pologne était un pays qui avait tout vu.»

Alusia a les yeux brouillés de larmes. Elle sait que rien ne pourra effacer cette douleur qui la tenaille.

«Pourquoi les enfants? Pourquoi?

— Les parents sont des rebelles que nous devons supprimer; en vieillissant, les enfants nous en tiendraient rigueur. C'est logique.

— Êtes-vous complètement insensible? s'indigne-t-elle en désignant la mise en scène impitoyable.

— Avec le temps on s'habitue. J'avoue quand même que la première fois que j'ai été confronté à ce genre de spectacle, j'ai eu du mal à avaler le repas suivant. C'est une réaction irrationnelle: une fois morts, hommes, femmes ou enfants ne sont plus que de la viande en voie de décomposition. La mort des anti-sociaux est le prix à payer pour établir un monde meilleur.

— Quel monde meilleur pensez-vous établir après tout ça?»

Il réplique plus sèchement:

«En tant que Polonaise, donc d'un pays socialiste, vous devriez le savoir.

— Un monde meilleur ne peut se bâtir que sur l'amour.

— Des foutaises de bourgeois.

— Vous ne croyez pas à l'amour?

— On aime ceux qui nous aiment, c'est une fonction biologique de survie. Le reste doit être déterminé par les conventions sociales. J'encule l'ennemi qui viendra me dire qu'il m'aime.»

Alusia, qui n'a presque rien mangé la veille, régurgite de la bile.

«Écœurant!» marmonne l'officier.

Allongé sur le rebord de la falaise, Hafizullah peut maintenant apercevoir Alusia et, oubliant ce qu'il est advenu des enfants, il ne sait comment remercier le ciel de la voir vivante.

Avec angoisse il se demande comment il va pouvoir l'arracher des griffes soviétiques. Il ne sait pas pourquoi les soldats ne l'ont pas tuée avec les enfants mais il imagine très bien ce qui se passera si elle reste trop longtemps avec eux.

GÖTEBORG, SUÈDE

Erik est réveillé par l'infirmière qui apporte le petit déjeuner. Encore une fois sa première pensée est pour Éléonore, et sitôt qu'il a avalé son bol de céréales, son verre de jus, sans oublier sa dose de pilules, il va faire sa toilette et se dirige illico vers la chambre d'Éléonore. Sur le seuil il croise une infirmière qui replie un sphygmomanomètre.

«Il vaut mieux la laisser dormir ce matin, lui dit-elle, sa pression est très basse.»

Voyant l'air inquiet d'Erik, elle ajoute:

«Tu la verras certainement en radiothérapie vers onze heures. Tu commences tes séances ce matin, n'est-ce pas?

— Je ne peux pas lui dire deux mots? insiste-t-il.

— Deux mots, pas plus, il faut vraiment qu'elle se repose.»

Éléonore est allongée sur son lit, les yeux fermés. Malgré qu'elle soit d'une grande pâleur, Erik la trouve terriblement belle. Doucement il dépose un baiser sur son front. Elle ouvre les yeux et lui sourit.

«Il vaut mieux que tu te reposes, lui dit-il, je reviendrai te voir dès que tu seras plus forte.

— Excuse-moi, je suis un peu patraque, ils m'ont gavée de cytomachinchose.

— Ne t'excuse pas: demain ou un autre jour, ce sera mon tour. Allez! repose-toi bien.»

Il la quitte, regrettant de ne pouvoir rester, et trouve déjà le temps long.

Ne sachant que faire et n'ayant pas le goût de retourner dans sa chambre, il se dirige vers le fumoir où il n'a encore jamais mis les pieds. Il y a là un homme de grande taille qui fume une pipe recourbée, imprégnant la pièce d'une odeur de mélange hollandais. Erik est frappé par le contraste entre son teint très hâlé et la blancheur extrême de ses cheveux. Il n'arrive pas à lui donner un âge précis, entre cinquante ou soixante-dix ans.

L'homme le salue:

«Bonjour, jeune homme. Que fait quelqu'un de ton âge en ces lieux sinistres?

— J'attends malheureusement des moments plus sinistres encore.»

Un long silence retombe sur la pièce. À travers un nuage de fumée bleutée et odorante, l'homme l'observe.

«Excuse mon indiscrétion, lui dit-il, mais crois-tu en Dieu?»

Interloqué, Erik ne sait que répondre. Son vis-à-vis apporte quelques précisions:

«Déformation professionnelle. Je suis, comment dire... un homme d'Église.»

Erik sourit.

«Que penseriez-vous de moi si je vous répondais non?

— Mon engagement m'inciterait à mieux connaître tes convictions sur ce sujet et, qui sait, je te ferais peut-être changer d'opinion.

— Vous n'aurez pas à travailler ce matin, je suis croyant. Pas tellement pratiquant mais croyant.»

L'homme lève les bras au ciel.

«Entendez-vous ça! s'exclame-t-il. Croyant mais pas tellement pratiquant. Comment peut-on croire sans pratiquer? Est-ce qu'on aime être propre sans se laver? Est-ce que l'on aime son épouse sans lui offrir ses faveurs?»

La soudaine flamme perçue sur le visage de son interlocuteur intrigue Erik. Il va s'asseoir près de lui.

«Ce n'est pas tout à fait pareil, répond-il. Je crois en Dieu mais l'Église me laisse perplexe.

— Bon sang! Je crois que je viens encore de me trouver de l'ouvrage ce matin.»

Il lève la tête au ciel.

«Seigneur, vous n'oublierez pas de mettre ça sur mes heures supplémentaires.»

Se tournant vers Erik, il lui tend la main.

«Je suis le père Johan, dominicain, fraîchement débarqué des missions d'Afrique pour venir faire le bilan de sa vie et rendre son âme à Dieu en terre natale.»

Il baisse la voix.

«Malheureusement, car j'aurais préféré finir là-bas. Mais on ne peut aller contre la volonté de ses supérieurs, quand on a fait vœu d'obéissance. C'est le vœu le plus difficile à tenir, mon garçon! Tout le monde pense que c'est le vœu de chasteté; laisse-moi te dire qu'ils se mettent le doigt dans l'œil.

— Erik Adelsohn, étudiant, venu en ces lieux prendre le billet pour le grand voyage.

363

— Je perçois un peu de sarcasme dans ta voix. Est-ce que je me trompe?

— Peut-être que si j'avais connu l'Afrique et toutes les choses de la vie, le timbre de ma voix serait-il plus serein.

— Si tu avais connu l'Afrique, peut-être te poserais-tu encore plus de questions aujourd'hui.

— Comme vous le voyez, je n'ai pas une grande expérience de la vie. Où étiez-vous en Afrique?

— Botswana, essayant d'apporter quelque chose à un peuple extraordinaire. As-tu entendu parler des Bochimans?

— Il me semble avoir vu un documentaire.

— Le genre de reportage à sensation qui rassure notre civilisation sur sa grande supériorité?»

Erik sent que le missionnaire a envie de lui faire connaître les réflexions qui l'animent. Il acquiesce et laisse son voisin continuer.

«Notre bon sang de civilisation avec son bon sang de progrès est en train de démolir ce qui reste de sincère sur cette planète. Oh! les Bochimans ne sont pas des saints, mais pourquoi cet acharnement à vouloir imposer des modes de vie à des gens qui s'en sont déjà créé un qui n'est pas pire que le nôtre?

— Vous ne ressemblez pas au portrait que je me faisais du missionnaire.

— Tu le vois comme un personnage qui se présente, la Bible sous un bras, et le code du savoir-vivre occidental sous l'autre?

— C'est un peu ça. J'ai lu dernièrement le livre d'un missionnaire français chez les Esquimaux. À peu de choses près, j'ai compris que son travail consistait à les initier aux rites de notre civilisation.

— En tout cas, personnellement, ce qui m'importait le plus était d'apporter le peu de soulagement que je pouvais et de leur enseigner ce qui est la base même de notre religion, à savoir qu'il faut aimer Dieu; autrement dit, leur enseigner l'amour, puisque Dieu est amour, et que ce n'est que sous ce jour que nous pouvons Le connaître. Secundo, qu'il faut essayer d'aimer son voisin et ne pas chercher à le juger plus que l'on ne se juge, ce qui est à la base de toute vie heureuse. Soulager les misères et enseigner l'amour, voilà comment je voyais mon apostolat.

tions viennent de l'Occident. Il y a deux ans, par exemple, j'ai fait une tournée de conférences en Europe et en Amérique du Nord, pour amasser des fonds dans l'espoir d'aider les Bochimans à acquérir leur propre territoire. À Lyon, la deuxième ville de France, il n'y avait là qu'une dizaine de jeunes, admis au tarif étudiant. Ça n'a même pas payé ma note d'hôtel. C'est à Boston que la recette a été la meilleure, mille dollars. La veille, un chanteur de rock débile, qui se trémoussait à moitié nu sur la scène, a empoché exactement cent fois plus que moi.»

Le dominicain n'ajoute pas de commentaire, laissant le soin à Erik de tirer ses conclusions.

Pendant un moment, chacun garde le silence, cherchant comment renouer la conversation. Le missionnaire porte sa main dans son dos et tente de masquer une grimace.

«De quoi souffrez-vous? demande Erik.

— Généralisé, se contente de répondre le père Johan. C'est bizarre, j'ai pourtant passé ces dernières trente années dans la brousse, loin de la pollution et de notre alimentation du Nord, surchargeante et dénaturée. Je ne fumais qu'une pipée le matin et une autre le soir. Maintenant, je m'en donne à cœur joie. Mais revenons-en à ton cas de «pas trop pratiquant». Que voulais-tu dire par là?

— C'est assez simple, ma mère est de religion catholique et mon père, par je ne sais quel hasard, se trouve être quaker. À la naissance, mes parents tiraient au sort pour trancher la religion de chacun. J'ai hérité les croyances de ma mère, ma sœur celles de mon père. À la longue, j'en ai conclu que l'on peut croire et prier Dieu dans n'importe quelle religion, puisque, comme vous le disiez vous-même, Dieu est amour. Autrement dit, pour moi l'Église n'est qu'un support matériel de la foi.

— Et que fais-tu de la sainte communion?

— Vous allez peut-être me prendre pour un hérétique, mais je crois que si, ici même, nous partagions un morceau de pain en pensant sincèrement au Christ, cela serait une forme de communion aussi bonne qu'une autre. Même si vous n'étiez pas prêtre.»

Le dominicain dodeline de la tête d'un air dubitatif.

«Il va falloir que je réfléchisse à ton affaire, dit-il. Mais n'est-il pas plus simple de faire sa religion comme tout le monde?

— Le principal, je crois, est de la faire comme on pense

sincèrement qu'elle doit être faite. En cela je dois avouer que j'ai largement subi l'influence quaker.

— Bien sûr! Je pensais tout à l'heure que tu te disais «non pratiquant», dans le sens où la religion ne t'importait pas plus que la couleur de tes premières couches.

— Dans ce cas-là, je ne crois pas que l'on pourrait affirmer être croyant.

— C'est également mon avis.»

Un bruit de pas hésitant les interrompt.

Les deux hommes détournent la tête ensemble pour voir qui arrive. C'est Brigitt, la sœur d'Erik.

«Bonjour petite sœur, tu n'as pas de cours ce matin?

— Juste des arts plastiques, et comme je n'ai aucune ambition de bohème, je me suis dit que tu devais peut-être avoir envie de me voir. De toute façon, moi j'en ai le goût.

— Je suis bien content! Viens t'asseoir, je te présente le père Johan.»

Celui-ci s'incline:

«Bonjour, jeune fille, vous nous apportez un rayon de soleil dans ce sinistre bâtiment. Vous ressemblez terriblement à la petite amie de ma jeunesse.»

Erik et Brigitt se regardent surpris et amusés. Le dominicain continue:

«Vous pensiez qu'un homme qui porte le froc ne peut pas avoir eu de petite amie?

— Ce n'est pas cela, répond Erik. Seulement il est rare qu'il en parle.

— Il ne me dérange pas d'en parler, je n'y vois rien de mal.»

Il s'interrompt un instant puis reprend plus bas, comme pour lui-même:

«Je l'aimais, Zoé; elle semblait fragile et je croyais devoir la protéger. Elle voulait se marier, avoir une grande maison blanche avec une galerie tout autour. Elle voulait qu'on élève des chevaux. C'était du rêve, qu'aurais-je pu lui offrir? Un petit bungalow dans une banlieue résidentielle, moi rentrant le soir pour m'installer devant la télévision, la partie de cartes le vendredi soir, l'alcool le samedi, et soigner ma gueule de bois le dimanche. Je l'aimais, Zoé. Dans ma mémoire, elle n'a pas changé. Ce qui aurait pu devenir le banal échec de tous les jours est resté un beau souvenir.»

Il se tait puis, le regard perdu dans un lointain passé, garde le silence. Erik et sa sœur remarquent que ses yeux sont humides. Respectant son silence, ils se lèvent et se dirigent tranquillement vers la chambre. Erik remarque combien la mine de sa sœur a changé depuis quelques jours. Il cherche ce qu'il pourrait bien lui dire pour l'apaiser et ressusciter l'éclat de ses yeux.

Sûrement qu'un jour tout reviendra comme avant; ce ne sera plus qu'un souvenir ému, que l'on n'évoque pas trop souvent pour ne pas réveiller de vieilles douleurs dont on ne veut plus souffrir inutilement. Plus tard encore, il ne sera qu'une image parmi les autres, l'image d'une jeunesse que l'on dissimule dans un coin de ses souvenirs et que l'on exhume à l'occasion des moments de mélancolie ou de nostalgie.

Il ne sera que cela. De toute façon, quoi d'autre, même en vivant cent ans ou plus?

Arrivés dans la chambre, Erik s'assoit sur le bord de son lit, Brigitt dans le fauteuil réservé aux visiteurs. Sur un ton presque autoritaire, elle prend immédiatement la parole:

«Je ne veux pas que tu restes ici, dit-elle. Il y a sûrement autre chose à faire que de rester ainsi à attendre sans lutter. J'ai entendu parler de guérisseurs qui pouvaient faire des miracles avec des cas jugés désespérés. Ça ne coûterait pas grand-chose d'essayer.»

D'un air indulgent, Erik secoue négativement la tête.

«Il est trop tard, dit-il, je le sens au fond de moi. De toute façon, il serait stupide de vouloir aller à contre-courant et chercher de l'espoir là où il n'y en a pas. Mieux vaut se résigner et regarder les choses avec le plus de sérénité possible. Je ne veux pas que tu gâches des moments de ta jeunesse parce que je dois m'en aller. Tu es triste pour moi; dis-toi bien que pour l'instant j'accepte mon sort et que ce qui est le plus dur, c'est de sentir la peine autour de soi.

Elle bondit.

— Tu en as de bonnes, toi! Comme s'il fallait que ce qui t'arrive me laisse indifférente! Et ne dis pas que c'est notre peine qui, à t'en croire, aggrave les choses: si tout le monde prenait cela à la rigolade, il me semble que tu croirais ne pas être aimé. C'est là que tu trouverais vraiment que tout est moche, et avec raison. Donc, tu ne veux pas voir un guérisseur?»

Erik répond d'une voix très calme:

«C'est inutile, Brigitt, et au fond de toi tu le sais aussi bien que moi.

— Je prie tous les jours pour que tu guérisses. J'ai toujours espoir.

— Et si ton espoir vient à être déçu? Tu vas en vouloir à qui? Aux guérisseurs, à toi, à moi?

— Je ne sais pas mais je voudrais tellement que tu voies un guérisseur. Quand la médecine ne peut plus rien, il faut essayer autre chose.

— Pour que ta suggestion ait quelque chance de succès, il faudrait d'abord que j'y croie moi-même, et ce n'est pas le cas. Et puis, des guérisseurs, ça ne court pas les rues. Tu en connais, toi?

— J'ai une revue qui en parle, il y en a un qui vit en Italie. Il est très célèbre.»

Un sourire sceptique se dessine sur le visage d'Erik.

«Tu te moques de moi, dit Brigitt.

— Mais non, je souris parce que je vois que tu serais prête à n'importe quoi et que je trouve drôle que tu aies même songé à m'envoyer en Italie. J'ai quasiment envie de te dire oui, ne serait-ce que pour voir ce pays du soleil.

— Dis oui alors! fait-elle persuasive. J'emprunterai, je ferai du baby-sitting, je livrerai les journaux, n'importe quoi.

— Je ne peux pas.»

Il voit des larmes monter dans les yeux de sa sœur; elle se détourne puis, brusquement, part en courant.

Il sait très bien qu'elle reviendra avec de nouveaux arguments.

De nouveau seul, il réfléchit aux propositions de Brigitt. Au fond de lui, une petite voix lui murmure que s'il ne veut pas aller en Italie ou ailleurs, peut-être est-ce parce qu'Éléonore, elle, doit rester ici? L'idée de la quitter lui paraît révoltante. Si ce n'est pas elle qui le retient ici, pourquoi refuserait-il une chance de voir l'Italie et, peut-être même, de guérir? Soudain, il prend conscience qu'Éléonore devient plus importante à ses yeux que la vie elle-même.

Ne sachant quoi faire de lui, il allume la radio et entend des nouvelles selon lesquelles des rumeurs de guerre occupent les manchettes aux États-Unis.

«Le monde est fou», se dit-il.

FULDA, R.F.A.

Ils sont une quinzaine de sous-officiers réunis dans la cour de la caserne. Le sergent Ashton Carter, du 5e corps d'armée US, se gratte la tête devant ce qu'il pense être la maquette d'un nouveau chasseur. Il ne comprend pas en quoi cela peut les concerner. Ce doit plutôt être du ressort de l'*Air Force*?

Au milieu d'eux, un instructeur en civil, qui, après avoir passé la nuit au-dessus de l'Atlantique a été amené sans délai de Francfort jusqu'ici en hélicoptère, est perché sur une caisse et s'apprête à leur expliquer le fonctionnement de l'engin, en provenance du Nevada, qui vient d'être déballé.

«Voici l'arme que les popoffs n'attendent pas, dit-il comme entrée en matière. Ce que vous voyez là est capable de toucher les lignes ennemies, de sélectionner une cible et de la détruire sans autre intervention humaine que celle que je vais vous expliquer.»

Il fait une pause pour juger de l'effet produit mais n'obtenant aucune réaction d'enthousiasme, il poursuit:

«Tout ce que vous aurez à faire sera d'insérer (il sort une mini-disquette en plastique de sa poche) une disquette comme celle-ci à l'endroit que je vous indiquerai tout à l'heure. Ces disquettes qui vous seront remises en cas de conflit contiennent les instructions sur la route que devra suivre cet oiseau destructeur. Vous comprendrez qu'elles ne peuvent être insérées d'avance, car il en existe de nombreuses séries, établies selon les probables positions de l'ennemi. Une fois la disquette en place, tout ce que demande l'appareil est une surface dure et plane sans obstacle devant lui. Une route, une cour d'école où même un stade peuvent faire l'affaire. Une combinaison de sept chiffres, correspondant au numéro peint en rouge sur chaque appareil et tapés sur le petit émetteur qui vous sera remis, suffira à la mise à feu. Vous voyez, c'est tout simple. Une fois alignés, ils peuvent décoller à la cadence d'un toutes les quinze secondes.

— Et c'est tout? demande Carter en levant le bras.

— C'est tout, sergent! Et soyez certain que pour chaque appareil lancé, une cible ennemie sera détruite. Le seul problème est que vous ne saurez pas laquelle.

— Il y en a beaucoup, de ces appareils?

— Assez, sur papier du moins, pour éliminer chaque char ennemi.»

Un sifflement approbateur s'élève de l'assistance.

«Qu'est-ce qui nous restera à faire? demande l'un des hommes.

—Nettoyer le terrain. Vous voyez que nous avons pensé à vous.»

Il descend de sa caisse pour indiquer l'endroit où insérer la disquette. Il soulève une trappe, sur le nez de l'appareil.

«Vous voyez, pas plus compliqué que de mettre une cassette dans un magnétoscope.»

À ce moment, Carter ressent une brûlure dans son sexe et fait une grimace. C'est la deuxième fois depuis une heure. Ça le brûlait aussi, la dernière fois qu'il a été pisser.

«Qu'est-ce qui t'arrive? l'interrompt un de ses collègues qui l'a vu grimacer.

— J'ai la foutue impression que je me suis fait plomber.»

L'autre dissimule mal un sourire ironique.

«Où est-ce que t'as planté ta queue?

— La Canadienne, avant-hier soir.

— Pas la dénommée Lisa qui tourne autour de la caserne depuis trois jours?»

Carter fait signe que oui.

«Merde!»

C'est au tour de Carter de sourire.

«Ne me dis pas que tu y es allé aussi.

— Pas seulement moi, chérie! Tout le mess y est passé hier soir.

— Le major va pleurer sur sa provision d'antibiotiques.

— La salope! Quand je pense qu'elle disait ne faire ça que pour payer son retour au pays.»

Une autre sensation de brûlure saisit Carter.

«Ça doit être une fonctionnaire frustrée ou encore un agent du KGB, bougonne-t-il en prenant la direction de l'infirmerie. Elle n'était même pas jolie, la garce.»

Il lui semble déjà entendre les injures du médecin fulminant contre les tarés qui pensent pouvoir se passer de condoms. Tout s'est passé si vite.

Pendant ce temps, l'autre sergent informe ses camarades de l'affligeante nouvelle.

«C'est la guerre bactériologique qui commence», fait l'un d'eux, grinçant.

THURINGE, R.D.A.

Pour Nikolaï Sologdine et ses compagnons d'armes, les choses ont évolué depuis hier. Chaque équipage de char doit se scinder en deux, afin d'exercer une veille constante à bord des unités. L'équipe au sol doit se tenir prête à regagner son poste dans les cinq minutes. Tout manquement sera sévèrement sanctionné.

Assis à sa place de pilote, Nikolaï trompe le temps en écrivant une lettre à sa femme. Il ne sait pas encore s'il va la lui envoyer.

Erjika,

J'espère que tout va bien pour toi. Ici (je n'ai pas le droit de te dire où je suis) la pluie tombe depuis mon arrivée. Ça fait tout drôle de se retrouver dans ce milieu que j'avais presque oublié. Rien n'a changé, si ce n'est que l'atmosphère est très tendue, car ce sont vraiment de grandes manœuvres.

Il cherche d'autres mots pour essayer de faire comprendre à sa femme que ces prétendues «grandes manœuvres» ne sont en fait pour tous ceux qui sont là, rien d'autre qu'une veillée d'armes, mais il ne trouve pas d'autres mots plus explicites qui pourraient déjouer la censure.

Je veux profiter de ce que je suis loin de toi pour te dire ce qu'à la maison je ne te dis jamais: JE T'AIME.

À cet instant, Nikolaï est persuadé de la sincérité de ses sentiments. À la vitesse de la lumière, l'image de Mouza se dilue dans sa mémoire; même, qu'il regrette de s'être laissé emporter dans cette aventure qui n'a pourtant eu lieu que dans son esprit. Les yeux dans le vague, il imagine que s'il dit la vérité à Erjika, cette complicité qu'ils ont connue ensemble au début pourra de nouveau s'installer entre eux. Loin de son foyer, il réalise combien cette entente lui manque. Pas un instant il ne lui vient à l'idée que c'est peut-être le déracinement qui le porte vers sa femme, qui représente la sécurité et les habitudes disparues.

Il faut qu'il avoue.

Erjika, je veux maintenant t' avouer ce qui me torture: Je n' ai pas été honnête avec toi ces derniers temps et je veux démolir ce mur que, par ma faute, j' ai édifié entre nous.

Tu auras peut-être remarqué que mon attitude envers toi avait changé depuis quelques semaines: il faut maintenant que je t' en explique les raisons.

Rassure-toi tout de suite, je n' ai pas couché avec une autre. Non, ce qui m' est arrivé est à la fois moins grave et plus compliqué. Il y a quelques semaines, tout à fait par hasard, j' ai fait la connaissance d' une autre femme. Je la voyais assez souvent et j' en suis venu à la désirer. Cela me fait mal de te le dire, mais il le faut. Maintenant que c' est passé, je peux t' assurer que si je l' ai désirée ce n' était que du strict point de vue sexuel.

Tout en écrivant, Nikolaï se rend compte qu'il ment. Comment peut-il dire que ça n'a été que sexuel? Il se souvient pourtant très bien d'avoir voulu refaire sa vie avec Mouza.

«Le sexe peut nous aveugler complètement», tente-t-il de se convaincre avant de reprendre sa lettre.

À présent, cette folie passagère est définitivement passée. Je ne comprends pas très bien ce qui m' est arrivé mais je crois que ce problème doit se présenter un jour ou l' autre à tout homme. Je ne sais pas comment sont les femmes mais les hommes, eux, veulent parfois se prouver leur virilité. Je crois qu' il est dans le bagage masculin de désirer les conquêtes et seul un amour comme celui que je te porte peut contrecarrer cet instinct, qui doit être un résidu de notre cerveau primaire.

Excuse-moi, Erjika, mais il fallait que je te l' avoue, afin que notre union ne souffre pas de ce genre de cachotteries.

Je te le répète, tout est fini et toutes mes pensées et mes désirs vont vers toi, que j' espère revoir au plus vite.

Je t' embrasse de tout mon cœur.

Ton mari.

Nikolaï a presque les larmes aux yeux. Il est certain d'avoir réinventé l'amour qui l'a lié à sa femme.

Il relit plusieurs fois la lettre avant de se décider à la signer. Il se jure de la poster lors de sa prochaine période de repos.

Cette décision prise, il se tourne vers le canonnier qui, affalé dans un coin, semble totalement absorbé par son livre.

«Que lis-tu? demande Nikolaï.

— *Dans les Tranchées de Stalingrad*, de Nekrassov.

— Connais pas.

— C'est un clandé et je comprends pourquoi; la guerre y est dépeinte sous son aspect le plus brutal et le moins noble.

— Pourquoi le lis-tu alors?

— C'est là le but des livres, non? Préparer psychologiquement le lecteur à ce qui peut lui arriver.

— Je n'avais pas pensé à ça; je voyais surtout les livres comme dérivatifs ou outils d'apprentissage.

— Tu aurais dû. Tout ce que fait l'homme, même ce qui paraît mauvais, finit par lui être utile pour sa survie.

— Même l'arsenal nucléaire?

— Qui sait si les bombes ne serviront pas un jour à fragmenter une météorite géante se dirigeant sur la Terre?

— Voilà ce que j'appelle être optimiste.

— Ne va pas croire ça! Je crois plutôt qu'elles vont nous tomber sur le nez, et dans peu de temps.

— Alors elles n'auront pas eu d'utilité.

— Si! peut-être faire comprendre aux survivants qu'il ne faut pas s'en servir, quand même faudrait-il mille ans pour s'en remettre.

— Pour remonter le moral, tu te poses là! Y aura-t-il des survivants au moins?

— J'ai du mal à imaginer qu'il ne restera pas au moins un homme et une femme perdus au fin fond d'une île australe.

— Curieux de penser que c'est peut-être des habitants de l'âge de pierre qui gagneront la guerre.»

Le canonnier sourit:

«S'il fallait qu'un *tchekista* nous entende, on serait mûrs pour le peloton d'exécution!»

L'image des agents du KGB venant chercher Mouza s'impose quelques secondes à Nikolaï.

«Je les emmerde», dit-il calmement.

L'autre a un bref regard autour de lui, comme pour s'assurer qu'aucun d'eux n'est dissimulé dans le char.

«Du calme, camarade», dit-il avant de se replonger dans son livre.

Nikolaï sort une cigarette et la fume lentement.

«Je me pose une question», dit-il après avoir écrasé son mégot.

Presque à regret, le canonnier relève la tête.

«Et tu voudrais que j'y réponde. C'est ça?

— C'est ça. Lorsqu'un camp tire un obus sur le char de l'autre camp, que vise-t-il, le char où ses occupants?

— Lorsque deux sauvages se font la guerre avec des sagaies, que cherchent-ils à détruire, la sagaie ou son porteur?

— Le porteur.

— Ça répond à ta question.

— Pas tout à fait, car je suis certain qu'à l'état-major ils préfèreraient nous savoir morts plutôt que le char détruit.

— Il y a beaucoup plus de monde que de chars, tout n'est qu'une question d'équilibre.

— Que défendras-tu si nous allons au casse-pipe, toi-même ou la patrie?

— Moi-même pour le bénéfice de la patrie, et j'espère que tu penses comme moi, parce que je n'ai pas envie de me faire bousiller à cause d'un exalté.

— Ne crains rien, je tiens autant que toi à ma peau.

— Bon! plus de question?

— Excuse-moi, il y avait longtemps que je ne m'étais pas penché sur les grands thèmes.

— T'inquiète pas, tu trouveras les grandes réponses au feu.»

Nikolaï ne répond pas qu'il préférerait rester ignorant. N'est-ce pas en parlant de l'œuvre de Dostoïevsky qu'un de ses professeurs – maintenant interné – avait dit que l'homme doit accepter le risque de la mort pour trouver la réponse aux grandes questions? Que seule la peur (l'angoisse existentielle, pour reprendre les mots exacts) empê-che monsieur tout le monde d'atteindre la seule vraie liberté: la connaissance de tout l'abîme que chacun porte en lui?

Nikolaï préfère s'en tenir aux choses concrètes. Peut importe si, tout au fond de lui, il a été porté vers Mouza, il ne veut plus le savoir. Il est sûr d'avoir besoin d'Erjika et de tout ce qu'elle représente. Et si guerre il y a, peu importe qui a raison, ce qui prime, au fond, c'est de sauver sa peau.

PARIS, FRANCE

Le rédacteur en chef secoue négativement la tête. Il a écouté avec attention l'histoire de Charles Toussaint, que lui avait présenté Simon Lincourt.

«Je suis désolé, dit-il, mais sans preuve tangible je ne peux rien faire. Imaginez les conséquences si...»

Il n'achève pas sa phrase, de peur de heurter le marin en face de lui.

Simon Lincourt n'est pas d'accord:

«Il y a assez longtemps que je suis dans le journalisme pour savoir qu'habituellement un témoin suffit pour que vous pondiez n'importe quel article.

— C'est vrai dans le cas d'un délit de droit commun ou d'une magouille politique mais ce que vous rapportez là dépasse le cadre ordinaire.»

Charles Toussaint observe, sans y prêter beaucoup d'attention, le vaste bureau occupé par des monceaux de papiers, de revues, de livres, de journaux. Le tout dans un fatras inimaginable.

«Quel genre de preuve désirez-vous? demande-t-il.

— Je ne sais pas, prouvez-moi par exemple que le lieutenant Pépin existe, ramenez-moi le pêcheur qui vous a recueilli ou le pilote à qui vous aviez remis le message.»

Charles Toussaint se lève:

«Je vais vous ramener ce que vous voulez, dit-il froidement, quitte à faire renflouer le *Viking* s'il le faut, ou à écumer toute la Manche pour retrouver les restes de mes hommes.»

Le rédacteur se fait presque doucereux.

«Malgré tout, cela ne prouvera rien de plus concernant le sous-marin soviétique que vous décrivez. Notez bien que, personnellement je vous crois, mais dans mon métier il faut penser à la foule et, dans ce cas également, aux conséquences sur les relations internationales.

— Il me semble pourtant que les journaux sont passés maîtres dans l'art de faire avaler n'importe quoi à la foule. Et même, vous ne faites rien que ça. Prendre l'événement et le déguiser à votre goût, tel est votre métier.»

Le rédacteur ne relève pas cette accusation. Il se lève et tend la main:

«Tout ce que je demande, ce sont des preuves. Apportez-les et nous mettrons les rotatives en branle.»

Les deux hommes sortent du bureau. Sitôt que la porte est refermée, le rédacteur consulte son sous-main où il a inscrit un numéro à la hâte et prend le téléphone.

«Yvan Da Costa, monsieur le ministre.

— Vous avez vu Charles Toussaint?

— Il sort de mon bureau à l'instant. Il est accompagné de Simon Lincourt, le reporter.

— Merci, monsieur Da Costa. Vous serez tenu au courant le premier, dans cette affaire.

— Merci, monsieur le ministre.»

Charles Toussaint et Lincourt descendent l'escalier.

«Alors? demande Lincourt.

— Es-tu occupé aujourd'hui?

— J'ai une grosse affaire sur les bras... la tienne.

— Peux-tu me conduire au Havre?

— Qu'est-ce qu'il y a au Havre?

— C'est de là qu'est parti Pépin. Je l'ai vu hier sur sa fiche.

— Tu as l'adresse?

— C'est un orphelinat et il ne doit pas y en avoir des dizaines au Havre.

— La DST doit sûrement y être déjà passée. De plus, je crois que ton lieutenant Pépin doit être maintenant bien loin de la France.

— On peut toujours essayer, il n'y a pas grand-chose d'autre à faire pour le moment.

— O.K. pour la Normandie. Il y a un bout de temps que je n'ai pas vu la mer.»

La *Volvo* de Lincourt quitte la rue de Montmartre, lorsque deux voitures de la DST viennent se ranger en double file devant le journal. Le reporter, qui devine leur appartenance, a juste le temps de les apercevoir dans son rétroviseur.

«Je crois que L'Intérieur ou la Défense, ou encore les deux, ont prévenu les gros canards dès que ton absence a été remarquée.

— Ils ne me découvriront pas tout de suite au Havre.

— Détrompe-toi, ils doivent déjà savoir que je suis avec toi, et le numéro de mon immatriculation va bientôt être communiqué à toutes les gendarmeries françaises.

— Qu'est-ce qu'on fait alors?

— La première chose est d'aller louer une autre voiture chez *Hertz* ou *Avis*.

— Je ne veux pas te causer d'ennuis.

— Tu rigoles! C'est dans ces moments-là que j'apprécie pleinement l'existence. C'est la tartine de confiture au milieu de celles qui sont beurrées de merde.»

Sur le chemin d'Orly, où Lincourt a décidé de louer une voiture et de laisser la sienne dans l'un des parkings souterrains, le reporter freine brusquement.

«J'ai une meilleure idée! s'exclame-t-il.

— Laquelle?

— On suppose que les Russes vont faire péter une bombe du style Hiroshima ou mieux, on suppose également qu'ils te croient présentement digéré par les harengs. Si tu apparais dans le décor, ils vont perdre les pédales et sûrement remettre, illico, leur sombre projet à plus tard.

— Que proposes-tu?

— Allons à l'ambassade soviétique où tu leur diras: «Coucou, c'est moi le commandant du *Viking*.»

— Et l'un de leurs zigotos m'entraînera dans les profondeurs du sous-sol, où l'on n'entendra plus jamais parler de moi ni de mes informations.

— Pas si j'appelle auparavant l'Intérieur pour leur dire où tu te trouves.»

Charles Toussaint refuse.

«L'Intérieur ne fera rien, ils chient dans leur froc à l'idée que l'ours puisse sortir ses griffes. Je n'ai absolument pas peur mais je ne veux pas crever sans avoir réglé le problème.

— Et par téléphone?»

Le commandant convient qu'il peut appeler.

Deux minutes plus tard, ils s'arrêtent devant une brasserie disposant d'un téléphone public. Lincourt trouve le numéro, compose et parle le premier.

«Je suis journaliste, j'ai ici un ami qui voudrait parler à l'ambassadeur.»

Il tend le combiné à Charles Toussaint:

«C'est la réceptionniste, l'informe-t-il.

— Allô? fait-elle.

— Je voudrais parler à l'ambassadeur.»

377

Il sait très bien qu'on ne lui passera jamais l'ambassadeur mais qui demander? Certainement pas le représentant principal du KGB!

«Impossible, monsieur. Il n'est pas ici présentement.

— Passez-moi son représentant.

— De la part de qui?

— Charles Toussaint, commandant du *Viking*.

— Est-ce pour un visa, monsieur Toussaint?

— Non, bon sang! C'est une affaire de sécurité. C'est urgent!

— Ne quittez pas.»

Quelques secondes s'écoulent, une voix masculine répond:

«Bonjour, je suis Igor Larionov. Puis-je passer un message à l'ambassadeur quand il sera de retour?»

Charles Toussaint prend une grande respiration.

«Je suis le commandant Toussaint, du *Viking*, que vos agents ont kidnappé et coulé, sans oublier d'en massacrer l'équipage. Par malchance pour vous, je m'en suis sorti vivant et je tenais à vous le faire savoir. À mon idée, vous devriez communiquer cette nouvelle à Moscou dans les meilleurs délais.»

Le diplomate laisse passer quelques secondes avant de répliquer:

«Monsieur Toussaint, croyez bien que nous savons apprécier les plaisanteries quand elles font preuve d'esprit, mais je trouve que la vôtre est d'un goût les plus douteux. Au revoir, monsieur.»

Le diplomate raccroche et appelle la réceptionniste.

«Si un certain Toussaint rappelle, dites-lui d'aller se faire voir, dans les termes que vous jugerez appropriés.»

«L'Occident est truffé de malades en liberté», se dit-il, in petto.

« Alors ? s'informe Lincourt.

— Il m'a raccroché au nez mais je sais maintenant ce que je vais faire. Où puis-je me procurer un bon revolver?»

Lincourt le regarde comme s'il doutait soudain de sa raison.

«Que veux-tu faire?

— Aller à l'ambassade des rouskis, pointer le premier diplomate qui se présente et l'obliger à sortir pour rencontrer la meute de journalistes, que tu auras préalablement prévenus.

— Cette fois, c'est vrai que tu vas te faire descendre.

— As-tu une arme?

— Non! et contrairement à ce qui se passe dans les polars, ce n'est pas facile de s'en procurer.

378

— Allons à Fécamp, j'en ai une à la maison.

— Réfléchis, Charles! C'est du suicide.

— J'ai juré que ceux qui ont descendu mon équipage allaient le regretter, Simon. Si tu ne m'accompagnes pas, j'y vais seul.»

Le reporter essaye de tergiverser.

«Fécamp, c'est bien loin pour une arme.

— Nous pouvons être de retour dans six ou sept heures.

— Pense à ta famille!

— Pense au papier que tu pourras tirer de tout ça! Pense à cette bombe qui peut semer la destruction n'importe où.

— Il n'y a rien d'autre à essayer pour te faire changer d'avis?

— Rien, tu le sais!

— Bon.»

Simon Lincourt se dit qu'il a devant lui plusieurs heures pour faire changer d'idée à son ami, mais il n'y croit pas.

PRETORIA, RÉPUBLIQUE D'AFRIQUE DU SUD

Arrivant du Cap, Jan van Valkenkurch traverse d'un pas rapide l'aéroport Wonderbœm, s'engouffre dans la voiture officielle qui l'attend et se fait conduire à l'*Union Building*, l'énorme immeuble administratif qui domine Pretoria et offre à ses occupants une vue imprenable sur le veld.

Le colonel dépose son laissez-passer à la réception et se rend immédiatement au dernier étage, où se trouvent les bureaux du NIS (*National Intelligence Service*).

Le colonel Andersen, dont la tâche principale est d'étudier les relations internationales entre les lignes de l'actualité et d'en tirer des recommandations, le reçoit dans son bureau lambrissé de bois sombre. Le soleil matinal éclaire la pièce d'une chaude lumière.

Après les formules de politesse, Valkenkurch entre tout de suite dans le vif du sujet.

«D'après notre entretien téléphonique, pourquoi, selon vous, les Bulgares ont-ils retenu la marchandise?»

Complètement chauve et affichant sans cesse un petit sourire supérieur, Andersen se renverse dans son fauteuil:

«C'est très simple, colonel: nous nous dirigeons tout droit vers un affrontement entre les deux grands. Il est évident que le Kremlin aura laissé des instructions à Sofia afin de ne plus livrer de matériel militaire aux ennemis en puissance.

— Vos services ont-ils des renseignements précis?

— Une multitude de détails, comme une recrudescence peu ordinaire du trafic soviétique au large du Cap, des escales fort nombreuses de leurs bâtiments à Maputo ou, par exemple, ces renseignements que nous tenons du Mossad israélien selon lesquels de nombreux Juifs en URSS ont été arbitrairement arrêtés et déportés vers l'Est sibérien. Sans parler de toutes les nouvelles qui se bousculent actuellement dans la presse.

— Si je comprends bien, il faut s'attendre à ce que les forces de l'Angola, du Botswana, du Mozambique, du Zimbabwe et de l'ANC tentent quelque chose contre notre territoire si les hostilités débutent?

— C'est la conclusion que je viens de déposer sur le bureau du Premier ministre.

— Quelles sont vos recommandations?

— Commencer par mettre en lieu sûr les éléments soupçonnés de subversion et occuper militairement la Namibie sans plus attendre et ce, malgré les assurances que nous avons données à l'étranger.

— Évidemment.

— Tout ça ne vous donne pas votre livraison d'armes.

— Non, mais si les choses évoluent dans le sens que vous dites, je crois que nous pourrons convaincre les États-Unis et la Grande-Bretagne de nous fournir ce qui pourrait nous faire défaut.

— Pour autant que je sache, nous sommes bien armés?

— Bien sûr! Cette livraison était surtout destinée à équiper les milices civiles en cas de troubles. Comme vous devez le savoir, le véritable danger ne vient pas de l'extérieur mais bien de l'intérieur. L'ANC contrôle plus de 10 000 guérilleros, supportés par une partie de la population de couleur.

— Quoi qu'il en soit, nous avons ce qu'il faut pour clouer le bec à tous les rejetons de Canaan.»

Un sourire glacial distend les lèvres de Valkenkurch:

«C'est rassurant.»

Il se lève.

«Je vous remercie d'avoir éclairé ma lanterne. Je me demandais pourquoi les Bulgares avaient changé d'idée.

— Comme je vous le disais, mes conclusions, bien qu'appuyées sur une foule de détails, sont purement subjectives.

— C'est assez pour moi. Je vais de ce pas demander carte blanche pour aller faire de la représentation à Washington.

— Je ne vous envie pas.

— Vous n'aimez pas Washington?

— C'est plein de communistes qui s'ignorent, la pire espèce. Et puis, imaginez-vous le nombre d'ogives pointées sur cette ville?»

Valkenkurch sourit de nouveau.

«Je n'avais pas pensé à ce détail.»

L'atterrissage de l'hélicoptère des Forces armées a attiré à l'aéroport la presque totalité de la petite communauté inuit.

«On se croirait dans un film de Rambo», fait un enfant.

David Cussler, Mamayak et son demi-frère Angatkoq ont, avec les motoneiges, transporté le matériel sur la piste de l'aéroport. En dernier lieu, Mamayak a ramené les vingt chiens.

Le pilote de l'hélicoptère fait une grimace.

«Ça va puer le diable!»

David vérifie la liste de l'équipement pour s'assurer qu'ils n'oublient rien: les deux traînes d'aluminium ainsi que deux autres en bois léger, qui serviront à transporter le X-jet et le carburant, les sacs de couchage, deux poêles au propane, vêtements de circonstance fournis par Mamayak, aliments déshydratés pour quarante-cinq jours, poissons pour les chiens, cartes et boussoles...

Tout y est. Dès que le chargement est terminé, les deux traînes d'aluminium sont arrimées sur les flancs de l'appareil.

David, en voyant le nombre de personnes qui les observent, ne peut s'empêcher de trouver la situation délirante en songeant qu'il part en mission «top secret».

Mamayak rassure ses chiens et ceux-ci se laissent conduire à l'intérieur de l'habitacle sans résistance.

«Tu ne les attaches pas? demande David.

— Ils feront ce que je leur dirai.»

Le pilote n'a pas l'air convaincu.

«Vous êtes sûr qu'ils ne me boufferont pas?

— Pas si tu es correct avec eux», répond Mamayak, pince-sans-rire.

Les portes sont refermées. L'hélicoptère s'élève dans un nuage de neige fine soulevée par le rotor, puis met le cap vers le nord-ouest.

Le pilote est du genre bavard.

«Les nouvelles ne sont pas bonnes, fait-il à David.

— Je ne sais pas, je n'ai pas eu le temps d'écouter la radio.

— Tout le monde parle de la guerre. Les vieux disent même que c'est pire que du temps de la crise des missiles de Cuba. Pour nous, toutes les permissions ont été annulées. Je ne serais pas étonné de me retrouver en Norvège sous peu.

— On dit que les filles y sont belles.

— Bof! j'y suis allé il y a quelques années et les seules que j'aie pu voir étaient des féministes enragées. Pire que chez nous. D'autre part, les seuls Russes que nous ayons vus étaient des petits points tout en haut dans le ciel qui observaient nos manœuvres.»

David ne dit pas qu'il est lui aussi allé en Norvège, exécuter quelques manœuvres à Bardufoss, histoire d'en mettre plein la vue aux rouges, qui épiaient à quatre minutes de vol de la base. Il n'avait jamais été aussi proche de l'Union soviétique. Bientôt, il sera en plein dedans.

«Je n'y comprends rien, reprend le pilote. On nous a toujours dit que si une guerre devait avoir lieu, nous le saurions des semaines à l'avance. Aujourd'hui, à en croire les rumeurs, ce serait imminent et on est toujours là. Je ne sais pas ce qu'ils attendent à l'OTAN; ce n'est pas quand les cocos auront aligné les trois divisions d'infanterie de la péninsule de Kola ainsi que leurs 200 navires et autant de sous-marins qui sillonnent ces eaux-là, que nous pourrons aller défendre le pays des fjords.

— Ce n'est finalement peut-être pas en Norvège que nous mènerons notre guerre.

— Si vous voulez mon idée profonde, ils nous font chier avec leurs histoires d'idéologies. Quand je suis entré dans l'armée, il y avait l'attrait d'une place stable et la possibilité de piloter l'un de ces engins, mais je n'ai jamais cru me retrouver un jour en face des Russes. Je pensais qu'on était assez civilisés pour que ça n'arrive jamais.»

Mamayak répond avant David.

«Tout le temps qu'il y aura au moins deux hommes qui voudront diriger les autres, les conflits seront inévitables. Et tout le temps que l'on demandera à des ignorants, c'est-à-dire le peuple, de se choisir un chef, aussi longtemps il y aura des erreurs et des conflits.»

Le pilote approuve vigoureusement.

«C'est vrai ça! Je n'ai jamais demandé à personne d'avoir des idées pour moi. Tout ce que je demande, c'est une paye et des congés pour aller la dépenser à Vegas. Du clinquant, des belles filles et du bon scotch de douze années de vieillissement, c'est tout ce que j'attends de la vie. Qu'est-ce qu'il y a de mieux?»

Ça se passe de commentaire. David observe le paysage. Sous l'appareil, terre et océan sont confondus dans une blancheur éblouissante. Il commence déjà à rêver d'herbe verte.

Ils approchent de Prudhœ Bay où ils doivent se ravitailler en carburant. Le pilote s'annonce.

«Prudhœ, ici Foxtrot X-ray Zéro-Neuf.

— On vous reçoit cinq sur cinq, Foxtrot X-ray Zéro-Neuf. On nous signale une formation inconnue à votre hauteur, l'avez-vous en visuel?»

Le pilote regarde sur son écran puis autour de lui.

«Deux points à trois heures, trois-zéro au radar, négatif pour le visuel.»

Une seconde plus tard:

«Trois points à neuf heures, toujours négatif pour le visuel.»

David ne cesse de scruter l'horizon à droite et à gauche. Bientôt ils aperçoivent deux points noirs en direction de la calotte polaire sur une route sud-est, puis trois autres points émergeant du sud. Les trois points s'approchent rapidement; David les identifie bientôt:

«Des *Tomcat*», fait-il.

Les deux autres sont encore trop éloignés pour permettre une identification.

«Prudhœ, fait le pilote, nous les avons en visuel: trois des nôtres, et les deux autres sont encore trop loin pour identification.

— Nous savons, Foxtrot X-ray Zéro-Neuf. Veuillez observer le silence radio.»

Les *Tomcat* passent derrière l'hélicoptère, se dirigeant droit sur les intrus. David se demande pourquoi les Russes – il est certain que ce sont eux – ne dégagent pas. Interloqué, il les voit exécuter une manœuvre de combat.

«Ils vont engager!» hurle-t-il.

Les trois *Tomcat* ont un instant d'hésitation fatal pour l'un d'eux, qui, atteint par un missile, explose dans une boule de feu sans laisser le temps à ses deux occupants de s'éjecter.

David imagine la surprise des Américains. D'habitude, les *curieux* se laissent gentiment reconduire hors des limites territoriales. Mentalement, il se met à la place des pilotes qui doivent être cloués de stupéfaction à leurs sièges.

«Qu'est-ce que c'est que ce bordel?» hurle le pilote de l'hélicoptère, stupéfait.

Les deux *Tomcat* qui restent effectuent une manœuvre de redéploiement; les ordinateurs de bord *Standard* AYK-14, capables d'effectuer deux millions d'opérations à la seconde, travaillent à plein régime, puisant dans une masse de 704 000 mots dans la banque-mémoire. L'un d'eux parvient à accrocher un Soviétique dans son radar et lui expédie un *Sidewinder*. Une fraction de seconde plus tard, le soviétique, que David a maintenant reconnu comme un *Fulcrum*, se désintègre sans plus de chance pour ses occupants.

Les deux autres appareils se sont engagés en combat rapproché au canon. Le *Tomcat* libéré vient prêter main-forte à son semblable. Aussitôt le *Fulcrum* décroche et prend la fuite, franc nord, les deux *Tomcat* au derrière.

Le soviétique réussit à esquiver un premier tir de *Sparrow* mais ne peut éviter le deuxième, et pour la troisième fois une gerbe lumineuse embrase le ciel d'un bleu serein.

Un sourire bon enfant éclaire le visage cuivré de Mamayak.

«Joli spectacle», dit-il.

Le pilote de l'hélicoptère, lui, n'en revient pas.

«Alors c'est commencé!»

David hausse les épaules:

«Simple accrochage à mon avis.

— Je ne comprends pas ce qu'ils voulaient faire à deux contre trois, et aussi loin de chez eux?

— J'imagine qu'ils comptaient sur la surprise et voulaient nous mettre le moral à zéro. Ça n'aura pas marché comme ils l'auraient voulu.»

Ils arrivent à la verticale de leur point de ravitaillement à Prudhœ.

«Vous avez tout vu? demande le contrôleur au sol.

— Tout! fait le pilote. Un à zéro pour nous.

— Je dirais plutôt deux à un pour nous», réplique David.

THURINGE, R.D.A.

Bruno Kolh n'était encore qu'un bambin de trois ans lorsque sa famille fut dépossédée du domaine ancestral, en 1945, par la *Boden Reform* imposée par le KPD; mais le 17 juin 1953, son père, qui venait tout juste de rentrer d'internement parce qu'il avait été un riche propriétaire avant la guerre, fut matraqué un peu trop brutalement par les forces de l'ordre. Ce jour-là, Bruno était assez vieux pour comprendre ce qui se passait.

Il se souvient très bien de cette journée: la foule déchaînée arrachait les drapeaux rouges, incendiait tout ce qui pouvait représenter le gouvernement ou la police. Cela avait duré jusqu'à midi, heure à laquelle les chars soviétiques de la division *Diberitz* prirent position dans les rues de Berlin. L'après-midi, quelques échauffourées avaient eu lieu entre la porte Brandebourg et l'Alexanderplatz, et ce fut là que, sous les yeux du garçon, son père reçut une blessure à la tête qui entraîna un comportement irrationnel irréversible. Le lobe frontal n'étant plus en communication avec le reste du cerveau, son père, incapable de porter un jugement sur les événements quotidiens, fut interné de nouveau, dans un asile, cette fois, pour y finir ses jours.

Depuis, Bruno Kolh est devenu un fervent auditeur de la RIAS, la radio du secteur libre. Il s'y est forgé une attitude face au gouvernement communiste de la RDA.

Il était à Berlin lorsque, le 31 août 1961, au milieu de la nuit, il fut réveillé par les cris des milices populaires et des groupes de combat des usines, qui s'étaient réunis dans les rues pour installer des kilomètres de barbelés tout autour de Berlin-Ouest.

Il était justement à Berlin pour préparer son passage à l'Ouest. Il y réglait ses affaires avant d'aller grossir le flux des 1 500 réfugiés qui, chaque jour avant l'édification du mur, choisissaient l'Ouest.

La rage au cœur, il était retourné vers la Thuringe pour retrouver ses fonctions d'ingénieur forestier.

C'est vers cette époque qu'il rejoignit une petite cellule activiste de Gotha, décidant que puisqu'il ne pouvait passer à l'Ouest, l'Ouest viendrait à lui.

C'est ainsi que, quelques années plus tard, il fut recruté par des agents de la CIA dans le cadre du plan B.

De par son travail en forêt, Bruno Kolh a accès à la canalisation souterraine amenant l'eau d'un puits artésien, situé au flanc d'une colline boisée, jusqu'à la base où stationnent des unités de la Première armée de la Garde.

Il s'occupe présentement à déterrer la canalisation. Le sac à dos qu'il a amené avec lui contient, outre les deux bouteilles de vin blanc qui n'en sont pas, un appareil ingénieux destiné à percer la canalisation. Cet appareil qui se fixe sur le tuyau est lui-même un morceau de tuyau en titane, comprenant à l'une de ses extrémités un pas de vis, couronné, au-dessus de son dernier filetage supérieur, d'une bague de caoutchouc épais, et, à sa base, par une lisière faisant office de scie à métaux. L'extrémité supérieure, hermétique, se termine par un système à vis sans fin qui, actionné par une petite barre de métal, permet de forer dans la canalisation. Cette extrémité est surmontée d'une valve où doit s'encastrer le goulot de la bouteille.

Bruno Kolh a été induit en erreur quant au contenu des bouteilles. On lui a fait savoir qu'il s'agit d'une drogue hallucinogène qui rendra les militaires «doux comme des agneaux». On lui a seulement conseillé de porter des gants de caoutchouc et de n'en pas respirer le contenu.

Une petite portion de canalisation est dégagée; les deux genoux en terre, il s'affaire à placer l'appareil sur la canalisation. L'opération de forage ne nécessite aucun effort particulier, chaque tour donné à la barre métallique se traduisant par une perforation d'un peu plus d'un millimètre.

Autour de lui la forêt s'est parée des couleurs automnales. Quelques feuilles tombent gracieusement. Dans le silence troublé seulement de quelques gazouillis, l'odeur de l'humus chargé d'humidité, l'atmosphère délicate du sous-bois, rien ne peut laisser supposer la présence d'une base militaire à proximité.

Quelques gouttelettes d'eau, qui jaillissent un instant autour de la bague de caoutchouc, lui apprennent que la perforation est terminée. Il regarde sa montre qui lui indique 10 h 45. Il est temps de procéder.

Le plus naturellement du monde, à l'aide d'un modeste tire-bouchon, il fait sauter la capsule de plomb qui entoure le goulot, puis ôte le bouchon de liège de la première bouteille. La valve étant inclinée de trente degrés, il ne perd pas une goutte en y enfonçant le goulot qui ouvre un clapet, lequel, mû par un petit mécanisme, en ferme un autre plus bas, ce qui permet au contenu de la bouteille, de s'écouler. Il répète l'opération avec la seconde bouteille puis laisse le tout dans le trou qu'il rebouche, ayant soin, pour finir, de cacher les traces du terrassement en couvrant le sol de feuilles mortes.

Le sourire aux lèvres, Bruno Kolh se félicite intérieurement. Il imagine les fiers militaires soviétiques transformés en mahatmas Gandhi.

Dans son esprit, les suites de son action sont claires: L'Ouest doit s'apprêter à libérer la RDA. La nation germanique va pouvoir se reformer libre et forte.

Exactement sept minutes après qu'il a quitté les lieux, un serveur de munitions qui vient de terminer une corvée de vitres va se désaltérer d'un grand verre d'eau.

«Foutues vitres, songe-t-il. Si nous partons en guerre comme tout le monde a l'air de le penser, à quoi bon les faire briller?»

Moins d'une heure plus tard, l'eau est utilisée à son maximum dans les réfectoires. Quelques-uns, comme Nikolaï Sologdine, détestent l'eau et se contentent de boire du thé dont les feuilles infusent longuement dans l'eau bouillante.

Avec des méthodes parfois différentes, la même opération s'est déroulée un peu partout dans les pays du bloc soviétique. Le seul incident a lieu à Magdebourg, où l'agent recruté, n'ayant pas réussi à trouver les canalisations de la base, vide le contenu de ses bouteilles dans le réservoir de la ville.

PENTAGONE, WASHINGTON D.C., U.S.A.

Dans la salle d'état-major, chacun a abandonné toute recherche vestimentaire. Le Président, en chemise à col ouvert et manches roulées jusqu'aux coudes, étudie son écran cathodique où se résument les phases majeures des dernières décisions prises par lui et le Conseil de sécurité.

«Récapitulons, fait-il. Selon toute probabilité, nos adversaires s'apprêtent à faire usage d'une bombe H quelque part dans le monde, en se faisant passer pour des terroristes libyens. Nous le savons et ils ignorent que nous le savons. Nous supposons qu'ils la feront exploser dans un pays capable de répliquer à la Libye, afin de créer un mouvement d'entraînement destiné à leur donner une bonne raison d'avancer en Europe. Selon vous, Harry, l'explosion devrait avoir lieu en Israël, nous devons donc en informer la Knesset. S'ils repèrent la doublure du *Viking*, ils nous avertiront et j'appellerai immédiatement le Secrétaire général, pour l'informer que nous sommes au courant de son projet. Il devrait faire marche arrière et nous aurons alors le gros bout du bâton. Si les Israéliens ne repèrent pas la bombe ou si elle explose ailleurs, nous accuserons alors l'URSS à la face du monde avec preuves à l'appui, puisque le commandant du *Viking* est, paraît-il, sain et sauf. J'ordonnerai aussitôt une riposte punitive.»

Le Président se tourne vers son secrétaire à la Défense:

«Veuillez poursuivre, Dave.

— Pour ce que nous en savons, fait Fawcett, la plupart des gauchistes intérieurs ont été neutralisés. La population est maintenant bien préparée psychologiquement contre l'URSS. L'opération qui consiste à diffuser le botulisme dans les troupes du Pacte est en cours. Toutes nos forces régulières sont maintenant en état d'alerte. Si les Russes font sauter leur bombe, nos troupes basées en Europe entameront à ce moment une destruction des couvertures radar ennemies. Suivra un arrosage systématique des positions du Pacte, avec tout ce qui se trouve en notre possession. Ce matin, nous avons pris la décision d'utiliser les gaz innervants, notamment les agents Sarin, VX, GD; et en ce moment même, un autre pont aérien vient d'être ouvert pour permettre l'envoi en Europe de nos stocks de Wendover, dans l'Utah. Avec ce que nous avons déjà en place, nous devrions, d'ici vingt-quatre heures, disposer en Europe d'un million d'obus contenant les composés organo-phosphorés, environ mille bombes de 750 livres, 100 000 mines d'une capacité de deux gallons mille conteneurs de 160 gallons pour l'épandage aérien ainsi que les tankers volants TMS-65 pour décontamination en cas de vents contraires. Conjointement avec l'arrosage intensif des gaz, aura lieu un bombardement conventionnel maximum, soutenu par la chasse aérienne. Sitôt cette opération terminée, nous devrions être en mesure de déclencher l'opération sibérienne. Des commandos de *phoques* sont déjà aux abords des théâtres opérationnels et nos bâtiments tiennent leurs cibles assignées dans le collimateur. Nous laissons aux Européens 300 000 hommes, qui appliqueront la technique mise au point par nos généraux, à savoir qu'un homme a plus de facilité à détruire un char ou un hélicoptère que la réciproque. La plupart de nos fantassins sont maintenant équipés de missiles personnels. L'équation est simple: un homme détruisant un char abritant cinq ou six hommes vaut mieux qu'un char abattant un homme; nos propres chars devant surtout servir de remparts, le Vietnam et l'Afghanistan nous auront au moins appris cela.

— Un peu plus et vous allez nous dire que les chars sont inutiles? fait le Président.

— Presque, monsieur. Nous sommes arrivés à l'ère des missiles. L'électronique a fait de tels progrès que les grosses machines sont maintenant par trop vulnérables. J'ai toujours devant les yeux ces images de nomades afghans, pulvérisant d'un seul *Blowpipe* un hélico ou un avion rouge.

— Si je comprends bien, nous pouvons revenir à la bonne vieille guerre, opposant un homme à un autre?

— Les chars et compagnie nous ont masqué la réalité pendant trop longtemps. La finalité de la guerre n'est pas de détruire la machinerie mais bien de détruire l'adversaire ou, tout au moins, de le soumettre. Les chars avaient une grande utilité du temps où ils étaient opposés à des fantassins armés de simples fusils, pas contre ceux équipés de missiles. Heureusement, nous avons compris cela ces dernières années. En quelques jours de conflit, il ne restera vraisemblablement plus beaucoup de grosse machinerie de part et d'autre. Si aucune victoire définitive ou entente n'est survenue, il faudra quand même continuer à se battre.

— Et pour ça, nos *marines* sont les meilleurs! s'exclame Steelman.

— À moins que l'adversaire ne se décide à utiliser l'arme

ultime», répond le Président moins enjoué.

Le général Mitchum, qui vient de répondre à un appel sur sa ligne, coupe la conversation:

«On m'apprend d'Alaska qu'une escarmouche opposant trois des nôtres à deux Russes vient d'avoir lieu. Les rouges ont tiré les premiers et descendu un F-14. Nous avons abattu les deux Russes en réplique.»

Le Président arbore une grimace, se lève, se dirige vers un télex appelé faussement *Téléphone rouge*, et commence à taper lui-même le message qu'il destine au Secrétaire général:

PRENANT AVIS DE VOTRE INTRUSION ET COMPORTEMENT BELLIQUEUX AU-DESSUS DE NOTRE TERRITOIRE, NOUS ATTENDONS VOS EXPLICATIONS.

Tous les hommes se regroupent en silence autour du Président, pour attendre la réponse, qui arrive trois minutes plus tard en provenance de la mer d'Aral:

NOUS NOUS EXCUSONS DE CE REGRETTABLE INCIDENT DONT TOUTE LA FAUTE REPOSE SUR LES ÉPAULES D'UN PILOTE DOULOUREUSEMENT AFFLIGÉ PAR LA PERTE D'UN FRÈRE ABATTU D'UN MISSILE STINGER AMÉRICAIN ALORS QU'IL EFFECTUAIT UNE MISSION PACIFIQUE EN TERRITOIRE AFGHAN.

Le Président cogne de son poing sur la table.

«J'ai horreur de ces jeux sournois mais s'ils veulent y jouer ils vont trouver un partenaire.»

Il se tourne vers l'amiral Greenberg:

«Amiral, passez moi le CINCUSNAVEUR.»

La communication est établie quelques secondes plus tard avec le commandant en chef des forces navales des États-Unis en Europe.

«Amiral Stone? Ici le Président.

— Bonjour, monsieur le Président. C'est un plaisir de vous entendre.

— Je crains que ce ne le soit pas, amiral; je veux que vous donniez l'ordre à un de nos sous-marins – je précise un seul – de couler un submersible ennemi de classe *Typhoon*, sans sommation bien entendu et ce, dans les plus brefs délais.»

La stupeur paraît dans la voix de l'amiral.

«Vous êtes sûr, monsieur?

— Parfaitement sûr, et que cela reste un acte isolé. Mettez-moi au courant immédiatement après.

— Bien, monsieur le Président.»

Après avoir raccroché, le Président va de nouveau s'asseoir devant le télex qui le relie au Secrétaire général. Il réfléchit quelques instants et commence à taper:

NOUS NOUS EXCUSONS DE CE REGRETTABLE INCIDENT DONT TOUTE LA FAUTE REPOSE SUR LES ÉPAULES D'UN COMMANDANT DOULOUREUSEMENT AFFLIGÉ PAR LA PERTE D'UN FRÈRE ABATTU D'UN MISSILE SOVIÉTIQUE ALORS QU'IL EFFECTUAIT UNE MISSION PACIFIQUE AU-DESSUS DE SON PROPRE PAYS.

«Voilà! dit le Président. J'enverrai ça quand j'aurai reçu la confirmation que mon ordre a été exécuté.»

Harry Steelman se fend d'un grand sourire.

«J'aime beaucoup votre façon de réagir, affirme-t-il.

— Pas moi, car je sais que j'envoie plusieurs dizaines d'hommes par le fond, mais quand le chien fait sa crotte sur le tapis il faut tout de suite lui mettre le nez dedans pour qu'il comprenne que ça ne se fait pas.»

Tous les membres du NSC approuvent sans réserve.

GQG NORAD, COLORADO, U.S.A.

Jonathan Yeager, pour chasser des pensées qui peuvent facilement mener à l'appréhension, s'est plongé dans le roman noir. Les
Chase, Chandler, Hammet, Cain se succèdent. Rien de tel que ces
vieux romans des années 50 pour chasser angoisse et ennui. Les bons
n'y sont pas meilleurs que le lecteur et les méchants sont vraiment
pourris. Les cadavres tombent comme pluie à la mousson, sans que
leur disparition heurte la moralité du lecteur. Les filles, toujours af-
folantes, entourloupent le héros – un bon bougre, impitoyablement
pris au piège de la passion – dans l'espoir que celui-ci accepte de
descendre le vieux mari bonasse afin de profiter de l'assurance-vie.

La mort est présente à chaque page mais, contradictoirement,
ces livres sont vivants. Exactement ce qu'il faut pour chasser le cauchemar nucléaire qui hante la grande salle de contrôle. L'Amérique
des folles années décrite dans ces livres vit en ignorant la crainte d'un
gâchis nucléaire ou écologique. Cette vieille crainte de fin du monde
qui a déjà affecté, sans fondement, la fin du premier millénaire, a
aujourd'hui des raisons d'être. C'est avec une certaine nostalgie que
Yeager abandonne parfois sa lecture pour vérifier ses moniteurs.

Il achève *There's always a Price Tag* de James Hadley Chase,
lorsque le général Pears arrive dans son dos.

«Colonel Yeager, réjouissez-vous, car vous montez en surface.»

Yeager se tourne vers le général pour s'assurer qu'il ne s'agit pas
d'une plaisanterie.

«On ne veut plus de moi ici?

— Je viens de recevoir un appel de Virginie. Je ne savais pas que
vous étiez le troisième pilote en liste pour le *Doomsday*.

— C'est exact.

— Il paraît que le premier pilote a la jaunisse. Le second peut
voler, mais il lui faut un remplaçant à bord et l'on vous attend là-bas.

— Je vais me préparer.

— Un jet vous attend pour vous conduire. Dites-moi, vous êtes
un veinard!

— Je ne vois pas pourquoi?

— Vous figurerez peut-être parmi les rares privilégiés à contempler d'en haut le pays réduit en poussière. C'est peut-être vous qui
conduirez le Président vers je ne sais quel refuge de l'hémisphère
austral.

— Sauf votre respect, général, vous semblez oublier que dans les ruines que je pourrai survoler il y aura ma famille, mes amis, mes compatriotes et les cendres de mon pays.»

Le visage du général s'assombrit:

«Je sais, colonel! Je sais!»

Ce qui est connu sous l'appellation familière *Presidential Doomsday Plane* est un *747* modifié et constamment tenu en disponibilité totale par l'*US Air Force*, afin que le Président, le secrétaire à la Défense et quelques conseillers puissent prendre place à bord en cas d'alerte nucléaire. De cet avion le Président peut, grâce à un réseau sophistiqué de transmissions sur toutes les bandes, y compris LF, VLF et terminal satellite, communiquer en n'importe quel point de la nation ou bâtiment maritime ou, encore, ordonner la mise à feu des missiles intercontinentaux.

C'est avec fierté que Jonathan Yeager avait accepté, quelques années plus tôt, un poste de relève au sein du *National Emergency Airborne Command Post*. Il a déchanté plus tard en songeant qu'il serait peut-être – comme vient de le dire le général – l'un des derniers spectateurs de l'apocalypse.

Comment réagit-on à 10 000 mètres d'altitude lorsqu'on se rend compte que tout ce que l'on a connu n'est plus?

MER DU GROENLAND

Le commandant McNab est fier de son sous-marin de classe *Los Angeles*. Le *USS Cheyenne* a pris la mer depuis trois mois, et pour l'instant il effectue une mission de «traque» au large du Spitzberg, suivant à la trace le *Typhoon* qui, remontant le long du dixième méridien, se dirige visiblement vers le pack pour s'y dissimuler.

McNab songe combien les conditions d'existence sont meilleures dans un navire à propulsion nucléaire comme celui-ci. Finies les chaleurs extrêmes qui peuvent atteindre 50 degrés, les odeurs de mazout, le vacarme des diesels.

L'officier des communications s'approche et lui tend un message qu'il vient de décoder. McNab remarque son teint anormalement pâle.

«Ça ne va pas, lieutenant?

— Lisez, commandant.»

McNab parcourt le message puis, stupéfait, le relit attentivement.

DE: CINCUSNAVEUR
À: USS CHEYENNE
TOP SECRET
DÉTRUISEZ SUBMERSIBLE SOVIÉTIQUE «TYPHOON»
ENGAGEMENT LIMITÉ AU SEUL TYPHOON
RENDRE COMPTE IMMÉDIATEMENT
DÉGAGEZ ENSUITE VERS LE PACK
SIGNÉ CINCUSNAVEUR

Médusé, McNab chiffonne le message dans le creux de sa main et interroge l'officier des communications.

«Greeson, est-il possible qu'un poste non autorisé puisse nous envoyer un ordre de mission? Je sais que non, mais redites-le moi.

— Impossible, commandant. Il lui faudrait d'abord posséder nos grilles de décodage.»

Pendant quelques secondes, McNab porte la paume de sa main devant ses yeux.

«Demandez confirmation, s'il vous plaît.»

Le message de retour est éloquent:

DE: CINCUSNAVEUR
À: USS CHEYENNE
TOP SECRET
SUJET: DEMANDE DE CONFIRMATION
RÉPONSE: CONFIRMATION DU MESSAGE 02193-F
SIGNÉ: CINCUSNAVEUR

Quelques gouttes de sueur perlent au front de McNab. Il prend le micro et s'adresse à l'ensemble de l'équipage:

«Ici le commandant McNab qui vous parle. Je viens de recevoir un ordre du commandant en chef des Forces navales atlantiques, qui nous intime d'envoyer par le fond le requin que nous pourchassons depuis deux jours. J'imagine votre surprise, mais j'ignore totalement ce qui se passe en surface. Nous devons obéir avec efficacité. Messieurs, je compte sur vous. Tout le monde aux postes de combat.»

Une rumeur de stupéfaction balaie l'équipage, puis le flot d'adrénaline qu'a entraîné l'annonce du commandant produit son effet et chacun gagne son poste en silence.

Les lumières habituelles sont éteintes pour être remplacées par les rouges. Le commandant élève la voix:

«Sonar, où en est notre cible?»

Le chef du sonar répond d'une voix atone:

«Distance trois nautiques à zéro-trois-deux!

— Vitesse?

— Douze nœuds!

— Officier de tir, à vous!» lance le commandant.

Le responsable du tir soumet les coordonnées du *Typhoon* au clavier. Huit secondes plus tard, l'ordinateur tient ses solutions de lancement.

La distance est faible: McNab opte pour des torpilles MK-48.

Il n'aime pas du tout ce qu'il fait, le Russe ne se doute de rien. De tout temps depuis la Seconde Guerre mondiale, les deux camps s'épient mutuellement sur et sous toutes les mers du globe. Il a l'impression de tirer dans le dos de quelqu'un qui ne s'y attend pas. Comme les méchants dans les westerns. Un Pearl Harbour dont l'Amérique n'est peut-être plus la victime mais l'assaillant. Et puis, à force de s'épier ainsi, les antagonistes développent un respect mutuel. Presque de l'estime.

À moins qu'il ne se soit produit des événements qu'il ignore? Ce doit être ça.

«Paré! pour tube un et tube trois.

— Tubes pleins! Portes extérieures ouvertes! Paré!» confirme le second.

Comme dans un rêve, McNab s'entend donner l'ordre fatal:

«Tube un, feu! Tube trois, feu!»

Les deux torpilles effectuent un large virage à gauche pour prendre le Typhoon par le travers.

Au sonar, les hommes les dirigent sur l'objectif grâce aux fils de guidage les reliant encore au *Cheyenne*.

À l'intérieur du *Typhoon*, le chef du sonar lance un cri d'alerte. Il lui a fallu plusieurs précieuses secondes pour accepter la réalité. Il doit s'agir d'un tir à blanc.

«Torpilles à deux-quatre-trois!

— Quoi?»

Dans le kiosque, le commandant soviétique assimile la nouvelle et réagit plus par réaction que par décision.

«Avant toute au zéro-neuf-zéro!»

Le virage du *Typhoon* déroute un instant les deux torpilles. Passé le tourbillon provoqué par le changement de cap brutal, elles retrouvent la trace du gigantesque submersible.

Le commandant soviétique sait alors qu'il ne peut plus les éviter. Il ne lui reste que l'espoir qu'il s'agisse d'un tir à blanc.

«Surface!» hurle-t-il, avec l'idée, s'il s'agit vraiment d'un tir réel, de sauver quelques membres d'équipage.

À l'intérieur du *Cheyenne*, McNab lance d'autres ordres:

«Parés! tubes deux et quatre!

— Tubes deux et quatre parés!

— Touché!» clame le chef du sonar, arrachant les écouteurs de ses oreilles. «Touché deux fois!»

Le vacarme des explosions se répercute bruyamment à l'intérieur du *Cheyenne*, rendant inutile la précision du sonar.

McNab suspend son deuxième ordre de tir et pose les écouteurs sur ses oreilles. Il entend clairement céder la double coque. Une main de géant déchirant des plaques d'acier.

L'intérieur du *Typhoon* est submergé instantanément. À peine son commandant a-t-il le temps de larguer la bouée de sauvetage qui indiquera à l'Amirauté soviétique à quel endroit cent cinquante hommes auront perdu la vie en quelques secondes. La masse déchi-quetée de l'orgueil de la Marine nationale s'enfonce comme une pierre dans les nocturnes profondeurs glaciales, emportant, outre l'équipage pris au piège, vingt missiles balistiques SSN X-20 et un réacteur nucléaire endommagé, qui ne tardera pas à irradier la faune marine des environs.

«Désarmez les tubes deux et quatre! fait McNab. Avant toute au trois-cinq-zéro!»

Il rédige un court message, qu'il tend à l'officier des communi-cations:

«Envoyez ceci au CINCUSNAVEUR, Greeson.»

DE: USS CHEYENNE
À: CINCUSNAVEUR
TOP SECRET
INSTRUCTIONS EXÉCUTÉES
SUCCÈS TOTAL
ATTENDONS NOUVELLES INSTRUCTIONS
SIGNÉ USS CHEYENNE.

Vingt minutes plus tard, tous les bâtiments de l'*US Navy* en service reçoivent l'ordre suivant:

À TOUS LES BÂTIMENTS EN SERVICE. AVERTISSE-MENT DE MISE EN COMBAT POSSIBLE DE LA PART DES FORCES DU PACTE DE VARSOVIE. PRENDRE LES MESU-RES NÉCESSAIRES. NE TIREZ PAS LES PREMIERS.

GÖTEBORG, SUÈDE

Éléonore dort d'un mauvais sommeil. La douleur sourde est de nouveau active dans ses os. Pas assez pour la réveiller, mais suffisamment pour provoquer des cauchemars.

Ils sont tous là, ses parents et amis. Tous dans leurs plus beaux habits. Seule sa mère est vêtue en noir. Elle les voit de très bas, en commençant par les pieds. Les pieds de sa mère sont chaussés de petits souliers vernis, ce qui est curieux, car il neige. De gros flocons doux et froids qui tombent sur son visage et le couvrent lentement sans fondre. Elle n'entend pas ce qu'ils disent en haut, leurs visages lui paraissent éloignés et n'ont pas plus d'expression que des statues de plâtre. Elle baisse les yeux pour regarder autour d'elle. Quatre murs de terre terriblement rapprochés les uns des autres. Ils lui semblent d'une très grande hauteur. Tout en haut, très haut, un petit rectangle de ciel gris plomb, où elle voit passer une corneille. Les visages se penchent vers elle, elle peut maintenant voir leurs grands yeux ronds et sombres. Des yeux mécaniques, comme ceux des mouettes. Brutalement, une pelletée de glaise grise, dure et glacée, lui tombe sur le visage, se mêle à ses cheveux, et lui couvre la vue. Elle veut hurler mais une autre pelletée lui remplit la bouche. La terre dégringole, la recouvre et l'écrase d'un lourd manteau glacial. Désespérément, elle tend les bras à la recherche du soleil et de sa chaleur. Où sont-ils, les oiseaux? les gens qui rient? les couleurs de l'orage? Tendus vers le haut, ses bras non plus ne peuvent bouger maintenant, et le poids de la glaise humide ne cesse de s'accumuler sur son corps à tel point qu'elle se sent bientôt partie de cette argile. Son corps est devenu glaise et son esprit se confond à celui, amorphe, des minéraux.

Elle se réveille et, tremblante de froid, ouvre les yeux. Sa première réaction est de rabattre sur elle les couvertures de son lit, et de s'y enrouler pour tenter de ramener un peu de chaleur en elle.

Est-ce donc cela la mort? Rien que cela? Il ne faut pas qu'elle se laisse aller à divaguer sur les cauchemars qu'elle peut faire. Le néant, l'éternité, toutes ces choses, mieux vaut ne pas y songer. De toute façon, elle saura bien assez vite. Ou ne saura plus rien du tout, ce qui reviendra au même. Elle voudrait bien retrouver les convictions naïves de son enfance. À cette époque, elle voyait la mort comme un ange de lumière, qui venait chercher les âmes pour les amener ensuite auprès du vieux monsieur tout blanc et très gentil qui était Dieu, tel qu'elle se le représentait à cette époque. Elle voudrait être encore persuadée de cela. Il faudra qu'elle demande à Erik ce qu'il en pense. En songeant à lui, les brumes de son sommeil s'évanouissent brusquement. Elle s'apprête à se lever pour aller le trouver, quand l'infirmier, qui doit la conduire en salle de radiothérapie, entre avec une chaise roulante.

«Je peux très bien y aller à pied», dit-elle, refusant, comme toujours, de passer pour une impotente.

— Ce sont les règlements, personne n'y échappe.»

La salle de radiothérapie se trouve au sous-sol de l'hôpital. Dans l'ascenseur, une vieille dame sur une civière est en route pour la salle d'opération. Éléonore remarque que ses mains tremblent. Apparemment, l'injection pré-opératoire censée la décontracter n'a pas produit tout l'effet voulu.

«Que vont-ils vous faire? demande Éléonore à la patiente.

— M'amputer une jambe. La gangrène s'y est installée.»

Éléonore s'en veut d'avoir été curieuse. Elle ne sait quelles paroles encourageantes prononcer. Au lieu de cela, elle serre la main de la femme. Ce doit être la chose à faire, car elle la sent se détendre. Indifférents, les deux infirmiers commentent ensemble le match de hockey de la veille.

Erik sort tout juste de sa séance de rayons, quand elle le croise.

«J'ai trouvé la matinée terriblement longue, dit-il.

— Pourquoi? demande Éléonore, feignant l'ignorance autant que la curiosité.

— Parce que j'ai très faim et que j'ai hâte au dîner, répond-il, nullement dupe du petit jeu.

— C'est une bonne raison. Pour moi la matinée s'est passée très vite, car j'ai dormi tout le temps.

— C'est très bien, tant mieux pour toi.»

Ils se fixent intensément quelques secondes et ressentent aussitôt des remords à pratiquer ce jeu puéril.

«Viens me rejoindre sitôt ta séance terminée, je t'attends.»

Éléonore plisse le nez d'un air qui laisse entendre qu'il lui fait faire ce qu'il veut.

De retour à sa chambre, Erik feuillette une revue d'agriculture biologique, sans parvenir à s'intéresser à ce qu'il lit. Jusqu'à ces derniers temps, l'agriculture avait pourtant été sa passion. Après de nombreuses études personnelles, il avait élaboré des projets. Inutile d'y penser à présent: en terme de temps, c'est de nombreuses années devant lui dont il aurait besoin. Il lui faut se rendre à l'évidence que si ses idées voient un jour une application il n'y sera pour rien. Il lui arrive, face à cette constatation, de ne pas comprendre pourquoi il peut être condamné. Il lui semble que quelqu'un qui a une trouvaille à communiquer au monde ne doit pas pouvoir mourir avant de lui avoir donné forme. Il faut se rendre à l'évidence: les inventions ne sont pas, pour celui qui les met au point, une garantie de longévité.

Il abandonne sa revue et reporte ses pensées sur Éléonore.

«Plus je la vois, plus je la trouve belle. Elle a sûrement les plus beaux yeux et les plus beaux cheveux qui soient au monde. Et tout cela n'est que le reflet de son cœur. Je la sais franche et prête à donner tout ce qu'elle est, tout ce qu'elle possède. Elle détient la plus grande et la plus belle des qualités de la création: un grand cœur. Un de ces cœurs qui souffrent, car tout le monde veut y entrer sans payer. Et pourtant, elle a plein de fleurs et de rires dans les yeux.»

Rien qu'à l'imaginer, il se sent tout retourné. Son contact lui manque et ce manque le fait souffrir. Il étreint son oreiller.

Le regard perdu dans l'évocation de celle qui occupe toutes ses pensées, il se met mentalement à lui dire des mots d'amour:

«Viens, mon amour. Viens, ma princesse. Quel est ce besoin de t'aimer? Ça fait mal et ça fait du bien. Enfermons-nous dans un cocon de tendresse pour traverser le temps qu'il nous reste.

Pourquoi ai-je tant besoin de t'avoir contre moi, fort, très fort, comme si je voulais que toi et moi ne soyons qu'une même personne?

J'ai besoin de transformer tes peines en joie, et de te crier combien je ferais tout pour toi.

Viens Éléonore! J'aimerais tellement connaître le monde à travers ton regard. Nous irions les yeux dans les yeux et la main dans la main. Nous goûterions toutes les belles choses de ce monde, armés de cette étrange complicité qui rend la solitude impossible. Nous serions l'Afrique depuis les mystères du Hoggar jusqu'à la table du Cap. Sous le cristal des étoiles du désert, nous prendrions conscience de l'infini. Le souffle du vent chaud de la savane nous transporterait vers l'ivresse de la course, en union avec la faune sauvage et libre de ces lieux. Puis, la grande forêt nous envelopperait de son vert manteau de terreurs inventées dans nos rêves d'enfants. Éléonore!

Dans le veld nous irions, un goût de sel sur les lèvres, au carnaval des gazelles.

Tu sais, Éléonore, des hommes vivent et travaillent sans but et, pour l'oublier, ils organisent la Fête. Nous irions à la Fête. Des jours durant, la folle samba de Rio nous étourdirait, mais il nous faudrait repartir avant la fin. Avant que ne sonne l'heure de retourner au nid couleur de l'ennui. Il paraît qu'en Grèce le ciel est si bleu que l'on s'y perd. Nous irions voir les temples blancs qui dominent l'Égée et je crois qu'en appuyant nos oreilles sur le pilier de l'un de ces temples, nous entendrions alors le tumulte des temps révolus. Nous serions toi et moi. Et de cette musique des hommes, nous ne retiendrions que le meilleur. Et le bonheur que je lirais dans tes beaux yeux, mon amour, ce bonheur immense serait le mien. Assis, tranquilles, au spectacle de la vie, nous écouterions la partition de mon cœur se joindre à l'orchestre du monde. Éléonore! Tes yeux me font mal au plus profond de moi. Mal à une place que je ne connais pas. Ce mal qui nous lave l'esprit, c'est le bonheur et la joie qui circulent dans nos veines. L'herbe est fraîche et couverte de rosée. Allons poser nos pieds nus sur le tapis du monde. Éléonore, tes yeux sont des nuages où je vois planer un grand oiseau noir. Je veux qu'il s'en aille, mon amour.»

Étourdi par le tourbillon de son imagination, Erik cherche à étreindre. Ne rencontrant que le vide, il sent un gouffre profond s'ouvrir sous lui.

En pénétrant dans la chambre, Éléonore voit Erik allongé et apparemment endormi. Elle s'approche de lui et elle est soudain frappée au plus profond d'elle-même par les marques de souffrance imprimées dans les traits de ce gars qui lui fait battre le cœur. Elle s'approche encore et constate que ses yeux sont mi-clos. Elle découvre alors qu'il a encore perdu conscience. Elle sonne le bureau des infirmières, mouille un linge d'eau froide, le pose sur le front d'Erik. Celui-ci remue au moment où une infirmière entre.

«Je crois qu'il est tombé dans les pommes», lui dit Éléonore.

Erik revient à la réalité et aperçoit les deux femmes à son chevet.

«C'est comme ça que tu m'attends? demande Éléonore, feignant un ton de reproche.

— Je ne sais pas ce qui s'est passé, j'étais là à rêvasser quand soudain, paf! je me suis senti partir.

— Ça va mieux maintenant?» demande l'infirmière.

Il se frotte les yeux.

«Je crois, oui.

— J'ai l'impression qu'il va falloir qu'on t'installe un soluté.»

Erik fait la grimace.

«J'aimerais mieux pas.

— On verra ça avec ton médecin, dit l'infirmière. Bon! en attendant, je vous laisse. Si ça ne va pas, sonnez le bureau.»

Ils se retrouvent seuls.

«À quoi pensais-tu avant de perdre conscience? fait Éléonore. Tu avais l'air très malheureux.

— Je pensais à toi et à ce qu'aurait pu être notre vie si nous n'étions pas malades.»

En disant cela, il s'aperçoit qu'il l'inclut dans une vie hypothétique et future. Comme si après quelques heures ensemble, il ne faisait plus aucun doute qu'ils soient inséparables. Elle ne paraît pas relever ce détail, cela va de soi.

Elle s'approche de lui et lui passe un bras autour du cou.

«Nous leur aurions montré à tous comment une vie ne peut être qu'un tissu de bonheur. Au point où j'en suis, je vois le monde qui continue à vivre, empêtré dans les tracas futiles du quotidien, et je me pose des questions.

— Qu'aurais-tu aimé faire de ta vie?

— J'aurais voulu vivre comme une bohémienne. Parcourir le monde, le mettre en peinture et donner mes tableaux aux gens que j'aurais aimés. J'aurais aussi souhaité avoir des enfants, parce que la vie est trop belle pour que l'on puisse refuser de la donner.

— C'est curieux ce que tu dis là: tout à l'heure, avant de tomber dans les pommes, je nous voyais justement parcourant le monde. Toi et moi.

— Et c'est ça qui t'a rendu si triste?

— De ne pouvoir le faire? oui!» avoue-t-il d'une voix rauque.

Émue, elle lui donne le plus beau des sourires.

«Tu es belle, je n'en reviens pas, murmure-t-il émerveillé.

— Tu n'es pas laid non plus, tu sais!»

À son tour, il lui passe le bras autour du cou et l'attire contre lui. De nouveau, le courant qui passe entre eux les transporte.

«J'adore ton parfum, déclare Erik.

— Je ne mets pas de parfum.

— Je parle juste de ton parfum à toi. De ce qui émane de ton corps.

— Tu vas me faire rougir.

— Quoi qu'il en soit, ton parfum est merveilleux et j'ai une folle envie de t'embrasser.

— Moi aussi!»

Il ne répond pas; se contentant de sourire, il plonge son regard dans celui d'Éléonore en lui faisant passer un message qui dit:

«Je vais t'embrasser et tu le sais. Rien ne pourra m'en empêcher. Quand je t'embrasserai, rien ne pourra plus t'enlever à moi, pas même moi-même. Cela voudra dire que je serai à toi complètement et sans espoir de retour. Quand je vais t'embrasser, je goûterai à ce qui est toi et le choc sera terrible. Quand tu vas m'embrasser, je serai toi et tu seras moi. Quand nous nous embrasserons, si la mort vient nous chercher à ce moment, elle ne pourra pas nous séparer. Oui Éléonore! Je veux t'embrasser, je ne sais pas si je pourrai encore me retenir longtemps. Je vais franchir cette barrière qui s'écroule inexorablement à chaque seconde.»

Éléonore ressent ce que lui disent les yeux d'Erik. Elle s'apprête à lui répondre de la même façon, quand une infirmière entre, portant le plateau du repas.

«Ça va bien tous les deux?» lance-t-elle sur un ton mi-ironique, mi-complice.

Erik et Éléonore se redressent et observent tous deux l'infirmière en souriant. Ils se sentent désormais très forts, invulnérables. Sans culpabilité, ils veulent agir maintenant comme s'il n'y avait plus qu'eux deux sur la Terre.

«Veux-tu prendre ton plateau ici? demande l'infirmière à Éléonore.

— Vous pouvez même noter que désormais nous prendrons nos repas ensemble», fait Éléonore.

Erik approuve vivement.

«Une idylle serait-elle en train d'éclore sous le toit de ce vénérable hôpital? feint de s'interroger l'infirmière.

— Beaucoup plus qu'une idylle! déclare Erik.

— Beaucoup plus!» confirme Éléonore.

L'infirmière affecte un air de respectabilité.

«Je ne sais pas si tout cela est autorisé par les règlements de l'établissement?»

Erik et Éléonore, complices, éclatent d'un rire sans retenue, où transparaît la joie de n'être plus seuls.

MÉDITERRANÉE ORIENTALE

Sur une bande d'une centaine de kilomètres de large à partir de la côte, la mer est quadrillée en multiples zones de recherche.

À l'horizon, le disque d'or du soleil a perdu de son éclat; déjà de légers voiles roses couvrent la ligne de partage. Dans trente minutes tout au plus, le soleil plongera une nouvelle fois à l'occident, dans une apothéose des teintes les plus chaudes, allant du carmin à l'or, avant de céder la place aux étoiles. Entre l'avertissement de Washington et le déploiement des recherches, il ne s'est pas écoulé plus de deux heures.

Élie Stein, aux commandes de son hélicoptère, scrute les flots depuis plus de soixante minutes. Sa mission est de localiser un navire, dont on ne lui a fait qu'une vague description orale et qui peut porter le nom *Viking*.

Des navires, il y en a beaucoup dans les parages, et plus d'un peut répondre aux descriptions qui lui ont été faites. La procédure est d'en faire le tour, de communiquer ses nom et pavillon et d'attendre les instructions.

Les équipes de recherche ignorent pourquoi elles doivent retrouver ce bateau mais on leur a fait comprendre que c'est d'une importance capitale.

Élie Stein, lui, n'y croit pas tellement et, surtout, ne veut pas y croire. Il ne lui reste plus que trois jours avant de terminer son service obligatoire de trois ans au sein de la Tsahal. Dans une semaine exactement, il s'attellera au travail dans une respectable maison d'avoués de Tel Aviv, et compte bien gravir tous les échelons qui le mèneront aux postes les plus élevés. Il aime le confort, le luxe, les belles femmes, et est parfaitement conscient que seul le travail – cérébral – lui permettra d'atteindre ces objectifs.

Il n'est pas question aujourd'hui que quelque incident fâcheux vienne compromettre son retour à la vie civile. Il ne veut même pas y penser.

Les deux premières années de son service, Stein a pourtant pris son rôle très au sérieux. Pour lui, comme pour la majorité de ses camarades, il était vital de consacrer quelques-unes de ses années à la défense de ce petit pays où se rassemblent tous les espoirs de son peuple. Cette dernière année, par contre, il l'a prise beaucoup plus en dilettante. Il est clair pour lui que les musulmans fanatiques ne tenteront plus de grandes actions d'envergure avant bien des années. Il y aura toujours de nombreux accrochages dans le style de ceux auxquels il a participé et qu'Israël a toujours matés avec énergie. Presque chaque semaine, un ou deux Palestiniens en font les frais, au grand dam des pacifistes du monde entier, qui n'ont pas vu la moitié de leur race s'envoler en fumée dans le ciel européen. Quoique... parfois, il se demande pourquoi toute cette haine entre les deux peuples, qui n'ont finalement pas d'autre différence que les mêmes ambitions. Tous ces enfants morts, ce n'est peut-être pas tout à fait normal?

À dix milles de la côte, le *Gazelle* survole les flots en effectuant de larges allers-retours dans les limites de la zone de recherche qui lui a été impartie. Stein mord dans une pêche et décide de se rapprocher de la côte en vue de refaire le plein de carburant.

Il aperçoit un cargo soviétique qui ne ressemble pas du tout à la description faite du *Viking*. Comme le vaisseau arbore la bannière rouge, Stein juge bon toutefois d'en informer le QG de recherche.

«Quel nom?» demande son contrôleur.

Stein effectue un nouveau passage pour vérifier.

«Impossible à dire, c'est de l'alphabet russe.

— D'habitude ils inscrivent le nom en alphabet latin en dessous?

— Pas celui-là.

— Il ne ressemble pas à la description?

— Pas du tout.

— O.K., laissez tomber pour le moment.»

Retournant vers la côte il aperçoit le *Hurriya,* qui se trouve à environ deux milles d'Haïfa. De loin il semble correspondre à la description. Stein appelle de nouveau le contrôle.

«Contrôle? Ici Alpha Québec Deux-Deux, j'en ai un qui correspond à la description.

— Localisation? Alpha Québec Deux-Deux.

— En approche d'Haïfa, environ deux milles en droite ligne.

— Pavillon?

— Bleu blanc rouge à la verticale.

— Français?

— Oui, si ma mémoire est bonne.

— Le nom?

— Je m'approche... Attendez, il y a deux hommes sur un palan

406

en train de le peindre. Ça y est! Je vois un V, un K et...»

Stein effectue un passage au ras des vagues:

«Ça ne peut être que VIKING. Oui! notez, c'est VIKING, lance-t-il soudain, énervé.

— Merde! merde! merde!

— Qu'est-ce que je fais, Contrôle?

— Surveillez-le et restez en contact, Alpha Québec Deux-Deux.

— *Roger*.»

Stein commence à regarder d'un œil noir ce navire d'apparence inoffensive qui a pourtant l'air de mettre tout le monde en émoi.

«Trop proche pour l'intercepter», fait le général Herzl d'une voix éteinte à l'adresse du chef de la Knesset.

Le Premier ministre, qui se tient dans le QG depuis le début des recherches, sort un mouchoir de sa poche de chemise pour s'éponger le front. Pour la première fois depuis son tout jeune âge, il a envie de pleurer et de trépigner. C'est l'impasse. L'inimaginable va se produire.

«J'appelle Washington, dit-il. Seul le Président a, peut-être, des chances d'empêcher cela.»

Plus qu'autre chose, le ton rauque et légèrement déraillant de la voix du Premier ministre laisse comprendre au général Herzl ce qui attend les enfants d'Israël. Sur de vieilles visions de Dachau ou Treblinka, viennent se superposer celles d'un champignon nucléaire.

«Non! hurle-t-il en lui-même. Pas au pays retrouvé! Abraham! Moïse! David! qu'attendez-vous? Nous l'avons pourtant chèrement reconquise, cette terre! Qu'avons-nous fait encore pour mériter cela?»

PENTAGONE, WASHINGTON D.C., U.S.A.

Jamais le Président n'a perçu autant de désarroi dans la voix d'un chef de gouvernement. Une fraction de seconde il se met à sa place. Une bombe H sur New York, Los Angeles ou Chicago, serait une terrible tragédie mais les États-Unis pourraient s'en remettre. Une bombe sur Haïfa causerait à coup sûr la ruine de ce pays à la superficie aussi minuscule.

Il n'avait jamais bien compris avant de mettre les pieds en Israël – avant d'être Président – comment des hommes pouvaient ainsi se battre pour un territoire à peine plus grand qu'un ranch texan. Ce n'est qu'en foulant son sol, en y mesurant l'intensité de son ciel, en y éprouvant presque physiquement la grandeur de son histoire, qu'il a compris: Israël n'est pas seulement une nation, c'est le Rêve, les racines même d'une civilisation qui a fixé les valeurs de l'humanité. Chacune de ses pierres brûlées de soleil peut avoir connu le pied des prophètes, le pas des légions romaines ou les sandales du Christ lui-même.

Il se revoit arpentant Jéricho, ocre et minérale, sous le ciel du bleu le plus profond qui se puisse concevoir. On dit de Jéricho qu'elle est la plus vieille ville du monde. Le Président en a acquis la certitude ce jour-là. L'animal humain n'a peut-être pas vu le jour dans ces contrées mais l'Homme y a certainement puisé le plus gros de son bagage émotionnel.

La fin de son histoire s'amorcera-t-elle aussi en ces lieux?

Le Président essaye de rassurer son vis-à-vis israélien:

«Je contacte immédiatement le Secrétaire général. Ne craignez rien: sachant que nous savons, il arrêtera toute l'opération.

— Dieu veuille vous entendre.»

Quand il raccroche, le nouveau *Viking* n'est plus qu'à un demi-mille d'Haïfa.

Au même instant, le Politburo apprend la fin de l'un de ses *Typhoon*.

PARIS, FRANCE

La voiture louée traverse le tunnel Saint-Cloud. Ils ont fait l'aller-retour jusqu'à Fécamp, s'arrêtant juste pour manger un morceau dans un *restoroute* aux couleurs criardes. Charles Toussaint ne cesse de regarder son étincelant automatique 9 mm *Ruger* P-85, rapporté clandestinement d'une ancienne escale à la Nouvelle-Orléans.

«Toujours décidé? demande Simon Lincourt, osant, encore, espérer faire changer d'avis à son ami.

— Plus que jamais.»

Lincourt récite encore une fois le plan – très simple – qu'ils ont mis au point.

«Alors c'est entendu, tu attends dans la voiture devant l'ambassade, le temps que je prévienne la presse. Quand ce sera fait, je te fais signe et tu entres.

— Ce sera parfait.

— As-tu pensé qu'un garde pouvait t'abattre avant que tu n'aies pu faire quoi que ce soit?

— Je ne sortirai pas mon arme avant d'être à proximité d'un diplomate. Ne crains rien, il faudra bien qu'il me suive jusque sur le boulevard.

— Et s'ils ont des détecteurs?

— On verra sur place.

— Tu n'as pas peur de mourir?»

Charles Toussaint a un geste d'indifférence:

«Je préfère vivre mais si je dois partir... tant pis. Après tout, qu'est-ce que la vie sinon un éternel recommencement? On a beau aimer plusieurs femmes, on aime en vérité toujours la même à travers les autres. On a beau faire des quantités de choses, on recommence toujours le même ouvrage sous des angles différents. On a beau avoir des tas de rêves, on a beau les réaliser, c'est toujours le même qui revient.

— Je ne te connaissais pas philosophe.

— Appelle ça comme tu voudras, je crois simplement que, comme tout bon Normand, j'aime bien voir les choses en face.»

Le reporter n'essaye plus de le faire changer d'idée. Juste à voir la contraction de ses muscles faciaux, il est évident que la détermination de Charles Toussaint est inébranlable.

«À ce que je vois, ajoute Lincourt, les Normands sont encore plus têtus que les Bretons.

— Je ne sais pas si c'est une question d'origine mais je t'assure que les Cosaques vont en baver. Ils ont beau avoir des bombes et tout le bataclan, on ne vient pas couler mon bateau et massacrer mon équipage impunément.»

Ce dernier discours ne ressemble pas au commandant. Lincourt comprend qu'il se motive moralement. Un peu à la façon des «gros bras» cherchant à s'autosuggestionner avant de se mesurer aux «bras de fer».

MER D'ARAL, R.S.S. DU KAZAKHSTAN.

Les yeux écarquillés de stupeur, le Secrétaire général lit la traduction russe du message en provenance de Washington:

NOUS SAVONS QUE VOUS AVEZ COULÉ LE VIKING. NOUS SAVONS QU'IL NE S'AGIT PAS DE LIBYENS MAIS DE SOVIÉTIQUES. NOUS SAVONS QUE L'ÉQUIPAGE DE L'UN DE VOS SOUS-MARINS A MASSACRÉ CELUI DU VIKING. NOUS SAVONS QUE VOUS VOUS PRÉPAREZ À COMMETTRE L'IRRÉPARABLE À HAÏFA. NOUS AVONS LA PREUVE DE TOUT CELA. SI HAÏFA DEVAIT ÊTRE DÉTRUITE NOUS NOUS VERRIONS CONFRONTÉS À L'INÉVITABLE FACE À UNE NATION QUI SE SERAIT PLACÉE AU RANG DE LA BARBARIE.

Le Secrétaire général brandit le papier dans les airs.

«Comment savent-ils?» rugit-il.

Boulkine, le chef du KGB, se sent mal à l'aise dans son fauteuil: c'est lui le responsable de l'opération.

«Il faut croire que le traître n'était pas Smolosidov, fait-il d'une voix blanche.

— Vous avez raison, camarade, de parler de traîtrise. Mais qui est le traître?

— Je ne comprends vraiment pas ce qui a pu se produire.

— Quand ce foutu bateau doit-il arriver à Haïfa?»

Boulkine réussit à masquer la sourde panique qui le gagne.

«D'un instant à l'autre, camarade Secrétaire général.»

Le Numéro un soviétique s'emporte.

«Qu'attendez-vous pour annuler l'opération?

— Votre ordre.»

Boulkine décroche immédiatement son téléphone et demande qu'on lui établisse une ligne de toute urgence avec le cargo *N.K. Kroupskaïa*, qui suit le *Hurriya*.

Au bout de quelques secondes, comme il n'a pas de réponse, il s'impatiente.

«Alors? crie-t-il dans le combiné.

— Impossible d'établir le contact, camarade colonel.»

Boulkine se rappelle brusquement que le cargo a reçu l'ordre d'observer un total *blackout* radio lorsque le *Hurriya* entrerait à Haïfa. Exhalant un long soupir, il repose le combiné avec l'allure de quelqu'un qui vient de charger ses épaules de toute la misère du monde.

«Je crains qu'il ne soit trop tard, souffle-t-il. Notre cargo a ordre d'observer le silence radio.»

Dans l'esprit de chacun des membres du Politburo, la terreur qui attendait, tapie à l'ombre de la puissance qu'ils se sont donnée, la vieille terreur que l'humanité porte toujours au plus profond d'elle-même, cette terreur trouve à ce moment une porte de sortie et amorce son travail de sape.

Pour la première fois de sa vie, le ministre de la Défense Yakkov regrette de n'avoir aucun dieu à prier.

«Il faut demander à l'un de nos bâtiments de la 5ᵉ *Eskadra* de couler le *Kroupskaïa*.»

Le Secrétaire général, qui a amené sur son moniteur une carte des lieux avec le positionnement actuel des unités soviétiques, secoue la tête:

«Inutile, nos plus proches bâtiments se trouvent à Lattaquié. Nous n'aurons jamais le temps, même en envoyant des chasseurs.»

Il se lève et se dirige d'un pas lourd vers son propre télex, qui le relie directement au Président des États-Unis. Le message qu'il envoie est net:

NOUS IGNORONS TOTALEMENT DE QUOI VOUS VOU-LEZ PARLER DANS VOTRE DERNIER MESSAGE. NOUS DEMANDONS EXPLICATIONS SUR LA DISPARITION DE L'UN DE NOS SOUS-MARINS COULÉ PAR LE USS CHEYENNE. NOUS RÉPLIQUERONS À TOUTE PROVOCA-TION.

La réponse ne se fait pas attendre, elle comporte le texte rédigé par le Président après qu'il eut ordonné la destruction du *Typhoon,* ainsi qu'une seconde mise en garde:

QU'IL SOIT BIEN ENTENDU QU'À PARTIR DE CET INS-TANT JE CONSIDÈRERAI TOUT ACTE BELLIQUEUX CON-TRE LA VILLE D'HAÏFA AU MÊME TITRE QUE S'IL S'AGIS-SAIT D'UNE VILLE DES ÉTATS-UNIS D'AMÉRIQUE.

Au même moment, le commandant du *N.K. Kroupskaïa* envoie une fréquence radio, qui est immédiatement captée par une petite antenne dissimulée dans les superstructures du nouveau *Viking*.

NAZARETH, ISRAËL

Laurent Lavoie – le fils de Marie – a choisi de terminer son voyage en Israël par la visite de Nazareth. Toute la journée, les mains dans les poches, il s'est contenté de déambuler dans les ruelles de la petite ville. Non pas tant pour voir que pour ressentir.

Ses pas l'ont conduit sur une légère proéminence à l'orée des habitations. Le crépuscule est à son apogée et, assis adossé au tronc d'un vieil acacia noueux, paupières baissées, il essaye de s'imprégner à tout jamais des parfums légers de l'air. Il se sent bien et veut emporter ce souvenir dans son pays et dans son futur. Il sait déjà que, là-bas au Québec, quand le blizzard soufflera de l'Arctique, quand il se sentira seul, quand tout semblera aller de travers, il pourra faire renaître ce souvenir et s'y accrocher. Jamais encore il ne s'était senti aussi près de la sérénité.

À trente-cinq kilomètres de là, Élie Stein et son hélicoptère sont désintégrés dans la micro-seconde qui suit l'explosion.

La lumière intense de la boule de feu traverse les paupières de Laurent. Surpris, il ouvre les yeux pour constater avec stupeur qu'une luminosité inconnue éclaire le paysage avec plus de brillance que la lumière du jour. Heureusement pour lui, il tourne le dos à l'ouest et le tronc de l'acacia absorbe une grande partie de l'onde de chaleur. Moins heureux que lui, des habitants de Nazareth exposés directement à la lumière sont aveuglés et attrapent des brûlures aussi vives qu'un gros coup de soleil.

Dans le temps qu'il faut au cerveau de Laurent pour noter une chaleur anormale, le centre-ville d'Haïfa, les résidences qui s'étalent en étages sur le mont Carmel, les installations industrielles, tout dans un rayon de cinq kilomètres est instantanément pulvérisé, transformé en cendres. La totalité des 300 000 tonnes de brut stockée aux alentours du terminal s'embrase immédiatement, pendant que le métal des citernes fond. Tous les êtres vivant dans ce périmètre périssent sur-le-champ, plus chanceux, en un sens, que ceux qui se trouvent dans un secteur s'étendant de cinq à quinze kilomètres du point de l'explosion. Ceux-là sont le plus souvent brûlés au dernier degré sur toute la surface de leur corps, et la plupart expirent dans d'affreuses souffrances, au milieu des constructions en flammes. Lorsque l'onde de choc atteint Nazareth, le vent qu'elle a provoqué n'est plus que de cent kilomètres à l'heure. Assez fort cependant pour arracher les branchages et tout ce qui n'est pas solidement arrimé. Il transporte avec lui des milliers de tisons qui allument des foyers d'incendie un peu partout.

Laurent, encore incapable de réaliser ce qui est arrivé, se couche en boule sur le sol, toujours à l'abri de l'acacia. Il ignore que le souffle a balayé Haïfa à près de six cents kilomètres à l'heure. Dans un périmètre de sept kilomètres, rien n'a résisté au passage du souffle. Ceux qui ont pu survivre à l'onde de chaleur sont emportés dans les airs comme des fétus de paille avant de s'écraser, désarticulés, sur le sol.

Au bout de quelques secondes, il n'y a plus aucune construction habitable ou même digne de ce nom dans un rayon de quinze kilomètres. Au-delà, jusqu'à quarante kilomètres, la dévastation va se ralentissant pour prendre fin dans des bris de vitres.

La chaleur cumulée de l'explosion et des incendies qu'elle a engendrés, provoque un appel d'air qui contribue à disséminer le feu dans un rayon de quarante-cinq kilomètres. Au sud d'Haïfa, une vaste zone boisée et broussailleuse s'enflamme et l'élément destructeur gagne Césarée et Afoula. Au nord, la ville d'Acre est entièrement ravagée par le sinistre, qui se propage dans la région broussailleuse bordant la frontière libanaise.

Soixante secondes après l'explosion, le silence retombe. Tout est terminé quant à la réaction en chaîne. Laurent se relève et ce n'est qu'en apercevant le gigantesque champignon de poussière se détachant, complètement opaque, dans la lueur des incendies, qu'il comprend enfin ce qui s'est produit. Des cris lui parviennent de Nazareth et il a, lui aussi, envie de crier. Crier de terreur, mais aussi crier parce qu'à son corps défendant sa première réaction est de trouver le spectacle grandiose. Pourtant, 200 000 personnes sont décédées depuis une minute; lui n'en connaît pas le nombre mais en imagine l'ampleur.

Si Élie Stein avait pu survivre, il constaterait que le *Hurriya*, tout comme les autres navires, au port et même au large, tel le cargo soviétique, ont tout simplement disparu. Il serait terrifié de voir les eaux du port bouillir à l'instar de celle d'une marmite prête à recevoir des homards.

Debout près de l'arbre, Laurent ne sait que faire. Le nuage de poussière ne cesse de grossir. La bombe ayant explosé au niveau du sol, les retombées radioactives vont prendre une importance considérable.

Il suit la première idée qui lui vient et se met à courir vers la petite ville où il a garé sa voiture de location. Fuir. Il doit fuir le plus loin possible. Mettre le plus de distance entre lui et ce cauchemar. Des gens affolés courent dans tous les sens, une voiture de police circule et conseille à chacun de se mettre à l'abri. En montant dans sa voiture Laurent réalise qu'il ne sait où aller. La grande route pour descendre vers Tel Aviv repasse par Haïfa; autrement, en continuant directement au sud de Nazareth, il arriverait à la frontière jordanienne qui doit certainement être fermée, tout comme celles du Liban au nord et de la Syrie à l'est.

Abandonnant sa voiture, il se dirige vers le petit hôtel où il a loué une chambre pour la nuit. Le propriétaire et sa femme essayent de syntoniser un poste, sans résultat: les ondes atmosphériques sont complètement grippées.

Le propriétaire parle anglais; il demande à Laurent ce qu'il a vu.

«Je crois que c'est une bombe atomique.

— Mais qui a fait ça? Qui?»

Laurent n'a pas de réponse. Un problème plus urgent le préoccupe.

«Avez-vous un sous-sol?» demande-t-il.

Le propriétaire fait un signe affirmatif.

«Je crois qu'il faudrait s'y cacher au plus vite, explique Laurent. Les retombées vont être dangereuses.

— Il y a un problème, explique le propriétaire. Mon sous-sol n'est qu'un vide sanitaire de soixante centimètres de hauteur.»

À tâtons, Laurent cherche un siège et s'y laisse tomber. Il se sent brusquement très fatigué.

«C'est peut-être un conflit généralisé, dit-il d'une voix lasse. Si c'est le cas, à quoi bon survivre? Je n'ai pas envie de vivre sur une planète stérile.»

Peu à peu l'immensité du désastre, souvent imaginée, lui apparaît dans toute son horreur. Un vide affreux s'empare de lui. Pas de la peur, plutôt une lassitude viscérale. Une forme de dépression à évolution rapide qui l'empêche de se suspendre au plus petit espoir. Une angoisse sans nom à l'idée d'un monde dévasté et désertique où la barbarie régnera de nouveau.

«J'ai peur», dit-il, ne trouvant d'autres mots pour définir son angoisse.

Dans la rue, la circulation s'intensifie. Des voitures chargées de

415

blessés, le plus souvent par brûlures, arrivent des limites les plus éloignées de la déflagration. Un policier entre dans le hall, une puissante lampe-torche à la main.

«Nous avons besoin de tous les lits disponibles, dit-il au propriétaire. De nombreux blessés arrivent de partout.

— Bien sûr! bien sûr!» accepte l'hôtelier.

Quelques minutes plus tard, des bougies ont été installées un peu partout et Laurent aide à transporter des blessés dans les chambres, au milieu des lamentations et des cris de douleur.

Il voit arriver une voiture dont la peinture s'est cloquée sous l'effet de la chaleur. Un homme, dont les bras et le visage sont brûlés, en descend, portant dans ses bras un garçonnet inconscient, dont les vêtements de nylon ont littéralement fondu sur lui. L'homme le dépose dans les bras de Laurent et s'adresse à lui en hébreu. Laurent indique qu'il ne parle que l'anglais et le français.

«Il faut mettre fin à ses souffrances, dit l'homme en anglais. Et j'en suis incapable.

— On ne peut pas!» s'exclame Laurent, atterré.

Des larmes coulent sur l'épiderme facial ravagé de l'homme. Il n'a même pas l'air de se préoccuper de ses propres souffrances.

«Il va mourir de toute façon, pourquoi le laisser endurer des souffrances inutiles. Ce n'est qu'un enfant, il n'a rien à expier.

— Il ne faut pas. Il y a toujours de l'espoir», essaye de le convaincre Laurent.

L'homme désigne le trottoir qui commence à se couvrir d'une mince pellicule de cendre.

«Croyez-vous que ce soit inoffensif? Le croyez-vous vraiment?»

Laurent secoue la tête.

Il comprend soudainement que lui aussi est condamné. Que dans quelques jours, peut-être avant, ses cheveux vont tomber et que ses vaisseaux sanguins éclateront les uns après les autres jusqu'à ce que...

Subitement, plus que tout au monde, il désire follement faire l'amour avec une fille, sous les étoiles scintillantes de Galilée, qui ont entendu les premières le message d'espoir révélé plus tard à l'humanité. Dans son esprit, seuls les yeux et la douceur d'une fille pourraient lui faire sentir, encore une dernière fois, le monde qui fut. Quoi d'autre?

PARIS, FRANCE

Allongée sur le dos, une peau de lait, un corps ferme mais peut-être un peu maigre, la blonde platinée affiche un sourire d'invite et tend les bras à Jacques Fleury. L'homme laisse tomber son sous-vêtement et, dans un large mouvement, se penche sur sa nouvelle conquête. De son vrai nom Fédor Tveritinov, 1 m 80, athlétique, blond au regard slave style seigneur de la guerre, c'est le type même du tombeur d'un soir, et de plus en plus de femmes croient ne désirer plus rien d'autre que ce genre de rencontres, qui n'ont d'implications que de satisfaire les sens.

«Viens!» halète-t-elle.

Le téléphone posé sur la table de chevet sonne.

«Merde!»

Il se redresse, agacé, et décroche:

«Ouais?

— Alexandre? Ici Assurbanipal.»

Fleury se met mentalement au garde-à-vous. Alexandre est son nom de guerre et Assurbanipal son général, autrement dit le directeur des agents *chauds* du KGB pour le secteur parisien.

Il répond, selon le code convenu.

«J'aurais préféré Cléopâtre.

— Alexandre, nous avons besoin de vos énergiques services immédiatement.

— Dois-je prendre les instructions à l'endroit habituel?

— Pas le temps. Votre ligne est sûre?

— Affirmatif.

— Nous n'avons pas le temps d'élaborer; rendez-vous sur-le-champ devant notre maison-mère et vous comprendrez. Il est impératif d'éliminer l'élément perturbateur.

— Entendu.

— Je répète que c'est urgent. Agissez avec diligence.

— Comptez sur Alexandre.»

Tveritinov raccroche et adresse un geste d'excuse à la fille qui, dépitée, rabat sur elle le drap de satin noir.

«Je dois m'absenter une heure ou deux, attends-moi ici. J'ai une belle collection de cassettes vidéo, ça te fera passer le temps.»

Il enfile des vêtements sport parfaitement étudiés pour passer inaperçu et s'enferme dans la salle de bain pour y prendre son PSP

9 mm, dissimulé dans une cache pratiquée derrière un carreau de céramique de la cabine de douche.

Fédor Tveritinov est en poste à Paris depuis une dizaine d'années, ce qui est un record pour un actif. Son travail est identique à celui d'un tueur à gages, à la différence près que, contrat ou non, il est rétribué régulièrement. Sa couverture, excellente, est celle d'un auteur de science-fiction populaire, dont les ouvrages paraissent dans une série de poche sous deux pseudonymes anglo-saxons. En vérité, il n'écrit rien. Des «nègres» travaillent à ces romans-savons depuis l'URSS et profitent de l'occasion pour que, une fois le livre refermé, le lecteur soit amené à tirer des conclusions philosophiques faciles, qui correspondent très bien aux vues du Kremlin. C'est le genre de bouquin qui se lit dans le métro ou les trains de banlieue et qui conquiert une clientèle finalement plus importante qu'un ouvrage d'académicien.

Six minutes après être sorti de chez lui, Fédor a forcé la serrure d'une petite *Fiat*. Maintenant, il se dirige rapidement vers l'ambassade d'URSS.

***

Un fin crachin s'est mis à tomber, juste assez pour faire reluire le trottoir. Aveuglé par les projecteurs des caméras, Charles Toussaint se tient contre son otage, pointant son arme sur sa tempe. Derrière un masque froid, le diplomate soviétique lutte contre une frayeur grandissante.

Journalistes et policiers mélangés forment un rempart, en demi-cercle, autour du portail de l'ambassade. Charles Toussaint, afin de ne pas risquer une balle dans le dos, s'est adossé au mur d'enceinte.

Simon Lincourt mène les questions comme s'il ne connaissait pas le commandant.

«Comment pouvez-vous être certain que ce sont bien des Soviétiques qui ont massacré votre équipage?

—Tout simplement parce que j'ai clairement identifié leur sous-marin. Il n'y a aucun doute non plus sur la langue qu'ils ont employée.

— Pourquoi auraient-ils fait cela, selon vous?

— Je l'ignore, mais je ne vois qu'une seule raison probable à tout ceci. Je crois qu'ils mijotent de faire sauter une bombe H quelque part, en se faisant passer pour des Libyens.»

À ce stade, un journaliste d'une chaîne indépendante demande que le reportage passe en direct.

«C'est de la dynamite», assure-t-il à son chef.

Quelques secondes plus tard, plusieurs millions de Français, en train de souper, voient un armateur normand pointant un automatique sur la tempe d'un diplomate soviétique.

«Que comptez-vous faire maintenant?» interroge un reporter du *Monde* s'adressant à Charles Toussaint.

«C'est très simple! J'exige une explication publique de la part de l'Ambassade qui se trouve derrière moi.

— Et si les Soviétiques ne se rendent pas à vos conditions?

— Dans ce cas, j'exécuterai cet homme comme preuve de ce que j'avance. Je suis un homme bien ordinaire, qui aspire à une vie tranquille. Si je mets cette vie en jeu, cela doit suffire pour prouver ma bonne foi. Je vous répète que le gouvernement français est au courant de tout ce que j'avance et qu'il ne réagit pas. Au lieu de cela, des fonctionnaires nous ont même obligés au silence, moi et ma famille.

— Pouvez-vous le prouver? demande un reporter du *Figaro*.

— Je peux vous indiquer l'endroit exact de l'avenue de Breteuil où nous avons été mis en demeure.»

À ce moment, les policiers qui se sont mis en faction reçoivent l'ordre de s'abstenir de tirer sur Charles Toussaint. Ils doivent même protéger sa vie, si besoin est.

Répondant à une question, le commandant explique comment ses ravisseurs ont réussi à lui faire croire à la présence d'une arme nucléaire sur son navire, lorsque, au même moment, l'incroyable nouvelle tombe sur tous les pupitres du monde. Le journaliste de la chaîne indépendante est le premier informé.

«Vous êtes absolument certain?» s'écrie-t-il à l'adresse de celui qui l'informe par l'intermédiaire d'un téléphone cellulaire.

Obtenant confirmation, il relève brusquement la tête et, d'une voix forte, coupe la parole à Charles Toussaint.

«Commandant Toussaint, nous venons d'apprendre, et cela est confirmé, qu'un engin nucléaire vient tout juste d'exploser en Israël. À Haïfa. Croyez-vous que cet événement soit lié à ce qui vous est arrivé?»

Ahuris, les autres journalistes regardent leur confrère pour s'assurer de son sérieux. Pendant un long moment, Charles Toussaint a l'impression que ses jambes vont se dérober sous lui, et les millions de Français qui suivent le reportage oublient la suite de leur repas. Comme une traînée de poudre, l'angoisse se répand dans des millions de foyers. Le cauchemar nucléaire, que les derniers traités semblaient avoir éloigné, resurgit brusquement avec une vigueur jamais connue.

Le commandant retrouve la voix.

«C'est affreux. Je comprends maintenant pourquoi ils voulaient se faire passer pour des Libyens.»

Le diplomate soviétique oublie sa peur, outragé que l'on puisse accuser son pays d'un acte aussi monstrueux.

«Tout ceci n'est qu'une sinistre machination impérialiste! s'exclame-t-il. L'URSS est incapable de ce dont vous semblez l'accuser.»

La fureur gagne Charles Toussaint, qui, de sa main libre secoue le diplomate par la veste.

«C'est vous qui avez tué mes hommes! C'était dans votre plan pour supprimer Haïfa, ça ne fait aucun doute.»

Le diplomate secoue vivement la tête.

«C'est impossible! Mon peuple ne désire que la paix.

— Tous les peuples désirent la paix, nous parlons ici de gouvernements.

— Le gouvernement soviétique représente le peuple soviétique.

— Vos discours sont vains. Chacun sait que le peuple soviétique n'a jamais eu l'oreille du pouvoir. Aucun peuple. Le pouvoir n'a d'oreille que la sienne.»

Les journalistes ne savent plus sur quel pied danser. Ils attendent impatiemment que cette histoire trouve son dénouement, afin de courir aux salles de rédaction pour en savoir plus long sur ce qui vient de se passer en Israël. Sur les lieux depuis deux minutes, Tveritinov évalue rapidement la situation. L'exécution ne va pas être facile au milieu de tous ces flics et reporters. Son arme n'est vraiment efficace qu'à une distance de vingt-cinq mètres. Il va lui falloir jouer d'audace. Il a laissé la voiture volée à trois cents mètres, de l'autre côté du cordon de sécurité que l'on a établi. Contourner ce cordon a été un jeu d'enfant, mais le repasser après avoir abattu sa cible à bout portant relève du miracle. Il ne lui reste qu'une solution, dont la seule lacune est que par la suite il sera définitivement grillé sur le territoire. Tant pis: il n'a vraiment pas le choix. Il a une pensée de regret pour la fille qui l'attendra longtemps sous ses draps de satin noir.

Il s'introduit dans le cercle des journalistes comme s'il était l'un d'eux et, prenant un accent russe très prononcé, s'annonce à Charles Toussaint:

«Je suis le représentant de l'ambassadeur, dit-il. Ne pourrions-nous pas régler cette situation avec plus d'ouverture?

— J'ai fait part de mes exigences, répond Charles Toussaint. Elles n'ont pas changé. Ou votre ambassade s'explique, ou je tue cet homme.

— Accepteriez-vous que je prenne sa place?

— Je trouve que mon otage fait parfaitement l'affaire.»

Fleury baisse la tête dans un geste d'intense réflexion. Personne n'a le temps de le voir dégainer son arme et faire feu dans la direction du commandant.

Les yeux de Charles Toussaint s'exorbitent. La balle explosive l'a atteint au sternum. Personne ne sait s'il est déjà mort, lorsque soudain il presse la détente de son *Ruger*, entraînant avec lui le diplomate soviétique dans un autre monde.

En trois enjambées, avant même que le commandant ne s'écroule sur le sol, Jacques Fleury redevenu Fédor Tveritinov a franchi le portail de l'ambassade.

Il ignore encore tout de ce qui s'est passé en Israël, il ignore aussi que le meurtre de Charles Toussaint est survenu trop tard: des millions de personnes ont entendu son histoire et la façon dont il est mort semble la confirmer aux yeux du commun des mortels.

LOGAR PAKTIA, AFGHANISTAN

Anxieuse, Alusia fixe les étoiles pendant que les soldats finissent d'avaler des conserves de poisson. La journée a été éprouvante et lui a apporté encore plus d'inquiétude pour la nuit qui s'annonce.

Ils ont avancé toute la journée dans les cailloux. Par deux fois, Alusia est tombée de tout son long, se meurtrissant le buste et les coudes. L'officier, réalisant qu'elle n'avait aucune chance de s'enfuir et qu'elle ralentissait la marche, a ordonné qu'on lui délie les mains. La circulation du sang en se répandant dans ses doigts a été très douloureuse mais cette douleur n'est rien en regard des horreurs qui lui rongent l'esprit.

Le petit détachement a quitté le village devenu fantôme en direction d'un autre, qu'ils ne doivent atteindre que demain, à ce qu'a compris Alusia pendant que l'officier s'entretenait avec l'un de ses supérieurs par l'intermédiaire de la radio portative. Elle s'était attendue à ce qu'il parle d'elle mais il n'a même pas fait mention de son existence. Pourquoi?

Dans un constant cliquetis d'armes, ils ont progressé le long de sentiers rocailleux pendant qu'à voix basse les hommes échangeaient des plaisanteries, telle une bande de copains revenant d'une partie de chasse. Rien ne peut donc les émouvoir? Alusia ne comprend absolument pas leur indifférence.

En fin d'après-midi, l'officier s'était placé à sa hauteur et l'avait regardée avec un sourire cynique.

«Ça va mieux? avait-il demandé.

— De quoi voulez-vous parler?

— Ce matin, vous aviez l'air toute retournée.

— Retournée n'est pas le mot. Je suis glacée d'horreur devant votre totale indifférence envers autrui.

— Vous avez peur de nous?

— J'ai peur de votre aveuglement qui vous autorise à commettre toutes ces horreurs.

— Tout ceci n'aurait pas lieu s'il n'y avait pas tant de terroristes en Afghanistan.

— Vous pensez peut-être qu'en massacrant leurs enfants vous les amènerez à vous comprendre? Avez-vous seulement essayé de les comprendre, eux?

— Je ne suis qu'un soldat, mon rôle n'est pas de comprendre mais d'exécuter les ordres.

— Moi, j'ai toujours pensé que le rôle d'un homme était de faire le bien autour de lui.

— Je fais le bien puisque je défends la victoire du prolétariat.

— Le bien ne consiste pas à défendre des idées d'homme, mais à rendre heureux autour de soi. Le bien n'impose pas, il donne.»

Il avait éclaté d'un rire froid.

«Vous avez lu trop de contes de fées.»

Il avait accéléré le pas pour reprendre sa place à la tête de la colonne, puis, se ravisant, s'était retourné et avait porté la main à sa braguette.

«Ce soir, moi et mes hommes, nous vous montrerons le bien. Nous vous rendrons heureuse.»

Toute la colonne avait éclaté de rire.

Depuis quelques heures, Alusia avait ce pressentiment. Des regards, des remarques obscènes échangées entre les hommes, tous ces détails l'avaient amenée à réaliser sa propre situation.

«J'aimerais mieux mourir, avait-elle répondu comme si elle demandait cette clémence.

— Vous venez pourtant de dire que le devoir de chacun était de rendre les autres heureux. Ce soir, vous pourriez nous rendre tous très heureux. Pensez-y.

— C'est d'affection que vous avez besoin, pas de ce dont vous parlez.»

Le visage de l'officier était devenu soudain dur et impassible. Il s'était arrêté.

«Halte!»

La colonne restant sur place. Il avait ouvert sa braguette et sorti son sexe, tendu comme un canon antiaérien.

«Pensez-vous que je ne serais pas heureux si vous me soulagiez ça?» avait-il fait d'une voix légèrement rauque.

Alusia luttant contre la panique qui s'était emparée d'elle, se sentait surtout perdue.

L'officier s'était adressé à ses hommes.

«Montrez-lui, vous autres, que ça vous ferait plaisir.»

Les soldats s'étaient regardés en riant, puis un premier avait ouvert sa braguette, bientôt suivi par les autres.

Figée sur place, Alusia avait gardé les yeux baissés.

«Regardez! avait intimé l'officier. Regardez le bonheur que vous pourriez donner.»

Interdite, Alusia fixait la scène qui, en d'autres circonstances, aurait paru grotesque. Une perle de sueur avait glissé entre ses reins, lui faisant prendre conscience de son propre corps. Elle s'était sentie vulnérable et livrée au désir des soldats, découvrant avec stupeur et pour sa plus grande honte qu'au milieu de l'effroi, du refus et du dégoût, les griffes acérées d'un désir animal s'accrochant insidieusement dans sa chair.

«NON! avait-elle hurlé dans sa tête. Mon Dieu, éloigne la Bête qui veut s'emparer de moi.»

Une autre partie de son cerveau, qui analysait la situation plus froidement, lui avait suggéré ces paroles:

«Certains d'entre vous sont-ils mariés?

— Moi, avait fait l'officier.

— Quelle serait votre réaction si à ma place se trouvait votre femme à vous?»

Il était resté songeur un moment puis avait rengainé son sexe.

«Nous verrons ça ce soir. En route!»

Les hommes, qui croyaient que l'heure du viol était arrivée, avaient fait la grimace, à regret, remirent de l'ordre dans leur tenue et la petite colonne avait repris sa marche laborieuse.

L'un après l'autre, les soldats ont jeté leurs boîtes de conserves dans la nature et ont porté leur attention dans la direction d'Alusia. Ils attendent un signe de l'officier, qui fume une cigarette en silence. Si ce n'est que pour ordonner le bivouac, il n'a pas rouvert la bouche depuis la dernière question qu'elle lui a posée.

À trois cents mètres de là, tapis derrière des arêtes rocheuses, quatre moudjahidin, dont Hafizullah, épient à la jumelle le détachement soviétique éclairé par un maigre feu. Lorsque les soldats ont quitté le village ce matin, Hafizullah les a suivis pendant quelque temps afin de s'assurer de la direction qu'ils empruntaient. Renseigné sur ce point, il a couru pendant deux heures pour se rendre à une grotte où il savait trouver de l'assistance. Escorté de trois compagnons, il a retrouvé les Soviétiques juste avant que ceux-ci ne s'installent pour cette halte nocturne.

Les quatre partisans prennent conscience de leur infériorité numérique. Ils comptent donc, avant tout, sur l'effet de surprise. Encore une fois, à voix basse, Hafizullah insiste pour qu'aucun d'eux ne mette la vie d'Alusia en danger.

Hafizullah distingue l'officier qui écrase son mégot et il l'entend donner l'ordre d'éteindre le feu. Par contre, il ne l'entend pas s'adresser à Alusia.

«Vous n'êtes pas ma femme, dit-il simplement.

— Je ne vous ai pas dit que je l'étais. Je vous ai demandé ce que vous feriez en ce cas.

— Ma femme ne m'appartient pas, pas plus qu'elle ne s'appartient. Nous appartenons tous à la société. La seule chose que je puisse espérer si elle se trouvait à votre place, ce serait qu'on lui offre le choix.»

Alusia respire un peu plus librement.

«C'est ce que je voulais vous entendre dire.»

Les lèvres de l'officier se détendent, laissant apparaître une parfaite rangée de dents qui se reflètent à l'éclat de la lune.

«Je ne vous ai pas dit quel était le choix.»

Le cœur d'Alusia se met à battre violemment dans sa poitrine.

«Non?

— Après ce qui est arrivé cet après-midi, mes hommes sont fous de désir. Regardez comme ils vous observent. Peut-être que si vous réussissiez à les convaincre, ils épargneraient les survivants dans le village que nous visiterons demain.»

Les yeux d'Alusia se remplissent subitement de larmes.

«C'est ça, le choix? Dites plutôt que vous voulez me violer.»

Il secoue la tête, comme indigné.

«Vous nous confondez avec les hordes d'Attila. Vous pouvez fort bien refuser de nous faire plaisir.

— Et vous tuerez sauvagement les survivants demain.

— Il n'appartient qu'à vous de nous montrer une autre voie.»

Alusia garde le silence. Il allume une autre cigarette.

«Alors? demande-t-il au bout d'un moment.

— Je refuse.

— Oh! c'est dommage: mes hommes vont vraiment être sanguinaires demain. Vous savez ce que c'est quand les besoins hygiéniques ne sont pas comblés. Mais j'y pense, vous manquez peut-être de stimulation.»

Il fait un signe au soldat qui a abattu les enfants le matin.

«Camarade, une petite masturbation devant la dame. Elle manque de stimulation.»

Le soldat se poste devant Alusia et sort son sexe.

«Ça, dit-il, c'est une queue. Voyez la qualité de l'engin. Quand je mets la main sur une jeune pucelle des montagnes, aucune d'elles ne peut retenir un cri lorsque je la pénètre, et quand je me retire ça fait pop, comme lorsqu'on débouche un bon vin de Géorgie. C'est dire comme j'occupe toute la place. Je me demande si avec vous ça ferait pop.»

Il s'approche davantage jusqu'à ce que son sexe vienne frôler le visage d'Alusia. Il continue:

«On voit mal dans l'obscurité, mais ici, sous le gland, il y a un petit filet ultra-sensible. Voulez-vous tester? Allez-y, n'ayez pas peur.»

Alusia détourne le visage et hurle presque:

«Vous êtes monstrueux!»

Le soldat affiche un air de réprobation et se tourne vers l'officier.

«Camarade lieutenant, j'en peux plus, moi. Je vais décharger partout.

— Je vois bien, camarade. Pourtant, la dame pourrait vous rendre heureux et, du même coup, épargner la vie de quelques enfants demain.»

Le soldat a un mouvement de reins qui fait battre son sexe contre la joue d'Alusia.

Tout se confond dans sa tête: les bébés calcinés, les mains de la femme, le sexe du soldat, le regard brillant des autres. Ce qu'elle vit lui fait horreur et, pourtant, malgré elle, elle sent durcir la pointe de ses seins. La partie de son cerveau qui est restée plus froide faiblit et ne fait que répéter:

«C'est mal! C'est bestial! C'est un désir anonyme sans amour. Pas d'amour! Pas d'amour! Juste du désir, Satan s'amuse avec mes sens. Mon Dieu, et les enfants? Les enfants? Pourquoi toutes ces images obscènes dans mon cerveau?»

«Et maintenant, fait l'officier, avouez que votre corps réclame ce gros sexe bien gonflé? Avouez que l'image de tous ces sexes qui vous attendent travaille votre esprit? Avouez!

— NON! NON! NON!»

Jambes écartées, ignorant son cri de refus, le soldat se masturbe lentement.

«Touchez voir comme c'est doux, chaud et puissant», dit-il en haletant.

Le même message revient sans cesse maintenant dans la tête d'Alusia:

«Les enfants? Les enfants?»

Tout son corps lui fait mal. Elle ne sait plus si elle pense aux enfants tués sous ses yeux ou à ceux qu'elle peut sauver, selon l'officier.

«J'ai un nouveau marché, propose calmement l'officier, qui semble lire en elle. Montrez-moi votre petite culotte et si elle est sèche où je pense, vous n'aurez pas à nous faire plaisir et les survivants seront épargnés demain.»

Il la fixe, sûr de son fait. Comme elle ne répond pas, le soldat ôte complètement son pantalon, se couche sur le sol, bras en croix, sexe tendu vers le ciel, la suppliant avec ironie:

«Faites quelque chose pour moi, s'il vous plaît!

— Acceptez-vous mon marché? reprend l'officier.

— Vous savez très bien que mes culottes sont mouillées! s'entend-t-elle crier, comme si sa voix venait d'un autre monde. Mais cette jouissance que vous me faites miroiter, je la refuse. Je la refuse car elle est malsaine. Oui, mes culottes sont mouillées! Mais je hais le désir qui a provoqué ça.

— Là, je ne vous suis plus du tout! Vous avez le désir, ce désir peut sauver des êtres humains, et vous refusez?

— Je ne refuserais pas si je n'avais pas ce désir, qui, je vous le répète, me fait horreur.

— Mais il vous obsède, n'est-ce pas?»

Elle ne sait que répondre.

«Et pourquoi vous fait-il horreur? continue-t-il.

— S'adonner à ce plaisir c'est effacer l'amour, la morale, la civilisation, tout ce qui fait que nous sommes des êtres humains.»

Il hausse les épaules.

«C'est vous qui aurez choisi le sort des survivants que nous rencontrerons demain. Peut-être que le camarade allongé près de vous voudra se soulager avec les fesses d'un petit garçon.»

Cette dernière phrase a un effet salutaire sur Alusia. Une brusque envie de vomir efface en elle toute trace de cette lascivité qui voulait s'emparer d'elle. Elle s'agenouille près du soldat étendu et, d'un geste mécanique, entreprend de le masturber. Elle s'adresse d'une voix sans timbre à l'officier.

«Si vous croyez pouvoir tenir votre parole, servez-vous de moi comme il vous plaira, je ne ressens plus rien.

— Suce-moi!» halète le soldat.

En se penchant, elle voit les autres déboutonner leur pantalon. Surmontant une profonde répulsion, elle imprime à sa tête un mouvement de bas en haut.

L'officier, qui s'est avancé derrière elle, l'oblige à lever le fessier et relève son sari d'un geste brusque.

«C'est ça, dit-il en posant ses lèvres humides sur son cou. Sucez-le pendant que je vais vous prendre par derrière. Vous allez voir que bientôt vous aimerez le plaisir.»

Elle sent une masse chaude sur ses reins et des doigts qui s'activent autour de son vagin.

«Faites que je meure! Faites que je meure! Je ne veux pas vivre cela!»

«Laissez-vous aller, fait l'officier. Je sens que vous refusez la jouissance.»

Abandonnant sa première idée, il se relève puis, changeant de position, glisse sa tête entre les cuisses d'Alusia et entreprend de lui titiller le clitoris avec la langue.

Le soldat dont elle tient le sexe dans sa bouche s'est arc-bouté et lui pétrit la poitrine en poussant des «han». Ouvrant les yeux, elle aperçoit les autres, sourires béats, tenant leur verge à la main.

L'officier s'excite et, l'attirant par les fesses, plaque goulûment sa bouche sur ses grandes lèvres.

Des larmes plein les yeux elle sent que ça recommence. Malgré toute sa volonté, elle ne peut s'empêcher de réagir au feu qui maintenant lui brûle le bas-ventre. Elle lutte de toutes ses forces contre les images de pénétration qui s'accumulent dans sa tête et, pourtant, elle sent bientôt son liquide intime se répandre sur le menton de l'officier. Une seconde, elle ferme les paupières et veut se laisser emporter, s'abandonner à la chair qui réclame son dû. Abandonner son ventre à ces hommes en rut.

«NON!» s'écrie-t-elle de nouveau.

D'un bond elle s'arrache à la langue qui la fouille et court se réfugier quelques mètres plus loin.

Un sifflement déchire l'air, immédiatement suivi d'une détonation. Une fusée éclairante illumine vivement tout le détachement. Les quatre moudjahidin, qui se sont déployés de façon à encercler les Soviétiques, font feu aussitôt. Totalement surpris, les soldats sautent instinctivement sur leurs armes, trop tard, cependant, pour éviter le tir des quatre AK-47.

Après vingt secondes de cris et de confusion, le seul survivant, hormis Alusia qui demeure prostrée sur le sol, est le soldat qui s'est fait masturber. Éjaculant au moment où la fusillade a éclaté, il est resté allongé sur le dos, en faisant le mort.

Le silence revenu, Alusia relève la tête pour voir Hafizullah qui s'approche d'elle.

«C'est fini», dit-il simplement.

Il se tourne vers le survivant toujours sur le dos, le regard plein de frayeur. Sans dire un mot, il sort son long poignard recourbé, cher aux Afghans, et, d'un mouvement d'une surprenante vivacité, lui sectionne le pénis à la base. Le soldat pousse un hurlement affreux, qu'Hafizullah étouffe en lui enfonçant le morceau inerte et sanguinolent dans la bouche. Les mains sur la blessure, le soldat essaye vainement d'étancher la plaie béante d'où jaillit un flot de sang.

«Il a ce qu'il voulait», fait le montagnard.

Il prend Alusia par le bras:

«Ça va?»

Elle ne répond pas à sa question, mais l'implore:

«Ne le laissez pas souffrir. Achevez-le.

— Après ce qu'il vous a fait?

— Ce n'est pas lui, c'est le Mal qui l'habitait.

— Il n'avait qu'à ne pas l'accueillir.

— Nous sommes tous faibles.»

Le soldat recrache son sexe dans un gargouillis. Elle se baisse vers lui et lui pose la main sur le front:

«Je te pardonne», dit-elle.

Il la fixe une fraction de seconde avec des yeux pleins d'incompréhension puis hurle de nouveau.

Hafizullah écarte Alusia et lui lâche une rafale dans la tête.

«Comment avez-vous pu lui pardonner?

— En pardonnant à celui qui nous a fait du mal, ce dernier peut regretter le mal qu'il a fait et, par là, se sauver lui-même aux yeux de Dieu.

— Ils allaient tous vous violer.

— Non, c'était bien pire.»

De nouveau, il la prend par les épaules et la serre contre lui. Il cherche vainement des mots pour la réconforter et en même temps lui dire ce qu'il ressent.

«Je suis attaché à vous», finit-il par dire.

Il vérifie aussitôt si ses compagnons ne l'ont pas entendu, se trouvant un peu ridicule.

«Je vais vous reconduire au Pakistan, enchaîne-t-il.

— Non, il faut aller dans votre village.

— C'est inutile, ces hommes (il désigne les soldats) y sont passés avant nous. Je l'ai appris de mes compagnons.

— Oh! Hafizullah.

— C'est peut-être mieux pour mon enfant, Allah l'aura accueilli près de lui. C'est triste pour moi, mais ce monde est vraiment devenu trop mauvais.»

Il détourne le regard.

«Si seulement il n'était habité que par des gens comme vous, ce serait le paradis.»

Alusia se rappelle avec douleur ses quelques instants de désir.

«N'allez surtout pas croire que je suis meilleure qu'une autre.»

Elle s'approche de l'officier qu'une rafale a défiguré.

«Cet homme avait le pouvoir de nous faire découvrir la fange qui nous habite. Jamais plus, je ne serai comme avant.

— Je n'en crois rien.»

Les partisans qui ont ramassé les armes des Soviétiques sont tout joyeux.

«Une belle journée!» fait l'un d'eux.

CEDAR FALLS, IOWA, U.S.A.

«Oh! s'écrie Gail.

— Merde!»

Tendus, John et Gail Adams regardent avec de grands yeux les premières images d'Haïfa retransmises d'un avion vers tous les canaux de l'Union. Aucune image du sol n'est encore visible, il faudra attendre beaucoup plus longtemps pour cela. Le commentateur a la voix sombre et grave. Le même timbre, se rappelle John, que, lorsque enfant, il a entendu annoncer la mort de J.F. Kennedy. Pourquoi tous ceux ayant plus de six ans ce jour-là se souviennent-ils toujours de ce qu'ils faisaient à l'annonce du meurtre du Président? De même le premier pas d'Armstong sur la Lune. Ce qu'ils voient ce soir sur le poste de télévision du salon laissera certainement une cicatrice encore plus indélébile.

«Que faisiez-vous ce soir-là?

— J'étais assis dans le salon avec Gail. Elle buvait un café instantané, et moi une canette de *Schlitz*. On regardait des conneries à la télé.»

La dernière fois que John a réagi ainsi devant des informations, c'était il y a bien des années, lors de l'accident de *Challenger*. Trois nuits durant, il a été hanté par l'image des parents et de la sœur de Christa McAuliffe au moment de l'explosion. La photo de J. Nott de *Sygma* prise à cet instant fatidique l'a fasciné: le père ne voulant pas croire à ce qu'il voit et souriant d'un rictus tendu, la mère qui ne sait trop encore et dont le visage exprime une sorte de stupéfaction angoissée, la petite sœur, elle, qui a déjà tout compris et crie sa souffrance. Des heures entières il a pleuré devant cette photo. Sans vraiment savoir pourquoi. Lui, qui s'était toujours pris pour un dur, une photo, une seule photo l'a presque traumatisé. Pour se débarrasser de cet accablement, et pour la première fois de sa vie, en cachette il a écrit un poème qui prête voix à la petite sœur de Christa. Jamais il ne l'a montré à personne et il l'a rangé avec la photo dans un compartiment rarement ouvert de son portefeuille.

Cocktail de peur et de bonheur
Ton rêve s'élève dans la fureur
Éclair et feu dans le ciel bleu
Le monde explose dans mes yeux

431

Christa, te souviens-tu autrefois
Toutes nos amours racontées
Des pétillants feux de joie
Des soirs d'été parfumés
Te souviens-tu autrefois
De nos courses échevelées
Vers les genoux de papa
Et la chaleur du foyer
Te souviens-tu autrefois
Des vendredis soir au bal
Du rire des beaux gars
Quand tu parlais des étoiles
Souvenirs d'autrefois
De nos boîtes à poupées
On dansait la java
Sous le toit du grenier
On dansait la polka
Sous le ciel étoilé.
Ma sœur s'appelait Christa
Mais il faisait trop froid ce matin-là.

Au cours de ces quelques jours, en secret, John Adams avait tout remis en cause: Le *split level*, la *Cutlass*, le billard du vendredi, Johnny Carson, le Parti républicain, le poster de Marilyn et même le baseball. Il a songé à tout envoyer promener pour une cabane en bois au Wyoming ou en Alaska. La serveuse de chez *Luigi* lui a vite fait oublier tout ça dans la tiédeur humide de sa toison blondasse et frisée.

«Au diable toutes ces foutaises poétiques», a-t-il décidé, le nez dans les petites culottes de dentelle noire. «Bander, y a que ça de vrai!»

Et il a reporté toute la faute du malheur des McAuliffe sur le dos des Russes qui, selon lui, devaient être pour quelque chose dans cette tragédie. Aujourd'hui, John sent que ça va recommencer dans sa tête. Il remarque Gail, qui essuie furtivement une larme, et il se demande comment font les femmes pour pleurer aussi vite. Est-ce par compassion ou par angoisse?

«Comment ont-ils pu?» demande-t-elle.

Il secoue la tête lentement et longuement.

«Je ne pensais pas que le monde était con à ce point-là.»

Inlassablement, les images du champignon se découpant dans le ciel nocturne défilent sur l'écran, sans qu'aucun message pour une lessive, un condom, une voiture ou une anthologie rock des années 50 vienne couper le reportage et signifier qu'il ne s'agit là que d'un film de catastrophe-fiction.

Le commentateur répond partiellement à la question que tout le monde se pose: Qui a fait ça? Personne n'est surpris d'apprendre que tous les soupçons se portent sur Moscou. La stupéfaction et l'horreur cèdent peu à peu le pas à la haine et à la volonté de détruire.

«Il faut leur rendre la pareille», hurle John, comme au stade, en train d'invectiver l'équipe adverse. On ne va pas laisser ces macaques nous écraser les orteils. Qu'attend le Président pour déclencher les hostilités?»

Comme pour répondre à sa question, un porte-parole de la Maison-Blanche annonce que le Président adressera un message extraordinaire à la nation dans les heures qui vont suivre.

Gail se met à pleurer pour de bon.

«John! John, ça va être la guerre.

— On ne peut pas les laisser faire, ma chérie.

— On va tous mourir!

— Mais non! il faut avoir confiance dans l'Amérique. Nous sommes les plus forts.

— Les bombes! Regarde ce qu'ils ont fait à cette ville dont je n'avais jamais entendu parler.

— Nos généraux savent ce qu'ils ont à faire. Les cocos vont en recevoir plein la gueule avant qu'ils n'aient le temps de riposter.»

En fouillant au fond de lui – ce qu'il se refuse toujours – il réaliserait qu'il n'a pas foi en ses propres paroles. Gail, elle, ne le croit pas:

«Tout ce que l'on est, tout ce que l'on a vécu par l'entremise de nos aïeux, parents et par nous-mêmes, tout cela disparu sous le froid glacé des banquises nucléaires. Nous avions tout: les oiseaux, les océans, les bisons, les fleurs, les fruits, le soleil, les nuages. Tout cela perdu parce que nous n'avons pas su nous en contenter. Il nous fallait absolument reconstruire Babel.»

John refuse les propos de sa femme.

«Ce n'est pas nous, ce sont les Russes.

— Pas plus les Russes que nous ou les Pygmées; c'est tout le monde qui est coupable. Russes, Américains ou autres, nous voulons tout posséder, tout construire, tout diriger. Chacun d'entre nous est un despote pour les autres.

— Non! Il y a les méchants et les bons. Nous sommes les bons.»

Gail désigne les images sur le petit écran:

«Et eux? C'était qui?»

Elle ne lui laisse pas le temps de répondre.

«Vois-tu, John, je suis terrifiée. Terrifiée parce que je sens la mort. Pas seulement la mienne ou celle de millions de personnes, mais la mort tout court.»

Pour la première fois depuis bien longtemps, il s'approche d'elle, la prend dans ses bras et la serre tendrement contre lui.

«Je ne te laisserai jamais», lui promet-il, ne trouvant pas d'autres mots.

Le temps d'un éclair il s'aperçoit du gâchis qu'il a fait de sa vie et découvre qu'elle aurait pu être bien différente.

Gail éclate en sanglots et love sa tête contre l'épaule de son mari.

«Fermons la télé, les lumières et allons nous coucher, dit-elle doucement. Si le monde doit être dévasté, que le feu nous trouve au moins dans les bras l'un de l'autre.

— À deux nous ne mourrons jamais, Gail.»

Elle lève vers lui des yeux surpris.

«Tu n'as jamais dit des choses comme ça.

— Je sais.»

Un vent glacial d'éternité souffle dans des millions de foyers, contribuant à rapprocher ceux qui ont pris l'habitude de s'aimer sans y penser. Ce qui arrive à John ne lui est encore jamais arrivé: il éprouve des remords pour avoir lutiné la serveuse de chez *Luigi*.

PENTAGONE, WASHINGTON D.C., U.S.A.

Le visage empreint de gravité, chacun des membres du NSC écoute le premier rapport que fait Charles Niles. Le Président, coudes appuyés sur le bureau, se tient la tête entre les mains.

«La ville et l'agglomération d'Haïfa sont une perte totale mais il y a pire, si je peux m'exprimer ainsi: nos premières estimations démontrent que quatre-vingts pour cent des récoltes sur pied seront contaminées dans les heures ou les jours qui viennent et, à moins d'une aide alimentaire urgente, les Israéliens vont se retrouver à la disette. Il est encore difficile d'évaluer le taux de contamination que subira la population, mais je crois que monsieur Pearson a plus de détails que moi sur ce point.

— Exact! fait ce dernier. D'après les premiers relevés-satellite, il s'avère que l'exposition, à partir du point initial, est de l'ordre de 12 000 rœntgens, et nous pouvons dès à présent affirmer que dans un secteur s'étendant de la frontière libanaise au nord, de Tibériade à l'est et de Césarée au sud, les doses reçues peuvent aller jusqu'à 800 rœntgens. Il est établi qu'à 700 rœntgens le niveau de mortalité atteint cent pour cent, qu'à 400 le seuil est de cinquante pour cent, et ce pour des personnes n'ayant subi aucun autre traumatisme. Une exposition de 150 à 200 rœntgens se traduit encore par une grande diminution des mécanismes de défense, avec réactions cutanées, diarrhée, anémie. Ajoutez-y les risques d'épidémie, la famine, le manque d'eau potable et une totale désorganisation des services, et vous vous trouvez en face d'une mortalité extrême. Plus au sud, à Jérusalem, Tel Aviv, Jaffa ou Naplouse, au nord jusqu'à Saïda, au Liban, et à l'est jusqu'à Damas, les populations seront exposées à des doses plus ou moins importantes de strontium 90, qui s'apparente au calcium et suit sa destinée dans les os, à l'iode 131 qui se fixe dans la thyroïde, au césium 137 qui, lui, est analogue au potassium et touche pratiquement tous les organes; il y a aussi le ruthénium 106, le baryum 140, le tellure 132, le krypton 85. Bref, un tas d'éléments malsains dont les effets négatifs peuvent se prolonger pendant vingt ou trente ans dans l'organisme.»

Le Président redresse la tête:

«Quelle est exactement la situation d'Israël en quelques mots?

— Difficile à évaluer, reprend Mitchum. Mais si l'on prend une échelle de vitalité dont le chiffre cent représentait la situation israélienne il y a vingt-quatre heures, l'indice dans les jours qui viennent pourrait tomber à cinquante, peut-être même en dessous. Et je n'inclus pas dans ce calcul le fait que les Syriens pourraient profiter de l'occasion pour porter un coup fatal à l'État hébreu.

— Est-ce probable?»

Le secrétaire à la Défense répond avec assurance.

«En cas de confit généralisé, c'est même assuré.»

Le Président pousse un profond soupir et se tourne vers Charles Niles:

«Israël possède bien la bombe, d'après nos services?

— C'est exact, reconnaît le patron de la CIA. Ils pourraient s'en servir contre Damas si les Syriens montraient les dents.

— C'est l'effet d'entraînement qu'il faut absolument éviter.»

Chacun semble d'accord sur ce point. Le secrétaire d'État rappelle au Président qu'il doit prononcer une allocution télévisée.

«C'est vrai, Matt. Finissons de mettre au point le contenu de ce message.»

Il réfléchit quelques secondes en silence.

«Tout d'abord, dit-il, nous devons accuser formellement les Soviétiques, ensuite poser un ultimatum de réparation et faire comprendre à notre population que s'il n'est pas accepté nous devrons répliquer par la force. Pouvez-vous me faire quelques pages avec ça?

— Ça devrait être prêt dans une heure.

— Merci, et n'hésitez pas sur les mots à employer, je veux quelque chose de ferme.»

Le général Mitchum prend la parole à son tour:

— «Immédiatement après votre allocution, monsieur, je crois que vous devriez prendre place à bord du NEACP. Nous ignorons comment les Russes vont réagir.

— Je n'ai jamais beaucoup aimé cet avion, général. Il me semble que je vais avoir l'air du Führer s'enfermant dans son bunker, pendant que le monde s'écroule autour de lui.

— Cette idée ne viendra à personne, monsieur. Votre rôle est de veiller sur la nation qui vous a élu pour ça.

— Je sais, général, je sais.»

Il a un petit sourire:

«Au cinéma, j'ai toujours aimé les rôles où le leader prenait la tête de ses troupes pour les conduire au combat.»

Dave Fawcett et Harry Steelman, qui doivent l'accompagner

dans le *Presidential Doomsday Plane*, font signe qu'ils éprouvent les mêmes sentiments.

Depuis que la bombe a explosé à Haïfa, l'atmosphère du QG a radicalement changé. L'état de fébrilité a fait place à une angoisse sourde et profonde. Un mauvais rêve en noir et blanc dont le dormeur sait pertinemment que l'issue est fatale. Sans se l'expliquer, chacun se sait maintenant au point de non-retour, et ce qu'il adviendra a l'aspect blême de l'inconnu. Il leur semble se mouvoir dans l'irréalité et, pourtant, pour la plupart d'entre eux depuis des années, l'idée de la guerre fait partie du pain quotidien au milieu de la vie dite de tous les jours. Ce soir tout est différent. L'angoisse étend ses tentacules et ceux d'entre eux qui ont connu la Corée ou le Vietnam regrettent ces temps où la guerre ne pouvait avoir que deux issues bien connues: la victoire ou la défaite.

Rose Hataway fait signe au Président.

«Monsieur le Président, la conférence téléphonique est en place.»

Il la remercie et décroche son téléphone. En moins de vingt-quatre heures une ligne spéciale a été mise en fonction, permettant aux chefs d'État des pays de l'OTAN de communiquer entre eux. Il sont présentement tous en ligne, y compris le président français qui a été invité.

Les présentations sont brèves:

«Messieurs, nous devons prendre des décisions immédiatement!» fait le Président.

Le chancelier ouest-allemand se présente et s'adresse avec reproches à son vis-à-vis américain:

«Pourquoi n'avez-vous pas acheminé davantage de renforts? Nous ne contiendrons pas les forces du Pacte si vous n'en faites pas davantage.

— Vous les contiendrez, rétorque le Président. Et nous respecterons nos engagements officiels avec l'OTAN.

— Pourquoi alors tous ces mouvements dans le Pacifique?

— Les États-Unis font partie de l'OTAN, mais nous avons aussi d'autres alliances à respecter. Comme vous devez maintenant le savoir, nous avons de nouvelles ententes avec la Chine.

— Vous songez à ouvrir un front sibérien, n'est-ce pas?

— Je ne vous le cache pas. Nous croyons que cela obligera les Soviétiques à combattre sur deux fronts et les empêchera ainsi de mettre trop de pression sur l'Europe de l'Ouest. D'autre part, si le conflit éclate, il ne faut pas songer uniquement à les repousser, il faut les soumettre une fois pour toutes.»

Le président français se manifeste:

«Comment comptez-vous répliquer à ce qui vient de se produire à Haïfa?

— Juste avant l'explosion, j'ai fait savoir au Secrétaire général que je considèrerais toute atteinte à Israël au même titre que s'il s'agissait des États-Unis. Je suis donc dans l'obligation à présent de demander réparation sous forme d'ultimatum.

— Quelles réparations demanderez-vous?

— Visa immédiat pour tous les Juifs d'URSS qui désirent quitter ce pays. Assistance médicale et alimentaire totale pour Israël. Réparations financières. Excuses à la tribune des Nations unies. Retrait définitif, cette fois, des troupes soviétiques d'Afghanistan et, aussi, de Pologne et de Tchécoslovaquie. Arrêt définitif de toutes formes d'assistance militaire à Cuba, à la Libye et à la Syrie. Enfin, la tête du responsable de tout ce gâchis, afin qu'il soit jugé devant un tribunal international.

— Le premier responsable ne peut être que le Secrétaire général lui-même.

— Nous le savons, mais ils trouveront bien un bouc émissaire s'ils acceptent de répondre à l'ultimatum.

— Quels sont les termes de l'ultimatum?

— Douze heures pour la réponse, après quoi nous considèrerons qu'il s'agit de l'ouverture d'un conflit soviétique contre l'Occident.

— Ils n'accepteront jamais.

— J'en ai bien l'impression.»

Charles Niles, qui, de son côté est en conversation téléphonique avec la NSA, raccroche et vient parler à l'oreille du Président:

«D'autres clichés-satellite nous montrent à nouveau les chars fantômes des forêts de Thuringe qui s'alignent en position d'attaque. En outre, de vastes mouvements motorisés dans tous les secteurs.»

Le Président pose sa main sur le micro du téléphone.

«Ils n'ont pas traversé de frontières?

— Négatif, monsieur.»

Le Président reprend l'appareil.

«Il y a du nouveau, nos services de renseignements constatent de vastes mouvements derrière les lignes de l'OTAN.

— Je viens également de recevoir cette confirmation, fait le

438

chancelier ouest-allemand d'une voix tendue.

— Ils attendent de connaître notre réaction pour déclencher les hostilités. Je vous demande de vous joindre à l'ultimatum.»

Ils acceptent l'un après l'autre.

«Ce sont les dernières mesures politiques, fait le Président. En cas de refus, le SHAPE prendra les choses en mains.»

Il sait qu'à l'heure actuelle toutes les forces US sont sur pied d'alerte en Europe. Sitôt l'ultimatum expiré, les représailles commenceront. À moins que les forces du Pacte de Varsovie ne traversent les premières...

Il vient à peine de raccrocher quand l'image du Premier ministre israélien apparaît sur un écran mural. C'est une retransmission en direct acheminée par la NSA. L'homme a les traits ravagés, et pourtant le Président croit lire une farouche détermination dans son regard. Il hausse le volume de la console, et la voix grave – qu'un interprète traduit simultanément – emplit le silence qui, soudain, s'est installé dans la grande salle.

«Presque une voix d'outre-tombe», songe le Président.

«...Nous savons sans erreur possible que ce sont les dirigeants soviétiques qui, pour des causes encore inconnues, ont massacré nos frères. Aussi, en guise de vengeance et d'avertissement, j'invite les peuples du monde entier à se tourner vers la ville de Saratov ou, plus exactement, vers Balakovo, où quatre centrales nucléaires à technologie VVER sont en exploitation et produisent une puissance de quatre mille mégawatts.»

Le Premier ministre se penche pour prendre un objet hors du champ visuel de la caméra et le présente aux téléspectateurs. Ça ressemble à un walkie-talkie militaire. Il continue:

«Dans quelques instants j'appuierai sur ce bouton. Un signal sera transmis à un puissant émetteur qui le retransmettra à son tour vers une antenne, laquelle relaiera le signal jusqu'à Balakovo, provoquant la déflagration d'une bombe de trois mégatonnes, qui entraînera à son tour la destruction des centrales. J'ai dit que ceci était un avertissement, car j'ai le pouvoir immédiat (il prend une liste) de provoquer les mêmes destructions aux centrales de Bilibino, Kursk, Leningrad, Smolensk, Xola, Novovoronezh, Odessa et Iaroslavl. Si l'Union soviétique causait de nouveaux torts à Israël, toutes les centrales que je viens de mentionner sauteraient sur-le-champ. Je conseille également aux Soviétiques qui voudraient retrouver ces bombes de n'en rien faire. Elle sont toutes incorporées dans le béton et un second système de mise à feu est relié à un niveau. Le moindre déséquilibre entraînerait leur explosion.»

Il se tait un instant et reprend d'une voix plus grave encore:

«Maintenant j'agis ainsi pour venger la mort de mes frères. Israël ne mourra pas sans entraîner ses tortionnaires dans sa chute.»

Il appuie sur le bouton et l'émission s'interrompt sur l'hymne national.

«Merde!» lance Steelman.

Le Président se tourne vers Mitchum:

«Renseignements satellites, s'il vous plaît.»

Le général est déjà en contact avec Falcon AFB.

Le Président semble presque désorienté.

«Comment ont-ils pu faire ça?»

Niles lui répond:

«N'oublions pas qu'il y a plusieurs millions de Juifs en URSS; le Mossad aurait été imbécile de ne pas en tenir compte.

— Mais comment ont-ils pu passer du matériel nucléaire?

— Peut-être de la même manière que la cocaïne arrive en Floride.

— Vous croyez réellement qu'il y a des bombes dans toutes les centrales indiquées?

— En tout cas, c'est un bluff que je ne voudrais pas risquer, bien que je me demande quelle énergie commande le détonateur.»

Niles a fait apparaître renseignements et données cartographiques de Saratov sur son moniteur. Le Président se penche par-dessus son épaule:

«C'est sur la Volga?

— Oui, et les centrales en question sont refroidies à l'eau. Je ne voudrais pas me baigner dans la Volga dans les jours qui viennent.»

Le Président s'adresse à Steelman:

«Je ne peux plus poser d'ultimatum maintenant qu'Israël s'est vengé. Comment vont-ils réagir au Kremlin?

— Ils vont soutenir mordicus qu'ils ne sont pas responsables et se donner cette raison pour avancer sur l'Europe. De toute façon c'est ça qu'ils veulent. À votre place, j'ordonnerais immédiatement le bombardement de leurs bases, avant qu'ils ne bombardent les nôtres.

— On a toujours soutenu qu'il ne fallait pas attaquer les premiers.

— Ils ont commencé. Rappelez-vous que vous leur avez bien fait comprendre que vous considèreriez Israël comme s'il s'agissait du territoire américain.

— C'est vrai!»

Steelman change de sujet:

«Il faut reconnaître que ces Israéliens-là sont très forts. Ils ne se laissent pas marcher sur les pieds.

— Très forts», approuve le Président avec une pointe d'admiration dans la voix.

Ils entendent Mitchum qui hausse la voix au téléphone. Il fait signe au Président:

«Nous avons un *Big Bird* qui vient de passer au-dessus du site. Falcon confirme une explosion nucléaire.»

Joyeux, Dave Fawcett se lève:

«Portons un toast à Israël!»

Le Président le regarde froidement:

«Du calme, s'il vous plaît. Ce n'est pas un lancement *Apollo*, mais une déflagration qui a dû faire des milliers de victimes.

— Des Russes! fait Fawcett.

— Des êtres humains. Rien que des êtres humains.»

Puis, le Président prend une profonde inspiration avant de continuer:

«Messieurs! Nous attaquons tous azimuts! DEF CON UN, option SEPT.»

L'amiral Greenberg et les généraux Mitchum et Harlow se ruent vers leurs téléphones.

En quelques minutes, le message circule à travers toutes les unités de l'*Army,* de la *Navy* et de l'*Air Force.*

«Et c'est parti!» fait Steelman dans sa tête.

MER D'ARAL, R.S.S. DU KAZAKHSTAN

Le Secrétaire général est furieux: les derniers événements échappent à son contrôle. D'abord, l'impossibilité d'empêcher la destruction d'Haïfa et, maintenant, cet épouvantable chantage de la part d'un pays gros comme un pipi de chat, enfin le général Youdenitch, qui ne cesse de réclamer l'ordre d'attaquer.

«Ne nous laissons pas surprendre, supplie-t-il. Tout le monde est prêt.»

Le Secrétaire général est indécis. Il voulait commencer cette guerre avec le soutien moral international – indispensable selon lui – et c'est tout le contraire qui se produit.

Il se décide:

«Je sais combien cela nous coûte mais il faut faire marche arrière. Il ne servirait à rien de remporter des victoires si nous n'avions pas la faveur du prolétariat.»

Léon Kamenev, le ministre des Finances, est sceptique:

«Nous avons beaucoup investi pour déstabiliser leurs économies. Si nous faisons marche arrière, nous aurons des problèmes financiers.

— Là aussi, nous avons commis une erreur. La plupart des gouvernements ont réagi avec une célérité incroyable et ont pu éviter le fiasco économique que nous attendions. Cela dit, je crois que nous pouvons survivre sans devises étrangères.

— Militairement, ce n'est pas certain. Il nous faut continuer à acheter leur technologie. Un retard de plus de douze mois serait catastrophique au point de vue stratégique.»

Youdenitch les interrompt de nouveau:

«Donnez l'ordre, camarade Secrétaire général, sinon ce sont eux qui vont le faire.

— Non! Je ne suis pas décidé. Avez-vous pensé à Israël? S'il leur vient à l'idée de poursuivre ce qu'ils ont commencé? Ils viennent de nous infliger une preuve sérieuse de ce qu'ils peuvent faire. Nous pouvons les anéantir mais ils sont capables de polluer gravement une grande partie de notre territoire pour des années.»

Youdenitch n'est pas convaincu:

«Je n'en crois rien!

— Si vous êtes prêt à prendre le pari, moi pas! Je vous signale que les premiers rapports de Balakovo indiquent, outre les milliers de victimes, que les eaux de la Volga vont atteindre un niveau de radioactivité intolérable et, également, que le nuage de poussières qui s'élève est d'une importance jamais vue. Rappelez-vous Tchernobyl, où un seul réacteur était en cause; il ne fonctionnait qu'à sept pour cent de sa puissance et ce réacteur n'a jamais atteint le degré de fusion. Aujourd'hui, les experts nous affirment qu'au moins deux réacteurs vont fusionner si ce n'est pas déjà fait. Il n'y a plus personne sur place pour éteindre les incendies, et pour cause: nous sommes totalement impuissants devant cette catastrophe.»

Boris Korotkov, du comité d'État au Plan, fait des calculs sur son ordinateur. Il relève la tête et s'adresse au Secrétaire général:

«Je viens de calculer que, pour cette seule explosion, la surface inhabitable sera de l'ordre de trente mille kilomètres carrés dans la direction des vents dominants. D'autre part, toutes les agglomérations qui bordent la Volga et le Don, en aval de Saratov, vont avoir de sérieux problèmes d'approvisionnement en eau potable jusqu'à Rostov-sur-le-Don, en passant par Volgograd, et rien ne dit ce qui va se passer ensuite dans la mer Noire ni dans la Caspienne.»

Le Secrétaire général prend sa décision et en informe les membres du Politburo:

«Je vais communiquer avec le Cowboy (c'est ainsi qu'il appelle le Président américain) pour lui faire part de notre volonté de paix.»

Le colonel Boulkine est absolument contre, mais depuis le désastre d'Haïfa il ne veut pas trop se faire remarquer, même si en sa qualité de chef du KGB, personne ne peut grand-chose contre lui à ce moment. Il convoite toujours le poste suprême.

Personne ne contredit le Secrétaire général et Youdenitch se tait. La politique a décidé.

Le ministre de la Défense Yakkov, en contact permanent avec le GRU, reçoit une alerte du front central. Son interlocuteur semble sur le gril:

«Vagues de bombardiers en approche confirmée.
— Importance?
— Considérable. Oh! nous recevons confirmation des agents clandestins à l'Ouest. Ça décolle de partout.
— Riposte immédiate!»

Il change de ligne et se met en communication avec le haut commandement du GFSC:

«Ne quittez pas, camarade général», dit-il, une fois le général Samoroukov en ligne.

Le Secrétaire général le regarde avec étonnement.

«Que se passe-t-il, camarade?

— L'OTAN passe à l'action!

— Quoi? Où?

— Sur le front central, camarade Secrétaire général. Bombardiers en approche.»

Le Numéro un soviétique paraît abasourdi:

«Eh bien, nous n'avons plus le choix, feu vert.»

Tout va de travers; jamais il n'avait imaginé que l'Ouest pût prendre les devants.

«Vous êtes là? demande Yakkov à Samoroukov.

— Je vous écoute?

— Ordre de passer à l'action. Phase un de la *Rodina nouvelle*.

— Bien compris!»

FULDA, R.F.A.

«Putain! ça va barder!»

Le sergent Ashton Carter, le nez vers le ciel, écoute plus qu'il ne voit les vagues d'avions qui fracassent le silence de la nuit. Il a passé l'après-midi à se la couler douce à l'infirmerie, ayant soutenu au médecin-major que les antibiotiques avaient parfois des effets bizarres sur lui. En fait, les seuls désagréments ont été la piqûre – il déteste ça – et le prélèvement intra-pénien fait avec une fine pipette métallique. Il n'a pas particulièrement apprécié que ce soit un infirmier qui s'en occupe.

«Merde alors! y a pourtant des infirmières ici! Bousille rien! Fais gaffe!»

Dans la soirée, tout a changé; tous les tire-au-flanc ont dû évacuer l'infirmerie et regagner leurs assignations. Depuis plus de deux heures, Carter fait aligner les *sorcières* sur le terrain. C'est ainsi que les hommes ont surnommé les petits avions du Nevada. Un capitaine vient de lui remettre un émetteur.

«Ce sera bientôt à vous, sergent. Allez enfiler votre tenue NBC.»

Carter ne réprime pas une grimace.

«J'étouffe dans cette saloperie.

— Si vous voulez crever c'est votre affaire, mais en attendant l'Oncle Sam a besoin de tout son monde.

— C'est parti pour le grand jeu, n'est-ce pas, mon capitaine?

— Il faut bien donner raison à ceux qui soutiennent que nous gagnons honorablement notre vie.»

L'officier le quitte et va distribuer d'autres émetteurs. Trois minutes plus tard, caparaçonné dans sa tenue de combat *British Mark 3*, Ashton Carter fait décoller sa première *sorcière*:

«178 432, c'est envoyé!»

Il examine avec curiosité le premier engin qui accélère rapidement et pique vers le ciel. Derrière son masque, un sourire éclaire son visage.

«Un vrai jeu, se dit-il. J'ai toujours rêvé d'avoir un avion téléguidé quand j'étais môme. C'est le pied!»

De toutes les bases avancées, des *sorcières* s'élancent à intervalles de quinze secondes en direction de l'est.

THURINGE, R.D.A.

Les *sorcières* tombent de partout. La 6ᵉ division de la Première armée de chars de la Garde a quitté les sous-bois et avance en éventail à pleine vitesse, en laissant une marge de deux cents mètres entre chaque char. Dans son BMP, le lieutenant responsable de cette division observe au périscope la moitié de ses véhicules cloués sur place. En flammes.

«Qu'est-ce que c'est que ce bordel!»

Il appelle le poste de commandement:

«Je ne sais pas ce que c'est! hurle-t-il dans le micro. Des petits zincs qui nous tombent dessus sans jamais manquer leur cible.

— Tenez bon, on vous envoie une couverture aérienne.

— Parlons-en! J'avais dix *Paysan* en couverture. Tous descendus.»

Une explosion retentit avec violence à l'intérieur du BMP. Le lieutenant constate que le T-80 qui l'escortait n'est plus qu'un tas de ferrailles en feu.

«C'est l'abattoir! gémit-il dans son micro. Et on n'a pas encore rencontré l'ennemi...

— Patience, lieutenant. On commence à les arroser.»

Depuis une minute, un feu nourri zèbre le ciel nocturne au-dessus de la division.

À quelques centaines de mètres du lieutenant, Nikolaï Sologdine aux commandes de son T-72, tête rentrée dans les épaules, s'attend à être foudroyé d'un instant à l'autre. Il n'ose penser à rien, se contentant d'aller droit devant.

Les obus ont commencé à tomber sur la caserne au moment où les chars se mettaient en formation. Des obus à charge chimique. Épouvanté, Nikolaï a vu courir en tous sens les hommes, nombreux, qui n'avaient pas encore revêtu leur tenue de protection. Il savait que pour ceux-là c'était fini.

Canons et missiles antiaériens avaient bien abattu de nombreux appareils, mais le mal était fait.

Comme dans un rêve, Nikolaï entend son canonnier annoncer un M-1 *Abrams* émergeant du haut d'une crête.

«Objectif char à une heure!

— Feu!» s'entend hurler Nikolaï.

446

Le canonnier braque son réticule de visée sur le M-1 et envoie un mince faisceau laser afin de définir la distance.

«718 mètres!»

L'unité de calcul de tir établit les coordonnées, le canonnier pointe l'objectif dans son viseur et le servant presse la détente.

En moins d'une seconde, le projectile de 125 mm heurte de plein fouet la tourelle de l'*Abrams,* qui a amorcé un mouvement zigzagant mais trop tard. Il est décapité.

D'autres *Abrams* surgissent à droite et à gauche. L'un d'eux désintègre un T-80 avant d'être lui-même la cible d'un missile guidé depuis le sol. À cause du système de vision nocturne, tout se déroule en rouge et noir, ce qui accentue le sentiment d'irréalité éprouvé par bien des hommes, dont Nikolaï.

«Objectif char à trois heures!»

Le même scénario recommence mais ils doivent l'interrompre pour échapper à un canon qui vient de les braquer sur la gauche. Une nouvelle vague d'hélicoptères MI-24 apparaît, trois *Abrams* sont touchés par des roquettes de 57 mm. Du côté américain, deux M-113 APC équipés du système ADATS (*Air Defense Antitank System*) *Marietta/Œrlikon* prennent en charge les *Paysan* et en descendent six avant d'être détruits à leur tour. Le combat aérien se poursuit avec des *Apache* AH-64.

Il semble à Nikolaï que la planète n'est plus qu'un vaste maëlstrom de feu et de bruit.

Haut dans le ciel, un *Aquila* RPV de détection transmet les coordonnées des chars soviétiques à une batterie de *Stinger* cachés derrière la crête. À deux cents mètres de Nikolaï, un T-72 explose.

Le lieutenant dans le BMP ordonne un repli stratégique. Le commissaire politique installé à ses côtés refuse:

«Ils doivent passer, dit-il froidement.

— Bon sang! il n'en restera plus.

— Ils doivent passer, c'est impératif. Pas question de reculer.

— Comme vous voudrez.»

Il donne le contrordre.

«Saloperie de merde! s'emporte Nikolaï. Ils ne nous laisseront pas refaire nos forces. C'est le massacre.»

Il s'adresse au canonnier:

«C'était comme ça dans ton bouquin?

— Beaucoup moins vivant.»

Dans un fracas épouvantable, trois A-6 *Intruder* survolent le terrain à basse altitude pour lâcher des chapelets de mines ERAM autour des colonnes de renfort. Les mines, au moyen de trois petites antennes, détectent leurs cibles, calculent les coordonnées et expédient le projectile de destruction.

Nikolaï continue d'avancer, quand ce qui ne doit jamais se produire se produit: le moteur du T-72 cale.

«Démarre, vieille salope!» hurle-t-il, actionnant le démarreur en vain.

«Tirons-nous de cette tombe!» lance un des occupants.

Le canonnier d'un *Abrams* voit cinq rouges s'éjecter de leur char. Quaker et pacifique, il les laisse filer avant de l'anéantir.

À l'extérieur, les fusées éclairantes illuminent le champ de bataille comme en plein jour. Nikolaï est persuadé que le bruit décuplé des explosions et la lueur insoutenable des éclairs de feu vont le rendre fou.

«C'est l'enfer! pense-t-il. Qu'est-ce que je fais ici?»

«Replions-nous à l'arrière», beugle le servant.

Le canonnier le retient:

«Tu veux te faire descendre par les *tchekistas*?

— Qu'est-ce qu'on fait alors?»

Comme s'il était soudain devenu fou, le canonnier plante ses deux fesses à terre:

«J'attends ici et je regarde. C'est pas tous les jours qu'on a des spectacles de cette envergure.

— Tu vas te faire descendre!

— Pas plus ici qu'ailleurs.»

Une petite escouade de fantassins de la VIIe US les remarque sans armes, s'approche et les encercle.

«Rendez-vous, bande de trous de cul!»

Les cinq Soviétiques lèvent les bras.

«Qu'est-ce qu'on en fait?» demande un caporal, avec l'accent du Bronx, à son sergent.

Ce dernier hausse les épaules:

«J'imagine qu'il faut les faire prisonniers.»

Le caporal roule des épaules, content: il pourra raconter à Debbie qu'il a capturé cinq diables rouges au beau milieu du champ de bataille. Ça lui en mettra plein la vue.

«Allons-y, bande de couilles sèches, la guerre est terminée pour vous autres.»

Un obus tombe à une vingtaine de mètres, forçant tout le monde à se jeter à terre. Le canonnier veut profiter de l'occasion pour s'enfuir, mais une rafale l'atteint dans le dos.

«Vous êtes mes prisonniers! hurle le caporal. Le prochain qui fait semblant de se tirer, je lui fais bouffer le zob par son copain. O.K.?

— Ils comprennent pas, dit le sergent.

— Ils ont qu'à parler comme du monde civilisé.»

Un T-80 approche à environ trois cents mètres. Un fantassin qui porte un lance-missiles *Eryx* l'épaule et décoche son tir. Trois secondes plus tard, la tourelle du char monte à cinq mètres en l'air.

«En plein dans le cul!» s'égosille le caporal du Bronx.

Trois fantassins russes qui se tiennent de l'autre côté de l'épave ouvrent le feu en direction des Américains. Une nouvelle fois, tout le monde se jette à terre sauf le caporal du Bronx, qui s'écroule, le haut de la calotte crânienne arraché.

Étendu de tout son long, le nez dans l'herbe humide, Nikolaï ne veut plus bouger; que personne ne s'occupe de lui. Les balles sifflent de part et d'autre et il s'attend à en recevoir une d'une seconde à l'autre. Interdit, il entend soudain s'approcher une musique tonitruante aux accords sauvages en même temps que le *tacatacatac* d'une mitrailleuse montée. Il aperçoit deux de ses compatriotes s'écrouler et le troisième s'enfuir. Il se détourne dans la direction de la musique et n'en croit pas ses yeux: Une jeep occupée par trois géants noirs se tient derrière eux. La musique provient d'un haut-parleur monté sur le cadre du pare-brise.

«Ça va? demande l'un des Noirs au sergent.

— Au poil! merci pour le coup de main. Chouette votre musique.

— Ça donne du nerf. Ça et une petite sniffée de temps en temps, et rien nous empêchera d'atteindre la Place Rouge. Salut.

— À charge de revanche.»

Toujours aussi surpris, Nikolaï voit la jeep repartir en zigzaguant à travers les épaves calcinées. L'un des Noirs tire dans tous les sens en brandissant un poing au ciel; son compagnon – celui qui ne conduit pas – marque le rythme avec son corps et tape des mains.

«Ceux-là vont mourir en musique», fait le sergent.

Nikolaï ferme les yeux, certain que s'il survit il emportera cette image pour la vie: trois Noirs souriant de toutes leurs dents éclatantes, semant la mort au milieu de la mort, sous un ciel déchaîné, et claquant des mains au son d'une musique démentielle.

La musique se rapproche de nouveau, il rouvre les yeux. La jeep revient.

«C'est vos prisonniers ça? demande le conducteur au sergent.

— Ouais, pourquoi?

— Donnez-nous en un, s'il vous plaît.

— Pourquoi?

— Les rouges hésiteront à tirer sur nous en le voyant, assez longtemps pour que nous tirions les premiers.»

Il éclate d'un rire sonore.

«Je sais pas si c'est régulier? fait le sergent.

— Ben merde! c'est régulier tout ça?»

Le noir désigne le chaos environnant.

«O.K.! prenez-en un mais fermez vos gueules. Vous l'aurez capturé vous-mêmes.»

Du canon de son PM, le sergent pousse Nikolaï vers la jeep.

Ils lui attachent les mains à la barre d'acier qui ceinture l'arrière du véhicule à hauteur d'homme. Nikolaï ne comprend rien à ce qu'ils disent ni à ce qu'ils veulent.

«T'en fais pas, popoff, lui dit le conducteur. Tu vas avoir de la musique. Tina Turner, tu aimes ça?»

Dans un roulement de batterie, la jeep repart sur les chapeaux de roues.

«Yaouh!» pousse le mitrailleur.

La jeep dévale une pente et s'aligne vers deux T-72 entre lesquels courent des fantassins. Le *tacatacatac* reprend, fauchant trois hommes, puis la jeep bifurque brusquement pour aller chercher d'autres cibles humaines plus loin.

Nikolaï ne comprend plus ce qu'il ressent. Ce n'est pas de la peur mais plutôt une détresse curieusement teintée d'exaltation. Il vit en pleine folie et commence à entrevoir les charmes de la violence à l'état brut. Il n'a jamais cru en arriver là. Il regarde le danseur qui apparemment n'a jamais été aussi heureux de sa vie.

Est-ce tout ce qu'il faut à l'homme? Une averse de bombes et de missiles, le *tacatacatac* des mitrailleuses, le tonnerre des avions, le miaulement des chenilles, le fracas du métal se tordant, le *tchouic-tchouictchouic* des rotors, les lumières folles déchirant la nuit, et le rythme des guitares, batteries et saxos sous la voix chaude et rauque d'une chanteuse qui donne ses tripes? Et la clameur hurlante de ceux qui saluent la vie une dernière fois.

All I want is a little reaction
Just enough to tip the scales
I'm just using my female attraction
On a typical male, on a typical male.

Malgré toute sa raison qui dit non, il se rend compte que la guerre exerce un puissant pouvoir d'attraction. Comme la fille ingénue qui va briser un ménage mais à laquelle on ne peut résister, ou la fille exotique dont on ne sait si, au cours de la moite étreinte elle ne vous refilera pas quelques microbes increvables, mais on s'en fout.

Rejetant toutes pensées logiques, Nikolaï se met à taper du pied.

«Va te faire foutre, la mort! Je vis, connasse!»

Dans une gerbe aveuglante, un hélicoptère *Apache* s'écrase à trois cents mètres devant la jeep. Un T-72, qui vient de décapiter un M-60, est soulevé de terre par l'impact d'un missile, guidé par fibre optique, tiré de l'arrière.

Le mitrailleur abat quatre hommes surgissant des abords d'un BMP tordu et abandonné.

«On retourne à l'arrière chercher du carburant, fait le conducteur.

— Merde! on s'amusait bien.

— Panique pas, ça ne fait que commencer. Gaffe! deux popoffs à trois heures.

— Vu!»

Tacatacatac.

Nikolaï sent soudain son estomac se révulser. L'exaltation est passée, toute l'horreur resurgit, plus implacable encore. Il se penche pour vomir mais ne peut éviter d'éclabousser ses bottes.

«Sont pas solides ces cocos-là», fait le danseur, plissant le nez.

«Offre-lui une sniffée, ça va peut-être le remettre d'aplomb.

— Il aime peut-être pas qu'on bute ses copains?

— Y a vraiment des rabat-joie partout.»

FRANCFORT-SUR-LE-MAIN, R.F.A.

Bessie King n'a pas fermé l'œil dans l'avion: aussi la première chose qui importait, en arrivant à Francfort, était-elle de prendre deux chambres au *Savoy*.

«Dormez tant que vous voudrez, a dit Heidegger. Nous ne quitterons Francfort que demain. J'ai plusieurs affaires à régler en ville.»

Elle s'est endormie vers onze heures, après avoir longuement observé la ville à travers la baie panoramique de sa chambre. Ses premières impressions sont mitigées. Ne s'attendant pas au choc culturel, elle a eu l'impression d'arriver sur une autre planète. Il y a des tours à bureaux, de larges avenues, du *Coca Cola,* des hot dogs, des clochards et des limousines, mais tout est différent. L'atmosphère surtout. Est-ce la vue de certaines vieilles bâtisses? Elle n'en est pas certaine. Sa première réaction en traversant la ville pour arriver à l'hôtel fut de se sentir projetée à l'intérieur d'une gigantesque chaîne de montage, froide, bien huilée et bien organisée. Froid, c'est bien cela qui caractérise sa première impression. Ressentant le besoin de compagnie, elle a allumé le poste de télévision de sa chambre pour aussitôt se trouver confrontée à une langue où elle ne discerne que des sons gutturaux. Deux heures après son arrivée, elle a décidé qu'elle regrettait d'être venue et qu'elle ne prolongerait pas son séjour en Allemagne au-delà de son engagement initial.

Vingt heures. Elle se réveille et constate avec plaisir que le sommeil a eu pour effet d'adoucir le sentiment de séparation qu'elle avait éprouvé avec force lors de son premier contact avec la ville. Elle se rappelle que rien ne vaut le sommeil pour se mettre en harmonie avec une place nouvelle. Sous la douche, elle y va même d'une chanson. Elle a faim et décide de s'habiller pour aller au restaurant. Elle opte pour un tailleur bleu nuit très strict à collerette blanche, pose sur sa tête un large chapeau blanc et juge de l'effet obtenu dans le miroir de l'entrée:

«C'est pas si mal!»

Elle appelle la chambre de Heidegger, sans réponse. Il doit être allé manger ou bien il n'est pas rentré. Elle décide de partir seule en exploration.

Dans le hall, elle remarque immédiatement que quelque chose ne va pas. Tous les visages croisés sont sombres et inquiets. N'y tenant plus, elle va se renseigner au comptoir de réception où une femme – le vrai type germanique selon les critères de Bessie – l'accueille avec un sourire triste.

«Quelque chose ne va pas? s'informe Bessie.

— Vous ne savez pas?»

Le ton de la réceptionniste marque la surprise et contient presque une pointe de reproche.

«Que devrais-je savoir?

— Une tragédie vient de se produire en Israël.»

Sur le coup, Bessie pense que les Allemands prennent les événements internationaux beaucoup plus à cœur que ses compatriotes.

«C'est grave?

— Une bombe atomique, madame.

— Hein! Qui a fait ça?

— Tout laisse supposer que ce sont les Soviétiques.

— Mon Dieu!

— Toutes les armées sont en état d'alerte. Puis-je quelque chose pour vous?»

Le regard dans le vague, Bessie ne répond pas immédiatement.

«Madame?

— Oui? Oh! non, rien, merci.»

Comme un automate, Bessie traverse le hall et sort dans la rue. L'air est frais et la circulation clairsemée. Elle se rappelle le pressentiment qu'elle a eu juste avant de quitter le sol des États-Unis.

«Il faut que je retourne à la maison», se dit-elle tout haut.

Cette rue inconnue lui paraît hostile. Un irrépressible besoin de fuir s'empare d'elle.

«Le consulat! se dit-elle. Il faut que je trouve le consulat, ils me rapatrieront. Je ne veux pas rester ici.»

Elle arrête un homme entre deux âges, vêtu d'une gabardine de lainage vert bouteille, qui marche d'un pas pressé vers la gare centrale.

«Où se trouve le consulat américain, s'il vous plaît?»

L'homme s'excuse avec un sourire crispé:

«*No speak English.*»

Elle le remercie quand même et retourne vers l'hôtel. Heidegger fait les cent pas dans le hall.

«Je viens juste d'appeler votre chambre, dit-il. Je me demandais où vous trouver.

— Vous savez pour Israël?»

Il fait un signe affirmatif:

«C'est surtout pour cette raison que je vous cherchais. Le gouvernement vient de décréter la mobilisation générale. Je crois savoir que votre pays a lancé une offensive en direction de la RDA.

— C'est loin?

— Un peu plus de cent kilomètres.

— Oh! Seigneur!

— Que voulez-vous faire?

— Les Russes peuvent arriver d'un moment à l'autre, n'est-ce pas?

— Ce n'est pas impossible, mais il faut espérer que tout va se tasser ou que les troupes de l'OTAN les arrêteront.»

Elle a un frisson incontrôlable:

«Ce qui m'inquiète, ce n'est pas tant les Russes que les bombes.»

Il se veut rassurant:

«Ils ne s'en serviront pas.

— Comment pouvez-vous l'affirmer?

— Ce serait du suicide, personne n'a envie de se suicider.

— Ils s'en sont pourtant servis en Israël, pourquoi pas ici?

— Si vous voulez repartir, je ne m'y oppose pas: de toute façon, si les choses évoluent, je crois que mon établissement ne pourra rester ouvert. Je dois cependant vous prévenir que tous les jets ont été réquisitionnés par les militaires.

— Ils doivent bien évacuer les civils?

— Je l'ignore.»

Bessie avise un petit groupe de touristes, sûrement des retraités, dont tout en eux trahit l'origine outre-atlantique. Elle s'approche:

«Excusez-moi, êtes-vous Américains?»

Un homme à la corpulence bovine, au visage joufflu et rubicond surmonté d'une haute calvitie, lui répond d'un ton sec et hautain:

«De vrais Américains, oui! Je me présente: Robert C. Jones, *Grand Dragon of North Carolina, United Klans of America.*»

Il regarde Bessie avec une franche attitude de dégoût. Elle sent monter en elle une vieille colère qu'elle connaît bien et réplique:

«Si vous êtes venus serrer la main d'Adolph, c'est trop tard, il est mort depuis longtemps.»

Robert C. Jones ne se laisse pas démonter:

«Je crois qu'il aurait aimé cette journée.

454

— Pauvre con.»

Sans attendre de réponse à son insulte, elle fait demi-tour et quitte le groupe.

«Retire immédiatement tes paroles, négresse!» s'exclame-t-il dans son dos.

Elle se retourne furieuse:

«Nous ne sommes pas sur un négrier comme il y a deux siècles, vieux machin. Alors, si tu ne veux pas que je t'arrache les pruneaux ramollis qui te servent de testicules, ferme-la!»

Heidegger, qui a suivi toute la scène, ne peut s'empêcher de rire.

«Vous ne comptez tout de même pas lui faire un bâtard? persifle Jones.

— C'est déjà fait, cher monsieur. Trois merveilleux enfants du plus beau café au lait, dont l'un ou l'autre deviendra certainement président des États-Unis.

— C'est une honte!

— Je ne puis que mettre vos paroles sur le compte d'une frustration. Vous comparez très certainement mon épouse à ce pudding vivant et revêche qui vous accompagne.»

Jones s'empourpre totalement et perd son souffle. Bessie éclate de rire à son tour et entraîne Heidegger par le bras.

«Tout compte fait, dit-elle, je crois que je vais aller chanter chez vous. Guerre ou pas, les soldats auront besoin de détente.»

Ils se dirigent vers le restaurant, accompagnés par les glapissements de l'épouse qui pousse son mari à la réparation. Au duel.

«Robert! vous n'allez pas laisser cette guenon et ce pervers m'insulter ainsi! L'outrage demande réparation. Robert!»

Deux heures plus tard, le gouvernement de Bonn proclame une loi d'urgence: à moins de danger immédiat, et pour éviter toute panique, tous les civils sont consignés sur place.

Bessie ne comprend rien à ce qui se dit à la radio. Allongée sur son lit, les yeux grands ouverts dans l'obscurité, elle finit une flasque de bourbon *Four Roses*. Elle est persuadée, maintenant, de ne plus revoir son pays.

Ils ignorent tout de ce qui se passe sur le reste de la planète.

La nuit est tombée depuis longtemps lorsque le second hélicoptère qui les a embarqués à Pointe Barrow les dépose sur la banquise dans un nuage de neige fine. David Cussler et les deux Inuit s'ébrouent quelques instants avant de commencer le déchargement.

L'équipement est placé au fur et à mesure dans les traînes et les deux cylindres d'aluminium que David a fini par appeler des bombes.

Il ne peut s'empêcher de penser que le spectacle qu'ils offrent doit avoir quelque chose de fantastique.

Ils aident ensuite le pilote à décharger deux barils de carburant et se relaient pour activer la pompe manuelle en vue de refaire le plein de l'hélicoptère. Une fois tout terminé, ils se serrent la main.

«Je ne vous envie pas, grimace le pilote. Bonne chance quand même.»

L'hélicoptère prend de l'altitude et, avec lui, ses lumières. David doit attendre quelques instants avant que ses yeux ne s'accoutument à l'obscurité qui n'est que toute relative, car la glace reflète la lumière des astres et de la lune. Suffisamment pour qu'il soit possible de distinguer la surface du pack et les blocs de glace qui pointent vers les étoiles leurs masses déchiquetées.

Mamayak et Angatkoq soulèvent les traînes pour appliquer rapidement sur les patins une épaisse couche de boue qu'ils tirent d'un seau de cinq gallons en plastique. Servant à protéger les patins, cette boue, qu'ils appellent *sermeq*, gèle immédiatement et il ne leur reste plus qu'à passer un rabot dans le sens de la longueur afin d'offrir une surface lisse. David fignole l'ouvrage en frottant le tout avec un fin papier sablé.

Tout est prêt et Mamayak attelle les chiens.

«Nous marcherons deux heures avant de nous arrêter, histoire de voir comment ça va.»

Les fouets claquent en chœur à quelques centimètres au-dessus de la tête des chiens; un cri, et le convoi s'ébranle rapidement en serpentant à travers les récifs de glace. Les trois hommes avancent dans une foulée légère. Après quelques minutes, David s'aperçoit que les Inuit ont plus d'entraînement que lui pour ce genre de sport et, quarante minutes plus tard, il est totalement essoufflé. Mamayak s'en rend compte et lui envoie un large sourire un peu railleur.

«Monte sur une traîne, tu dois reprendre ton souffle.» Sachant inutile et vain de vouloir faire montre d'un orgueil qui n'est pas de mise, David saute à califourchon sur l'un des cylindres.

Assis sur ce semblant de promontoire, il savoure pleinement cette étrange chevauchée à travers l'océan glacial. Il croit brusquement comprendre ce qui a pu retenir les Esquimaux dans ces solitudes glacées. La même chose, certainement, qui retient les nomades dans le désert: le défi, le goût de se dépasser, de vaincre l'environnement, de se mesurer à la solitude, au grand Mystère. Les mêmes sentiments qui l'attirent, lui, vers le cosmos.

Comme les en a prévenus Mamayak, ils s'arrêtent au bout de deux heures. Le froid est assez vif mais, par chance, il n'y a pas trop de vent. Les seules précautions à prendre sont de ne pas transpirer et de garder sur sa bouche un fin foulard, afin de protéger les bronches du froid.

Mamayak sort un réchaud au propane et trois sacs d'aliments déshydratés.

«Il n'y a pas si longtemps, dit-il, nous mangions encore cru. Je crois que c'était plus énergétique.

— Que préfères-tu au goût?» demande David.

Mamayak esquisse une grimace et, sans répondre, il va chercher un récipient de plastique. Il l'ouvre devant David:

«C'est le dessert.»

Empilés jusqu'au bord du récipient, des morceaux blancs et cubiques ont vaguement l'apparence du lard salé.

«Du phoque barbu, c'est plein d'énergie. Goûte!»

David en prend un morceau et le retourne sous tous les angles avant de se décider à y mordre.

«Encore heureux que ce ne soit pas de la confiture du Labrador», pense-t-il.

Autrefois, pour composer ce mets unique, les nomades du Nord prenaient une panse de caribou bien pleine et la laissaient mûrir au soleil pendant plusieurs jours, au bout desquels le contenu de la panse prenait la consistance de la confiture et un fumet bien particulier. Il suffisait ensuite de s'en enduire les doigts et de se régaler.

Mamayak est beaucoup plus volubile que chez lui. Il parle du passé:

«Quand venait l'époque de la chasse, les hommes se levaient tôt pour aller attendre le moment où les baleines entraient à l'intérieur des bancs de sable. Dès qu'elles étaient signalées, des flottilles de kayaks partaient vers le large. Face aux baleines, les embarcations avançaient de front et les hommes criaient en frappant l'eau avec les pagaies pour effrayer les bélugas qui, cherchant à s'enfuir, allaient s'échouer sur les bancs de sable. C'est à ce moment que le plus ancien avait l'honneur de porter le premier coup de harpon, signal que la tuerie pouvait commencer. Je n'étais alors qu'un enfant mais je n'oublierai jamais ces jaillissements d'écume et de sang provoqués par la fureur et les spasmes d'agonie des baleines, ni non plus ces mêlées d'hommes et de kayaks. Le soir, les femmes en faisaient rôtir des morceaux sur la pierre chaude et nous faisions un grand festin. À cette époque il ne restait déjà plus beaucoup de bélugas. Du temps de mon grand-père, il pouvait arriver que des centaines de ces animaux viennent s'échouer sur la grève au cours d'une même chasse.

— Du temps de mes ancêtres, c'était le bison, fait David. Aujourd'hui, la prairie a été civilisée, il ne reste plus rien de tout ça.

— Tu dis cela avec une pointe de nostalgie?»

David hausse les épaules.

«Je n'ai pas connu cette époque. Je crois que les historiens l'ont rendue plus romantique qu'elle n'était.

— Chaque espèce prospère aux dépens des autres. Personne, hormis quelques louches individus, ne pleure aujourd'hui l'extinction des dinosaures. Dans mille ans, et dans le fond c'est tragique, plus personne ne pleurera la disparition des bélugas. J'imagine que dans la prairie l'homme et le bison ne pouvaient cohabiter, il y avait un choix à faire. À moins que l'homme n'ait été trop stupide pour comprendre qu'il fallait mieux gérer le bison des plaines plutôt que d'y installer des vaches et des clôtures.

— À l'époque des bisons et des bélugas nous nous serions certainement entretués en nous rencontrant.»

Angatkoq rit.

«C'est vrai qu'à cette époque nos ancêtres raffolaient de vos scalps. Ils s'en servaient pour se grimer durant les fêtes. Je crois que les Inuit méprisaient un peu les Indiens parce qu'ils avaient la vie facile par rapport à eux. Ils avaient tout le bois qu'ils désiraient, alors que nous ne pouvions compter que sur les animaux pour nous nourrir, nous chauffer et nous habiller.»

Mamayak lève la tête au ciel.

«Aujourd'hui c'est autre chose, nous allons chez les Russes parce que quelqu'un a décrété qu'ils sont nos ennemis.

— Il a fallu, aussi, que quelqu'un décrète la même chose chez eux. Qui?»

La température est descendue de quelques degrés. Ils décident que la journée a été assez longue et qu'un somme leur fera le plus grand bien. Les deux Inuit s'installent dans l'un des cylindres d'aluminium et David dans l'autre.

À l'intérieur, l'obscurité est totale. Bien au chaud dans son sac de couchage rembourré de duvet d'oie, David a l'impression de se trouver dans un cocon. Étrangement, il ne s'est jamais senti autant en sécurité. À l'abri dans son tube, le froid et la solitude peuvent sévir, il se sent aussi bien protégé que s'il était encore dans le ventre de sa mère.

Juste avant de s'endormir, il essaye d'imaginer Wrangel qu'ils atteindront sûrement le lendemain. Dehors, un chien hurle vers le ciel et les autres l'imitent. Qu'est-ce qui peut bien se passer dans leurs têtes?

FLEUVE AMAZONE, BRÉSIL

En apprenant la catastrophe d'Haïfa, Isaac Reeves Helmann a tout de suite demandé à son capitaine de mettre le cap sur Belem.

«Capitaine, je crois que ça va péter dans tous les sens. Nous allons à Belem. Je m'occupe d'y avoir un avion pour notre arrivée, car je dois être à Rio au plus vite. Vous suivrez avec le yacht.»

Le yacht profile sa coque immaculée sur le bras sud de l'embouchure. Le jour vient à peine d'éclore, teintant le ciel laiteux de longues traînées sanglantes. Accoudé au bastingage tribord, Helmann observe d'un regard détaché l'île de Marajo. La nuit n'a apporté que très peu de fraîcheur, l'atmosphère est moite et il transpire abondamment.

La tragédie d'Haïfa l'a amené à faire son auto-analyse, chose qui ne lui arrive que très rarement, pour ne pas dire jamais. Il s'étonne de ne rien ressentir de particulier face aux événements qui viennent de frapper le monde. Il analyse froidement les faits, sans plus.

«Suis-je un monstre? Je devrais souffrir, mais non, rien.»

De tout temps, il s'est félicité des jugements qu'il porte sur autrui; maintenant qu'il s'agit de lui, il a le sentiment d'être au pied d'un infranchissable mur opaque.

«Quels sont mes rêves? Mes motivations?»

Il n'en sait rien et se rend compte qu'il a toujours agi au jour le jour. Les seuls buts qu'il se fixe ne sont que des leviers pour aller plus loin.

«Plus loin, oui, mais vers quoi? J'ai toujours eu ce que je voulais sans savoir pourquoi je le désirais. Quels sont mes rêves? Ai-je un but?»

Il a beau s'interroger, il n'en trouve aucun.

«J'ai toujours cherché à satisfaire mes sens et je dois reconnaître que tout ça ne m'a pas apporté grand-chose. J'en suis toujours au même point. Voilà que des milliers d'individus viennent de perdre la vie et cela ne fait rien de plus qu'exciter ma curiosité. Je suis un être humain, je devrais ressentir de l'accablement, quelque chose. Pourquoi suis-je incapable de partager les malheurs d'autrui?»

Aux odeurs de l'océan viennent se mêler les senteurs lourdes et presque sensuelles de la forêt. Ses yeux fixent maintenant le sillage d'écume blanche qui ourle les eaux vertes et boueuses. Il prend conscience de la proximité de la forêt, des mystères sombres et palpitants qui émanent d'elle. Jeune enfant, il a dévoré de nombreux récits de fiction, où des explorateurs, chasseurs de trésors, s'enfonçaient dans la gigantesque cathédrale végétale pour se heurter aux dernières énigmes de la planète. Il entend encore dans sa tête la cacophonie des oiseaux étranges et colorés, il revoit les trésors secrets des Incas ou autres peuples mystérieux, gardés derrière d'innombrables pièges mortels. Maintenant la forêt est là sous ses yeux, et il s'étonne de ne rien ressentir à son égard.

«Suis-je mort?»

Un court instant, l'idée de se défaire de tous ses biens et privilèges lui traverse l'esprit. Donner tout et s'enfoncer seul dans la forêt à la recherche de ses peurs et de ses émerveillements d'enfant. Partir en quête de ce qu'il a peut-être été avant de se fermer aux palpitations de la vie. Trouver quelque chose ou quelqu'un qui lui ouvrira le cœur sur le monde.

«J'en suis incapable! Mon pouvoir est la cage où je me suis moi-même enfermé à tout jamais.

— Si tu veux, tu peux encore, lui dit une voix timide dans son esprit.»

Il ne l'écoute jamais.

La forêt est là qui lui ouvre les bras. Il ne veut pas la voir, le gouffre qui le sépare d'elle est trop plein de charogne où il a peur de se perdre à tout jamais. N'est-ce pas lui, pourtant, qui à l'université a présenté une thèse – totalement facultative – sur l'esprit des arbres? Thèse qui, à l'époque, lui a valu de chaudes félicitations. Il y était question de l'homme qui n'était qu'un imbécile, car il n'avait pas su s'allier à la forêt. Les arbres pouvaient porter toute la nourriture dont il avait besoin et l'abriter maternellement sous leurs frondaisons. Pourtant, ces arbres vers lesquels les hommes n'avaient qu'à tendre les bras, ils les avaient rasés pour courber l'échine vers le sol afin d'y puiser leur subsistance. Oui! c'est lui qui a écrit cette thèse dont la matière lui était venue lors d'un voyage de pêche dans les Adirondacks. Son père lui avait demandé de couper un peu de bois vert afin de fumer les truites et, alors qu'il approchait d'un magnifique cyprès avec sa tronçonneuse, il avait brusquement senti que cet arbre était pourvu d'une existence propre. Au plus profond de lui, il était certain, et le demeure encore, que l'arbre lui demandait grâce.

Les choses ont bien changé: une ville vient d'être atomisée et ça le laisse complètement froid. Il voudrait s'apitoyer, crier, se mettre

461

en colère mais il se sent aussi sec que les sables du désert, aussi peu vivant que les statues de marbre qui ornent les esplanades romaines. La légende du roi Midas doit être vraie. Que l'or est froid malgré sa couleur.

Le capitaine s'approche de lui sans qu'il l'entende.

«Vous n'avez pas dormi?» demande le marin.

Helmann sursaute légèrement et le fixe:

«Non, pas moyen. Trop de choses dans la tête.

— Je viens d'écouter les nouvelles; en Europe, le conflit est engagé.»

Helmann n'a pas l'air surpris:

«Ça devait arriver.

— J'avais espéré le contraire.

— Il arrive toujours un moment où les frictions deviennent intolérables et doivent aboutir dans un sens ou un autre.

— Jusqu'où cette guerre ira-t-elle?»

Sans s'être jamais demandé pourquoi, le capitaine a toujours eu l'impression que Helmann en connaît beaucoup plus que le commun des mortels. Et ce dernier sait entretenir cette illusion.

«Jusqu'à ce que l'un des camps fasse plier l'autre.

— Il faudra beaucoup plus que des fusils ou des chars pour cela.

— Vous l'avez dit, il faudra bien autre chose.

— La destruction totale?»

Le capitaine a posé cette question avec angoisse.

«Il y a peut-être une autre solution, et pour ne rien vous cacher, c'est pour cela que je suis pressé d'arriver.

— Je ne vous suis pas du tout?

— Il est trop tôt pour en parler.»

Pendant quelques secondes, un silence s'installe, puis, changeant de sujet, Helmann reprend la conversation:

«N'avez-vous jamais rêvé de vous fondre dans cette forêt?

— Ma foi, non!»

Helmann n'attend aucune vérité de la bouche de son capitaine. Il n'entretient le dialogue que pour se parler à lui-même. Il y a longtemps qu'il n'attend plus du premier venu qu'il change sa vision des choses.

«Je viens de réaliser qu'en vieillissant nous perdons notre vitalité.

— Vous êtes encore très vigoureux. Un bourreau de travail.

— Je ne parlais pas de cette vitalité-là mais de celle des sentiments, de l'être. Vous n'avez pas cette impression?

— C'est vrai qu'en vieillissant on s'endurcit.

— C'est un vide affreux.»

Ils ne sont pas tout à fait sur la même longueur d'onde.

«Je n'irai pas jusqu'à dire ça. Il faut s'endurcir pour supporter l'existence.

— Je crois que c'est là le nœud du problème. L'existence est dure à supporter parce que nos cœurs sont durs, et nos cœurs s'endurcissent parce que l'existence est dure à supporter. Il n'y a pas cinq minutes, je me demandais si je ne devrais pas tout abandonner pour m'enfoncer dans cette forêt.»

Le capitaine affiche sa surprise.

«Vous auriez tort de dire adieu à un train de vie que des millions d'individus vous envient. Moi, quand je suis déprimé je sais qu'une bonne cuite remédiera au problème.

— Vous enviez mon existence?

— Pas votre existence, votre train de vie.

— L'un ne va pas sans l'autre.

— C'est pour ça que je me contente de ce que j'ai. Sans vouloir vous insulter, je dirai qu'il y a quelque chose de pourri dans les affaires d'argent.

— C'est la réflexion que se font les pauvres pour se consoler, mais vous avez raison, capitaine; tout est pourri. Tout!»

En aval, les premières constructions de Belem apparaissent aux regards, faisant disparaître d'un seul coup la magie qui enveloppait la forêt jusqu'à maintenant.

«Je retourne à la passerelle, fait le capitaine. Nous devrions accoster dans une heure environ.»

Helmann regarde sa montre et constate qu'il pourra être à Rio dans l'après-midi. Un *Challenger* l'attend déjà sur une piste de l'aéroport. Il quitte le pont pour aller préparer ses affaires.

Plongé dans ses dossiers, il survolera la jungle sans y prêter la moindre attention.

Exactement six minutes après l'ordre d'attaque présidentiel, une fenêtre s'ouvre et un satellite ASAT monté sur un lanceur *Scout* quitte le site de lancement de Vandenberg pour se lancer à l'assaut du firmament, avec pour cible l'un des deux RORSAT qui, avec les EORSAT, forment la couverture océanique des Soviétiques. Les RORSAT évoluent à une altitude de deux cent cinquante kilomètres sur une orbite inclinée à 65 degrés de l'équateur. Les EORSAT, à plus de cinq cents kilomètres, orbitent sur un plan faisant un angle de 145 degrés avec celui de la trajectoire des RORSAT.

Le guidage de l'ASAT est supervisé par l'*US Spacecom* de la base Peterson dans le Colorado. Pour l'opérateur de service, c'est la première expérience en réel.

Trois minutes après avoir atteint l'orbite recherchée, l'ASAT croise la trajectoire du RORSAT à moins de mille mètres et lui expédie une volée de billes d'acier. Deux d'entre elles percutent l'antenne du radar de surveillance.

Quelques minutes plus tard, le navire d'observation astronautique *Cosmonaute Vladimir Komarov*, qui nage à pleine vitesse en direction de La Havane, confirme à la direction spatiale du KGB, à Yasyenevo, la perte du satellite.

Au même instant, un F-15 décolle de la base de Langley en Virginie et, parvenu dans les couches raréfiées de l'atmosphère, décoche un MHV. Celui-ci, mû par ses propres moyens et guidé par des capteurs infrarouges, suit une trajectoire ascendante et va percuter de plein fouet l'EORSAT. Le MHV n'est porteur d'aucune charge explosive, seul l'impact est suffisant pour détruire sa cible de plus d'une tonne.

À Mourmansk, un officier d'écoute pousse un juron. Il vient de perdre une partie des moyens de positionnement des bâtiments ennemis par écoute radioélectrique des régions survolées.

Sur la base sud de Vandenberg, à trois kilomètres du point de lancement des *Scout*, à la hauteur d'Arguello Point, on se prépare pour le lancement imminent de *Discovery*. Cinq hommes ont pris place à bord. Leur mission est routinière: il s'agit de placer en orbite moyenne un satellite TDRS ayant pour fonction de poursuivre d'autres satellites dans des orbites inférieures pour retransmettre leurs données vers le récepteur de White Sands. Lyod Kendall commande la mission. Son ami James Garwin fait office de CAP-COM à partir des installations de Falcon AFB.

CAPCOM: Remplissage terminé, *Discovery*. Serrez les fesses.

LYOD: Tout est O.K.

CAPCOM: On poursuit. Temps moins 16 secondes.

Silence radio.

CAPCOM: Temps moins 4 secondes. Mise à feu moteurs principaux.

Dans les moteurs SSME, la vanne d'admission en hydrogène liquide ainsi que le collecteur d'admission de l'oxygène liquide s'ouvrent. Les cinq astronautes ressentent les vibrations des trois moteurs dégageant ensemble une poussée de 510 000 décanewtons.

LYOD: Tout va bien.

CAPCOM: Temps zéro. Mise à feu des propulseurs d'appoint.

Lyod pousse un léger soupir et sourit dans sa tête.

CAPCOM: Temps plus 3 secondes. Décollage.

LYOD: Assiette O.K.

CAPCOM: Magnifique, les gars.

LYOD: Altitude: quatre-cinq. Vitesse: quatre point cinq.

CAPCOM: Tout est O.K. Propulseurs largués à temps plus 2 minutes 7 secondes.

LYOD: Confirmé! Tous les circuits O.K.

CAPCOM: Altitude?

LYOD: Huit-zéro.

CAPCOM: Contrôle pression et température?

LYOD: O.K.!

Nouveau silence, pendant lequel les cinq hommes ne veulent penser à rien d'autre qu'au contrôle des instruments.

CAPCOM: Temps plus 6 minutes 30 secondes. Vitesse un-cinq. Altitude un-trois-zéro. Vous commencez la courte phase de descente.

LYOD: Confirmé.

CAPCOM: Je suis en train d'avaler un magnifique hot dog moutarde ketchup. Ça vous tente?

LYOD: Écœurant!

CAPCOM: Altitude un-deux-zéro. Temps plus 8 minutes 38 secondes. Arrêt des moteurs SSME. Attention, largage du réservoir extérieur.

LYOD: Temps plus 8 minutes 54 secondes. Réservoir largué.

CAPCOM: Allumage moteurs OMS.

LYOD: Allumage confirmé à temps plus 9 minutes.

CAPCOM: À top trois minutes, extinction moteurs OMS.

LYOD: Tout fonctionne. Espérons que...

Chacun dans la navette réalise pleinement que la guerre que tout le monde redoutait est commencée depuis quelques heures. Aucun ne peut affirmer que l'Orbiter ne sera pas une cible privilégiée pour Moscou.

CAPCOM: N'y pensez pas. Jamais ils n'oseront.

LYOD: Temps plus 12 minutes 24 secondes. Extinction moteurs OMS. Entamons une première révolution.

CAPCOM: Temps confirmé. Une demi-heure de balade pour vous. C'est comment là-haut?

LYOD: Toujours aussi émouvant, James. Difficile de croire que le monde s'égorge là-dessous. Terminé.

CAPCOM: Bien reçu, *Discovery*. Terminé.

L'équipage entreprend d'effectuer tous les contrôles. Au fur et à mesure, Lyod énumère et coche tous les points de la check-list. La navette doit effectuer une révolution complète autour du globe avant de rejoindre son orbite de satellisation. En passant au-dessus de l'Europe, ils regardent tous par le cockpit s'ils peuvent apercevoir quelque chose. Rien. L'enfer qui se déchaîne au sol n'est même pas une chiure de mouche au regard des étoiles.

CAPCOM: Ici Falcon. À vous, *Discovery*?

LYOD: On vous reçoit cinq sur cinq, Falcon.

CAPCOM: Préparez-vous pour allumage OMS.

LYOD: *Roger*. Check-Pist vérifiée. Tout est *over*.

CAPCOM: Une minute avant la mise à feu. À temps plus 45 minutes 58 secondes.

Silence et parasites.

LYOD: Mise à feu.

Discovery prend de l'altitude pour rejoindre son orbite de travail.

LYOD: Temps plus 46 minutes 34 secondes. Orbite atteinte. Extinction moteurs OMS. Ouverture de la soute. Terminé.

CAPCOM: O.K., *Discovery*. Repos. Reprendrons le contact dans trente minutes. Terminé.

LYOD: *Roger*. Terminé.

Le commandant se retourne vers les membres de l'équipage:

«Je n'aurais jamais cru effectuer une mission militaire active dans le cadre spatial. Ça m'ôte toutes mes illusions.»

Buck Jarvis, avec qui il accomplit sa troisième mission dans l'Orbiter, hausse les épaules:

«Il y a l'odeur du fric là-dessous.»

Selon Jarvis, tous les maux de l'humanité sont attribuables à tous les systèmes monétaires, quels qu'ils soient. Il est convaincu que, sans les contraintes de l'argent, l'homme aurait depuis long-temps dépassé les limites du système solaire et essaimerait déjà vers les étoiles.

«Moi j'y vois plutôt la volonté du pouvoir, rétorque Lyod. Et puis ça me fait chier, profitons plutôt de ces heures pour apprécier ce qui nous entoure.»

Sept minutes se sont à peine écoulées lorsque Falcon renoue le contact:

CAPCOM: *Discovery*? *Discovery*? Ici Falcon. Vous me rece-vez?

LYOD: Toujours cinq sur cinq, Falcon. Que se passe-t-il?

CAPCOM: Bien... Il semblerait que la station *Mir* cherche à se placer sur votre orbite.

LYOD: Qu'est-ce que ça signifie?

CAPCOM: Leurs intentions ne sont peut-être pas pures, *Disco-very*.

LYOD: Où sont-ils pour le moment?

CAPCOM: Vous devriez les apercevoir à votre gauche dans huit minutes.

LYOD: Instructions?

CAPCOM: Vous... Oh! putain. J'apprends qu'ils ont bousillé *Gold Bird*. Ils... Oui! je confirme: ils ont détruit *Gold Bird*.

Au moyen de la technique de la respiration, le commandant essaye de calmer l'anxiété qui le gagne.

LYOD: Instructions s'il vous plaît?

Bref silence.

CAPCOM: *Discovery*? La mission est annulée. Je répète, la mission est annulée. Préparez-vous pour la prochaine fenêtre de rentrée à temps plus...

LYOD: *Mir* sera sur nous bien avant. Je demande autorisation d'attaquer. Terminé.

CAPCOM: Avec quoi, *Discovery*? Vous n'avez pas d'armes.

LYOD: Nous pouvons toujours lui envoyer notre satellite sur la gueule. Terminé.

CAPCOM: Est-ce vraiment ce que vous voulez, *Discovery*?

LYOD: Quoi d'autre? Nous ne disposons pas du combustible nécessaire pour nous amuser à changer d'orbite toutes les cinq minutes.

Nouveau silence, qui paraît interminable aux hommes de la navette.

CAPCOM: Bien compris, *Discovery*. Le DOD est d'accord avec vous. Nous faisons les calculs pour vous. Surveillez les alentours. Terminé.

LYOD: *Roger,* Falcon. Jarvis a déjà l'œil sur le périscope de visée optique. Question: Avec quoi peuvent-ils nous attaquer?

CAPCOM: Certainement au laser. Vos tuyères sont votre point faible.

LYOD: Distance maximum d'attaque?

CAPCOM: Ce n'est certainement pas un laser offensif. Deux cents mètres maximum. Nous envoyons les coordonnées à votre ordinateur.

LYOD: Nous recevons.

CAPCOM: Vous poursuivez toujours?

LYOD: Affirmatif!

CAPCOM: Temps moins trois minutes avant la mise en position de lancement satellite.

LYOD: *Roger*.

CAPCOM: Du nouveau, *Discovery*, nous avons une autre possibilité pour vous.

LYOD: Nous vous écoutons, Falcon?

CAPCOM: Vous avez la possibilité de rejoindre la station orbitale si vous partez immédiatement.

LYOD: Nous n'aurons plus de combustible pour le retour.

CAPCOM: Exact, mais nous vous enverrons du ravitaillement par un prochain vol.

LYOD: Rien ne nous autorise à penser que *Mir* n'attaquera pas la station.

CAPCOM: La station peut se défendre.

Le commandant dévisage ses compagnons. Ils affichent tous un air de désapprobation.

LYOD: Falcon? Trop risqué pour les gars qui s'y trouvent. Nous poursuivons comme prévu. Terminé.

CAPCOM: *Roger*. Une minute avant la mise en position. Pas de signe de *Mir*?

LYOD: Négatif!

À l'instant précis, la navette plonge de 45 degrés, le nez pointé vers la Terre, qui tourne lente et majestueuse.

«Je l'ai! hurle Jarvis. À zéro-zéro-un.»

CAPCOM: Table de mise en rotation?

LYOD: Enclenchée.

Le commandant glisse les dernières coordonnées de *Mir* sur le clavier de l'ordinateur qui, automatiquement, allume les moteurs RCS de proue et de poupe afin de positionner l'Orbiter dans l'angle de lancement désiré.

CAPCOM: Selon nos calculs vous êtes prêts, *Discovery*.

«Largage!» lance Lyod à l'astronaute chargé spécialement de ce travail.

Il sait qu'il ne peut se permettre aucune erreur. C'est un tir à direction inertielle: le satellite transformé en projectile de combat ne pourra plus être dirigé, sitôt son largage effectué par la libération des ressorts du berceau orientable placé perpendiculairement à l'axe de l'Orbiter.

Il n'y a plus rien à faire. Les hommes surveillent par le cockpit la trajectoire du satellite de plusieurs millions de dollars, en voulant espérer que leur détermination le guide vers la libellule géante qui s'approche inexorablement.

LYOD: C'est parti!

CAPCOM: Dégagez! Dégagez!

Ils n'entendent rien, ne voient aucune explosion spectaculaire. *Mir* et le satellite se désintègrent simplement comme dans un film muet. Instinctivement Lyod a procédé à l'allumage des moteurs OMS pour échapper aux débris. Il se souvient très bien que l'impact d'une simple écaille de peinture avait creusé un cratère de quatre millimètres dans le cockpit du vol N° 7. Une particule d'à peine un centimètre mettrait la vie de l'équipage en danger et *Mir* a une masse de vingt et une tonnes répartie sur plus de treize mètres de longueur.

LYOD: Falcon? Interception réussie. Nous dégageons. Terminé.

CAPCOM: Bravo les gars!

LYOD: Il y avait des hommes à bord. Des astronautes comme nous.

CAPCOM: Des ennemis, colonel Kendall. Cinq ennemis de moins.

LYOD: Ouais, peut-être. On se prépare pour la prochaine fenêtre de rentrée. Terminé.

Sans pouvoir se l'expliquer, Lyod perçoit clairement dans sa tête les odeurs d'étable de la ferme du Wisconsin où il a grandi. Une fraction de temps, il se revoit revenant de l'étable avec les seaux de lait encore tiède. Tout lui paraissait grand alors: les arbres feuillus de la cour, dans les branches desquels il revivait les aventures de Tarzan; le ruisseau qui traversait les terres et qu'il assimilait à un fleuve aux sources mystérieuses; l'horizon qui s'étendait à l'infini sous un vaste ciel chargé de promesses; les champs de maïs qui pour lui se transformaient en jungle luxuriante. Tout cela n'est plus aujourd'hui qu'une infime partie de cette planète bleue qu'il survole et, pourtant, il donnerait tout pour retrouver ce monde à la fois si minuscule et si grand, perdu à tout jamais. Ce monde perdu où il aurait tout donné pour monter vers les étoiles.

«Pourquoi ne suis-je pas resté un petit garçon?»

CAPCOM: *Discovery*? Ici Falcon... Répondez, *Discovery*?

Il n'y a pas de réponse. En provenance de l'Oural, un faisceau de particules neutres a atteint *Discovery*, détruisant la totalité de ses circuits électroniques.

Pour les cinq astronautes la mort survient rapidement. Pas assez, cependant, pour les empêcher de réaliser avec terreur ce qui leur arrive.

MER DU JAPON

Correspondant pour la revue *The Navy*, Quincy Lien passe les doigts dans son épaisse chevelure rousse et ébouriffée. Sous ses yeux, la fatigue dessine des cernes violacés qui tranchent sur son teint pâle.

Il vient de passer près de trente-six heures dans les infrastructures de l'îlot du porte-avions. Depuis que le *J.F. Kennedy* longe les eaux soviétiques, l'ambiance à bord est particulièrement survoltée. Pour l'ensemble de l'équipage, le sentiment d'attente s'est électrisé tout au long de la journée pour s'exacerber durant la nuit. À l'aube, tous les visages sont empreints d'une tension presque palpable, lorsqu'arrive l'ordre d'attaque sur les téléscripteurs et que se déchaîne l'enfer mécanique.

La puissance brute du navire a toujours subjugué Lien. Même au repos dans un port, le porte-avions ne peut manquer de brasser les tripes par la force brute qu'il dégage. Mais ce matin, dans l'aube violette, alors que toutes les composantes du géant d'acier sont sur pied d'alerte rouge, Lien ne peut s'empêcher de frémir à la vue de toute cette fureur explosive contenue qui va bientôt cracher la destruction.

Lorsque la nouvelle arrive que l'avion NSA ainsi que deux *Hawkeye* de surveillance électronique ont atteint les positions désignées, les KA-6 ravitailleurs en vol sont les premiers à quitter le pont d'envol dans le claquement sec des catapultes. Une formation de *Prowler* brouilleurs de radar arrive des Aléoutiennes; aussitôt, les *Tomcat, Intruder, Hornet* et *Corsair* prennent leur envol, se suivant les uns les autres dans un ballet de feu et de bruit. Sur les visages la tension fait place à l'exaltation. Chacun se voit entraîné dans un impitoyable concert où nulle place n'est laissée à la raison. Si la peur a sa place, elle se dissimule derrière la volonté résolue de se battre. Peu nombreux sont ceux pouvant affirmer aimer la guerre et, pourtant, ce matin, personne ne songe à autre chose qu'à faire sa part. Chair et, métal s'unissent pour créer le déchaînement. Lien remarque l'excitation et presque le plaisir qui brillent dans les yeux des pilotes. Ils vont enfin pouvoir se mesurer à la Bête. Dans leur cas, il n'y aura le plus souvent que la victoire ou la mort. Ils le savent, mais une absolue confiance en eux-mêmes les soutient.

Tous les postes de mesures, contre-mesures et contre-contre-mesures électroniques, sont sur le qui-vive. La flotte soviétique du

Pacifique n'est pas loin et des unités entières sont mobilisées dans l'écoute sonar de présence sous-marine ou dans le balayage radar. N'importe où, n'importe quand, les forces ennemies peuvent fondre sur eux. Il importe de frapper les premiers.

La mission principale du *J.F. Kennedy* et de la flotte qui l'accompagne est de détruire les installations de Vladivostok. Plus au nord, une autre flotte s'occupe au même instant de la base sous-marine de Petropavlovsk.

Un *Lockheed* P-3C qui survole l'horizon lâche des bouées sonar, quadrillant le secteur ouest. Dans la carlingue l'opérateur signale trois submersibles possibles. L'information circule immédiatement à travers toutes les unités. Un hélicoptère ASW se rend immédiatement sur les lieux.

Sur le porte-avions, Lien a gagné le poste de commandement. Son rôle principal est, surtout, de cerner le moral des hommes et leurs réactions. Pas assez familiarisé avec les détails techniques de la guerre navale moderne, il lui semble que la situation est incontrôlable. De partout fusent des voix criant chiffres et noms de code, le tout dans un chassé-croisé au milieu duquel le reporter se demande comment les stratèges peuvent s'y retrouver.

«Qu'est-ce que ça va être quand la riposte viendra?» se demande-t-il.

À partir du porte-avions, l'amiral doit superviser le raid où plus d'une centaine d'appareils sont en jeu et, en même temps, contrer les ripostes maritimes et aériennes. Il doit laisser la place nette pour les troupes de combat qui suivent derrière.

Les trois sous-marins sont localisés. Au même instant, l'opérateur d'une frégate signale deux missiles à midi. Deux roquettes RBOC jaillissent de la frégate pour répandre dans le ciel une nuée de papier d'aluminium.

L'opérateur radar annonce trois autres missiles.

«Relèvement zéro-un-huit. Distance neuf milles. Vitesse cinq cent cinquante nœuds.

— Nouveaux leurres! hurle le commandant. Tir aérien. Feu à volonté.»

L'*Orion* lâche dans le même temps une torpille MK-46 ASW qui, coiffée de son parachute, plonge gracieusement dans les flots à la recherche de sa proie.

Sur le porte-avions, une information provenant d'un AWACS et relayé par un satellite FLT SATCOM fait état d'une formation ennemie en approche.

«Mouche! fait l'officier radar de l'hélicoptère ASW. Un de moins.»

De nouveau sur le pont, Lien ne sait plus où donner de la tête. Il vient de quitter le poste radar, où l'officier confirme une vague d'une soixantaine de *Badger* soviétiques en approche, probablement accompagnés de brouilleurs.

«Ils vont lâcher leurs *Kelts* et virer de bord, raisonne tout haut l'amiral. Attendons-nous à une autre vague de chasseurs dès que notre attention sera portée sur les missiles.»

Des tonnes de leurres sont lâchées dans le ciel. À l'horizon, le soleil est déjà assez haut et sa lumière chauffe agréablement les joues. La mer est d'un beau bleu turquoise.

«Une belle journée pour faire du yachting», se dit Lien. Un bang dévastateur suivi d'une vaste gerbe d'eau signale que la frégate cible des missiles vient d'être atteinte. Le reporter est trop loin mais il imagine crûment les cris des blessés coincés dans la ferraille tordue.

Une vague de missiles *Kelts* se rapproche; de partout jaillissent des ordres donnés avec angoisse. Des *Standard 1* et *2* quittent les bâtiments. Une vague de *Tomcat* de retour tire une douzaine de *Phœnix*. Ahuri, Lien contemple le ciel zébré de projectiles, comme transformé en écran de jeu-vidéo.

De nouveau, un AWACS signale une formation de *Backfire* rouges en provenance du nord. Lien entend les ordres dans les haut-parleurs et un sous-officier qui hurle:

«Des *Kitchen* et des *Kingfish* en approche! Gare à vos couilles.»

Lien a entendu parler de ces missiles qui peuvent ou non être chargés à tête nucléaire. Le sont-ils?

La nouvelle a circulé sur les bâtiments à la vitesse de l'éclair. Deux croiseurs éloignés dans un rayon de dix milles mettent à feu tous les SM-2 dont ils disposent.

Dans l'*Orion* l'opérateur radar secoue la tête:

«Je ne peux rien situer avec tout ce bordel.»

Comme pour confirmer ses paroles, un submersible de type *Alpha*, qui s'est approché à sept cents mètres de profondeur, remonte pour propulser six missiles à charge conventionnelle en direction du *J.F. Kennedy*. Les traces sont immédiatement repérées par l'opérateur sonar.

Tels des dieux marins vengeurs, les missiles émergent des flots pour opérer une ascension avant de pouvoir retomber sur leur proie. Assistées par ordinateur, les trois tourelles *Gatling* 20 mm ouvrent le feu en direction des missiles. Au rythme de cinquante à la seconde et dans un gigantesque craquement répété, les petits obus à haute vélocité, à revêtement d'uranium, partent à la rencontre des missiles, qu'ils détruisent.

Dans une explosion assourdissante, un *Kitchen* AS-4 percute la passerelle du destroyer qui accompagne le *J.F. Kennedy*.

Le cœur battant, Lien prend quelques photos et repart dans la direction du poste de commandement. L'amiral reçoit maintenant les premiers rapports sur le bombardement du port avancé de Nakhodka. Malgré de lourdes pertes c'est, à en croire les chefs de mission, un succès total.

«Parfait! retour à toutes les unités.»

Une escadrille de B-52, qui a quitté l'île d'Hokkaïdo, a vu quatre-vingt-quinze pour cent de ses appareils détruits.

«Avant ou après le bombardement? demande l'amiral.

— Surtout après, amiral.»

Le Numéro un de la flotte ne bronche pas et reporte immédiatement son attention sur ce qui se passe à proximité.

«Quatre-vingt-douze AS-6 à zéro-zéro-trois, lui indique l'opérateur radar. Vitesse neuf cents nœuds. Distance quatre-vingt-trois milles.»

L'amiral s'adresse à toutes les unités:

«À tous les bâtiments. Armes libres.»

Il prie pour que les avions aient encore suffisamment de munitions pour parer au désastre. Il ne faut pas que le porte-avions soit touché, les zincs n'ont pas d'autre point de retour.

Une nouvelle bordée de roquettes-leurres s'élève dans le ciel. Six *Hornet* de retour se lancent à l'assaut des missiles.

Lien observe l'opérateur radar qui éponge de grosses perles de sueur sur son front.

«Mauvais signe», se dit-il.

Il remonte encore une fois sur le pont et cherche des yeux le destroyer. Disparu. À la place, quelques embarcations pneumatiques qui ne savent trop où aller. Toute la masse du porte-avions frémit. Celui-ci entame un brusque virage sur tribord, pointant le nez en direction des missiles en approche et offrant ainsi un peu moins de prise. Des *sorcières* qui ont été livrées quarante-huit heures plus tôt sont hissées sur le pont. Stupéfait, il demande à un matelot ce que c'est.

«Aucune idée. Ils appellent ça des *Baby SAM*.»

De front, trois par trois, les petits avions traversent le pont, vague après vague.

Quand les derniers missiles débouchent de l'horizon, les canons anti-missiles *Phalanx* crépitent de nouveau. Un missile SN-6 explose à mille mètres dans un fracas qui oblige Lien à se précipiter, les tympans résonnants, dans un escalier menant à l'étage inférieur, persuadé que l'épais pont de métal pourra le protéger de n'importe quoi. Il n'en est rien. Simultanément, deux SN-6 qui ont passé à travers tous les barrages s'écrasent sur le pont, se jouant du métal comme s'il s'agissait de vulgaire papier journal.

Le souffle projette Lien contre une cloison de métal, sans toutefois l'assommer. Hébété, comme à travers un brouillard rouge, il regarde ses mains brûlées, une fraction de seconde avant de réagir à la douleur. Ce qui a été le pont du navire est en partie arraché. Le ciel s'engouffre dans le cœur du navire, voilé, seulement par la fumée qui se dégage des incendies provoqués par la double explosion.

Avec une voix presque enfantine, un matelot coincé sous une poutrelle de métal demande de l'aide:

«On va couler! Sortez-moi de là! Je veux pas mourir!»

Lien, grimaçant de douleur, se relève et se porte vers lui.

«On ne coulera pas, lui dit-il. Panique pas.»

L'autre le regarde et pousse un hurlement. Lien se rend compte que son propre visage n'est plus qu'une plaie.

«Merde! Merde! Merde!»

Un de ses copains a eu le visage brûlé alors qu'inconsciemment il siphonnait de l'essence dans un parking avec une cigarette au bec. Plus une fille ne voulait l'approcher.

«Je vais chercher de l'aide», dit-il en titubant.

Partout son regard accroche des cadavres désarticulés. La fumée lui arrache une douloureuse quinte de toux.

«On ne peut pas couler!» dit-il tout haut pour se convaincre.

Il imagine que bientôt des brancardiers seront là et qu'il va être transporté vers une douce clinique où de gentilles infirmières s'occuperont de lui. Après ça – selon lui – la guerre ne peut que cesser. Mais pour l'instant, bon sang que ça fait mal!

Tant bien que mal, il réussit à se hisser sur ce qui reste du pont, pour constater que les incendies ont pris des proportions incontrôlables. Une partie de l'îlot est arrachée et l'autre moitié est noyée dans un nuage de fumée noire.

Des cris de douleur ou de consignes désordonnées fusent à présent d'un peu partout. À l'horizon, à l'image du *J.F. Kennedy,* de nombreux bâtiments sont la proie des flammes. Lien se sent soudain très faible et se laisse glisser à terre, sachant très bien qu'il va perdre connaissance. Un picotement lui parcourt la nuque, la même sensation que lorsque des fourmis semblent s'emparer d'un membre engourdi. Juste avant de perdre le contrôle de lui-même, il se demande où vont bien pouvoir se poser les avions?

Sous l'eau, un sous-marin de chasse, de classe *Los Angeles* qui avait entrepris de traquer l'*Alpha*, abandonne. L'autre est trop rapide. Dans sa traque et, surtout, à cause de la présence de bruits trop divers, il n'a pas pris garde à un vieux *Foxtrot,* qui lui envoie une torpille mortelle.

En ce qui concerne la mission, tous les objectifs sont atteints. Le port de Nakhodka est maintenant impraticable, tout comme celui de Vladivostok. Toutes les voies d'accès à la plus importante ville d'Extrême-Orient soviétique sont détruites, y compris les pistes d'atterrissage et les derniers kilomètres de rails du Transsibérien. Les chantiers de construction navale et les principaux centres industriels ont été, eux aussi, lourdement endommagés.

Dans un laps de temps relativement court, de nombreux sous-marins soviétiques qui sillonnent les profondeurs du Pacifique sont envoyés par le fond. Avant même qu'ils ne soient vraiment informés de la guerre qui est commencée. Le champ est presque libre pour les troupes d'invasion. Les premiers Américains à poser le pied sur le sol de l'Union soviétique sont des *phoques*, l'unité ultra-entraînée dépendant du corps des *marines*. Il sont très surpris, en prenant possession des installations de Petropavlovsk, de constater que plus de la moitié des submersibles soviétiques n'ont pu prendre la mer, faute d'entretien. Encore plus surpris de ce que, à l'évidence, la population ne les accueille pas en libérateurs.

Quincy Lien ne reprend conscience qu'une fraction de seconde. Alors qu'il ouvre péniblement les yeux, une deuxième vague de missiles détruit tout ce qui reste de la flotte, privée de la plupart de ses moyens de défense. Le *J.F. Kennedy* sombre corps et biens, entraînant dans l'abîme liquide plus de cinq mille vivants et morts. Quelques avions réussissent à rejoindre les côtes du Japon, mais pour eux ce n'est que partie remise.

GÖTEBORG, SUÈDE

Les rumeurs de guerre ont vite fait le tour de l'hôpital et les deux amis se sont retrouvés dans la salle de télévision. Les bulletins spéciaux se succèdent. Toutes les émissions régulières ont fait place à l'actualité.

Bouche bée, Erik ne veut pas admettre que le monde se déchaîne. Éléonore, elle, ne cesse de secouer la tête.

«Ils sont fous», lui dit-elle.

Il approuve, ne trouvant rien d'autre à ajouter. Elle tourne le visage vers la fenêtre et fixe le ciel bleu sans nuage:

«Pourquoi les hommes ont-ils construit un monde aussi désolant sous un ciel aussi beau?

— Je n'en sais rien, mais c'est peut-être pour cela que nous devons le quitter. J'aime trop la création pour accepter que nous la détruisions.

— Tout le monde se croit intelligent. Quelle stupidité! L'intelligence a été placée au-dessus du cœur, mais cette soi-disant intelligence n'est qu'orgueil. L'orgueil qui a dressé les frontières et forgé les armes pour les défendre. Pourtant, une nation ça n'existe pas, ça n'a rien de concret. C'est juste un état d'esprit que l'on acquiert en valorisant ses habitudes, comparées à celles des autres. L'orgueil qui a façonné l'argent qui différencie l'homme de son frère. L'orgueil qui a dénaturé le sexe en le plaçant à son propre service. »

Éléonore va appuyer son front à la vitre de la fenêtre avant de poursuivre son monologue:

«Personne ne parle plus d'amour mais des prouesses réalisées dans les alcôves. Les femmes sont fières de leur taille et de leurs seins. Les hommes prennent des mesures, établissent des courbes de jouissance et dressent des tableaux de chasse. Si parfois l'amour s'installe, ils s'empressent de le déguiser en position sociale et le tuent lentement sous le poids des bungalows et des comptes bancaires. L'orgueil a forgé le progrès qui ne sert que les fortunes stériles et le pouvoir sans âme. Il a forgé l'ignorance crasse qui tue les dauphins, qui tue les forêts pour les transformer en factures ou en racolage commercial, qui tue les hommes et leurs enfants. Pourquoi? Je voudrais tellement travailler au bonheur des autres. Lutter contre la rapacité, en commençant par moi-même. Est-ce possible de mettre notre violence naturelle au service de l'amour et de partir en guerre

477

contre l'orgueil? Je voudrais tellement, avant de mourir, savoir que la bonne guerre est commencée: celle que chacun peut livrer contre lui-même.»

Elle secoue la tête de droite à gauche:

«Et puis, un jour, il est né un petit singe, petit monstre parmi ses frères les singes. Il avait une plus grosse tête et de plus petites mains...»

Erik s'approche et lui enserre la taille.

«Est-ce que tout ceci nous concerne encore?

— Oh oui! Tant que nous serons vivants.»

Elle pose sa tête dans le creux de son épaule.

«Je t'aime, Erik.

— Je t'aime, Éléonore.»

Ils se regardent dans les yeux, se fondant l'un dans l'autre, estompant autour d'eux l'image du monde.

«Raconte-moi le plus beau moment de ta vie», demande Erik tandis qu'ils reprennent le chemin de sa chambre.

Songeuse, elle regarde devant elle un long moment avant de répondre:

«Je crois que c'est le jour de ma communion, dit-elle. C'était au mois de mai, une de ces journées de printemps où il ne fait ni chaud ni froid et où toute la nature semble de bonne humeur. Je ne peux pas te dire qu'il se soit passé grand-chose d'extraordinaire ce jour-là, mais je me souviens qu'en milieu d'après-midi, alors que toute la famille était installée sur la terrasse pour profiter de cette belle journée, je me suis soudain sentie terriblement heureuse. Tellement, que des frissons me parcouraient le corps. Le plus drôle de l'histoire, c'est que, par la suite, je n'ai jamais compris pourquoi j'ai été heureuse comme cela, car, comme je te le dis, il n'y avait pas de raisons spéciales. J'étais heureuse. Point.

— Je crois comprendre ce que tu veux dire. Cet état d'esprit m'est arrivé une fois aussi. Moi, c'était encore un peu plus curieux, parce que c'était une journée bien ordinaire, comme toutes les autres. J'étais alors au pensionnat, ce devait être également au mois de mai, un matin de classe ordinaire. Les fenêtres étaient ouvertes, je n'étais pas très attentif au cours et je regardais les arbres avec leurs nouvelles feuilles. L'air sentait bon, très bon. Brusquement, sans raison particulière, je me suis retrouvé dans un état d'euphorie, dont je n'ai jamais compris la cause. J'ai déjà essayé de recouvrer cet état d'esprit sans jamais y parvenir. Je crois qu'il faut que ça vienne tout seul.»

Éléonore approuve.

«J'ai connu d'autres moments de grand bonheur, dit-elle à voix basse, mais j'en connais les raisons.

— Moi aussi et ça ne fait pas longtemps.

— Pas longtemps du tout.»

Encore une fois, ils échangent l'un de ces regards dont ils commencent à avoir le secret.

«Comme ça, tu es allé dans un pensionnat?

— Trois ans. Trois longues années.

— Tu n'aimais pas ça?

— Pas du tout! Ce qui est étrange par contre, c'est que je ne regrette aucunement ces années. C'est une expérience, pas tellement marrante, mais que je suis content d'avoir vécue. La discipline était très stricte, les horaires sévères et certains des éducateurs quelque peu sadiques, mais de tout cela, j'ai tiré une bonne leçon, à savoir qu'il n'y a pas de joie sans souffrance. Autrement dit, c'est souvent grâce aux mauvais moments que l'on peut en savourer de bons. Avant d'aller en pension, par exemple, je trouvais que la vie à la ferme était bien ordinaire. Ensuite, c'était pour moi une véritable fête à chaque quinzaine de pouvoir retourner à la maison. J'appréciais pleinement, tu peux me croire!

— Eh bien moi, j'ai dû me contenter d'aller à la petite école de la paroisse.

— Tu dis cela comme si tu le regrettais?

— Il me semble que j'aurais aimé aller dans un pensionnat. Je vois cela comme une place où l'on peut se faire de bonnes amies et, aussi, mijoter des tours pendables qu'il ne nous viendrait pas à l'idée de faire à la maison.

— Pour ça, c'est un peu vrai.»

Les yeux d'Éléonore prennent une lueur de malice.

«Tu as joué des tours? Je veux que tu me racontes.

— Je crois surtout que je m'en suis fait jouer plus qu'autre chose. Tiens! Une fois par exemple, un des externes, se faisant passer pour une fille du village, m'écrivait des lettres d'amour comme on peut les imaginer à cet âge-là. Je commençais à croire que je pouvais vraiment faire chavirer les cœurs, quand l'un des surveillants est tombé sur mon paquet de lettres. Il les a lues tout haut devant les autres, qui, bien sûr, se foutaient de moi. Résultat de l'histoire: je me suis retrouvé en retenue pour avoir conservé des écrits frivoles. Il m'a fallu étudier du Byron. Sans doute pour apprendre ce que c'était que des messages d'amour de qualité.»

Erik referme la porte de sa chambre sur eux.

«Comme ça, tu te prenais pour un séducteur. C'est bon à savoir. Je me tiendrai sur mes gardes.»

Elle se penche vers Erik et, très délicatement, dépose ses lèvres sur les siennes.

«C'est étrange, avoue-t-elle dans un souffle, j'ai l'impression de te connaître depuis très longtemps.»

À son tour, et aussi tendrement, il effleure de ses lèvres celles d'Éléonore.

«J'ai également la même impression.

— C'est dû à quoi, à ton avis?

— Un romantique dirait que c'est peut-être parce que nous nous cherchons depuis toujours.

— Tu n'es pas romantique?

— C'est possible...»

Le visage d'Éléonore s'assombrit de nouveau.

«Qu'est-ce que tu as?

— C'est stupide! stupide! Nous sommes là tous les deux en train de tomber amoureux l'un de l'autre et nous allons bientôt être définitivement séparés.

— Certainement pas!» s'exclame-t-il sur un ton ferme et autoritaire.

Éléonore le fixe les yeux grands ouverts. Il l'attire contre lui en la serrant très fort et lui fait une promesse:

«Éléonore, je te jure que si nous nous aimons, rien ne nous séparera. Rien du tout!

— Mais je suis condamnée, toi aussi.

— Aucune importance: si Dieu a voulu que nous nous aimions maintenant, c'est sûrement qu'Il a des projets pour nous de l'autre bord.

— Et s'il n'y avait rien de l'autre bord?

— Dans ce cas, ça n'aurait pas plus d'importance de vivre un mois ou cent ans.»

Il s'écarte d'elle pour mieux la contempler. Elle réfléchit à ce qu'il vient de lui dire. Plus que jamais, à la simple vue de la jeune fille, il se sent tout chaviré. Tout en elle lui plaît. La vue de sa poitrine sous la mince chemise de nuit bleue le trouble et, presque gêné par les pensées qui affluent à son cerveau, il baisse les yeux vers le plancher où sont posés les pieds nus de celle qu'il adore. Elle se promène tout le temps pieds nus, il se demande pourquoi.

«Les pyjamas, ce n'est pas ce qu'on a inventé de mieux pour cacher la virilité d'un homme, lui chuchote-t-elle. Cela dit, je crois que tu as raison et je t'aime.

— Excuse», dit-il embarrassé.

Elle répond d'abord par un sourire.

«Le contraire serait peut-être insultant pour moi, et puis je n'ai pas peur que tu me violes.

— Vraiment?

— Vraiment.»

Il se détourne.

«J'aimerais tant vivre mille ans près de toi. Vivre des millions de situations.

— Exemple?

— Là, nous sommes assis près d'un feu de bois et nous prenons un chocolat chaud, après une bonne journée de ski dans une station de la Nouvelle-Angleterre. Là, chaussée de tes planches nautiques, cheveux au vent, riant aux éclats, tu fends vagues et rouleaux d'un lagon polynésien, pendant que je pilote un splendide hors-bord. Plus tard, dans le soir tranquille, pendant que toutes les couleurs de la création illuminent le couchant, que les vagues s'assoupissent sur la grève et que bruit dans les palmiers une légère brise, où se mêlent le parfum des épices et celui du grand large, nous sommes là, tous les deux, devant un petit feu où rôtit un poisson attrapé plus tôt dans la journée. Là, après une longue randonnée pédestre dans les sentiers montagneux du Népal, nous arrivons devant une merveilleuse vallée couverte de fleurs aux tons les plus chatoyants et nous installons notre petite tente pour passer la nuit en ces lieux où règnent silence et sérénité. Là, la prairie s'étend à l'infini sous le ciel immense. Les deux chevaux blancs que nous montons galopent sans retenue vers l'horizon sans cesse renouvelé.

— C'est beau!

— Ce ne sont malheureusement que des rêves. En fait, dehors, pas très loin, des hommes s'entretuent sans savoir pourquoi. Il ne s'agit plus de lagons polynésiens ni de vallées fleuries ni de chevaux fougueux ivres de liberté. Non! c'est le feu, le sang et le vacarme. De grands moments pour la Dame en noir.

— Pouvons-nous faire quelque chose?

— Il le faudrait, mais quoi?»

De nouveau ils s'étreignent, incapables de se rassasier de leur contact mutuel. Soudain, une idée qui n'a rien à voir avec la guerre germe dans l'esprit d'Erik:

«Éléonore, va dans ta chambre et attends-moi.

— Pourquoi?

— Tu verras.»

À peine a-t-il prononcé ces mots qu'il quitte la chambre au pas de course. Éléonore le suit dans le couloir et le voit entrer dans le bureau des infirmières.

Croisant la jeune fille, un infirmier pousse hâtivement une civière sur laquelle repose un corps entièrement recouvert d'un drap blanc.

Éléonore le regarde s'éloigner le long du couloir. Un jour, trop proche, ce sera elle qui sera sur cette civière. Elle ne sait pas qui c'est, mais elle imagine très bien que ce devait être une personne comme elle, avec ses rêves, ses ambitions, une famille. Et voilà! ça finit comme ça. Un infirmier se dépêche de faire disparaître votre dépouille, qui sera sûrement exposée quelques jours au funérarium, puis ensevelie avant de passer à l'oubli. Un autre malade viendra prendre le lit resté vacant.

«Tout ce que je suis ne sera plus, se dit-elle. Je ne serai plus là pour défendre mes idées, sentir le chaud et le froid, plonger mes yeux dans ceux d'Erik. Je ne serai plus là pour aimer ou haïr, mettre les couleurs du monde sur une toile. Mais, mon Dieu, pourquoi donc est-ce que je vis aujourd'hui? Suis-je sortie du néant rien que pour voir combien il peut être bon de vivre, et ensuite me rendre compte qu'il va falloir laisser tout ça? À quoi ça sert? À quoi aurai-je donc été utile? Et Erik, pourquoi faut-il que je m'attache à lui maintenant, et que lui s'attache à moi? Il dit que l'on sera tout le temps ensemble. Je voudrais en être complètement certaine, il me semble que ce serait beaucoup moins dur. Comment serons-nous après? J'aime son corps, aura-t-il encore un corps? Notre corps, c'est nous! Comment pouvons-nous vivre autrement? Si nous ne sommes qu'un esprit dans une enveloppe corporelle, comment pourrons-nous ressentir les choses? Comment pourrais-je le sentir et le toucher? Comme tout le monde, j'ai tout appris par mes sens et je fonctionne grâce à eux, que serais-je sans eux? Les instants d'union que nous pourrions vivre au sein de ces nuits auxquelles je rêve, comment un esprit privé de ses sens pourrait-il les comprendre et les goûter? Peut-être, mon Dieu, suis-je trop attachée aux choses de ce monde pour saisir ce qui m'attend après, mais je sais que ça ne me plaît pas de quitter tout cela. Je ne veux pas laisser maman et les autres. Je ne veux pas quitter Erik. Je veux l'aimer avec mon cœur, le toucher avec mes doigts, le voir avec mes yeux et sentir son corps contre le mien. Tous ces gens qui vivent et qui souffrent de par le monde, je peux les aimer parce que, comme moi, ils sont faits de chair et de sang, et que c'est par ma chair et mon sang que je peux les rencontrer et les aider. Cette personne qui vient de passer sous un drap, où est-elle maintenant? Erik, où serons-nous bientôt? Mon amour. Oui, j'aime dire «mon amour». Oh! Je le sais que nous sommes faits de la poussière des étoiles et que la poussière des étoiles est faite de Dieu. Je le sais que la poussière qui te compose, mon amour, vient de la même constellation que moi. Mais pourquoi retourner au réacteur stellaire d'où nous venons? Est-ce pour revenir un jour à nouveau et sans cesse recommencer à nous rencontrer, à nous aimer et mourir encore, jusqu'à ce que nous comprenions qu'il est possible de s'aimer autrement qu'à travers ce qui nous compose? De toute façon, mon amour, nous resterons toujours ensemble! Il le faut! Quels que soient ce qui nous compose et où nous serons. C'est drôle, je croyais, auparavant, que l'amour entre un homme et une femme était une arme que s'était donnée la nature pour la reproduction de l'espèce, mais nous, nous n'aurons pas d'enfants et je crois que nous nous aimons. Est-ce un cadeau que tu nous fais, mon Dieu, pour que l'on se sente moins seuls avant de mourir, ou une punition pour nous rappeler que la vie peut être si merveilleuse? Il nous reste peu de temps, Erik, mais je vais te donner tout ce que je peux et, aussi, partager tout ce qu'il sera possible.»

Une vieille femme courbée, tout de gris vêtue, s'avance à l'autre bout du couloir. Éléonore voit dans cette vieille et en elle-même une seule et unique personne sur le chemin de la vie. Une femme prête à donner à qui saura la rencontrer.

«Les gens naissent seuls, il ne tient qu'à eux de ne pas mourir seuls. Alors, peut-être, la vie n'est-elle pas vaine. Cette vieille au bout du couloir, qui a sûrement dans les quatre-vingts ans, aura-t-elle plus vécu que moi, qui n'ai pas encore vingt ans, si elle n'a pas connu le bonheur d'aimer?»

***

Au bureau des infirmières, Erik a demandé la chambre du père Johan. La décision qu'il a brusquement prise lui fait battre le cœur, et c'est tout essoufflé qu'il arrive devant la chambre du missionnaire.

Ce dernier est assis dans le fauteuil des visiteurs, plongé dans un vieux livre relié en cuir. Il lève les yeux.

«Tiens! dit-il, le jeune homme qui se dit pas trop pratiquant. Que me vaut le plaisir de cette visite?

— Peut-être un gros service, mon père.

— Si je peux être utile...

— Voilà... Je voudrais... Je désirerais me marier et j'aimerais que ce soit vous qui bénissiez cette union.»

Les yeux de l'homme se voilent soudain de tristesse. Il secoue lentement la tête.

«Ne m'as-tu pas dit qu'il ne te restait que peu de temps?

— C'est vrai.

— Et tu veux épouser une fille qui va se retrouver veuve avant même d'avoir eu la chance de partager ta vie? Pardonne ma franchise mais je trouve cela un peu égoïste, pour ne pas dire beaucoup.

— Oh! ce n'est pas ce que vous pensez, la personne que j'aime est ici dans ce département et, tout comme moi, ses jours sont comptés.

— Il est vrai que cela peut changer la façon de voir les choses. Pourquoi viens-tu me trouver, moi?

— Vous êtes prêtre, un bon prêtre d'après ce que j'ai compris, et puis vous êtes là.

— Quand voudrais-tu te marier?

— Le plus tôt possible.

— Ordinairement, il faut publier les bans et tout ce qui s'ensuit. Toutefois, j'imagine que dans un cas comme le tien, il y a des exceptions. Tu l'aimes depuis longtemps?

— Assez longtemps.

— Ce qui veut dire?

— Quelques jours.»

Le dominicain fixe Erik avec les yeux ronds.

«Quelques jours et tu veux l'épouser?

— Je ne peux pas vous expliquer pourquoi ni comment, mais je suis certain que nous nous aimons suffisamment pour nous marier.

484

— Je l'espère, parce que le mariage n'est pas un visa pour le plaisir des sens.

— Si c'était juste pour cela je ne serais pas venu vous trouver. Est-ce que nous pouvons compter sur vous?

— Ça me fera plaisir, mais avant je veux pouvoir vous parler à tous les deux ensemble.

— Nous viendrons vous voir, si, bien sûr, elle est d'accord.

— Parce qu'elle n'en sait rien?

— Pas encore.

— Bien, si elle est d'accord, venez me trouver.»

Ils échangent tous les deux un large sourire.

Leur conversation n'a duré que quelques minutes et, pourtant, Erik a l'impression qu'un mur vient de s'écrouler entre lui et un bonheur maintenant accessible.

Il la retrouve qui semblait l'attendre.

«Éléonore! J'ai quelque chose à te dire.

— J'ai hâte de savoir.»

Il ne sait comment lui annoncer ce qu'il vient de demander au père. Peut-être s'illusionne-t-il? Peut-être s'est-il monté la tête? Au fond, il est sûr du contraire mais cela lui paraît trop beau, trop facile pour être vrai.

«Il existe une autre façon de dire je t'aime, continue-t-il. C'est une chose que l'on ne peut dire qu'une fois.»

Éléonore l'écoute en se mordillant la lèvre inférieure. Elle vient de deviner ce qu'il va lui demander. Il s'approche d'elle et lui prend la tête entre les mains. Chacun peut sentir battre le cœur de l'autre. Ils se serrent davantage. Un courant passe entre eux. Chacun perçoit l'autre intimement. Leurs lèvres vont s'unir mais au dernier moment, Erik refrène le désir fou de poser ses lèvres sur celles d'Éléonore.

«Épouse-moi», murmure-t-il.

Elle le savait, mais son cœur ne fait qu'un bond:

«Épouse-moi aussi mon amour. J'ai tellement besoin de toi.

— Éléonore, je t'aime, je t'aime, il n'y a pas de mot pour exprimer ce que je voudrais te dire.»

Il y a comme une fenêtre qui s'ouvre dans la tête des jeunes gens. Ils se sentent propulsés, plus rapides que la lumière, au travers des étoiles. Une intense musique les enveloppe. Légers. Ils se sentent extrêmement légers. Sortis du temps. Erik rencontre l'immense lumière, la profonde douceur de ces phares mauves que sont pour lui les yeux d'Éléonore. Elle le sent au fond d'elle-même et, à son tour, se laisse emporter en lui. Réunis en dehors de toute matière, ils s'enivrent l'un de l'autre, entraînés dans un tourbillon incontrôlable dont ils ne savent s'ils pourront revenir.

Ils s'en moquent éperdument.

Sans qu'ils s'en aperçoivent, leurs lèvres se scellent. Ils nagent dans un lac de lumière, baignant dans une chaleur jusqu'alors inconnue; l'un et l'autre sachant désormais que rien ni personne ne pourra les arracher l'un à l'autre. Quoi qu'il puisse arriver, ils savent à présent que l'un ne vivra que pour l'autre, la fin de l'un entraînant celle de l'autre.

Encore une fois, ils ne remarquent pas l'infirmière qui fait sa ronde. Elle observe les jeunes gens une seconde et, émue, s'en retourne sans bruit. Jamais encore n'a-t-elle vu de visages aussi rayonnants, n'a-t-elle été témoin de tant d'amour entre deux personnes. Elle se demande, avec une légère pointe de jalousie, si pareille chose lui arrivera un jour. Malgré ce qu'elle sait de ces deux patients, elle se prend presque à les envier.

Ils s'écartent l'un de l'autre pour se regarder et se sourient avec une tendresse infinie. Les mots sont devenus inutiles pour exprimer ce qu'ils éprouvent mutuellement.

MER D'ARAL, R.S.S. DU KAZAKHSTAN

L'épouse du Secrétaire général a organisé une petite soirée articulée autour des vins de Bordeaux afin, selon ses propres termes, «de défouler les esprits». Chacun a revêtu la tenue de circonstance et, au milieu des hommes en noir, les dames évoluent dans de longues robes pailletées. En l'absence d'orchestre, une chaîne hi-fi a été installée dans le petit parc intérieur. Un jeu de lumières, habilement disposées, pare la fontaine du bassin de toutes les couleurs de l'arc-en-ciel. Sur une longue table dressée d'une nappe blanche immaculée, trônent, originant de la région de Pomerol, deux bouteilles de *Pétrus*, un 1971, l'autre 1982, et de la région du Haut-Médoc, un *Château La Tour Carnet* 1982. Pauillac est représenté par un *Château Lynch-Bages* 1981, Margaux par un *Château Giscours* 1983 et Saint-Julien par deux bouteilles de *Château Ducru-Beaucaillou* 1982. À l'intention des femmes préférant quelque chose de plus sucré, une bouteille de *Château d'Yquem* se renouvelle sans cesse dans un seau d'argent rempli de glace concassée. Sur un coin de la table se dresse une pyramide de petits canapés garnis de suprême de faisan truffé. Plusieurs couples tournoient au son de l'ouverture de *Die Fledermaus* ou de *Emperor Waltz*.

Smolosidov, qui vient d'arriver de Moscou, va de surprise en surprise. Tout d'abord, sa libération inattendue, puis sa réhabilitation, accompagnée des excuses de tous les membres du Politburo, et, maintenant, cette petite fête qui, en regard de ce qui se passe dans le monde, revêt un caractère un peu surréaliste et presque sacrilège.

«Le communisme à l'état le plus pur, pense-t-il.»

En apprenant sa libération, il a tout d'abord songé à un piège, mais maintenant qu'il se trouve au milieu de ses collègues il ne doute plus de sa réhabilitation. Ils n'ont rien trouvé contre lui et cela le laisse profondément perplexe.

Le Secrétaire général, un verre à la main, s'approche de lui:

«Alors camarade, avez-vous goûté au *Pétrus* 1982?

— Pas encore, camarade Secrétaire général. Comment est-il?

— Un fruité extraordinaire au nez, framboise, réglisse et je ne sais quoi d'autre. Une première attaque moelleuse avec une fabuleuse concentration de senteurs automnales et, pour finir, un rappel qui me fait penser au chocolat. Tout à fait remarquable!

— Je n'ai certainement pas votre palais.

487

— Allons! pas de fausse modestie. Et puis encore toutes nos excuses.

— N'y pensez plus. À propos, avez-vous trouvé l'origine de la fuite?

— Je crois, à présent, qu'elle doit se situer à un niveau inférieur. Après tout, nous sommes entourés d'hypocrites qui feraient n'importe quoi pour saper les acquis de la Révolution. Il y a aussi les incapables.»

En prononçant cette dernière phrase il a légèrement tourné son regard vers le colonel Boulkine, qui se trouve en grande conversation avec la Première dame. Le Secrétaire général s'approche de l'oreille de Smolosidov:

«Ne dirait-on pas que le directeur de la Sécurité fait le paon pour le bénéfice de mon épouse?

Sur ses gardes, Smolosidov esquive la constatation, en forme de question, du Secrétaire général:

«Qu'allez-vous imaginer, réplique-t-il souriant. Votre femme est une personne irréprochable.

— Tout à fait d'accord avec vous sur ce point.»

Smolosidov laisse venir. Il ne faut surtout pas dire quoi que ce soit de désobligeant sur le chef du KGB. Peut-être est-ce un piège, une mise à l'épreuve.

«Toi, mon salaud, tu ne m'auras pas.»

«Ce margaux est également sublime», fait-il, détournant la conversation.

«D'autant plus qu'il a le goût de la trahison.»

Le cœur de Smolosidov ne fait qu'un bond:

«Comment cela?

— Pendant que le peuple verse son sang pour la Révolution, nous, ses représentants et directeurs, nous nous gavons de petits canapés délicieusement décadents, dégustons les meilleurs crus de Bordeaux et dansons sur la musique la plus insouciante qui soit.

— Comme vous le dites, camarade Secrétaire général, nous sommes les directeurs du peuple et, par là, notre travail n'est que cérébral, ce qui demande le plus grand confort physique. Pourrait-on jouer convenablement aux échecs en ayant faim et froid?

— Certainement pas! À propos, il faudra que nous fassions une petite partie un de ces jours.

— Volontiers.»

En grande conversation, Boulkine a posé sa main sur l'épaule nue de la Première dame. Smolosidov voit un sourire rigide se dessiner sur les lèvres du Secrétaire général.

«Je crois qu'il faut que je m'occupe de mes affaires, dit-il tout bas.

— Peut-être vous méprenez-vous? se risque Smolosidov.

— Ma seule erreur a été de croire des abrutis qui péroraient que nous étions invincibles.

— Ne le sommes-nous pas?»

Pendant quelques secondes, le Secrétaire général fixe Smolosidov en silence.

«Vous êtes le seul parmi nous à avoir effectué un séjour prolongé aux États-Unis, lorsque vous avez occupé ce poste à l'ONU. Dites-moi ce que vous pensez de ce pays. Sont-ils capables, selon vous, de repousser notre victoire?

— Vous savez, mon séjour là-bas remonte aux années 60. Bien des choses ont dû changer.

— L'esprit de fond doit être resté le même.»

Smolosidov se rapproche de son vis-à-vis:

«Voulez-vous mon sentiment profond?

— C'est ce que je vous demande.

— Sur le plan militaire, s'ils sont motivés, les Américains sont imbattables. Alors que pour nous la violence est un mal nécessaire, pour eux c'est un dieu auquel ils vouent une grande dévotion et ce, dans tous les domaines. Architecture, produits de consommation, musique, arts, littérature, tout n'est que violence.

— Je vous suis assez mal. Ne sont-ils pas profondément religieux, très attachés aux valeurs familiales?

— Cela n'est pas contradictoire bien que, pour ce qui en est de la religion ou de la famille, les choses aient grandement changé depuis quelques années. En fait, je serais tenté de caractériser l'Américain par une seule définition: celui qui croit qu'il a droit à tout, s'il le gagne et le protège par la force. Tout son processus mental est articulé autour de cette définition.»

En lui-même, Smolosidov croit que cette définition devrait être celle de l'humanité. Il est un partisan de la sélection naturelle.

«Ils ont pourtant essuyé un échec au Vietnam, reprend le Secrétaire général.

— Uniquement parce que ce n'était pas une guerre payante.

489

Aucun des milliers de quotidiens de l'Union n'aurait élevé la voix contre cette guerre, si les annonceurs en avaient voulu autrement. Notez bien qu'ils ont perdu la guerre sans perdre une bataille.

— Si je vous suis bien, nous risquons de perdre cette guerre?

— Non! nous avons toujours la possibilité d'avoir recours à l'arsenal nucléaire et personne ne veut en entendre parler, ni chez eux, ni chez nous. Tout au moins entre eux et nous.

— Alors nous risquons de ne pas la gagner?

— Il ne faut pas la gagner.»

Le Secrétaire général fixe Smolosidov avec désapprobation: «Expliquez-vous, dit-il plus froidement.

— Jamais nous ne réussirons à imposer la Révolution par la force à l'Occident. Je n'y crois plus. Il faut perdre honorablement cette guerre, pour mettre en pratique ce que j'appelle le syndrome japonais.

— En quoi consiste ce syndrome?

— Depuis la Grande Guerre patriotique, toutes les énergies de notre nation se sont portées sur la défense. En perdant honorablement cette guerre qui vient de commencer, autrement dit en amenant les deux parties à signer de nouveaux traités, par lesquels chacun s'engagerait, devant le reste du monde, à ne pas attaquer l'autre, nous n'aurions plus à nous préoccuper de posséder une armée offensive. Toutes nos ressources pourraient alors être regroupées pour contrer les Américains, sur leur propre terrain.

— Le commerce?

— Non, les Japonais l'ont déjà fait. Ils ont perdu la guerre, mais ce sont eux qui aujourd'hui dominent économiquement les États-Unis qui les ont vaincus. Nous pourrions appliquer le même principe au niveau culturel et propager ainsi la Révolution plus sûrement qu'avec des canons. Avant de dominer des territoires, il vaut mieux dominer les esprits qui y habitent.

— Si je vous suis bien, il est beaucoup plus rentable politiquement de faire du cinéma que de construire des bombardiers?

— C'est mon sentiment, camarade. Les États-Unis ont conquis beaucoup plus de monde avec *Ben-Hur, Rambo, Gone with the wind, E.T.* ou *Dallas*, qu'ils ne l'auraient fait avec toute leur armée.»

Le Secrétaire général jette de nouveau un coup d'œil en direction de sa femme, qui semble toujours sous le charme de Boulkine.

«N'est-ce pas ce qu'essaie de faire présentement le camarade

Boulkine auprès de mon épouse: de l'impérialisme culturel?

— Il ne doit s'agir que d'une simple conversation.

— Nous avons une simple conversation et, pourtant, vous ne me cherchez pas du regard ni ne posez votre main sur mon épaule.

— Le ciel me garde de tels penchants.

— Vous croyez au ciel, camarade?

— Je ne crois qu'à ce que je vois.

— Moi aussi, soyez-en assuré.»

Le général Youdenitch arrive de la salle de commandement, impeccable dans son uniforme. Le Secrétaire général l'interpelle:

«Quelles sont les dernières nouvelles, camarade général?

— Des bonnes et des mauvaises.»

Tous les hommes se rapprochent et entourent Youdenitch.

«Les mauvaises d'abord, demande le Secrétaire général.

— L'OTAN a réussi une percée en RDA jusqu'à Magdebourg. En Turquie nous piétinons, il nous faudrait davantage de divisions sur place. Mais c'est sur le front du Pacifique que la situation est des plus inquiétantes. Des paras US occupent Ouelen et Lavrentiia au nord. Plus au sud, notre base sous-marine de Petropavlovsk a été investie et des combats font rage à Vladivostok ainsi que dans le sud de l'île Sakhaline. C'est un véritable débarquement qui a lieu dans ce secteur. Autre chose aussi, la Chine a profité de tout cela pour traverser la frontière vietnamienne et a déjà opéré une avance de trente kilomètres en direction de Hanoï. Au niveau spatial, c'est une véritable hécatombe de matériel avec, pour seul soulagement, que cela vaut pour les deux camps.

— Les bonnes nouvelles?

— Mais avant je voudrais parler des imprévus, comme au Cachemire où le Pakistan a engagé des troupes dans la zone indienne. Des combats ont lieu présentement dans les environs de Srinagar et, plus troublant, la Chine, encore là, est sur le pied de guerre le long de la ligne qui sépare sa zone de celle de l'Inde.

— Il serait bon pour nous que l'Inde et la Chine s'affrontent, fait le Secrétaire général. Ça nous assurerait du soutien de New Delhi.

— Je crois qu'il ne faut pas trop compter là-dessus, rétorque Yakkov. Une trop grande partie de la population indienne nous est hostile. Ce pays est fanatiquement religieux.

— Alors, quelles sont les bonnes nouvelles? reprend le Secrétaire général.

— Pendant que l'OTAN réussissait une poussée en RDA, répond Youdenitch, notre fameuse division fantôme a réussi à traverser de son côté vers Francfort, et ce ne devrait plus être qu'une question d'heures avant d'investir cette ville. Même chose en direction de Hambourg.

— C'est quand même une guerre bizarre, où les uns vont de leur côté et les autres du leur... N'y a-t-il pas moyen de repousser les troupes de l'OTAN en RDA avant de poursuivre l'offensive?

— Mieux vaut les laisser avancer pour les isoler ensuite.

— Espérons qu'ils ne tiennent pas les mêmes propos.

— Je ne crois pas, car, d'une manière générale, nous pouvons dire que sur les fronts baltique et central, sur le premier front ouest, et avec la division fantôme du deuxième front ouest, la situation est légèrement à notre avantage. La faute du retard doit être imputable au fait que l'OTAN, contrairement à tous les pronostics, a pris les devants, ce qui ne nous a pas permis de les aplatir dès le départ. Nous ne pouvions pas leur refiler des obus biologiques alors qu'ils étaient déjà au milieu de nous. Il y a aussi cette nouvelle arme qui a causé beaucoup de surprise chez nous. Il semble qu'il y en a déjà beaucoup moins, mais il ne faudrait pas que les surprises s'accumulent trop.

«Il semblerait que les Renseignements n'aient pas été à la hauteur», persifle le Secrétaire général.

Boulkine pique un fard mais ne bronche pas. Un observateur attentif lirait le mépris dans son regard. Youdenitch poursuit:

«Autre bonne nouvelle, une complète division aéroportée est arrivée sans encombre au Nicaragua. Le mot d'ordre a circulé chez tous les guérilleros d'Amérique latine, qui nous sont favorables, et nombre de sabotages ont cours présentement à la grandeur du continent. Tous les nostalgiques du Che s'en donnent à cœur joie. Enfin, en Afrique australe, des troupes angolaises ont intercepté celles de la République sud-africaine en Namibie. À l'heure actuelle, nous n'avons encore aucun détail sur le cours que prennent ces affrontements. Ce que nous savons par contre, c'est que des renforts du Mozambique sont dépêchés sur les lieux.

— De Pretoria aussi, je suppose. Camarade général, n'essayez pas de me faire croire que des troupes angolaises pourraient avoir le dessus sur l'armée de Pretoria.»

Le Secrétaire général prend une gorgée de vin et poursuit:

«Si vous aviez des notes à accorder aux deux camps, quelles seraient-elles?»

Youdenitch arbore un sourire contraint avant de répondre:

«Dans le match qui oppose l'OTAN aux forces du Pacte, je dirais un à un.

— Nous ne devons pas annuler la partie, camarade général; nous devons la gagner.

— Bien sûr! Tout va changer. Nos troupes ont traversé la Yougoslavie sans rencontrer la moindre résistance et la Grèce ne devrait pas en opposer beaucoup plus. Ensuite, la Turquie sera isolée.

— Allez-y doucement avec la Turquie, c'est un pays musulman et il ne faut pas nous mettre les autres à dos.

— Que fait-on en ce qui concerne la Chine?», demande Yakkov.

La musique de Johann Strauss II a cédé la place à la symphonie N°9 en E mineur de Dvorjak. Le Secrétaire général prend une nouvelle gorgée de vin et engloutit un canapé recouvert d'une épaisse couche de suprême:

« Mao n'avait-il pas prédit que l'affrontement était inévitable entre nous? Ordonnez-leur de se retirer immédiatement du Vietnam. S'ils refusent... Eh bien, nous aviserons comme il convient.»

Il s'approche de Smolosidov:

«Je crois que votre idée sur la culture n'est pas mauvaise, mais sans les Chinois.»

ANDREWS AIR FORCE BASE, MARYLAND.

Sur son aire de repos, le 747 au nez doré est intégralement blanc, sauf une bande bleue à la hauteur des hublots. Il porte pour seule appellation: UNITED STATES OF AMERICA en lettres noires le long de la carlingue, USAF sur son aile gauche; et la bannière étoilée sur l'aileron de queue surmonte le numéro de matricule 5025. C'est le *National Emergency Airborne Command Post* ou NEACP. L'avion à partir duquel le Président doit donner ses ordres à la nation en cas de conflit nucléaire. De ce poste, il peut directement et n'importe quand, commander la mise à feu des missiles *Minuteman* ou MX, enfouis dans les silos du Montana et du Dakota du Nord. Et sous son contrôle direct, immédiat, il y a un détachement de B-52 G, B-52 H, B-1 B, et F-16 porteurs de missiles de croisière ALCM et MRASM. C'est également à partir de ce poste volant que le Président pourrait donner ses ordres aux *Bœing* E-6 du TACAMO, pour empêcher la destruction totale de l'hémisphère par des représailles automatiques de tous les sous-marins nucléaires US, qui dorment sous les eaux du globe. Cela en admettant que les Soviétiques ne prennent pas les avions du TACAMO pour cible.

Outre le double équipage, le Président et son épouse, seuls le secrétaire à la Défense Dave Fawcett et le conseiller Harry Steelman ont pris place à bord. C'est sous les conseils du NSC que le Président a accepté de prendre ses quartiers dans l'appareil. De toute façon, il préfère cela à n'importe quel souterrain.

Allongé sur son lit non défait, mains croisées sous la nuque, le Président laisse son esprit vagabonder. Plus que jamais, il voudrait tout envoyer promener, rejoindre son petit ranch du Wyoming, seller son cheval et partir quelques jours en randonnée dans les contreforts boisés.

«Si tout ce merdier peut trouver un aboutissement, je donne ma démission. Je case tous mes smokings dans un carton que j'expédie à l'Armée du Salut et je m'installe définitivement au Wyoming. Je passerai mes vieux jours à taquiner le poisson. Plus de radio, ni TV, ni téléphone. Rien que la belle paix! Peut-être écrirai-je mes mémoires pour dire combien, même en étant président, on peut être prisonnier du système et de ses turpitudes.»

Sa dernière visite au ranch remonte au printemps, alors que quelques plaques de neige persistaient encore ici et là dans les sous-bois. Pendant trois jours – au grand dam de ses gorilles – il a erré seul en canot le long de la *Green River*, avec pour tout bagage, son attirail de pêche, un sac de couchage, un gros pain de maison, quelques tablettes de chocolat *Hershey*, du thé noir en vrac à la bergamote, une douzaine d'œufs, une livre de cheddar doux et dix livres de belles patates de l'Idaho. Pour le reste, il s'est contenté des truites arrachées à la rivière.

«J'élèverai peut-être du bétail, il faut bien faire quelque chose. Des *Aberdeen Angus* ou, plutôt non, des *Galloway*. Plus rustiques, elles résistent mieux aux rigueurs de l'hiver. Ou des chevaux, peut-être? Ce n'est pas drôle d'élever des animaux pour l'abattoir. Oui! des chevaux, des *Quater Horses*. Ce sera magnifique de les voir galoper à la brunante. Oui! C'est décidé, j'élèverai des chevaux.»

Il se remémore l'époque où, aidé de ses deux frères, ils ont construit l'habitation du ranch. Ensemble, ils avaient sélectionné les résineux les plus droits de la forêt. Il y a eu l'abattage, le transport, qui n'a pas été une petite affaire, car il fallait garder les arbres en longueur, et ils refusaient catégoriquement de faire intervenir une débusqueuse: il fallait que ce soit comme autrefois; l'écorçage des troncs, la construction du grand palan, la taille des joints aux ciseaux à bois et au maillet, l'érection des fondations de pierres et, finalement, celle des murs. Une belle époque où, après une bonne journée de transpiration au grand air, ils se réunissaient autour d'un feu pour reprendre les vieux refrains d'un Willie Nelson ou d'un Johnny Cash, tout en engloutissant d'énormes platées de haricots rouges, qu'ils faisaient passer avec un peu plus de bière que nécessaire, avant de s'endormir sous la voûte du ciel en contemplant le passage des étoiles filantes.

«Pourquoi vouloir devenir président? Contre toutes les cellules qui me composent, il va peut-être falloir ordonner un jour la mise à mort de millions d'innocents. Contre moi-même et toute ma morale, je vais peut-être en donner l'ordre. Pourquoi? Comment est-ce possible?»

Sortant de la salle de bain, sa femme, vêtue d'un tailleur lavande de coupe stricte signé *Yves Saint-Laurent*, s'approche du lit. Juste à voir son comportement, il devine qu'elle a une requête à formuler:

«Qu'y a-t-il?

— Chéri, crois-tu vraiment que je doive rester dans cet avion? Je pourrais très bien attendre à la maison. Un hélicoptère aurait le temps de me ramener si besoin était. C'est ennuyeux pour moi, ici. Je suis la seule femme à bord et, à part la lecture, il n'y a pas grand-chose à faire.»

Il l'observe quelques secondes.

«Bien sûr, chérie, pense-t-il. Tu serais bien plus à ta place chez *Bloomingdale's*, ou en réception à Westminster. Tu t'ennuies ici, il n'y a personne que tu puisses éblouir en ta qualité de Première dame du pays. Bien sûr, tu peux retourner *à la maison,* comme tu dis en parlant de la Maison-Blanche. Voilà plus de vingt ans que tu fais la belle vie, accrochée à mes basques. Plus de vingt ans que tu bouffes mon oxygène, plus de vingt longues années pendant lesquelles – pour ne pas humilier Madame – je n'ai pas baisé une jeunesse bien en chair et pleine de vie. Presque un quart de siècle à fourrer mon bâton dans ton trou stérile. Il faudrait que je t'avoue que, depuis quelque temps, je rêve d'une belle petite toison dorée entre de belles petites cuisses fermes, mais que veux-tu? C'est à ne rien comprendre, j'ai encore de l'affection pour toi.»

«Je comprends, dit-il. Mais si les événements se corsent, l'avion devra décoller immédiatement. Ce n'est qu'une question de minutes entre l'alerte et l'impact.

— Alors, il faut que je reste là?

— Tu sais très bien que Washington serait une des premières villes visées.

— Est-ce que ça va durer longtemps?

— Comment veux-tu que je le sache?»

Dépitée, elle hausse les épaules:

«Tant pis, je prendrai mon mal en patience.

— Pense à tous les autres qui...»

Une idée lui traverse l'esprit. Il en exprime une partie:

«Pourquoi n'irais-tu pas au Brésil? Nous avons des installations là-bas pour le cas où le pays serait complètement détruit. Près de Rio. Agréable, non?»

Il remarque un éclair de satisfaction dans le regard de sa femme.

«Ce serait merveilleux!» ne peut-elle s'empêcher de s'exclamer.

— Il faudra que ce soit discret. Imagine la tête du peuple en apprenant que tu es à l'abri sous les tropiques.

— Je me ferai invisible. Qui pourrait me reconnaître sur la plage de Copacabana?»

«Mon cul! En moins de vingt-quatre heures, toute la *High*

Society entre Sao Paolo et Manaus voudra t'avoir dans ses salons», pense le Président.

«C'est entendu, fait-il. Je vais t'arranger ça.

— Merci, mon amour.

— Oh! je réalise que ce n'est pas très drôle pour toi dans cet appareil.»

Ayant dit ces mots, il décroche le téléphone qui le met en ligne directe avec sa secrétaire, qui est demeurée au Pentagone.

«Rose?

— Oui, monsieur le Président?»

En quelques mots il lui explique qu'il désire – le plus rapidement possible – un jet privé pour un vol au Brésil.

«Mon épouse doit se rendre là-bas comme ambassadrice, en quelque sorte, auprès des militaires brésiliens.

— Je comprends, monsieur.

— Vous comprenez tout, Rose.»

Il voit sa femme entrer de nouveau dans la salle de bain et met sa main en porte-voix entre sa bouche et le combiné:

«Rose, je voudrais aussi que vous retrouviez une certaine Sheila Hemingway. Elle donne des conférences sur la stratégie politico-militaire à Georgetown. Demandez-lui de réunir ses bouquins les plus importants et de venir me retrouver ici.

— À l'avion?»

Rose Hataway ne cache pas sa surprise.

«Oui, à l'avion. Disons demain matin.

— Je m'occupe de tout ça, monsieur. Oh! pendant que j'y pense, il y a justement monsieur Isaac Reeves Helmann, le banquier de Boston et Philadelphie, qui se trouve actuellement à Rio. Il vient tout juste de contacter James Larimer. Il aurait trouvé «qui» a semé la panique sur les parquets boursiers.

— Nous savons d'où ça vient.

— Lui assure en avoir les preuves.

— Intéressant.

— Peut-être pourrions-nous lui demander qu'il veille à ce que tout soit en ordre pour l'arrivée au Brésil de votre épouse?

— Est-il correct?

— C'est un véritable Américain, monsieur, si vous voyez ce que je veux dire.

— Très bien! Ce sera parfait. Quand tout ceci sera réglé, vous pourrez me passer James Larimer.»

Un léger sourire au coin des lèvres, il raccroche, juste comme on cogne à la porte de sa chambre.

«Oui?»

Steelman répond:

«Nous aurions besoin de vous, monsieur.

— J'arrive dans un instant.»

Il s'adresse à sa femme, qui sort de la salle de bain:

«Tout va s'arranger pour ton départ. Contente?

— Je n'aime pas te quitter, surtout dans des moments comme ceux-là, mais cet avion est plein d'instruments électroniques...

— C'est le printemps au Brésil.

— C'est vrai! je n'y avais pas pensé.

— Pendant que tu seras là-bas, tu pourrais en profiter pour évaluer le pouvoir en place. Ils doivent jubiler à Brasilia.

— Pourquoi?

— À ton avis, quels chemins prennent les grosses fortunes occidentales en ce moment?

— L'Amérique latine?

— Dans le mille. Tu vas rencontrer là-bas tous les barons de la finance, fuyant les griffes avides de l'ours soviétique et le cauchemar d'un désastre nucléaire.»

Il a un petit rire creux:

«Si je meurs, tu trouveras certainement quelqu'un, suffisamment fortuné, pour t'offrir de jouer les Jackie.

— Tu es bête!» dit-elle en s'esclaffant.

Il quitte la chambre en lui envoyant un baiser du bout des doigts et se rend dans le QG où l'attendent ses deux collaborateurs.

«Du nouveau?» demande-t-il.

Harry Steelman pose un verre de jus d'orange à côté de lui et incline légèrement le chef:

«Pas exactement, répond-il. D'après nos spécialistes, la toxine botulique devrait commencer à produire son effet, et d'ici quelques heures tous les hommes qui ont été en contact avec elle seront virtuellement hors de combat.

— C'est très bien, non?

— Excellent, mais il faut en profiter pour mettre le paquet et opérer une percée décisive vers l'Est. Les autres membres de l'OTAN ne sont pas au courant de cette opération, il faudrait donc avertir le SHAPE afin qu'il organise la manœuvre.

— Je vais le faire, où est le problème?

— Quelle sera la réaction des Russes lorsqu'ils se verront acculés au mur?»

Le Président observe un bref silence, pendant lequel il évalue toutes les facettes du problème.

«Vous pensez à une riposte nucléaire?

— C'est probable, tout au moins dans la zone des combats.

— Les missiles à courte portée ont tous été démantelés.

— Il serait étonnant que – tout comme nous – ils n'en aient pas dissimulé quelque part.

— Que proposez-vous?

— Rien du tout, à vrai dire. D'abord foncer et ensuite voir venir. Je vous dis cela uniquement pour que vous ne soyez pas surpris si les choses s'enveniment.

— Il n'y a plus rien pour me surprendre. Je communique immédiatement avec le SHAPE.»

Non loin de là, dans le carré réservé aux équipages, Jonathan Yeager dispute une partie d'échecs avec l'autre pilote.

«As-tu déjà couché avec une négresse?» demande ce dernier sur le ton de l'ironie, cherchant visiblement un léger sujet de conversation.

Avec un brin d'émotion, Yeager revoit l'image de Bessie:

«Dans ce cas, je n'aime pas beaucoup le terme négresse. C'est un peu comme si tu demandais si j'avais couché avec une truie.

— Avec une fille de couleur, si tu préfères?

— Pourquoi cette question?

— Parce que je n'en ai pas encore eu l'occasion et que je me demande soudain comment ça peut être.

— Comme avec une Anglo-Saxonne bon teint, tout dépend de la façon dont tu prends la chose.

— Ouah! tu m'as tout l'air d'en avoir pincé une?

— Échec au roi par le fou.

— Bordel! tu m'as eu.

— Une fois, j'ai eu affaire à une Noire. Je ne devais pas avoir plus de dix-huit ans à cette époque. J'étais allé faire ma première virée à Las Vegas dans ma première voiture, une vieille *Dodge Charger* dont la seule pièce à peu près sécuritaire était la radio AM.

Bref, sur le chemin du retour, le moteur s'est mis à chauffer. J'ai stoppé la voiture puis, comme j'ouvrais le capot, le bouchon du radiateur a sauté, libérant un jet brûlant qui m'a aspergé la figure. Brûlé, je voyais tout en rouge, je pensais devenir aveugle et c'était plutôt douloureux. Des automobiles s'arrêtaient et leurs occupants faisaient cercle autour de moi, comme si j'étais un animal de foire. C'est alors qu'une autre voiture s'est immobilisée, une grande Noire – superbe à ce que je me rappelle – est descendue et est venue me prendre par la main.

— Par la main?

— Ouais, par la main, et je te jure que ça m'a fait le plus grand bien. Tu ne sais pas ce qu'elle a dit aux autres, les spectateurs?»

Le pilote fait un signe d'ignorance.

«Elle a dit: «Tirez-vous, bande de fils de putes. C'est pas les cirques romains ici.» En plus de m'apporter du soulagement, cette femme-là a réussi à me faire rire. Je ne l'ai jamais revue, je n'ai jamais pu lui dire merci.

— Et maintenant tu n'aimes pas que l'on parle mal des Noirs?

— Exact! D'autant plus que j'en ai connu une autre qui, elle aussi, m'a apporté quelque chose.

— Je comprends.

— Échec et mat.

— Tu m'as distrait avec ton histoire.

— C'est ça qu'il faudrait faire aux popoffs: les distraire.

— Comment?

— Dans une partie d'échecs le but est de bloquer le roi. Pourquoi ne pas envoyer des troupes d'élite décapiter le Politburo?

— Tu serais volontaire?»

Yeager pousse un profond soupir:

— L'Amérique, c'est une route au petit matin. Ça sent l'herbe humide, l'asphalte et le bacon grillé. Un petit restaurant, avec, derrière le comptoir, une belle blonde au gentil sourire qui vous sert une bonne portion de tarte maison aux pommes et à la cannelle, copieusement arrosée de crème fraîche. Pendant ce temps-là, au juke-box, un Neil Diamond chante *America*. Pour sauver ça, oui! j'irais décapiter les trouducs du Kremlin.

— Le Président est à deux pas, tu pourrais aller lui faire la suggestion. Je suis partant avec toi.»

WRANGEL, MER DE SIBÉRIE ORIENTALE

La nuit va bientôt tomber, le vent charrie de lourds nuages du gris le plus sombre dans le ciel blafard. Les côtes de Wrangel s'élèvent noires et massives au-dessus du pack. David Cussler ne peut réprimer une grimace:

«Pas gai! fait-il à l'adresse de Mamayak.

— Très sauvage», répond l'Inuk.

Le petit convoi des glaces a fait halte et David prend des mesures avec son compas pour trouver vers quelle direction orienter l'antenne tournesol de sa radio-satellite. Ayant décelé le point recherché, il ajuste le casque d'écoute sur ses oreilles et actionne l'interrupteur de transmissions. Mamayak et Angatkoq se sont rapprochés, leurs physionomies laissent entendre qu'ils trouvent quelque chose de magique à cet appareil.

«Alpha Papa Whisky Zéro-Un appelle Zoulou Zoulou Zéro-Zéro?»

Il laisse s'écouler six secondes et renouvelle son appel.

«Ici Zoulou Zoulou Zéro-Zéro. Nous vous recevons cinq sur cinq, Alpha Papa Whisky Zéro-Un. Vous pouvez commencer votre rapport.

— Nous sommes arrivés à environ un mille et demi de l'objectif que j'ai présentement sous les yeux. Ça ressemble à un cauchemar tout droit tiré d'un livre de Poe. Aucun signe de vie. Je compte effectuer un premier survol dès demain matin. Terminé.

— Merci Alpha Papa Whisky Zéro-Un. Votre rapport est bien compris à part Poe, qui est inconnu. Nous devons vous informer des changements survenus depuis votre départ.

— *McDonald's* a fait faillite?

— C'est plus sérieux. L'URSS a fait exploser une arme thermonucléaire sur, ou plutôt, dans la ville d'Haïfa, en Israël. Depuis maintenant plus de vingt-quatre heures, les troupes de l'OTAN ont ouvert les représailles contre les forces du Pacte de Varsovie. Nous sommes en état de guerre totale.»

David Cussler a l'impression que le ciel lui tombe sur la tête. Il s'attendait à quelque chose, mais pas à une bombe dès le commencement.

«C'est pas vrai? tente-t-il de se persuader.

‡21Malheureusement, oui. Aussi devez-vous convaincre les ci-

501

vils qui vous accompagnent qu'ils sont là-bas à leurs risques et périls.

— Est-ce que ça veut dire que vous êtes prêt à revenir les chercher immédiatement?

— C'est impossible pour l'instant, toutes les unités sont utilisées au maximum.

— Quoi d'autre?

— Tel que prévu dans les accords de l'OTAN, les forces canadiennes sont dirigées vers la Norvège. Du moins en partie, car plusieurs divisions vont être acheminées vers la Sibérie. Vous devez dès à présent considérer que vous êtes en mission de guerre et agir comme tel si vous rencontrez des forces ennemies.

— Vous vous foutez de ma gueule?

— Pardon?

— Si je tombe sur une division, est-ce que je dois les faire prisonniers?

— Si vous le pouvez, Alpha Papa Whisky Zéro-Un. Si vous le pouvez.

— Allez vous faire foutre, Zoulou Zoulou. Prochain rapport demain, même heure. Terminé.

— Ces appareils ne sont pas conçus pour les vulgarités, Alpha Papa Whisky. Faites attention aux Sibériennes, il paraît qu'elles écrasent le pénis des prisonniers à coup de marteau. Terminé.»

David range son matériel en silence et se tourne vers les deux Inuit:

«Nous sommes en guerre, annonce-t-il.»

Il désigne l'île du doigt:

«Ceci est un territoire ennemi. Si vous voulez repartir, je ne peux pas vous en empêcher et je comprendrai très bien.»

Mamayak consulte son frère du regard puis, dans un sourire qui affiche une rangée de dents jaunes, noircies aux extrémités:

«Si tu veux capturer une division, tu vas avoir besoin d'aide.

— Merci. Ne craignez rien, je n'ai jamais envisagé d'inscrire mon nom au *Guinness*, sous la rubrique folie téméraire. Non! tout ce que nous avons à faire est d'aller occuper cette île. Qui sait, peut-être serons-nous les premiers à avoir pacifié une région d'URSS.»

En lui-même il est furieux. À l'heure actuelle, il devrait se trouver dans les nuages à traquer l'ennemi.

«La guerre est commencée, celle que tout le monde redoute depuis que je suis au monde, et au lieu d'avoir les fesses posées dans

502

mon zinc, je fais le con sur la banquise. Seigneur, que je suis loin des étoiles.»

Sans savoir pourquoi, l'image d'un observatoire dévasté se présente à son esprit. Et dans les décombres, le corps ensanglanté de Zoé.

«Protégez-la! murmure-t-il. Protégez-la.»

RIO DE JANEIRO, BRÉSIL

Trinidad n'a plus de temps à perdre. Si elle veut posséder un jour tout ce qu'elle a entrevu l'autre nuit sur le toit de la cabane, il faut qu'elle agisse dès maintenant.

«L'argent, il est à Petrópolis ou à Teresópolis», l'a-t-elle souvent entendu dire par Felipe, sans oublier de ranger ces noms dans un coin de sa mémoire. «Les *cariocas* pleins de fric n'aiment pas passer l'été dans l'humidité de la ville, ils se réfugient dans la fraîcheur des montagnes. Ils sont fragiles, les riches.»

Ce matin, elle a réuni les quelques cruzados qu'elle a économisés depuis son tout jeune âge – trop peu même pour acheter une paire de souliers bon marché. Elle s'est longuement peignée, a enfilé sa plus belle robe – la blanche qui n'a pas de trous – et a embrassé sa mère.

«Où vas-tu? lui a-elle demandé.

— Je vais voir les commerces en ville.

— Fais attention à toi.

— Oui, maman.»

Le seul avantage que possèdent les enfants des favelas par rapport à ceux de nombreux autres pays ou sociétés, est qu'ils jouissent d'une liberté de mouvement – seule capable de leur donner l'expérience qui ne s'acquiert pas sur les bancs d'école: celle de la rue. Cette expérience est généralement la seule qui puisse, pour les plus forts, leur permettre d'émerger vers un niveau d'existence plus élevé.

Elle a marché toute la matinée pour atteindre la croisée du Rio Branco et de l'avenue du Président Vargas. Elle a failli s'attarder devant les vitrines mais n'en a rien fait.

«Ces vitrines sont pleines de choses qui font envie. Je n'ai pas le droit d'avoir le goût des choses avant de posséder ce qu'il faut pour me les procurer.»

Malgré son jeune âge, elle a compris, comme allant de soi, ce que la majorité des gens ne réalisent jamais.

La chance se présente sous la forme d'un minibus stationné devant une banque. Il affiche sa destination: Petrópolis. Sans réfléchir plus longtemps, elle monte les deux marches qui mènent au chauffeur.

«Où vas-tu? demande-t-il.

— Petrópolis, monsieur.

— Tu habites Petrópolis? fait-il soupçonneux.

— J'y travaille, ment-elle.

— As-tu l'argent?»

Elle présente tout son avoir dans le creux de sa main.

«C'est tout ce que tu as?»

L'angoisse lui bloque la poitrine:

«C'est pas assez?»

Le chauffeur jette un regard furtif autour de lui.

«Ça ira», dit-il en prenant les quelques pièces qui ne représentent pas la moitié du tarif.

Il lui tend un ticket.

«Je te préviendrai quand nous serons arrivés.

— Merci, monsieur.»

Le véhicule s'ébranle bientôt et, le nez collé contre la vitre, Trinidad regarde de tous ses yeux. Seule, elle n'est encore jamais allée aussi loin.

«Je ne ferai pas comme Rosa, se promet-elle. Je ferai beaucoup mieux!»

Ils passent le petit port de pêche, les quartiers ouvriers qui déjà semblent riches aux yeux de Trinidad et, enfin, la zone industrielle, avant de commencer à grimper dans les montagnes couvertes de végétation. Certaines fenêtres du véhicule sont ouvertes et, à mesure que s'éloigne le niveau de la mer, la température fraîchit agréablement. Les autres passagers sont surtout des servantes et autres travailleurs de maison. Trinidad les étudie du coin de l'œil pour voir de quelle manière ils se comportent.

«Ils ne ressemblent pas aux gens que je connais, se dit-elle. On dirait qu'ils sont plus calmes. Ils doivent essayer d'imiter les gens qu'ils servent.»

L'autobus longe quelques belles villas qui émerveillent la petite fille:

«Comme s'est beau!»

Plus ils avancent, plus les résidences deviennent somptueuses. Trinidad sent son cœur qui bat plus fort:

«C'est ça que je veux! C'est ça que je veux!»

Il y a déjà eu deux arrêts au cours desquels des passagers sont descendus. Au troisième le chauffeur fait signe à Trinidad:

«Tu es arrivée», lui lance-t-il.

Incertaine, Trinidad descend et tâte le trottoir de ses pieds, comme si elle n'était pas convaincue d'avoir le droit de venir en ces lieux.

«Il y a une petite fontaine dans le chemin qui monte là-bas, lui désigne le chauffeur qui l'observe. Si j'étais toi, j'irais me passer de l'eau sur les jambes.»

Elle regarde ses jambes couvertes de poussière:

«Oui, merci!»

Le chauffeur sourit, secoue la tête avec indulgence et referme la porte. Elle n'est pas la première qu'il conduit à Petrópolis. Peut-être une des plus jeunes? Celles qui montent le font pour deux raisons: pour les unes, il s'agit de proposer leurs charmes, pour les autres, leurs bras. Généralement, elles redescendent vers le tumulte de la ville, désillusionnées les unes et les autres.

Suivant les conseils du chauffeur, Trinidad va à la fontaine et s'y lave soigneusement les jambes et les pieds. Tout autour d'elle, des milliers d'oiseaux gazouillent dans la végétation. L'air est propre, frais, légèrement parfumé par les plantes environnantes. Elle lisse sa robe avec ses mains, s'assure qu'elle est présentable et se sermonne:

«Maintenant, c'est à toi de jouer. Ignore les obstacles, il faut sauter par-dessus si tu veux sortir maman et les autres de la favela.»

Elle aime beaucoup observer, c'est là sa force. Sur ce point encore, elle a compris que les obstacles de la vie ne sont rien d'autre que le refus que peuvent opposer les gens aux demandes formulées. Le tout est de les convaincre.

Tout en haut du petit chemin se dresse une barrière de fer forgé, qui fait face à une allée de gravier rose traversant un parc ombragé d'eucalyptus importés et menant à une résidence de plain-pied de style hacienda. Les deux grilles de la barrière sont ouvertes: Trinidad s'engage résolument dans l'allée. Évitant l'entrée principale de la demeure, elle contourne le bâtiment, subjuguée par l'impression de luxe qui se détache de l'ensemble. Elle longe la façade d'un blanc aveuglant, percée de fenêtres ceinturées de grilles en fer forgé du même style que les grilles d'entrée. Alternativement, une fenêtre sur deux n'est, en fait, qu'un vitrail dont elle ne peut vraiment distinguer les motifs de l'extérieur. Une tonnelle en poutres de cèdre rouge, où serpente une glycine odorante, offre un porche à la porte de service. Trinidad actionne le carillon.

Une femme entre deux âges, vêtue d'un tablier de dentelle

blanche sur un ensemble noir, ouvre la porte et jette un regard soupçonneux sur Trinidad:

«Oui?

— Bonjour, madame. Je suis venue ici pour travailler.

— Je ne suis pas au courant. Tu as été engagée?

— Non madame, mais je suis certaine que le propriétaire de cette maison aimerait disposer de quelqu'un comme moi pour faire tous les travaux fatigants. Je ne demande rien, prenez-moi à l'essai.

— Nous n'avons besoin de personne.

— Êtes-vous la seule employée?

— Je t'ai dit que...

— Qu'est-ce que c'est?»

Trinidad entrevoit l'homme qui vient de poser la question avec un très fort accent. La servante répond:

«Ce n'est rien, monsieur. Une petite qui cherche du travail.»

Isaac Reeves Helmann s'approche dans l'encadrement de la porte. Trinidad se dit qu'elle n'a jamais rencontré quelqu'un dégageant autant d'autorité. Elle ne l'aime pas mais n'en laisse rien paraître.

«N'aie pas peur, pense-t-elle. Ce n'est qu'un homme comme les autre. Plus riche, c'est tout.»

«Que veux-tu?» demande-t-il avec un accent épouvantable aux oreilles de Trinidad.

«Je suis seule au monde, monsieur. Mon père est mort dans un accident dans la grande forêt, ma grande sœur qui s'occupait de moi est morte dans un accident de voiture. Je vous supplie de m'accepter à votre service. Je ne demande rien, juste à l'essai.»

Trinidad a tout calculé: un père mort dans la forêt implique que c'était un travailleur et non une épave. Une grande sœur tuée dans un accident de voiture suppose un certain statut social, et la supplication doit, selon elle, toujours faire plaisir aux gens riches.

«Quel âge as-tu?

— Quatorze ans, monsieur.»

Elle n'a jamais tant menti.

«Tu n'as plus de mère non plus?»

Trinidad attendait cette question:

«Maman est partie rejoindre Jésus quand je suis née. Elle avait le choix entre elle ou moi, elle a choisi moi.»

Elle est persuadée que cette réponse va prouver qu'elle descend d'une famille où les gens ont du cœur. Elle voit au regard de l'homme qu'elle ne s'est pas trompée.

«Comme ça, tu es complètement seule dans la vie.

— Malheureusement, monsieur.»

Elle n'aime pas la lueur qu'elle remarque dans les yeux de l'homme.

«Fais attention, se dit-elle. Ce n'est pas un gentil.»

«Que sais-tu faire?

— J'apprends vite et bien, monsieur. J'ai appris à lire presque toute seule et à compter aussi. Mes bras ne s'arrêtent pas, même s'ils sont fatigués.

— Combien de maisons as-tu visitées avant de venir ici?

— C'est la première maison, monsieur.

— Pourquoi ici?»

«Ne lui raconte pas d'histoires à ce sujet, il a l'air malin le bonhomme.»

«Je ne sais pas, monsieur.

— Ton nom?

— Trinidad.

— Trinidad, saurais-tu t'occuper de la chambre d'une grande dame?

— Si vous voulez dire cirer les meubles, changer le lit tous les jours, faire les carreaux, ranger le linge, faire briller les souliers, recoudre les boutons, récurer la salle de bain et ne rien voir ni rien entendre, vous ne pouvez trouver mieux que moi.»

L'homme éclate de rire.

Trinidad a pris tout cela dans un roman feuilleton, paraissant chaque semaine dans le journal qui fait le tour des taudis le dimanche. La seule différence, c'est que l'histoire se passait en Grande-Bretagne, sous le règne de Victoria, et que la soubrette de l'histoire s'appelait Nelly et avait seize ans.

«Très bien! fait-il. Je te prends à l'essai.»

Il se tourne vers la servante:

«Anastasia, occupez-vous de l'habiller convenablement.»

Le visage de Trinidad reflète sa joie.

«Oh merci! merci, monsieur! Vous ne regretterez pas votre choix.

— Je l'espère, car tu ne vas pas travailler pour moi mais pour l'épouse du Président des États-Unis.»

Une affreuse inquiétude s'empare de Trinidad:

«Je dois aller aux États-Unis?»

Comme tout le monde, elle a entendu parler de ce pays lointain où tout le monde est très riche et très dur.

«Pas du tout, c'est elle qui vient au Brésil. Je te le révèle, car tu m'as dit que tu n'entendais rien et ne voyais rien.

— C'est vrai, monsieur!

— Qui est la dame dont tu vas entretenir la chambre?

— Une grande dame, monsieur. Je ne sais rien de plus.

— Bravo!»

Depuis qu'il a reçu l'appel de Rose Hataway, Isaac Reeves Helmann éprouve beaucoup de satisfaction à son propre égard. La fortune l'a conduit partout, sauf dans les couloirs de la Maison-Blanche. Il suppute déjà tout ce qu'il pourra retirer de la confiance que lui accorde le Président. Le Brésil va devenir le coffre-fort mondial et il a, lui, sous sa protection la femme de l'homme le plus puissant du monde. Que va-t-il pouvoir tirer de tout ça?

FRANCFORT-SUR-LE-MAIN, R.F.A.

Un vaste enclos ceinturé d'un entrelacs de barbelés, quatre miradors érigés à la hâte, une dizaine de grandes tentes militaires pour protéger de la pluie: c'est le camp de prisonniers, installé de bric et de broc par les forces de l'OTAN, dans les environs de Francfort.

Debout sous la pluie glacée, Nikolaï Sologdine observe une patrouille, qui patauge dans la gadoue, de l'autre côté des barbelés. Il n'a pas dit un mot depuis que les Noirs l'ont ramené, miraculeusement indemne. Ses yeux ne restent ouverts que pour fixer un point imaginaire connu de lui seul.

Les prisonniers continuent d'affluer. Tout le monde entend clairement, provenant de l'est, les bruits lointains de la bataille. Nikolaï ne cesse de se demander ce qu'il adviendra d'eux si leurs compatriotes avancent toujours? Les forces de l'OTAN ne les laisseront sûrement pas aller regrossir les rangs ennemis, pas plus qu'elles n'auront le temps de les évacuer vers l'arrière. Alors? Et tous ces malades? Il se tourne vers l'une des grandes tentes qui ne comportent en fait que le toit. Plus de quatre-vingts pour cent des hommes sont maintenant gravement atteints. Couchés n'importe comment, incapables de faire autre chose que de gémir. Il a d'abord eu le soupçon que la nourriture puisse être empoisonnée, puis constatant qu'il n'était pas atteint, a rejeté cette hypothèse.

Qu'est-ce que c'est? Quelle sorte d'épidémie?

Malgré sa répulsion – il a peur d'être contaminé – il se dirige vers la tente la plus proche. Le tableau a de quoi démoraliser les plus endurcis. Tous ces hommes, hier en pleine forme, aujourd'hui incapables de se lever et, depuis quelques heures, mourant comme des mouches. Il s'approche d'un jeune gars qui ne paraît même pas avoir ses dix-huit ans. Celui-ci vient de se recroqueviller en se tenant l'abdomen à deux mains. Il éructe puis régurgite violemment un jet de bile. Nikolaï rencontre son regard, qu'un violent strabisme remplit de terreur autant que de souffrance. Le strabisme ne lui est pas particulier, la plupart des autres en sont également affectés.

Nikolaï met un genou en terre près du malade et parle pour la première fois depuis son arrivée dans ce camp:

«Où as-tu mal?

— Pa...partout. Qu'est-ce qu'on a attrapé?

— J'en sais rien du tout.

— Pourquoi est-ce qu'ils n'envoient pas de docteur? Ils nous laissent crever comme des rats malades.»

Encore une fois Nikolaï regarde autour de lui. Aucune aide médicale n'est arrivée dans le camp. Aucun médicament n'a été distribué. Les soldats, qui patrouillent autour du camp, semblent gênés et regardent ce qui se passe avec un air coupable. Des hommes valides transportent les cadavres et les alignent dans un coin éloigné des tentes.

«Je vais mourir!

— Mais non! fait Nikolaï.

— Dans ma poche.

— Quoi dans ta poche?»

Le jeune homme désigne sa poche de gabardine:

«Une lettre, je voudrais que tu l'envoies si tu t'en sors.

— Tu vas t'en sortir aussi.

— Pas d'histoires, je sens que je commence à paralyser du dedans.»

Nikolaï se penche pour attraper un papier qui dépasse légèrement de la poche..

«C'est ça?

— Ouais.»

Il prononce ses mots de plus en plus faiblement et sa respiration sifflante rappelle à Nikolaï celle de sa grand-mère qui souffre d'emphysème. Sans être versé en médecine, il voit bien que le jeune homme se noie petit à petit dans ses propres sécrétions.

«Avant... avant de l'envoyer, ce serait bien si tu ajoutais que je suis mort au combat. Je veux pas qu'on...

— Je ferai comme tu voudras, mais je t'assure que tu vas te remettre.»

Le ton n'y est pas; il ne peut s'empêcher de se retourner de nouveau vers l'alignement de cadavres, qui ne cesse de s'étendre. À quelques pas, un homme bat des bras dans le vide et rend l'âme dans une contraction finale.

N'en pouvant plus, Nikolaï se redresse et court vers les barbelés.

«Pour l'amour de l'humanité, faites quelque chose!» hurle-t-il à l'adresse des gardes qui, bien que ne comprenant rien à ce qu'il dit, savent parfaitement de quoi il les accuse.

— On peut pas les laisser crever comme ça, dit l'un d'eux. C'est pas humain.

— Moi je ne rentre pas là-dedans pour tout l'or du monde, rétorque un autre. Même que j'ai hâte de foutre le camp d'ici. Je ne tiens pas à attraper la peste.

— Tu crois que c'est la peste?

— Je ne connais rien d'autre qui puisse causer de tels ravages. Y en a parmi eux qui viennent des steppes d'Asie centrale, il paraît que c'est de là que vient la peste.

— Faudrait brûler les cadavres.

— Le sergent a dit tout à l'heure qu'il avait demandé une citerne de fuel.

— Ça a beau être des ennemis, ça fait pitié.

— Console-toi, en bonne santé ils chercheraient le moyen de te faire la peau.»

Conscient de son impuissance, Nikolaï enrage.

«Ils ont peur autant que nous, songe-t-il.»

Lui aussi, il pense à la peste. Retournant vers la tente, il constate que le jeune gars à la lettre ouvre et ferme la bouche comme un poisson hors de l'eau. Brusquement, paralysé, il ne peut plus la fermer. Seuls ses yeux semblent encore appartenir au monde des vivants. Nikolaï ne peut supporter longtemps ce regard et détourne le sien.

«Je ne suis même pas capable de pleurer. C'est vrai que je devrais être mort. Peut-être le suis-je?»

Il ne peut s'empêcher de constamment revivre l'équipée sauvage dans la jeep avec les trois Noirs. Il aurait dû être tué selon toute probabilité.

En se retournant, il constate que le jeune gars a quitté ce monde. Il hésite une seconde puis, prenant sur lui-même, lui ferme les yeux.

Machinalement, il extrait la lettre qu'il a glissée dans sa poche et se rend compte qu'il n'a même pas l'adresse de destination. L'écriture est petite et serrée, comme si son auteur avait cru manquer de papier. La date renvoie à une époque qui paraît maintenant bien lointaine: avant les combats. Écartant tout sentiment coupable, il entreprend la lecture:

Kira chérie,

Tu remarqueras mon audace, je profite de ce que je suis loin de toi (trop loin) pour employer le mot chérie, qui me vient à l'esprit quand je pense à toi (tout le temps). C'est drôle comme l'éloignement peut donner du courage.

J'espère que chez toi tout va bien. Ici on se prépare, ce n'est pas officiel mais tous les hommes parlent de la guerre. N'aie pas peur, je ne mourrai pas (tu sais comme je suis intrépide). Je reviendrai plein de médailles, une fois que nous aurons fait courber la tête aux gros porcs capitalistes.

Quand je reviendrai, c'est sûr que père me donnera les commandes de l'isba. J'ai déjà décidé que ni lui ni mère n'iront vivre leurs vieux jours au foyer. Te rappelles-tu les rondins que j'ai entreposés chez Fedor? C'est pour agrandir l'isba. Nous pourrons tous vivre à la maison. (Toi et moi?)

Voilà! J'ai encore l'audace de te dire combien je pense à toi. Mes nuits sont peuplées de tes beaux cheveux dorés, de tes beaux yeux si doux et de ton sourire qui sait si bien me réconforter. Kira, je t'envoie les mille baisers et mille pensées d'un valeureux guerrier sur le chemin de la libération.

P.S. Rappelle-toi que je t'ai toujours respectée (malgré toutes les tortures que cela m'infligeait). Je ne peux donc pas mourir puisque je n'ai pas connu le vrai bonheur.

À quelle Kira peut s'adresser cette lettre? Que deviendra cette jeune fille? Les parents du gars iront-ils au foyer des vieux? Qu'est donc devenue Mouza? Et puis Erjika, que devient-elle? Que se passe-t-il à Bakou?

Nikolaï se penche au-dessus du cadavre:

«Tu vois, mon gars, murmure-t-il. Tu n'aurais pas dû respecter autant la belle Kira. On ne part pas à la guerre sans emporter le souvenir d'un moment d'amour. Tu ne lui as rien laissé. Dans un sens c'est peut-être mieux, ton image ne viendra pas la hanter lorsqu'elle sera allongée auprès de son futur mari.

— Il est mort?»

Un des rares hommes bien portants se tient près de Nikolaï. Ce dernier, comme arraché à un rêve, relève la tête:

«Complètement mort, dit-il tristement.

— Aide-moi à le transporter sur le tas.»

***

À quelques kilomètres de là à vol d'oiseau, le capitaine Kronozov, totalement ahuri, observe à la jumelle la quasi-totalité des chars placés sous son commandement, maintenant réduits en tas de ferrailles fumantes. Les premiers symptômes de ce que lui aussi pense être la peste sont passés presque inaperçus. Les unités politiques ont fauché les premiers qui retournaient vers l'arrière en se tenant le ventre, mais ce ne fut pas long, car les *tchekistas,* eux aussi, ont viré de bord, rapidement rattrapés par les tirs ennemis. Très vite, trop mal en point pour combattre, les hommes ne savaient plus où aller et s'étendaient le plus souvent dans le premier fossé venu, insouciants de la bataille qui faisait rage autour d'eux. Ceux qui étaient dans les chars se sont laissés aller, incapables de la moindre attention soutenue. Le plus souvent, les obus adverses ont eu raison d'eux bien avant la maladie.

Il est seul à l'abri d'une crête rocheuse. Les derniers messages radio qu'il a reçus faisaient état d'une confusion sans précédent sur tous les fronts. À croire que la peste a brusquement frappé l'ensemble des combattants du Pacte de Varsovie.

«C'est complètement insensé, pense-t-il. Ça ne se peut pas. Impossible!»

Il observe une division US au complet qui traverse, sans aucun obstacle, ce qu'ils ont chèrement conquis depuis l'ordre d'attaque.

«Où va-t-on les arrêter? Où?» se demande-t-il à voix basse.

Entendant des mouvements non loin de lui, il se plaque contre le sol.

Un détachement de *marines* à pied fouille les environs, visiblement peu inquiet de tomber dans une embuscade.

«Moscou, tu connais? entend-il sans comprendre.

— Moscou, Kansas ou Moscou, Kentucky?

— Moscou, URSS, tête de nœud.

— C'est là qu'on va, à ce qu'on dirait.

— Ouais! et ça va plutôt bien. Je me demande pourquoi ils nous ont fait chier depuis si longtemps avec leurs histoires de méchants rouskis?

— Fallait bien fabriquer des canons pour faire tourner l'économie. Des armes, c'est des jobs.

— Ouais, t'as sûrement raison.

— En tout cas, j'aurais préféré aller ailleurs.

— Pourquoi?

— As-tu déjà vu le portrait des popoffs femelles? Toutes taillées sur le modèle poids et haltères, je te jure que ça me fait pas bander.

— Surtout si elles ont la peste comme leurs jules.

— Pouah...

— Vous êtes tous des cons, fait une autre voix. Les Russes, y en a des moches et y en a des belles. Comme chez nous.

— Qu'est-ce que t'en sais, l'intello?

— Ma grand-mère était russe.

— Et qu'est-ce que ça te fait d'allonger les rejetons de tes ancêtres?

— Comme les Allemands de Milwaukee qui sont allés casser la gueule à Hitler en 45. Je suis Américain, *marine*, et je pourfends tous les merdeux qui veulent transformer cette planète en Magadan.

— En quoi?

— Magadan, camp sibérien, goulag. Fleur de navet.

— Oh! monsieur se bat pour des idées.

— Et toi, couilles flasques?

— Parce que j'ai pas d'autre choix, mal chié. Si c'était pas ça, je serais à Wichita, ou un autre bled semblable, pour gagner la croûte d'une pétasse qui m'aurait fait bander trop longtemps. C'est pareil partout, cul rose. Alors tes grandes idées... tu sais où tu peux te les foutre?»

***

Des gardes ont répandu du fuel sur les cadavres, l'un d'eux a ensuite jeté un journal enflammé. Nikolaï, le cœur au bord des lèvres, regarde s'élever le nuage noir dans le ciel sale. Plus que tout, l'odeur mêlée de fuel et de viande brûlée le place devant l'effroyable réalité.

«Ce n'est pas nouveau dans le ciel européen», réalise-t-il tout haut.

Sous les tentes, les malades qui ont encore conscience de ce qui se passe hurlent maintenant comme des enfants. Leurs cris, comme la fumée, montent vers un ciel d'acier qui, à l'image du paysage qu'il couvre, semble devenu implacable et froid. Chacun est désormais convaincu que l'enfer a investi le monde et qu'il est là pour l'éternité.

L'intolérable nausée qu'éprouve Nikolaï le force à dégobiller, éclaboussant une nouvelle fois ses bottes. Soudain, tout le cumul des horreurs qu'il vient de vivre le submerge avec la violence d'un barrage qui cède. Trempé, sali sur son corps et dans son esprit, il s'écroule sur les genoux, front contre terre, secoué de sanglots incontrôlables:

«Mouza! Erjika! Je vous aime! Oui! Je vous aime! Je veux pas mourir! Rendez-moi mon ciel, s'il vous plaît! Rendez-moi la vie. La vie! NON... NON...»

De l'autre côté des barbelés, un type d'Alberton, Montana, se mord les lèvres. D'éducation religieuse, il a la très nette impression de revivre le Vendredi saint. Une larme roule sur sa joue et va s'arrêter contre la jugulaire de son casque.

«Mon Dieu! mon Dieu! pourquoi nous as-tu abandonnés?»

De nouveau la marche, de nouveau les pierres et le soleil. Pour aller où?

Alusia et Hafizullah ne le savent plus. Les partisans qu'ils ont rencontrés, quelques heures auparavant, leur ont raconté – ça, ils le savaient – que les Soviétiques ont lancé une vaste offensive, jamais vue encore à travers tout l'Afghanistan, mais aussi que des camps de réfugiés au Pakistan ont été bombardés avec des armes chimiques. Les pertes sont considérables, et les rares survivants se sauvent dans toutes les directions pour échapper à de nouveaux raids et, aussi, pour fuir les épidémies que les trop nombreux cadavres ne manquent pas d'apporter.

«Que fait-on? a-t-elle demandé au montagnard.

— Que voulez-vous faire?

— Apporter le réconfort à ceux qui en ont besoin.

— Encore?

— Bien sûr!»

Sans ajouter un mot, il a repris la marche et elle l'a suivi.

Dans une source d'eau vive, elle s'est longuement lavée, cherchant à chasser la salissure dont elle se sent profondément imprégnée et, aussi, ce goût de cendre qui s'incruste dans sa bouche. Mais l'eau est impuissante contre cette saleté-là.

«C'est en moi, se dit-elle. Ce désir immonde est né de moi. Uniquement de moi. Ces hommes n'ont fait que me le révéler. Seuls la prière et l'amour m'aideront à chasser les démons qui ont pris possession de ma chair. Je suis faible, très faible. Pourquoi ne m'en suis-je jamais rendue compte avant?»

Plusieurs fois ses yeux ont croisé ceux du montagnard. Elle a été étonnée de n'y lire aucun reproche mais, bien au contraire, une chaude lueur qu'elle se refuse à définir.

«Où va-t-on, Hafizullah?

— Par là», indique-t-il en pointant l'horizon montagneux du doigt.

«Qu'y a-t-il par là?

— Des amis, je l'espère.»

Il n'en ajoute pas davantage.

Après l'attaque, les partisans les ont quittés. Ils ont marché deux heures dans la nuit, avant qu'Hafizullah ne décrète qu'il fallait se reposer. Bien qu'éreintée et rompue de fatigue, elle ne pouvait trouver le sommeil. Hafizullah, qui l'entendait se tourner dans tous les sens, s'est approché et l'a prise contre lui.

«Dormez», a-t-il dit d'un ton sans réplique.

Elle s'est réveillée le matin toujours dans ses bras. S'y trouvant bien et en sécurité, elle s'y est rendormie sans remarquer le sourire de béatitude sur le visage de son protecteur. Puis, de nouveau, une complète journée de marche.

Ils arrivent à présent en vue d'un défilé abrupt. La nuit ne va pas tarder à tomber.

«Mieux vaut dormir ici, dit-il. Demain nous traverserons ces massifs.

— Qu'y a-t-il de l'autre côté?

— D'autres montagnes.

— Ha!»

De l'eau, des dattes, des figues et des lanières de viande séchée sont les ingrédients du repas. Après quoi, ils s'étendent non loin l'un de l'autre.

Le silence est impressionnant. Dans la lueur lunaire, les montagnes découpent des formes étranges. Ce soir, plus que jamais, Alusia ressent l'Orient des contes de Bagdad qu'elle a dévorés quand elle était petite fille. Il n'y a là ni tapis volants, ni palais somptueux au milieu de jardins de roses odorantes mais, sans qu'elle puisse en saisir la raison, ce décor porte aussi en lui les splendeurs de l'Orient imaginaire.

«C'est beau, chuchote-t-elle.

— Il y a beaucoup de grandeur dans les pierres, approuve le montagnard.

— Pour nous vivants, c'est ce qui se rapproche le plus de l'idée que nous avons de l'éternité.»

Elle le voit hocher la tête dans l'obscurité:

«Notre corps ne sera plus que poussière oubliée, et ces montagnes seront toujours là pour écouter, sinon les chants de nos descendants, du moins le souffle de la nuit.

— C'est très beau, mais je crois qu'il y aura encore des hommes lorsque ces montagnes auront disparu.

— Je ne sais pas, vraiment pas.

— Dieu ne nous l'a-t-il pas promis?»

Elle s'aperçoit, étonnée à nouveau, que malgré les différences

518

marquées de leurs religions, ils peuvent parler ensemble du même Dieu.

«Reste à savoir s'Il va nous endurer encore longtemps.»

Le dialogue s'éteint sur ces mots, chacun gardant les yeux fixés vers le ciel scintillant d'étoiles.

Le temps passe immobile, elle ne dort toujours pas; il reprend la parole:

«Il ne faut plus que vous pensiez à ce qui vous est arrivé.

— C'est impossible à oublier, Hafizullah.»

Elle hésite une seconde puis demande:

«Est-ce que je peux me reposer contre vous comme hier soir?»

Il ne répond pas immédiatement.

«Ce n'est peut-être pas une bonne idée.

— Oui, je m'excuse.»

Il veut s'expliquer:

«Je suis un homme... et vous êtes une femme.»

«Il m'aime et me désire, réalise-t-elle. Qui suis-je pour lui refuser ce bonheur?

— Ce n'est pas bien, lui dit l'autre voix dans sa tête.

— Ne doit-on pas donner le bonheur autour de soi? Que serait-ce en regard d'hier?

— N'est-ce pas encore le désir qui te gruge? Ne désires-tu pas te consoler sous son étreinte? Ce n'est pas pour lui, c'est pour toi. Le désir est resté en toi.»

Comme s'il lisait dedans, Hafizullah interrompt ses pensées:

«N'y songez pas, dit-il. Quand un homme aime une femme, ce n'est pas ses faveurs qu'il désire mais la réciproque de ses sentiments.»

«Sois honnête, Alusia. N'est-ce pas le moyen d'effacer ce que tu as vécu avec les autres? de donner une autre dimension à ce désir?

— Tu ne dois pas céder.

— Pourquoi? quel mal à lui apporter un peu de bonheur et à chasser ce qui m'obsède? J'ai besoin d'être contre lui, de le sentir. J'ai besoin d'un contact. Tout en moi en a besoin.»

L'autre voix perd du terrain:

«Mais il ne faut pas que ce soit uniquement pour le plaisir des sens.

— Ce n'est pas cela, nous avons juste besoin d'affection tous les deux.

519

— Si tu ne peux faire autrement, aime-le très fort. Il mérite ton amour.»

«Je t'aime, Hafizullah», affirme-t-elle dans un souffle.

Sans prononcer d'autres paroles, elle se redresse et, ignorant la fraîcheur nocturne, avec naturel, elle se déshabille pour la première fois devant un homme. Silhouette noire sur fond bleu nuit.

«Que faites-vous? demande-t-il d'une voix étranglée.

— Nous avons besoin de l'affection l'un de l'autre», murmure-t-elle en venant se blottir contre lui.

Un instant, une éternité, il la contemple offerte contre lui. Ses cheveux pour la première fois défaits, tombent en mèches sur ses seins, qui se découpent dans la lumière laiteuse. La plus folle flambée de désir qu'il ait jamais ressentie l'envahit instantanément.

Alusia ne sait plus si c'est l'idée du péché, ou le fait de s'être ainsi dévoilée au regard de l'homme dans cette nuit solitaire et minérale, qui lui fait ainsi ressentir chaque parcelle de son corps comme autant de foyers brûlants.

Elle frissonne sous une première caresse furtive et baisse les paupières lorsque, à son tour, il ôte ses vêtements. Elle les rouvre pour l'apercevoir telle une statue d'ébène en contre-nuit. La force qu'il dégage ainsi la submerge comme une vague. Un bref instant de panique la gagne lorsqu'elle sent son corps contre le sien mais elle se détend aussitôt au contact de la main qui, avec une douceur insoupçonnée, lui caresse les flancs de haut en bas. Les doigts de l'homme suivent toutes les courbes de son corps, s'arrêtant sous les aisselles, le creux des hanches, la courbe des fesses, suivant une ligne imaginaire le long de ses cuisses et de ses jambes, enveloppant les pieds avant de remonter lentement vers l'intérieur, évitant de justesse son mont de Vénus et traçant des cercles concentriques sur son ventre. Haletante, elle perçoit ses lèvres qui effleurent son cou, puis ses épaules et, enfin, la pointe de ses seins qu'il caresse avec sa langue. Le feu l'envahit, des images lumineuses éclatent devant ses yeux. Les lèvres d'Hafizullah courent maintenant sur son ventre, le couvrant de mille baisers humides.

L'idée lui traverse l'esprit qu'elle s'est offerte à quelque cérémonie à la gloire de la chair et que son corps est devenu le jouet d'un sacrificateur, qui l'oblige à regarder dans un miroir une partie d'elle-même qu'elle a toujours préféré ne pas voir.

«Ce n'est pas bien!

— Alusia, n'oublie pas qu'il t'aime et que tu l'aimes. Oui, tu l'aimes! Ceci n'est que l'amour que l'on se donne l'un à l'autre. Ce n'est pas mal. Rends-le heureux.»

Elle a un nouvel instant de panique lorsqu'elle le sent lisser sa toison et déposer ses lèvres sur celles de son ventre, mais ne peut s'empêcher d'arquer son bassin quand elle ressent la langue, caresse dévorante, visiter ses replis les plus intimes.

«Pas ça!» murmure-t-elle trop bas pour qu'il puisse l'entendre.

Comme dans un rêve, elle prend conscience que c'est justement son moi le plus profond qu'elle offre et veut offrir à cet homme. Elle désire soudain envahir, connaître, percer celui de l'homme. Et s'y mélanger.

Elle se redresse, son séant posé sur ses talons, et à son tour le couvre de baisers. Elle le sent se tendre entre ses mains et en frémit. À genoux lui aussi, il se renverse en arrière jusqu'à toucher le sol de sa nuque. Secoué de pulsations désordonnées, son sexe est tendu vers elle comme un être à part, implorant silencieusement un contact. Tremblante, elle porte ses doigts à sa rencontre puis, cédant à une impulsion irraisonnée, s'en approche pour le saisir entre ses lèvres, surprise de ne ressentir aucune répulsion cette fois. Tenir le sexe de cet homme entre ses lèvres est pour elle, à cet instant, un acte de fusion. Une reconnaissance. Elle goûte une perle de sa semence contre sa langue et en éprouve une vive chaleur. Les barrières qui les séparaient encore se renversent. C'est l'homme dans son entier qu'elle embrasse ainsi.

«Pas plus», dit-il en se redressant avec un sourire plein d'amour.

Il la renverse tendrement sous lui et de nouveau la couvre de baisers. Les deux corps affamés l'un de l'autre roulent dans tous les sens. Encore une fois, il glisse sa tête entre ses jambes, mordillant l'intérieur des cuisses avant de saisir l'organe du plaisir dans sa bouche, pour le téter comme un bébé le sein de sa mère. Au paroxysme, elle l'attire par les épaules.

Tandis que pour la première fois leurs langues se rencontrent, doucement, très doucement, il s'insinue en elle. Elle ne peut retenir un gémissement de douleur, il a un mouvement de recul mais elle le retient. La douleur est vive, mais cette sensation qui la remplit complètement, au plus profond de son ventre, l'emporte sur le reste. Toujours avec précaution, il exécute un premier mouvement de reins. Elle gémit encore une fois mais croise les jambes autour de lui. Il accélère progressivement le mouvement. Alusia a l'impression que rien ne pourra plus arrêter ce membre d'acier qui la fouille, se retire et revient chaque fois plus loin.

Hafizullah n'est plus maintenant qu'un butoir qui, à chaque coup de reins, la dépouille davantage de ses dernières hésitations devant une jouissance inexorable. Lui se pénètre de toute sa féminité à elle, chaque fois il la sent plus près de lui. Il veut s'imprégner à tout jamais de l'esprit et de la chair de cette femme. Plusieurs fois déjà, un torrent humide et chaud lui a inondé cuisses et testicules. Il doit à chaque fois contenir toute sa volonté pour ne pas exploser avant qu'elle-même ne le fasse. Il sait, sans se l'expliquer, que c'est là la seule vraie nuit d'amour qu'il connaîtra jamais.

Le long cri d'Alusia semble allumer la nuit et revient en écho, répercuté par les parois rocheuses. Elle sent, pleine d'émotion, la semence d'Hafizullah se déverser en elle en violentes pulsions saccadées, qui la remplissent d'une chaleur et d'un sentiment de bien-être inconnu. À son tour il crie et son cri est lui aussi renvoyé en écho. Ils s'agrippent l'un à l'autre dans une étreinte presque désespérée, cherchant à se souder encore davantage ensemble.

D'une main, il rabat sur eux une couverture, et ils sombrent tous deux dans un état qui oscille entre l'inconscience et la plénitude, avec la complicité de la nuit.

«Je ne suis rien d'autre qu'une femme», a-t-elle le temps de se dire, juste avant d'être emportée par le sommeil.

WRANGEL, MER DE SIBÉRIE ORIENTALE

Mouza Krilov ne s'accommode pas de la solitude mais, plongée sur son ordinateur, elle parvient presque à l'oublier quelques heures par jour. Ses recherches sur l'intelligence artificielle ont quelque peu dévié et, pour s'amuser, elle a créé un programme qui compose des histoires sans queue ni tête. Elle a, d'abord, monté un fichier dans lequel elle a inséré près de trois mille phrases, sans rapport les unes avec les autres, mais chacune représentant des impressions ou des souvenirs. Ensuite, le petit programme de son cru mêle les phrases du fichier et les affiche au hasard les unes après les autres, créant ainsi à chaque fois un nouveau poème étrange :

Méditant sur le rocher face à la mer d'argent
Sous le regard courroucé du coq
Moscou baignait dans une pénombre bleutée
Il rencontra l'amour dans les yeux d'une statue de granit
De toute sa fureur, le typhon balaya la côte
L'enfant lui tendit la main

Et ainsi de suite pendant trois mille phrases. Cela ne veut rien dire et pourtant Mouza y trouve mille sens différents.

«Tout ça ressemble fort à un voyage au LSD», dit-elle tout haut juste comme elle perçoit un bruit inconnu.

Elle se redresse, le cœur battant. Un bruit de moteur? Oui, pas de doute.

Sans prendre le temps d'enfiler un manteau, elle se précipite dehors, juste à temps pour apercevoir un curieux objet qui la survole dans le ciel.

«Qu'est-ce que c'est?»

Elle cligne des yeux pour s'assurer qu'elle n'est pas le jouet d'une vision: mais non, ce qu'elle voit est bien un homme debout dans ce qui, défiant toutes les lois de la gravité, ressemble à un poste de vigie volant.

«Ce n'est pas possible, se dit-elle. Ça ne peut pas voler!»

Dans les airs, David Cussler, qui lui aussi a vu la femme et se sait vu, lui adresse un timide signe de la main.

«Qu'est-ce qu'elle fait là?» se demande-t-il.

Il a longuement survolé l'île sans rencontrer âme qui vive. Juste un monde de glace et de roche et brusquement, sans prévenir, une petite bâtisse. Et maintenant cette femme. Elle semble seule: s'il y avait quelqu'un d'autre, il serait certainement sorti comme elle. Après tout, pour des non-avisés il offre un spectacle des plus surprenants. Il décide d'effectuer un second passage à plus basse altitude pour se rendre compte.

«Rien ne dit que je suis canadien, se dit-il. Je pourrais très bien être un Russe, pourquoi me tirerait-elle dessus? Et puis, elle n'a pas l'air agressive.»

Il survole l'endroit et la femme à moins de vingt mètres. Elle lui fait des signes du bras. Il remarque immédiatement, d'abord qu'elle est jolie, vue de cette distance et, ensuite, qu'elle ne porte vraiment pas des vêtements appropriés à ces latitudes. Elle semble incontestablement seule.

«Il vaut mieux que je me pose: si elle possède une radio, il ne faut pas qu'elle s'en serve.»

Plein d'inquiétude, il pose le X-jet à moins de dix mètres. Elle s'approche de lui en s'exprimant dans ce qui est pour lui un charabia sans signification. Il lui sourit.

«Je ne parle pas le russe», lui dit-il dans sa langue.

Elle l'observe profondément étonnée, puis s'adresse à lui en anglais:

«Je parle votre langue. Qui êtes-vous?»

Elle a l'air inquiète et surprise.

«David Cussler, se présente-t-il. Canadien.»

Il l'observe avec attention pour déterminer l'effet que sa déclaration a sur elle.

«Sapristi qu'elle est belle!»

Le regard de Mouza indique qu'elle se pose beaucoup de questions, puis n'ayant visiblement pas trouvé de réponses, elle se contente de lui sourire:

«Est-ce indiscret si je vous demande ce que vous faites ici?

— Du tourisme. Et vous?»

Il perçoit un voile de tristesse devant les yeux de la jeune femme.

«Je crois que j'ai été déportée, finit-elle par dire. Je suis contente de voir quelqu'un.»

Elle s'interrompt un instant avant de poursuivre:

«Je ne savais pas que les Canadiens venaient faire du tourisme ici. Moi, ce n'est vraiment pas l'endroit que je choisirais.»

David n'en croit pas ses oreilles: une déportée. Cela peut impliquer qu'elle soit une dissidente, une rebelle au Parti.

«Ce n'est pas mon endroit préféré, non plus», assure-t-il.

Elle frissonne soudain sous son petit chandail de laine.

«Entrez. Voulez-vous du thé bien chaud? offre-t-elle.

— Avec plaisir!»

Il la suit à l'intérieur et est immédiatement frappé par la tristesse des lieux.

«Vous êtes absolument seule?

— Oui, beaucoup trop.

— Ça ne doit pas être gai.

— C'est... c'est affreux!

— Je comprends.»

Il change de sujet:

« Vous parlez très bien ma langue, où l'avez-vous apprise?

— À Moscou. Je suis... plutôt j'étais une scientifique. J'ai appris l'anglais pour comprendre les nombreuses revues occidentales, spécialisées dans mon domaine et, aussi, pour participer à des séminaires.

— Que faisiez-vous?

— Neurologue.

— Ce doit être intéressant.»

«Elle est superbe», se dit-il.

«Il me plaît bien», décide-t-elle.

Il regarde autour de lui et n'aperçoit aucun émetteur, ni même de récepteur.

«Vous ne devez pas avoir beaucoup de nouvelles du monde ici?»

Elle a un petit rire forcé:

«Non, pas du tout. Comment va-t-il, le monde?

— Très mal.»

Elle le regarde plus inquiète par le ton que par les mots:

«Quelque chose de grave?»

Doit-il lui dire la vérité? Oui, elle a le droit de savoir qu'officiellement ils sont ennemis et que la planète est en danger.

«Les forces du Pacte de Varsovie et l'OTAN sont entrées en guerre chaude sur tous les points du globe.

— Hein?

— Rassurez-vous, je ne vous considère pas comme mon ennemie. Le seul ennemi est la bêtise.

— Les États-Unis sont-ils en guerre contre mon pays?
— Malheureusement.»

Elle se laisse tomber sur une chaise, abasourdie.

«Pourquoi? Qu'est-ce qui s'est passé?

— D'après ce que je sais, vos compatriotes auraient lâché une arme atomique sur Israël.

— Israël? Pourquoi Israël?

— Je l'ignore totalement.»

Elle secoue la tête comme si elle refusait de croire ce qu'il lui apprend.

«Je ne peux pas y croire. Ils n'ont pas pu faire ça?

— Je suis désolé de vous apporter d'aussi mauvaises nouvelles. Il faut s'attendre à tout du genre humain. Peut-être pouvez-vous comprendre, vous qui avez étudié le cerveau?»

Elle fait signe que non.

«Quand je pense que j'étais ici sans rien savoir... J'aurais pu mourir ici longtemps après les autres sans savoir pourquoi.»

Elle se lève et va mettre de l'eau à chauffer. David ne peut décrocher son regard de sa silhouette.

«Surveille-toi, mon vieux, sinon tu es fait comme un rat. Ça n'existe que dans les romans, une situation pareille où un homme se retrouve seul sur une île avec une femme splendide. Quoique dans les romans les îles soient généralement plus paradisiaques»

«Qu'avez-vous fait pour qu'ils vous envoient ici? Pouvez-vous me le dire?

— Je pourrais vous le dire si je le savais, mais je l'ignore. Peut-être ai-je trop parlé, je ne sais pas.

— Contre votre gouvernement?

— Même pas, contre la société en général. J'avais raison si j'en crois ce que vous me rapportez.»

Elle réalise soudain que David ne doit pas être un touriste comme il l'a prétendu. Peut-être est-ce un agent du KGB? Elle veut en avoir le cœur net:

«Vous n'êtes pas ici en touriste, n'est-ce pas?»

Il l'observe avant de secouer la tête:

«Non.

— Espion?

— Je ne crois pas. En fait, mon colonel m'a ordonné de venir sur cette île perdue pour voir ce qu'on pouvait trouver dessus. Pour ne rien vous cacher, je crois que les Américains songent à y installer une base de ravitaillement.»

Elle pousse un profond soupir:

«Je ne sais pas si je dois m'en réjouir.

— À votre place je le ferais.

— Pourquoi?

— Ils vous ont déportée dans cet endroit oublié des dieux. J'imagine que ce doit être l'enfer de passer seule de longues journées interminables, vos yeux cernés le démontrent. En tant que représentant canadien, vous pouvez me demander de transmettre une demande d'asile politique. Ils ne vous la refuseront pas, je peux vous l'assurer.

— Qu'est-ce qui me prouve que vous n'êtes pas du KGB?»

Il reste surpris et a envie de lui prendre la main en voyant son air de détresse.

«Je vous jure que je ne le suis pas.»

Sans savoir pourquoi exactement, elle le croit.

«Ce que vous me proposez est très joli mais je ne suis pas une traîtresse.

— J'en suis persuadé, mais c'est votre gouvernement qui vous a trahie. Vous pouvez aussi demander un statut de réfugiée. Quand je quitterai cette île, vous pourriez me suivre.

— C'est vrai, au fait? Êtes-vous arrivé jusqu'ici sur votre drôle de machine volante?

— Non, fait-il en riant. En hélicoptère d'abord, puis en traîneau à chiens pour finir. Cette machine, comme vous dites, ne me sert qu'à découvrir les lieux.»

Il ne mentionne pas la présence des deux Inuit, qu'il ne veut pas encore inclure dans son histoire.

«Votre proposition me tente, dit-elle. Mais d'un autre côté, ceci est mon pays, j'y ai mes habitudes, ma famille, mes amis, mon travail.

— À ce que je peux voir, sans vouloir vous faire de la peine, vous n'avez plus grand-chose.»

L'eau bout. Elle met deux cuillèrées de thé à infuser et revient avec deux tasses. Il est soudain sur ses gardes:

«Comment êtes-vous ravitaillée?

— Un hélicoptère doit passer tous les mois.

— Quand doit-il venir?»

Elle a un sourire vague:

«Est-ce que ce ne serait pas des renseignements donnés à l'ennemi? Je ne voudrais pas être responsable de la mort du pilote qui doit me ravitailler.»

Elle remarque qu'il se renfrogne.

«Je pensais juste à ma peau, dit-il. Je n'ai pas du tout l'intention de me faire tuer ici ni même arrêter.

— Rassurez-vous, je ne l'attends pas dans les jours qui viennent.

— Tant mieux.»

Ils se regardent en silence, chacun surpris de n'y trouver aucune gêne et même d'y prendre plaisir.

«Comment vous appelez-vous? demande-t-il.

— Mouza.

— Oh! c'est joli. Est-ce que je peux vous appeler comme ça?

— Bien sûr! Moi, je vous appellerai David.

— Eh bien! Mouza, je suis content de vous avoir rencontrée.

— Pas autant que moi, répond-elle en faisant le tour de la pièce du regard. La solitude commençait à me peser.»

Il suit le mouvement de ses yeux.

«Tout seul, à votre place, je deviendrais fou rapidement.

— C'est bien l'angoisse que j'avais. Où êtes-vous installé?

— Sur le pack à l'ouest. Juste aux pieds des falaises qui bordent cette île.»

Elle pouffe:

«Ça ne m'en dit pas plus, explique-t-elle. Pour tout vous dire, je ne connais que cette horrible cabane et ses alentours visuels.

— Que faites-vous toute la journée?»

Elle désigne son ordinateur:

«Je m'amuse avec cette machine. J'ai même pensé à lui donner de l'intelligence, histoire d'avoir de la compagnie. Ça ne se fait pas aussi facilement.»

Il la regarde, fasciné par ses yeux qui semblaient être deux pierres de jade illuminées de l'intérieur, par ses mèches blondes et dorées qui ondulent sur ses épaules. De son côté, elle ne peut taire l'attirance qu'elle éprouve envers cet homme aux traits avenants. Jamais elle n'avait rencontré un homme avec les cheveux aussi noirs, ayant le teint cuivré et, pourtant, un type européen non démenti par de sympathiques yeux couleur bleu d'encre.

«Vous n'avez pas le type anglo-saxon, remarque-t-elle.

— Mon père est écossais mais ma mère est une Indienne Ojibwa.

— Des vrais Indiens d'Amérique?»

Elle a posé cette question avec surprise; la naïveté de sa réaction le fait sourire:

«Oui, il en existe encore.

— Je croyais qu'ils avaient presque tous été massacrés par les Européens et que les survivants étaient enfermés dans des réserves.

— Vous avez dû être victime d'informations de propagande. Beaucoup d'Amérindiens ont été massacrés, c'est vrai, surtout aux États-Unis, mais au Canada les Indiens qui vivent dans les réserves le font parce qu'ils le veulent bien. Ceux qui préfèrent se mêler aux Blancs peuvent le faire sans problème. Il y a, bien entendu, de petits accrochages ethniques, mais cela est aussi vrai pour les Italiens, les Polonais et même entre francophones ou anglophones. Moi-même, je suis pilote et métis, ce n'est pas incompatible.

— On en apprend tous les jours. J'étais persuadée que les indigènes d'Amérique étaient en voie d'extinction.

— Culturellement ce n'est pas impossible, bien que de nombreuses coutumes aient été reprises par les Européens, sans qu'ils s'en aperçoivent.»

Il regarde vers la petite fenêtre au-dessus de l'évier et constate que le ciel s'assombrit sérieusement.

«Le temps passe, dit-il. Il va falloir que je retourne au campement.»

Il remarque, sans l'ombre d'un doute, qu'elle manifeste de la tristesse à ces dernières paroles.

«Il n'est pas tard», fait-elle.

Il désigne la fenêtre:

«On dirait pourtant que la nuit va tomber.

— C'est vrai qu'il fait sombre, c'est curieux.»

Il va ouvrir la porte et se rend compte sur-le-champ que ce n'est pas la nuit qui tombe, mais une tempête de neige qui s'amoncelle sur leurs têtes. Comme il s'en fait la réflexion, les premiers flocons, énormes, commencent à tomber à l'oblique, poussés par le vent qui se lève.

«Merde! s'exclame-t-il.

— Des problèmes?

— Je ne peux pas décoller par ce temps.

— Quelle importance? Vous pouvez rester ici en attendant. Inutile de vous expliquer pourquoi ça me fait plaisir.

— C'est que...»

Il s'aperçoit qu'il a failli parler de Mamayak et d'Angatkoq. Doit-il le faire? Pourquoi pas, cette femme ne peut leur causer aucun tort. De toute façon, il se fait fort de l'emmener quand arrivera le temps de partir.

«C'est que j'ai deux guides qui m'attendent au campement. Ils vont s'inquiéter s'ils ne me voient pas réapparaître.

— Vous ne m'aviez pas parlé d'eux?

— L'occasion ne s'est pas présentée. Ne vous inquiétez pas, ce ne sont pas de méchants soldats mais deux Inuit engagés parce que j'avais besoin de traînes attelées.

— Je crois qu'il vaut mieux qu'ils s'inquiètent et que vous ne risquiez pas votre vie.

— Je ne tiens pas à me tuer non plus. Je n'aime simplement pas que l'on s'inquiète pour moi.

— Ils comprendront en voyant le temps.

— Mais ils ne savent pas que je suis à l'abri. Ils peuvent aussi bien s'imaginer que j'ai été fait prisonnier, que je me suis écrasé, que je suis pris dans la tempête ou pire.»

La neige tombe maintenant avec violence, dissimulant tout ce qui se trouve à plus de trois mètres. Elle referme la porte.

«Voici une belle occasion de préparer un bon repas, fait-elle sans pouvoir dissimuler son plaisir.

— Je crois que vous n'avez pas d'autre choix que de m'endurer, répond-il en réalisant qu'après tout il n'en est pas si mécontent non plus.

— Je suis désolée pour vous.»

Son ton indique tout le contraire.

«Moi pas, je crois finalement que je me trouve en excellente compagnie.

— Moi aussi», fait-elle en riant.

Ils échangent un premier regard rieur et complice.

MER D'ARAL, R.S.S. DU KAZAKHSTAN

Furieux, le Secrétaire général frappe du poing sur la table. L'atmosphère dans la salle principale est devenue des plus pénibles à supporter depuis quelques heures, alors que tous les rapports indiquent un recul sur tous les fronts. Les hommes meurent comme des mouches.

«Tout le monde affirmait que ce serait une partie de plaisir, rugit-il. Et qu'apprenons-nous aujourd'hui? Nos troupes sont terrassées par le botulisme et l'ennemi fonce à toute allure à l'intérieur des lignes du Pacte. Jusqu'où vont-ils aller, camarade à la Défense?»

Yakkov soutient son regard:

«Il faut appliquer des méthodes plus brutales, dit-il d'une voix blanche.

— Quelles méthodes, camarade?

— Je suggère, à mon plus grand regret, de faire pleuvoir une pluie de missiles chimiques et biologiques sur tous les grands centres d'Europe de l'Ouest. Nous devons absolument arrêter l'ennemi maintenant, et pour cela il faut lui briser le moral en liquidant les familles restées à la maison. Notre seconde ligne s'avance maintenant à la rencontre des forces de l'OTAN, elle doit trouver des hommes anéantis moralement, sinon...

— Sinon?»

Yakkov baisse la tête:

«Nous devrons recourir à des méthodes encore plus tragiques.

— Ce n'est pas exactement ce que nous voulions. Quel intérêt de conquérir des territoires que nous aurons désertifiés?

— Nous n'avons plus le choix, camarade Secrétaire général. C'est ça ou...

— Ou perdre la guerre, camarade?»

Yakkov fait signe que oui.

«Ils répliqueront contre nos populations avec la même ardeur.

— Selon nos services, ils n'ont pas le matériel pour ça.

— Parlons-en de nos services! Le bordel, oui!»

Le général Youdenitch se racle la gorge. Le Secrétaire général se tourne vers lui:

«Vous avez une solution, camarade général?

— Ne pourrions-nous pas employer ces mesures juste contre l'Allemagne de l'Ouest pour commencer?

531

— Qui est pour cette proposition?»

Toutes les mains se lèvent.

«Approuvé. Et s'il vous plaît, pilonnez en même temps et avec le même matériel les troupes ennemies. Il faut les anéantir, c'est impératif.»

Le Secrétaire général est abasourdi. Jamais il ne s'était attendu à ce que l'Armée rouge soit en partie décimée avant même de combattre.

«Les salauds, pense-t-il de ses ennemis. Répandre une pareille maladie à cette échelle, c'est monstrueux. Il faudra qu'ils payent et ils paieront.»

«Maintenant passons au dossier chinois, rugit-il de nouveau. Où en est-on?»

Ce n'est pas de la grande gastronomie: purée de pommes de terre en flocons déshydratés, filets de hareng en boîte et pour le dessert, un gâteau qui a mis à contribution les œufs en poudre, le lait condensé et la totalité du pot de confiture aux fraises.

«Excellent! fait David qui racle sa confiture.

— Si j'avais prévu d'avoir de la visite, j'aurais fait le marché ce matin», répond Mouza en plaisantant.

Pendant tout le repas, ils ont échangé des propos banals, touchant à tous les sujets. Tout semble bon pour le plaisir de parler ensemble.

«Avez-vous réfléchi à ma proposition concernant votre avenir? demande David.

— Je n'ai pas grand choix, n'est-ce pas?

— À votre place je n'hésiterais pas.

— Que vais-je faire au Canada?

— Avec vos connaissances, vous ne manquerez pas de débouchés si...

— Si?

— Je pense à cette foutue guerre.

— Vous croyez que cela peut aller jusqu'à...

— Je n'ose pas y penser. Ce serait la fin de tout.»

Accoudée sur la table, la figure appuyée dans ses mains, Mouza le regarde intensément:

«Est-ce que tout le monde est comme vous au Canada?»

Il sent son cœur accélérer légèrement dans sa poitrine.

«Que voulez-vous dire?

— Vous êtes gentil, et beau, ce qui ne gâche rien.»

Il s'éclaircit la gorge:

«J'en ai autant et plus pour vous. Mais peut-être vaut-il mieux éviter cette avenue. Qui sait où elle pourrait déboucher?»

Elle éclate de rire, ce qui le ravit.

«Vous avez raison, parlons plutôt de votre pays.

— Quoi en dire? C'est grand – moins que le vôtre quand même; c'est beau: de grandes forêts de résineux, d'immenses plaines, un merveilleux littoral et de splendides montagnes. L'abondance des richesses naturelles permet à la population de mener un train de vie au-dessus de la moyenne. L'envers de la médaille est que cette même population, peut-être trop gâtée, est devenue sensiblement égoïste. J'en veux pour preuves la baisse dramatique des natalités et l'augmentation constante des divorces. Autre signe, cette quête continuelle et passionnée de la richesse, qui laisse loin derrière toutes les autres valeurs. Mais je noircis peut-être un peu trop le tableau: grattez un peu ce vernis de laisser-aller et vous trouverez, au fond, des braves gens un peu perdus dans le monde d'aujourd'hui. Nous croyons tous être adaptés à la technologie et au mode de vie qu'elle nous impose, la raison nous y pousse, mais le cœur, lui, n'y est pas.

— Il me semble que ce tableau n'est pas particulier aux Canadiens.

— Vous avez raison, il est valable pour l'ensemble de l'Occident.

— Pour l'ensemble de la planète.

— Une chose est certaine: au Canada vous pourrez dire tout ce que vous voulez sans que cela vous entraîne sur une île glacée du grand Nord.

— Tout?

— Tout, mais vous ne serez en mesure de vous faire entendre que si vous en avez les moyens économiques.

— Si je résume bien la situation, en URSS je peux me faire entendre si j'ai le pouvoir, et chez vous, si j'en ai les moyens.

— C'est cela et les deux sont souvent synonymes. La seule différence, comme je viens de vous le dire, est que vous ne risquez rien à parler.

— Ce n'est pas comme aux États-Unis, alors?

— C'est à peu près semblable, pourquoi?

— Le communisme est interdit aux États-Unis. Il me semble que ce n'est pas là ce que l'on peut appeler la liberté.

— Le communisme est contraire à la liberté individuelle et la Constitution américaine protège cette liberté.

— On ne peut donc être américain et communiste?

— On peut toujours, mais ça ne servirait à rien puisqu'on ne pourrait l'imposer aux autres. Êtes-vous communiste?»

Elle secoue vivement la tête:

«Non! Je ne suis rien. Je pars du principe que des gens intelligents ne devraient pas avoir besoin d'être gouvernés. Des principes de base reconnus par l'humanité et une administration élue appliquant la loi du talion, c'est tout ce que je désire. Si les hommes sont mauvais, ils en subiront les conséquences; s'ils sont sages, ils en retireront les bienfaits. C'est tout.

— C'est de l'anarchie.»

Elle rit de nouveau:

«Vous aimez bien coller des étiquettes.

— J'essaye de vous situer.

— Pourquoi?

— Pour mieux vous connaître, je suppose.

— Ce n'est pas avec des étiquettes que vous pourrez le faire, chacun est différent. Savez-vous qu'il n'existe pas deux structures neuronales identiques?

— Je l'ignorais, mais je n'ai jamais pensé que le cerveau déterminait l'individu.»

Mouza affiche une franche surprise:

«Quoi alors?

— L'esprit, l'âme, appelez ça comme vous voudrez. Pour moi si l'on compare le cerveau à cet ordinateur par exemple, l'esprit en serait le logiciel.

— Je ne suis pas du tout d'accord avec vous. Pour moi tout réside dans le cerveau.

— L'amour? la bonté? la haine?

— Certainement! Tout cela est biochimique.

— Ce que vous dites est affreux.

— Pourquoi? Cela n'enlève rien à la beauté de l'esprit, qu'il soit biochimique ou de je ne sais quel souffle immatériel.»

Il a une moue:

«Si je vous disais que je vous aime, par exemple, vous en déduiriez que ce n'est dans ma tête qu'un mécanisme biochimique?

— C'est cela, David. L'effet reste le même et la beauté du sentiment également.

— C'est prouvé?

— Scientifiquement.»

David pousse un soupir de soulagement:

«Ça me rassure, tout ce qui est scientifique est vrai jusqu'à ce que la science elle-même l'infirme. Les exemples sont légion.

— Vous ne voulez pas admettre que les sentiments soient issus de la matière?

— Pas du tout! En fait, je crois même que la matière n'est

535

qu'illusion. Que tout, dans l'univers, n'est qu'un rêve qui dure et dure. C'est fort possible et pas du tout incompatible.»

Elle le regarde avec un sourire amusé.

«Se pourrait-il que nous en arrivions aux mêmes conclusions? demande-t-il avec une pointe de soupçon.

— Tout est rond dans l'univers, les opposés finissent toujours par se rejoindre. C'est pourquoi la guerre est la pire des stupidités si elle invoque pour raison les différences idéologiques. En fait tout le monde, avec des idées différentes, désire que tout le monde soit heureux.

— Qu'est-ce que c'est?» fait David en dressant l'oreille.

Ils entendent clairement le son d'un rotor d'hélicoptère. David se lève brusquement:

«Vous m'avez trompé! hurle-t-il. Vous le saviez.»

Mouza est aussi surprise que lui.

«Non, je vous assure!»

Il regarde autour de lui, cherchant une échappatoire. Elle désigne la trappe du vide sanitaire.

«Cachez-vous là-dessous, indique-t-elle.

— Qu'est-ce qui me dit que vous ne me dénoncerez pas?»

Elle plonge des yeux pleins de tristesse dans ceux de David:

«David, je vous assure que j'ignorais totalement cette visite. Faites-moi confiance, s'il vous plaît.»

Il est convaincu par son regard:

«Je vous crois.»

Il avise la vaisselle pour deux.

«La vaisselle?

— Je m'en occupe. Vite, cachez-vous.»

Quelques secondes plus tard la trappe se referme sur lui et ses vêtements qu'elle a jetés à la volée. Il espère de tout cœur que la neige et l'obscurité mettent le X-jet à l'abri des regards.

Ils entrent sans frapper. Ils sont trois. Mouza remarque immédiatement que le pilote qui l'avait amenée n'est pas parmi eux.

«Une femme! fait l'un d'eux aux autres.

— Entrez camarades, dit-elle. Qu'est-ce qui me vaut le plaisir de cette visite?»

Les trois militaires semblent plutôt surpris de trouver une femme en ces lieux.

L'un d'eux, qui a l'air plus âgé que les deux autres, répond par une autre question:

«Que faites-vous ici?»

Mouza sait qu'elle doit les impressionner. Elle est une femme seule, sur une île quasiment déserte, et ce sont des soldats. Qui peut dire quelles sont leurs intentions?

«Je suis le docteur Krilov. Je suis ici en mission spéciale pour le compte du Comité de sécurité d'État. Je pensais que ce secteur avait été interdit aux effectifs réguliers?»

Elle voit à leurs regards que son histoire porte.

«Le mauvais temps nous a obligés à nous poser ici, répond le plus vieux.

— Je crains malheureusement que vous ne puissiez rester ici très longtemps. Nous nous livrons à des expériences à la fois confidentielles et dangereuses pour la santé.

— Nous? Vous n'êtes pas seule?

— Non, le colonel est parti relever les instruments.»

Elle invente l'histoire au fur et à mesure, se demandant où cela va la conduire.

«Quelles expériences faites-vous?

— C'est «top secret», camarade.

— Pourtant, ils ne nous ont rien dit à la radio quand nous leur avons annoncé que nous nous posions sur cette île...

— Je suppose que Moscou n'a pas cru bon de prévenir toute l'Union soviétique que des expériences à haut niveau de sécurité ont lieu à Wrangel. Cette île n'a pas l'habitude de recevoir de la visite.

— C'est quoi l'engin dehors?

— Toujours confidentiel, camarade.»

Le plus vieux hausse les épaule:

«De toute façon la tempête est calmée ou presque, nous allons faire le plein et nous repartirons.»

Mouza sait qu'elle doit se montrer avenante afin de ne pas éveiller leurs soupçons.

«Vous prendrez bien quand même une bonne tasse de thé chaud?»

Les trois hommes se consultent du regard.

«Avec plaisir!»

Ils s'attablent et Mouza met de l'eau à chauffer.

«Il y a juste vous et le colonel ici? demande celui qui n'a pas encore ouvert la bouche.

— Nous avons aussi quelques Tchouktches pour nous aider à déplacer le matériel.

— Votre travail m'intrigue.

— Ha! ha! «top secret», camarade. Sachez seulement que si nous réussissons, tous nos ennemis seront vaincus.

— Je vous souhaite le succès total.

— Merci.

— Ça ne doit pas être gai tous les jours ici?

— Oh! vous savez, le travail nous absorbe complètement.

— Qui est le colonel?

— Boulkine, répond Mouza, qui se rappelle avoir vu ce nom dans la *Pravda*.

— Le vrai colonel Boulkine? fait le plus vieux, soudain pétrifié.

— Qu'entendez-vous par «le vrai colonel Boulkine»?

— Le Numéro un du KGB?»

Intérieurement Mouza s'affole. Elle a été trop loin en lançant ce nom au hasard.

«C'est son frère», dit-elle en espérant ardemment qu'il en ait un, ou que le contraire ne soit pas de notoriété publique.

Sous le plancher, David qui ne comprend rien aux propos, se demande combien de temps il va lui falloir rester dans ce trou à rats.

«Pourvu qu'ils ne s'installent pas là à demeure.»

Les trois militaires boivent leur thé rapidement. De toute évidence, ils ne tiennent pas à rencontrer le colonel Boulkine, frère du fameux colonel Boulkine.

«Merci pour votre hospitalité, fait le plus vieux en sortant.

— C'est tout naturel, camarades. C'est avec joie que je vous aurais offert le gîte en temps normal. Oh! une dernière chose, ne mentionnez pas l'existence de cette mission à la radio, toutes les ondes sont filtrées par l'ennemi. Si vous voulez le faire, que ce soit de vive voix à un officier supérieur. S'il désire en savoir davantage, qu'il s'informe auprès de l'autre colonel Boulkine. Le nom de code est *Rebecca*.

— *Rebecca*. C'est parfait, camarade. Excusez le dérangement.»

«J'aurais dû me lancer dans le roman d'espionnage», se dit Mouza, qui n'en revient pas de la facilité avec laquelle elle les a dupés.

Quinze minutes plus tard, l'hélicoptère s'élève et disparaît rapidement dans la nuit.

«Les choses changent rapidement; il y a seulement quelques heures j'aurais été ravie de les accueillir. Pourquoi est-ce que je protège le Canadien? Est-ce de la traîtrise?»

«Vous pouvez sortir», dit-elle en soulevant la trappe.

Il exhale un long soupir de soulagement.

«Bien content! Je commençais à croire qu'ils allaient revenir. L'inquiétude, c'est mauvais pour mon estomac.

— Vous pouvez l'être encore, je leur ai raconté une histoire qui ne tiendra pas longtemps. Quand ils sauront la vérité ils vont revenir en force.»

Il la regarde avec reconnaissance:

«Vous avez fait ça pour moi», constate-t-il.

Elle lui sourit et prend ses doigts dans les siens.

«Je ne pouvais les laisser vous capturer.»

Il l'attire par les épaules contre lui. Ce premier contact lui fait l'effet d'une décharge électrique. Qu'a-t-elle de particulier? Ça ne fait pas ça avec les autres.

« Merci», dit-il.

Ils se séparent d'un commun accord, conscients qu'ils ne peuvent continuer sur cette voie.

«Il faut partir d'ici, enchaîne-t-elle.

— Quel temps fait-il?

— Le ciel se dégage.»

Il va ouvrir la porte et constate que les gros nuages s'étirent vers l'est. La lune éclaire le paysage d'une lueur fantomatique.

«Nous pouvons essayer, dit-il.

— Sur votre machine?

— Vous avez peur?

— Il n'y a pas de place pour deux.

— On se tassera.

— Et ça pourra supporter notre poids à tous les deux?

— Le problème n'est pas là.»

Elle l'observe, soucieuse:

«Où est-il?

— Nous allons être serrés, je ne réponds pas de mes réactions.»

Elle lui envoie une bourrade dans l'épaule:

«Est-ce que par hasard je vous plairais?

— Je dois l'avouer.

— Vous devez bien avoir quelqu'un qui compte pour vous dans votre pays?

— Non... pas comme vous l'entendez.»

Les pensées de David se sont portées immédiatement vers Zoé.

«C'est vrai, se dit-il. Est-ce que j'aime Zoé? Oui, bien sûr, mais cette femme me fait un effet différent. Plus fort. Allons, je me laisse emporter par la situation, j'ai toujours aimé Zoé, pourquoi en serait-il autrement aujourd'hui? J'ai connu pas mal de femmes, et jamais mon affection pour Zoé n'en a souffert.»

Il n'est pas certain que ce serait pareil avec celle-ci si les choses devaient évoluer. De son côté, Mouza est sûre que ce pilote canadien, qui vient de surgir dans sa vie, n'est pas tombé là par accident. Sans s'en rendre compte, elle croit à la destinée.

«Il m'a plu dès que je l'ai vu et je ne sais pas pourquoi. C'est comme si je le connaissais depuis toujours.»

Sur le pas de la porte, ils se regardent encore et sourient, enchantés de la complicité qu'ils se découvrent.

«Vous ne pourrez pas emporter grand-chose, dit-il en revenant aux événements.

— Si je dois partir vers une nouvelle vie, autant tout laisser sur place.

— Nous n'avons pas le choix. Habillez-vous chaudement.»

Pendant qu'il fait démarrer le moteur, elle s'éclipse à l'intérieur pour revêtir un pantalon et un manteau.

«C'est tout ce que vous avez? demande-t-il en la voyant ainsi vêtue.

— Ceux qui m'ont amenée ici ne m'ont pas laissé le temps d'aller faire des achats.

— Prenez ma combinaison.

— Vous allez geler.

— Ce ne sera pas très long, à peine dix minutes de vol.

— Pas question, je suis très bien comme ça.»

Elle ferme la porte puis vient s'installer sur la plate-forme.

«Passez votre bras sur mon épaule, dit-il. Ça laissera plus de place.

L'appareil s'élève à la verticale avant de filer à pleine puissance vers le littoral, avec la clarté lunaire pour unique éclairage.

«Pas peur?» hurle-t-il pour couvrir le bruit du moteur.

Elle secoue la tête:

«C'est comme un rêve», répond-elle.

Il est tout à fait d'accord avec elle.

Pour chacun d'eux, Wrangel vient de perdre son cachet hostile. Ce qui, quelques heures plus tôt, tenait d'un désert stérile et glacial, est maintenant l'endroit où ils se sont rencontrés. La glace et les rochers qu'ils survolent à présent ont perdu leur apparence destructrice et paraissent s'incliner devant eux, que la solitude n'atteint plus. Inconsciente de ce qui l'attend en avant, Mouza laisse derrière elle un cauchemar, qui déjà s'évanouit dans les brumes du passé.

Affairé à nourrir les chiens, Angatkoq est le premier à entendre le X-jet.

«Il revient», crie-t-il à Mamayak, qui essaye vainement de faire fonctionner la radio.

Les deux Inuit regardent dans la direction de la plate-forme volante.

«Il n'est pas seul», constate Mamayak, juste avant qu'il ne se pose.

Tenant Mouza par la main, David s'avance vers eux:

«Je vous présente Mouza», dit-il simplement.

Il remarque la radio.

«Vous avez appelé?

— J'ai essayé, répond Mamayak après avoir salué Mouza. Aucun signal.»

David vérifie l'alignement de l'antenne, la fréquence. Rien.

«Il devait pourtant y avoir toujours quelqu'un à l'écoute?»

Mamayak approuve sans commentaire:

«Il y a deux heures que j'essaye, aucune réponse. Je commence à penser que le satellite a peut-être été pris pour cible.

— C'est possible. Oui, c'est probable.»

Il en revient à Mouza et explique sa présence:

«Mouza a été déportée sur cette île, elle m'a réclamé le statut de réfugiée. Elle vient avec nous.»

Les deux Inuit s'inclinent:

«Bienvenue», fait Mamayak, qui au fond voit d'un mauvais œil une femme, blanche, et russe de surcroît, s'intégrer à l'expédition.

«Nous n'avons pas de temps à perdre, reprend David. Elle m'a aidé, à ses risques, à me cacher de trois militaires qui ne vont pas

541

tarder à revenir en force. Il faut partir pendant qu'il fait nuit. Pour les chiens, ça va aller?

— Ils sont reposés, ils n'ont rien fait de la journée.

— Parfait! On cache le X-jet sous la neige avec les deux traînes de rallonge. Il faut aller le plus vite possible.

En moins de vingt minutes les attelages sont prêts. David montre à Mouza comment s'installer dans le tube d'aluminium.

— Vous n'avez qu'à vous reposer, dit-il. Vous verrez, à la longue c'est comme une berceuse.

— Et vous? Qu'allez-vous faire?

— La plupart du temps, on marche à côté pour ne pas fatiguer les chiens.

— Si vous marchez, je peux marcher.

— Pas question. Sur ces traînes vous êtes en territoire canadien, et au Canada nous ne laissons pas encore les femmes s'épuiser inutilement.

— Je suis aussi solide que vous.

— C'est probable, mais je ne veux pas le savoir et je vous saurai gré de laisser tranquille mon ego masculin.

— Ce n'est pas scientifique, fait-elle malicieuse.

— Je m'en fous!»

Comme d'habitude, c'est Mamayak qui donne le signal du départ en faisant claquer son fouet.

«Je suis content de partir de cet endroit, songe-t-il. Il y a plein de mauvais esprits.»

GÖTEBORG, SUÈDE

Ils n'ont pas perdu de temps, et les familles ont été mises devant la décision de leurs enfants.

«La guerre se déchaîne, a dit Éléonore à Erik. Accordons-nous cela avant de lutter contre elle.»

L'état du monde les fait souffrir: à la veille de leur propre fin, ils voudraient que le monde, lui, poursuive sa route. Ils ont pris une décision. Une grave décision, mais il doivent se marier avant de la mettre en application.

«Autant que notre mort serve à quelque chose», a conclu Erik.

Il la regarde à présent qui, immaculée dans sa robe blanche, s'avance à sa rencontre en longeant le couloir.

«Fille de la Terre, tu t'avances vers moi. Tes cheveux sont le feu du soleil, tes yeux calmes, limpides, ont les reflets et les mystères des lacs d'un pays de légende. Fille des étoiles, tu me remues le cœur et tu m'arraches les tripes. Tu es belle, belle comme je ne pouvais l'imaginer. Que suis-je face à toi qui vient de me faire renaître? Qui t'a placée là pour m'accompagner dans ce voyage qui sera le nôtre? Je t'aime, Éléonore. Tu es le vent d'été qui rafraîchit ma peau. Tu es les soirs tranquilles, les matins magiques et pour cela je pleure d'une joie sans limite. Tu es la petite fille à qui je voudrais offrir les secrets de l'Orient légendaire. Tu es la fontaine du désert de ma vie. Tu me fais mal, ce mal qui fait du bien. La douleur de la vie qui pénètre une dépouille inerte. Tu es les torrents et les geysers, les volcans et les tempêtes. Tout ce qui est stérile en moi s'illumine et renaît avec toi. Voici le moment où tu vas m'accepter dans ton royaume, et tout le bonheur des cieux est en moi.»

Pour l'occasion, la salle de télévision a été transformée en chapelle. La gorge serrée, les deux familles sont présentes. Toutes les personnes du département en mesure de se déplacer sont là aussi, ainsi que l'ont voulu Erik et Éléonore. Personne qui ne sait exactement s'il doit se réjouir ou pleurer. Il règne dans la pièce une atmosphère presque irréelle, comme aucune personne présente n'en a jamais ressenti. Sur le visage de chacun, brille un mélange de tristesse, mais aussi de paix et de joie.

Le père Johan, surmontant une faiblesse qui va en s'accroissant, se tient debout devant l'autel improvisé. Il voit s'avancer vers lui le jeune couple. Sans doute, le dernier qu'il aura le bonheur d'unir. Lui, non plus, n'a jamais vu deux visages aussi rayonnants, aussi lumineux de bonheur. Est-ce de savoir leur fin prochaine qui fait ainsi ressortir cet amour presque palpable? Seraient-ils aussi rayonnants s'ils avaient toute la vie devant eux ? Ou alors, partent-ils parce que justement ils ne sont pas conçus pour ce monde, qui ne peut sûrement pas s'accommoder de leur bonheur? Il regarde les familles: pas un seul qui n'ait les yeux rougis ni ce singulier sourire aux lèvres.

Éléonore fixe Erik du fond des yeux, comme pour lui transmettre mentalement ce qu'elle ressent, ce qu'elle veut qu'il sache:

«Erik, mon amour! aucun jour de ma vie n'a ressemblé à celui-ci. Je vais maintenant devenir ta femme, celle qui sera toi au féminin. Pour toi je serai douceur et tendresse. Si le ciel m'en donnait la chance, je serais celle qui te donnerait des enfants qui, sous la bannière des nations, deviendraient ton orgueil et ta joie. Je suis femme et chaque seconde de ma vie sera la tienne, puisque je t'aime et que je suis toi. Je serai le rempart qui se dressera entre toi et les misères du monde. Tu es beau! Tu es l'homme qui m'apporte le désir d'être moi, d'être femme. Erik, je te le jure, à la seconde où le sang ne coulera plus dans tes veines, le mien n'existera plus. Que m'as-tu fait, mon amour? Chaque battement de mon cœur n'existe que pour toi, pour mon plus grand émerveillement. Chaque fleur que j'ai sentie, chaque couchant que j'ai regardé, chaque arbre sous lequel j'ai rêvé à ma vie, chaque oiseau qui, de son chant, m'a emplie d'allégresse, chacun des fruits dont je me suis régalée, chaque orage qui a mouillé mes cheveux, je te les offre, mon amour. Comme Celui qui est amour me les a donnés.»

«Jusqu'à ce que la mort vous sépare.»

En entendant cette phrase de la bouche du prêtre, Erik et Éléonore se regardent et échangent un sourire complice. Ceux qui les observent devinent soudain que ces deux jeunes gens ne comptent pas en rester là.

Il soulève le voile de dentelle blanche de celle qui est désormais son épouse, ils se regardent encore longuement, se font un signe d'un air entendu, puis se tournent vers l'assistance en se prenant par la main. Toutes les personnes présentes sont conscientes que quelque chose d'important va se produire. Sur un ton plein d'émotion, Éléonore prend la parole:

«Erik et moi, nous avons pris une décision, que nous tenons à vous communiquer maintenant. Mais avant cela, je tiens à vous dire combien je suis heureuse et émue de vous avoir eus avec nous pour cette célébration. Par la force des choses, nous sommes tous ici, détachés de la routine du quotidien, cela nous donne la chance de mieux percevoir la profondeur des choses, nos sensibilités sont plus aiguisées, nos cœurs plus ouverts. Pour cela, cette cérémonie est certainement la plus belle dont je pouvais rêver.»

Elle se tourne vers Erik qui poursuit:

«Ce que nous avons à dire va peut-être paraître dur pour nos familles; je crois cependant qu'en y réfléchissant elles nous comprendront et nous approuveront.»

Il regarde les siens pendant qu'Éléonore se tourne vers sa mère. Les deux enfants essayent par ce regard de préparer leurs parents à ce qu'ils ont à dire. La mère d'Erik incline la tête, signifiant à son fils qu'elle est prête. Il reprend:

«La plus belle chose qu'une personne peut faire dans la vie, c'est de donner. Éléonore et moi qui avons tant reçu de vous, nous voulons donner à notre tour avant de ne plus pouvoir le faire.»

Il marque un temps d'arrêt avant de poursuivre:

«Nous allons quitter cet hôpital pour combattre, avec nos moyens, cette guerre qui peut dévaster le monde. Comment? Je ne peux vous le dire, tout ce que nous vous demanderons par la suite, c'est de comprendre l'acte que nous poserons.

— Nous voulons le faire et de tout notre cœur!» ajoute Éléonore.

Comme paralysé par la stupeur, aucun des membres de l'assistance ne bouge ni ne prononce une parole. Soudain, rompant le silence, deux mains applaudissent, puis d'autres et d'autres encore. Olof Adelsohn enlace sa femme qui est secouée de sanglots.

«Mon petit garçon, répète-t-elle. Mon petit garçon. Que veut-il faire?

— Il faut les encourager dans leur choix, dit Olof qui, comme les autres, ignore ce qu'ont projeté leurs enfants. Laissons-les faire ce qu'ils désirent, nous n'avons pas le droit de les en empêcher.»

La mère d'Éléonore reste prostrée sans dire un mot. Sa fille se dirige vers elle pendant qu'Erik va vers ses parents. Éléonore passe les bras autour du cou de sa mère.

«Je suis heureuse, maman, et je veux que tu le sois aussi. La décision que nous avons prise donnera un sens à notre vie.

— Je suis avec vous, ma petite Éléonore, mais laisse-moi un peu le temps de me reprendre.»

Éléonore est entourée de son frère et de sa sœur, tous deux complètement dépassés par les événements.

«Est-ce que ça veut dire que l'on ne va plus te voir?» demande son petit frère.

Éléonore ne répond pas, elle se contente de les serrer contre elle.

«Plus tard, dit-elle, quand vous serez mariés et que vous aurez des enfants, j'espère que vous leur parlerez de la tante Éléonore. J'espère que vous leur apprendrez que nous vivons sur une toute petite planète et que si l'on ne s'entraide pas dans la joie, tout va de travers.

— Si un jour j'ai une fille, annonce son frère, je l'appellerai Éléonore.

— Et si tu as un garçon?

— Erik! dit-il sans hésitation.

— Merci! Tu es gentil.

— C'est normal, vous êtes extraordinaires tous les deux.»

***

À leur demande, le père d'Erik les a conduits jusqu'au chalet familial. Situé sur le bord du lac Vanern, il a été construit pour échapper à la ville durant les fins de semaine. Après avoir allumé le feu dans le poêle à bois et descendu les deux petites valises, il les a embrassés:

«Soyez heureux», a-t-il dit, la vue embrouillée par les larmes, incapable d'en dire plus.

La chaleur du poêle commence à se répandre dans l'unique pièce composant le chalet. Ils s'installent en face de la fenêtre, l'un à côté de l'autre.

C'est une construction de bois rond écorcé, posée sur des fondations de pierres. Devant, le calme du lac. Autour, le silence des grandes épinettes.

«Mon rêve!» s'exclame Éléonore.

Erik reste debout devant la fenêtre à petits carreaux. Éléonore lui tient la main. Dehors, la nuit tombe rapidement, ils ne distinguent plus guère que la silhouette noire des arbres.

Le silence.

Un silence véritable qui les étourdit, un silence comme une musique venue de nulle part, une douce musique qui s'insinue en eux. Une musique mélancolique, pleine de joie et de vie. Ce silence les lave de tous les malheurs du monde et leur procure la sensation étrange d'en faire pleinement partie, tout en étant momentanément détachés de ses tourments.

La nuit poursuit inexorablement son emprise; plus loin, apparaissent les premiers reflets de la lune sur l'onde laiteuse du lac.

La forêt les enveloppe, amie et protectrice, devenant leur refuge, leur nid, la confidente de leur bonheur. Ils ressentent sa force et sa faiblesse. Elle est vie et refuge de la vie depuis la nuit des temps.

«C'est magnifique», s'extasie-t-il.

Éléonore pose la tête sur son épaule et serre ses doigts contre les siens.

Sa douce chaleur enflamme Erik. Il la prend dans ses bras et enfouit son visage dans ses longs cheveux, humant avec délice le parfum de sa chevelure.

L'un contre l'autre, enivrés de leur contact respectif, ils s'étreignent, cherchant à se rejoindre davantage chaque seconde, puis, s'entraînant mutuellement, ils vont s'affaler ensemble sur la causeuse, près du poêle où le feu crépite.

Leur corps entier n'est plus qu'un instrument n'ayant pour but ultime que de les faire communier l'un à l'autre.

Timidement, il effleure de ses doigts la peau satinée du dos d'Éléonore. Ses mouvements sont lents. Il veut, mais n'ose pas encore, s'aventurer plus loin. Au fond de lui, quelque chose, impossible à définir, hurle et pleure de douleur autant que de bonheur.

Éléonore l'enserre tout contre elle, le sent et cherche sans cesse davantage à s'imprégner de lui.

Il s'écarte doucement, le souffle oppressé:

«Ma plus grande hâte est de te connaître, dit-il; pourtant, je ne cesse de reculer cet instant.»

Une larme de joie roule sur la joue d'Éléonore.

«Je t'aime, Erik.»

Puis, rompant un peu l'atmosphère magique dans laquelle ils sont plongés, elle a un petit rire.

«Qu'est-ce qui te fait rire?

— J'étais en train de me souvenir que j'étais toujours mal à l'aise quand je voyais un film où des jeunes mariés se retrouvent, soudain, seuls au soir de leurs noces.

— Tu es mal à l'aise?

— Non! pas du tout! C'est ça qui est drôle. Je dirais même que je me sens on ne peut mieux. Je suis avec toi, nous sommes seuls, enfin. Il n'y a que nous. Rien que nous. C'est merveilleux.

— Éléonore, je dois t'avouer que j'ai un peu peur.

— Moi aussi, mais je ne suis pas mal à l'aise. Cette peur-là n'est pas déplaisante. Je crains le plaisir que je ne connais pas, j'ai peur du plaisir avec toi parce que je t'aime si fort que j'ai l'impression que je vais en mourir.

— Nous avons donc la même crainte, quoique ça me soit totalement égal en ce moment, et toujours sûrement, de mourir avec toi. Je dirais plutôt que j'ai peur de survivre ensuite.»

Elle a un sourire étrange qui le bouleverse.

«Ensuite? demande-t-elle. Il n'y aura pas d'ensuite, juste nous, toi et moi.

— C'est vrai!»

À ce moment, ils ont vraiment le sentiment de découvrir ce que veut dire deux en une seule personne.

Ils tombent brusquement dans les bras l'un de l'autre, se cherchant de leurs mains et de leurs corps. Leurs lèvres s'unissent. Leurs cœurs battent puissamment; chacun sent en lui et dans l'autre une force impitoyable qui les soude invinciblement. Leurs mots s'entremêlent. Les seules paroles qu'ils puissent prononcer:

«Mon amour. Je t'aime... Je t'aime... Je t'aime»

Ils veulent trouver d'autres mots plus forts... mais leur vocabulaire n'en possède pas.

Ils tombent brusquement dans un puits de lumière sans fin, la vitesse s'accélère jusqu'au point où la sensation de chute se transforme en celle d'élévation.

Les doigts d'Erik remontent sous le chandail de laine, prennent contact avec la douceur affolante du corps d'Éléonore. Elle lui pose la paume de ses mains contre les reins et l'attire doucement, tout doucement, vers elle. Enlacés, ils se dirigent vers le lit qui reçoit le poids de leurs corps.

Haletants, ils s'écartent ensemble l'un de l'autre, ne se tenant que par les mains, puis s'allongent étroitement l'un contre l'autre.

«On a bien failli se laisser aller, dit-elle.

— Je ne sais pas ce qui nous retient mais j'ai senti qu'il fallait attendre encore un peu.»

Une simple lampe au kérosène, posée sur la table, éclaire la pièce. La lumière est toutefois suffisante pour qu'ils puissent s'observer et ils ne s'en privent pas. Elle cherche à percer la chaleur des yeux d'Erik, pendant que lui cherche la clef de l'étrange mystère dans ceux d'Éléonore. C'est un jeu où l'amour active la tentation mais doit en même temps la freiner.

Et c'est, petit à petit, la découverte. Chaque seconde est un miracle. Centimètre par centimètre, tous les sens en alerte, ils se découvrent, éblouis, emportés. Comme le jaillissement d'une source d'eau vive, la liaison de leurs deux corps se fait soudain. L'un trouvant à travers les yeux de l'autre le chemin d'une puissante et intime communion. Projetés dans une dimension nouvelle où le temps et la réalité n'existent plus. Un univers de chaleur, de tendresse et de compréhension totale. Un univers où même le mot amour n'a plus de sens. La certitude absolue de n'être plus qu'une seule et même nature.

Un bonheur insoutenable.

La joie.

La fenêtre ne renvoie plus que le noir de la nuit. La pièce semble perdue dans les profondeurs et le silence de l'espace. Jamais ne se sont-ils trouvés aussi seuls. Jamais ne se sont-ils sentis moins seuls.

Lentement, redoutant à chaque seconde de forcer un inviolable secret, ils jettent derrière eux, comme une coquille inutile, les restes d'intimité personnelle qui les séparaient encore. Les caresses remplacent les mots. Ils sont emplis de l'extase de sentir l'un blotti tout contre l'autre. Vouloir lui donner tout ce que l'on est. Pleurer, rire et chanter avec toutes les parcelles de son corps. Se découvrir mutuellement au plus profond de son intimité. Sentiment d'une fracassante explosion, parti du fond des entrailles et se propageant partout en soi. Un raz-de-marée de tendresse.

Leur cri commun se répand au sein des arbres, des lacs et des rivières, sous l'œil complice de la lune et des étoiles.

Puis un autre cri. Le cri de la vie à deux voix:

«Erik! Éléonore!»

FRANCFORT-SUR-LE-MAIN, R.F.A.

Comment le monde peut-il changer en aussi peu de temps? L'hôtel, à l'instar de nombreux autres établissements, a été réquisitionné et transformé en infirmerie de premiers soins, où sont acheminés les blessés qui ne sont pas en danger. Bessie a aussitôt proposé son aide. Elle n'est pas infirmière, mais en tant qu'Américaine, sa présence peut apporter du réconfort aux soldats de son pays.

La grande salle à manger est devenue un réfectoire où, devant un café ou un *Coke*, s'entassent ceux qui ne sont pas cloués au lit ou sur un grabat. En moins de deux heures de recherche, aidée par Heidegger, Bessie a constitué un orchestre composé de quatre jeunes Allemands, encore trop jeunes pour aller se battre. Le piano de l'hôtel a été mis à contribution et les jeunes ont apporté avec eux guitare, basse, batterie et saxo ténor. Le tout rapidement relié à la sono de l'établissement.

La salle est bondée d'hommes couverts de pansements. Tous se tournent vers la scène improvisée lorsque Bessie fait son apparition, vêtue d'une simple robe de coton noir sans aucun artifice et s'arrêtant à mi-cuisse.

«Salut les gars! lance-t-elle en s'emparant du micro. Pas trop déprimés?»

Un brouhaha mitigé lui répond.

«Je vois ce que c'est, reprend-t-elle. On va essayer de vous remonter le moral. Moi, c'est Bessie, j'arrive du Colorado. Est-ce qu'il y en a du Colorado?

— Moi! fait un grand sec enturbanné d'un pansement douteux. De Monte Vista.

— Loin de la maison, hein?

— Ouais, trop loin.

— Bon! on va s'arranger pour chasser toute cette mélancolie malsaine avec des chansons bien de chez nous. Soyez gentils d'excuser les canards, mais ces jeunes qui m'accompagnent ne me connaissent pas, et nous n'avons pas eu le temps de répéter. Nous avons monté un répertoire en vitesse, les arrangements viendront avec le temps. O.K.! on attaque avec *I love Men*. Je vous demande de vous imaginer dans les bras de votre petite amie. Ça y est, vous êtes maintenant dans votre dancing préféré. O.K.?»

Les premières notes transportent immédiatement tout le monde en d'autres temps, d'autres lieux. La voix chaude et envoûtante de Bessie les accroche au niveau du plexus. Bientôt, des pieds marquent le rythme sur le plancher. Certains, oubliant leurs bobos, ondulent des épaules. Des sourires apparaissent sur les visages assombris.

«Ça c'est l'Amérique! lance une voix. Bravo, Bessie!»

N'en laissant rien paraître, la chanteuse accepte ce compliment avec gratitude.

«Eh oui, les gars, pense-t-elle. Je suis un morceau d'Amérique et c'est là, maintenant, que vous reconnaissez que ma race fait partie de votre univers, tout comme vous faites partie du mien.»

«Bravo à vous», répond-elle aux applaudissements qui fusent.

Ceux qu'une blessure empêche d'applaudir frappent des pieds ou sifflent.

«Bravo les gars, je vous retrouve. Si vous aviez vu la mine que vous aviez tantôt. Les enfants de l'Oncle Sam, ça ne se laisse pas démonter comme ça! On est beau, on est fort, on a du cœur au ventre. O.K.! on continue avec *Truckgirl*. Je vous demande maintenant de vous imaginer sur la *Highway 6*. On part de Providence, Rhode Island, et on file libre comme le vent jusqu'en Californie.»

Trans-America
Le ruban défile
Sauvage et en joie
Je transperce les villes
Avec tout ce ciel
Toutes ces lumières
Je chante et je ris
Pas de vie plus belle
Entre ciel et terre
Jamais je ne m'ennuie
Rouler et rêver
Jusqu'à en crever
Vers un coin perdu
Où je l'avais vu
La vitesse au cœur
Un moteur qui gronde
Tard dans la nuit
Un saxo qui pleure
Je fais le tour du monde
Oui c'est ça ma vie.

Tous ensemble, ils reprennent une deuxième fois le refrain:

Truckgirl
Laissez-moi partir
Truckgirl
Laissez-moi conduire
Le camion que j'aime
HOHOOO

À ce stade, elle fait un signe aux musiciens et s'adresse aux militaires:
«Vous y êtes? Vous êtes avec moi sur la route?»
Le cri d'assentiment est unanime. Elle poursuit les yeux mi-clos:

Moi et mon camion
On connaît les vents
Tous les horizons
Laissez-moi le temps
De voir encore
Avant la mort
Avant que ce soit fini
L'herbe et ses rosées
Le gris des cités
Oui c'est ça ma vie
Et les yeux rêveurs
De ce joli gars
Qui pendant une heure
M'a tenue dans ses bras
Sentir encore
Avant mon sort
Avant que ce soit fini
Le parfum d'un café
La douceur d'un baiser
Oui c'est ça ma vie

Elle s'arrête de nouveau, se contentant de fredonner l'air dans le micro, avant de s'adresser directement à eux:
«Eh, les gars, je viens de voir un beau soleil levant sur la route. Il fait merveilleusement beau, j'ai baissé la capote de ma vieille

Chevrolet, à la radio le vieux Percy Sledge pousse une ancienne romance, et je sais que quelques milles plus loin se dressera le clocher bleu d'un *Howard Johnson*, où m'attendent des bonnes crêpes épaisses, copieusement arrosées de sirop de maïs. C'est pas formidable?

— On y est! crie une voix à peine mûrie. Continue, Bessie!»

Le jeune Allemand au saxo songe qu'il n'a jamais accompagné une chanteuse ayant un tel talent pour magnétiser la foule. Emporté lui aussi, il improvise une longue plainte avec son instrument. À la fin, le batteur reprend le tempo de *Truckgirl* et Bessie continue:

Sur la route toujours
Je suis au paradis
Pas d'histoire d'amour
Pour meubler mes nuits
La vitesse au cœur
Un moteur qui gronde
Tard dans la nuit
Un saxo qui pleure
Oui, c'est ça ma vie
Si mes yeux s'éteignent
Mes doigts se referment
Sur l'acier du camion
Au bout de ma chanson

Un véritable ollé salue les dernières paroles. Sans attendre, Bessie enchaîne avec *Private Dancer*.

Malgré le fait d'avoir adopté pour la circonstance un style plus rock que soul, jamais au cours de sa carrière elle n'a ressenti comme aujourd'hui l'utilité de son art. Par le seul pouvoir de sa voix, elle les ramène chez eux, leur fait oublier pendant un trop court instant l'horreur qui se déchaîne autour d'eux. Au milieu de l'interprétation lancinante, pendant le solo de saxo, elle s'adresse encore à eux:

«Allez, dites-moi ce qui vous manque le plus? Toi? fait-elle en désignant un grand rouquin efflanqué.

— Ma blonde, répond-il.

— Et qu'est-ce que tu ferais avec ta blonde si elle était là?

— Bah...

— Tu l'embrasserais?

— Pour sûr!

— Tu la toucherais partout?

— Certain!

— Tu l'aimes?»

Il hésite à répondre. Elle continue:

«T'oses pas l'avouer devant les autres, ça fait pas viril? C'est ça, hein?

— Ouais.

— Faut pas avoir peur d'aimer, les gars. Viens ici.

— Moi?

— Oui, toi.»

Le rouquin s'avance, s'appuyant sur des béquilles. Bessie lui passe le bras sur l'épaule.

«Maintenant, tu vas crier bien fort son nom dans ce micro et lui dire que tu l'aimes.

— Faut que je fasse ça?

— Oui, parce que je suppose qu'elle t'aime aussi et que là-bas au pays elle pense à toi.»

Elle s'adresse à tous:

«Faites pareil, vous autres. Criez très fort le nom de celle que vous aimez. Vous savez, celle que vous avez dans la tête quand vous vous tirez une branlette.»

Une rumeur confuse traverse l'assemblée.

«Allez-y!» fait-elle avant de tendre le micro au rouquin qui se décide brusquement:

«Kate, je t'aime!»

Pendant une seconde, il y a un silence total puis tous, dans un seule clameur assourdissante, crient chacun un nom suivi de: «Je t'aime.»

Une larme roule sur la joue de Bessie:

«Ça fait du bien, hein? Moi aussi, je vous aime tous autant que vous êtes. Tout à l'heure pour certains, un peu plus tard pour les autres, vous allez retourner sur le champ de bataille. Pensez à celle que vous aimez, et si vous manquez de courage n'hésitez pas à crier son nom. Même si la guerre n'est qu'une vaste connerie, c'est pour elle que vous vous battez. Pas pour le gouvernement ou pour les requins de *Wall Street*, mais pour votre blonde, parce que c'est elle qui vous donnera les enfants qui feront le monde de demain. O.K.?»

Comme tous acquiescent, elle reprend la chanson où elle l'a

laissée.

«Pourquoi est-ce quand tout va mal que l'on se rend compte qu'on est capable d'aimer?»

Elle voit bien dans leurs yeux qu'ils sont loin d'ici. Ils sont sûrement avec l'élue de leur cœur et lui font des promesses. Et elle? Où est-il, l'élu de son cœur? Peut-être parce qu'il est le dernier, l'image de Yeager passe devant ses yeux. Il aurait pu le devenir, lui, s'il n'avait pas été déjà pris ailleurs.

«Maudite solitude! J'aurais bien voulu rester dans ses bras, savoir que, quoi qu'il arrive, il serait toujours avec moi.»

Elle s'apprête à enchaîner avec *Life Story* lorsque, à l'entrée du réfectoire, une voix effrayée sème la panique:

«Alerte, les gars! Les popoffs arrosent la ville avec des pétards chimiques.»

Affolés, tous essayent de gagner la sortie en même temps. Chacun veut mettre la main sur une tenue NBC, refusant d'admettre qu'il n'y en a pas sur place. Tout le monde entend clairement le fracas d'une explosion à l'extérieur.

«On va tous crever comme des chiens!»

Heidegger, qui est resté près de la scène depuis le début du spectacle, attrape Bessie par le bras:

«Avec moi, intime-t-il.

— Où?

— Suivez-moi, vite!»

Sans ménagement, il la conduit dans les toilettes pour femmes et verrouille la porte derrière eux. Bessie ne comprend rien:

«Que faites-vous?»

Pour toute réponse, il sort de sa poche deux seringues pleines d'un liquide légèrement jaunâtre.

«Qu'est-ce que c'est? Pourquoi nous enfermez-vous?

— Atropine, dit-il. Un sergent m'a vendu ça hier. Au départ je ne voulais pas trop, il ne la donnait pas. Heureusement que j'ai accepté.

— Ça sert à quoi?

— C'est l'unique antidote contre les armes chimiques les plus utilisées.

— Ce n'est pas dangereux?

— Parfois, mais c'est mieux que de ne rien avoir.»

Il colle son oreille à la porte, puis va arracher l'essuie-mains pour calfeutrer le bas de cette porte.

«Il faut empêcher autant que possible l'air de passer», explique-t-il.

Hagarde, elle l'observe qui s'injecte le contenu d'une seringue plus pleine que l'autre dans une veine du bras.

«C'est la bonne dose? demande-t-elle

— Je n'en sais rien. Je prends celle-là parce que je suis plus lourd. À vous maintenant.

— Mais... Les autres?

— Il y en a juste pour nous.

— Pourquoi moi?

— Assez de questions, Bessie; donnez-moi votre bras.»

Avec force il agrippe le bras de Bessie, le serre jusqu'à ce que la veine soit bien visible et lui injecte le contenu de l'autre seringue. Son regard accroche soudain la grille de ventilation.

«Merde! je l'avais oubliée.»

Il monte sur le lavabo, ôte son veston, arrache la grille du conduit d'air et insère son vêtement à l'intérieur.

«Que fait-on maintenant? demande Bessie.

— On attend.»

Il s'assoit sur le sol, le dos appuyé à une cloison.

«Faites comme moi.

— Les autres?» répète-t-elle.

Il a un mouvement d'impuissance:

«Je ne peux malheureusement rien faire.

— Ils vont mourir?

— Peut-être pas», fait-il sans avoir l'air d'y croire.

Le visage de Bessie se tord dans une grimace:

«C'est horrible!

— Oui.»

L'effet de l'atropine commence à se faire sentir. Bessie remarque la dilatation anormale des pupilles de Heidegger. Elle le lui dit.

«C'est normal, lui apprend-t-il. Vous aussi, vous allez bientôt ressentir de l'excitation, votre cœur battra plus vite et d'autres petites choses. Peut-être aussi perdrez-vous conscience, je ne connais pas grand-chose à cette drogue, excusez-moi.

— J'ai une soif terrible.

— C'est normal aussi, ce produit freine les sécrétions, c'est surtout pour cela qu'il peut nous sauver la vie.»

Les marques de l'effroi et, aussi, d'une certaine détermination butée marquent le visage de Bessie. Elle secoue la tête:

«Je ne suis pas intéressée à survivre si tous les autres sont morts autour de moi.

— Vous dites des bêtises: chacun a le devoir de préserver sa vie. La remarque est peut-être éculée, mais nous n'en avons qu'une. Je...

— Oui?»

Bessie a maintenant la pénible impression que son système nerveux lui échappe, qu'elle n'en est plus maîtresse. Elle ferme les yeux, essayant de chasser cet état, et prend conscience d'un cognement désordonné et rapide dans sa tête. Elle se rend compte que ce n'est que son cœur qui s'emballe.

«J'ai peur!» hurle-t-elle, mêlant son cri à ceux qui proviennent de l'autre côté de la porte.

Heidegger ne réagit pas; il reste dressé contre la cloison, les yeux grands ouverts. Elle lui secoue l'épaule sans résultat.

«Qu'avez-vous? Répondez, Karl!»

Lentement, le monde qui l'entoure lui devient inaccessible, aussi peu consistant que dans un rêve. Elle croit qu'elle appelle au secours mais aucun son ne sort de ses lèvres. Juste avant de perdre conscience, elle se fait la remarque que les cris ont cessé de l'autre côté de la porte.

***

Six survivants, Nikolaï compris. Ils sont six en tout et partout. Six, entourés des restes de leurs camarades pour la majorité complètement calcinés. Quelques-uns n'ont pas été entièrement consumés par les flammes et il n'y a plus de fuel. L'odeur est atroce; bien que la nausée soit toujours présente, Nikolaï n'a plus rien à régurgiter sinon quelques filets de bile qui lui brûlent les lèvres. Les survivants, étonnés de l'être, errent çà et là, hébétés, comme des automates sans gouvernail, ne sachant plus très bien s'ils sont au royaume des vivants ou dans celui des morts, mais persuadés d'être en enfer. Revenant un peu à la réalité, Nikolaï s'aperçoit que les deux derniers gardes ont disparu. Comme si sa présence et celle des cinq autres ne comptaient plus.

«On dirait qu'il n'y a plus personne pour nous garder», fait-il remarquer à l'un de ses compatriotes.

Un caporal de la 8ᵉ armée de la Garde hausse les épaules, indifférent.

«Moi, je m'en vais d'ici, continue Nikolaï.

— Tu vas te faire descendre.

— Je m'en fous.

— À quoi bon aller ailleurs? C'est l'enfer partout, non?

— Ça ne peut être pire. Je ne veux plus voir ça.»

Il a un mouvement enveloppant le camp de prisonniers. Le caporal n'est pas convaincu:

«Quoi qu'il puisse arriver maintenant, ces images et cette odeur seront toujours là, dans ma tête.»

Sans répondre, Nikolaï se dirige lentement vers la barrière de grillage toujours fermée. De l'autre côté s'étend une petite route bordée de platanes aux branches dénudées. Sans même vérifier s'il peut être découvert, il l'escalade, l'enjambe et saute de l'autre côté.

«Je suis libre, se dit-il sans joie aucune. C'est pas plus dur que ça.»

Sans être interpellé Nikolaï avec un grand naturel s'engage sur la route, les mains enfoncées dans les poches, avec l'allure d'un vieux monsieur faisant une petite marche de santé autour de chez lui.

«Où sont les vivants? En reste-t-il?»

***

Bessie émerge péniblement du brouillard cotonneux qui lui paralyse le cerveau. Avec difficulté, elle entreprend de reprendre le contrôle de ses facultés. Après avoir récupéré la gouverne de ses doigts, elle se rappelle soudain où elle se trouve et pourquoi. Elle se tourne vers Heidegger, qui s'est écroulé sur le flanc, et lui saisit la main:

«Karl? Karl?»

Pas de réponse. Elle constate alors qu'il est froid. Beaucoup trop froid.

«Mon Dieu!»

Elle se penche davantage sur lui et rencontre ses yeux toujours grands ouverts et sans vie. En proie à une réaction de panique, elle se relève brusquement pour aussitôt être la victime d'un vertige. Elle vacille quelques secondes avant de se ressaisir.

«Bessie, que fais-tu maintenant?»

Elle décide de sortir de cette pièce et débloque le verrou. Son subconscient l'avertit de ce qu'elle risque de trouver de l'autre côté. Elle prend une profonde inspiration et ouvre.

«NON!»

La vision dépasse en horreur tout ce qu'elle a pu imaginer: Le réfectoire est jonché de cadavres emmêlés, dont les visages disent combien les derniers instants ont dû être atroces. Le silence est total, beaucoup trop grand. Ne sachant que faire, elle demeure prostrée dans l'encadrement de la porte, cherchant à quitter ces lieux au plus vite, mais ne sachant comment faire sans être obligée de piétiner les cadavres. Son esprit se refuse à accepter ce que ses yeux lui communiquent, sans épargner aucun détail. Le jeune joueur de saxo, la sangle de l'instrument toujours passée autour du cou, gît à genoux, les mains ramenées sur sa tête.

«Quelqu'un est-il vivant?» crie-t-elle.

Son appel demeure sans réponse.

Poussant un cri presque dément, elle s'élance vers l'entrée. Dans sa course elle ne peut éviter le pied d'un fauteuil renversé et s'étale de tout son long sur le gars de Monte Vista, dont les lèvres sont recouvertes d'une écume verdâtre striée de filets de sang. À quelques centimètres de son visage.

«NOOOON! AU SECOURS!»

Incapable d'en supporter davantage, elle se relève et, paniquée, s'élance de nouveau, obligée parfois de poser les pieds ici sur un abdomen, là sur une épaule, des fesses ou un visage. Dans le hall, la scène est en tout point semblable, à cette différence près que des civils, hommes et femmes, sont mêlés aux militaires. Sans plus réfléchir, elle traverse le hall comme elle l'a fait dans le réfectoire. Le cadavre d'une forte femme bloque la porte tourniquet. Luttant pour ne pas réfléchir, Bessie se penche et la tire par les mains.

Dehors, le silence est aussi total qu'à l'intérieur, pire peut-être, car jamais elle n'a conçu de ville sans ses bruits. Tout se déroule comme si elle évoluait au milieu d'un film muet où les seuls sons seraient ceux de ses pas. Des cadavres, maints d'entre eux dans des positions grotesques, souillent les trottoirs et la chaussée.

«Pourquoi moi?» s'écrie-t-elle, déchirant le silence. «Pourquoi suis-je en vie?»

Jamais au cours de son existence elle n'a désiré la présence d'un être humain avec autant de force. N'importe qui, pourvu qu'il soit vivant.

Le spectacle d'un landau de bébé renversé tout près d'une femme couchée en chien de fusil, son bébé entre les bras dans un dernier geste de protection, achève de vaincre la résistance de Bessie, qui s'écroule secouée de sanglots, aux larme taries par l'atropine.

«Suis-je seule?» se demande-t-elle avec une angoisse infinie, ne pouvant s'empêcher de regarder le poupon figé dans les bras de sa mère. Aussi peu vivant qu'un baigneur de plastique, moins même, car les yeux des poupées et des baigneurs n'ont pas ce voile terne devant les yeux.

Elle se redresse au bout d'un long moment et décide qu'elle doit quitter cet endroit. Partir à la recherche du monde des vivants.

Une jeep militaire est garée devant l'hôtel, les clefs sur le tableau de bord. Elle s'y installe, démarre, toute surprise d'entendre un bruit presque vivant, et entreprend de remonter l'avenue en serpentant à travers les véhicules immobilisés au milieu de la chaussée. Plusieurs ont fini contre murs et vitrines, allumant des incendies par la même occasion.

Elle traverse tout Francfort au hasard des rues. La ville ne semble pas abriter un seul survivant entre ses murs; en tout cas elle n'en rencontre pas. Partout des cadavres; le ciel, déjà gris, est assombri davantage par la fumée des incendies et couvre l'univers de Bessie d'un voile d'une tristesse sans nom. Sans qu'elle s'en rende compte, elle pénètre dans la banlieue, aussi désolée que le reste. Et jamais âme qui vive. Elle quitte finalement les lotissements de béton pour s'engager sur, lui semble-t-il, une petite route de campagne qui a l'avantage de ne pas offrir de cadavre à la vue.

«C'est un cauchemar, dit-elle tout haut. Je vais finir par me réveiller. Oh oui! faites que je me réveille dans mon lit au Colorado.»

Elle a roulé longtemps, quand elle l'aperçoit, juste avant que lui ne le fasse également. Surgissant en haut d'une côte, le regard baissé vers ses bottes, avançant d'un pas traînant. Il s'arrête net en reconnaissant une jeep militaire et songe à sauter par-dessus le fossé pour s'enfuir à travers champs.

«Ça ne servirait à rien», se dit Nikolaï.

«Ohé!», lance-t-elle avec le même élan d'espoir qu'un matelot du XVIe siècle apercevant la terre alors qu'eau et vivres sont épuisés.

En arrivant à sa hauteur, elle remarque qu'il porte l'uniforme soviétique. Peu lui importe, il est vivant. Humain.

«Où allez-vous? Que faites-vous? Pourquoi êtes-vous vivant?»

Elle voudrait qu'il réponde à toutes ses questions en même temps mais réalise rapidement qu'il n'a rien compris.

De la main, elle lui fait signe de venir s'asseoir auprès d'elle. Il hésite. Elle comprend pourquoi et montre ses mains nues en signe de paix.

«Montez», dit-elle.

Il acquiesce d'un signe de tête.

Étonnés, assis côte à côte, ils se regardent sans faire un geste. Lui, de rencontrer une femme, même si sa couleur l'intrigue, et elle, de retrouver un être vivant.

Affamée d'un contact humain, elle se jette sans contrôle contre lui, laissant de nouveau libre cours à ses sanglots. D'abord surpris, Nikolaï ne sait que faire, puis la présence de ce corps chaud contre le sien ramène en lui des sentiments que les événements des derniers jours lui avaient fait oublier. À son tour, il l'entoure de ses bras et la serre contre lui.

Ils se sentent réconfortés l'un contre l'autre puis, sans qu'il s'y attende, ces gestes de consolation mutuelle provoquent chez lui une érection totalement imprévue. Le corps de cette inconnue, surgie de nulle part et maintenant soudée à lui, fait affluer dans ses veines un sang qu'il croyait mort.

«C'est ça! réalise-t-il. Mon sexe est la seule arme que je possède pour lutter contre la mort.»

Encore plus surprise, Bessie sent monter en elle des sentiments identiques. Elle cherche, mais ne trouve plus, la frontière avec la nécessité qu'elle ressent de se blottir dans des bras qui pourraient la consoler et l'arracher à toutes ces horreurs. Un impérieux besoin d'être pénétrée, d'être reconnue pour vivante.

Elle se rend compte de la bosse qui déforme le pantalon de son compagnon de rencontre. Elle le regarde dans les yeux et y lit une détresse qui ressemble à la sienne. Ne le quittant pas des yeux, elle pose sa main sur la bosse. Il retient son souffle et se cambre légèrement.

«Nous avons besoin l'un de l'autre», fait-elle en déboutonnant les culottes de grosse toile.

Sans prévenir, elle saute de la jeep, grimpe sur le talus et l'invite à la rejoindre. Ce qu'il fait.

Debout, l'un contre l'autre, ils s'étreignent soudain avec sauvagerie.

561

«Je ne te connais pas, pense Nikolaï Sologdine. Je ne sais pas d'où tu viens, je ne peux même pas dire si je t'aime, quoique... Oui! je crois que là je t'aime. Tu es une femme, je suis un homme, ça suffit. Dis-moi que ça suffit?»

Pour toute réponse, elle se défait de sa robe. Il l'aide à enlever ses sous-vêtements.

«Tu as un corps superbe», fait-il sincèrement, ne pouvant détacher ses yeux de la toison noire au milieu de laquelle les lèvres sombres s'ouvrent sur un monde tout rose.

À son tour il se déshabille et, tel un présent, lui offre son sexe tendu. Ils se jettent l'un sur l'autre et déboulent dans le fossé. Sans prémices, il s'enfonce en elle avec la vigueur d'un appel au secours.

«Je vis!» s'écrie-t-il.

C'est aussi le sentiment qui domine présentement chez Bessie.

Nikolaï, d'ordinaire sentimental et doux en amour, se comporte avec la détermination proverbiale d'un cosaque et pousse des «han» gutturaux, chaque fois qu'il plaque son ventre contre celui de Bessie. Dans sa tête, au milieu des images de la région de Bakou, c'est tour à tour Mouza ou Erjika qui s'offrent à lui. Bessie perçoit qu'il en est ainsi, mais pour elle aussi c'est quelqu'un d'autre, quelqu'un qu'elle ne connaît pas. Ils se servent l'un de l'autre pour aimer des personnes absentes. Malgré cela, ils sentent quand même qu'ils se doivent l'un à l'autre.

Leurs dents s'entrechoquent, leurs cheveux se mêlent. Bessie ceinture les reins de Nikolaï avec ses jambes et le retient contre elle fermement. Incapable de la lutiner, il se laisse avaler par les muscles internes du monde rose.

«Jouis! fait-elle. Jouis comme tu n'as jamais joui. Je le veux!»

Sans qu'il sache comment, elle explose sous lui. Comme elle relâche légèrement son étreinte, il en profite pour se retirer mais aussitôt retourne encore plus profondément en elle dans un incontrôlable mouvement de reins. Jamais il n'a senti son sexe aussi plein de puissance. Cambré, tête rejetée vers l'arrière, il explose à son tour, l'esprit emporté dans un tourbillon infernal.

Bang!

Ils n'ont ni vu ni entendu s'approcher une autre jeep, conduite par un caporal et occupée par deux officiers de l'USAF. La balle tirée par le colt du lieutenant-colonel pénètre dans la tempe de Nikolaï et ressort de l'autre côté de la tête, lui faisant littéralement éclater le crâne.

Bessie sent le sperme chaud se répandre dans ses entrailles, entend la détonation et perçoit sang et cervelle couler sur son visage. Ressentant encore en elle la folle érection du mort, elle se met à hurler.

«C'est fini, madame. Il ne vous embêtera plus.

— Ces cocos-là sont vraiment des bêtes, fait le chauffeur de la jeep.

— Occupe-toi d'elle, ordonne l'officier qui a tiré, elle est en état de choc.»

Il se tourne vers l'autre officier, blanc comme un drap, qui essaye de surmonter une nausée.

«C'est une négresse, c'est solide. Elle s'en remettra.

— Elle est inconsciente, dit le chauffeur, qui s'est approché et a fait rouler le corps de Nikolaï avec son pied. À votre avis, est-ce qu'elle appelait à l'aide ou est-ce qu'elle prenait son pied? Il a tout un membre, le coco.

— Quelle femme pourrait jouir en se faisant violer par un Russe?

— Ouais, ma question était stupide.

— Complètement, caporal.

— En tout cas, lui, il a eu une belle mort. En éjaculant, le cochon.»

BRÉSIL

Trois F-103E, autant d'*Embraer* AMX, escortent à distance variable les quatre C-130H *Hercules* transportant un détachement d'hommes, spécialement entraînés pour les combats dans la jungle.

Les dix appareils de la *Força Aerea Brasileira* ont décollé à l'aube, de la base d'Anapolis, située à cent trente kilomètres du district fédéral brésilien. Ravitaillés en vol par un tanker 707, ils ont été pris en charge par le COMAR de la douzième région militaire relevant de l'*Amazonia Military Command*.

La mission, qui a un rôle d'assistance, consiste à déposer les combattants au Costa Rica, le long de la frontière bordant le Nicaragua, et ce dans le cadre des traités d'assistance de l'OEA en réponse au déploiement de forces soviétiques au Nicaragua.

Le convoi aérien a traversé le bassin amazonien, la Colombie et se trouve approximativement à la hauteur de l'île colombienne de Malpelo dans le Pacifique; il vient d'être repéré à deux cents kilomètres de là par les systèmes de détection du croiseur nucléaire soviétique *Leontiev* occupé dans ces eaux à surveiller de loin les mouvements vers le canal de Panama.

Croyant être la cible d'une attaque, le commandant du *Leontiev* ordonne le mise à feu d'une salve de missiles guidés. Seul un F-103E échappe à la destruction inattendue. Rasant les flots, le jet, construit en France, s'approche au maximum du *Leontiev* et lui décoche deux missiles *Piranha* au but.

Le pilote du F-103E communique immédiatement la nouvelle à ses supérieurs; le *Leontiev* fait de même avant de sombrer.

Les Brésiliens réagissent les premiers: dans l'Atlantique, le sous-marin soviétique de classe *Oscar* qui suit le porte-avions *Minas Gerais* depuis le début des hostilités, est envoyé par le fond par une torpille larguée d'un S-2E *Grumman* décollé du porte-avions.

La riposte, ordonnée directement à partir des installations de la mer d'Aral, se veut implacable. Il s'agit – selon les membres du Politburo – de faire comprendre aux pays qui ne sont pas en guerre mais qui seraient tentés de prendre fait et cause contre l'Union soviétique, qu'ils n'y gagneraient rien. La décision a été mûrie et votée à l'unanimité. Pour rien au monde, il ne faut que les pays soi-disant non-alignés se mettent de la partie.

Un *Typhoon* qui nage au large de l'île brésilienne de Rocas met feu à un missile SSN-X-20 programmé pour lâcher ses douze ogives nucléaires sur la région de Brasilia.

La capitale fédérale, fondée en application de la charte d'Athènes, selon le plan de Lucio Costa et l'architecture de Niemeyer, la ville qui se veut l'exemple parfait de la cité de l'avenir, sans âme pour certains, monumentale et spectaculaire pour d'autres, Brasilia, de son nom, subit la lumière de dix mille soleils avant de retomber en poussière. Dans les minutes qui suivent, 785 000 Brésiliens succombent; 200 000 autres, brûlés, déchirés, traumatisés, ne valent guère mieux.

La nouvelle se répand à travers le pays et le monde, comme une traînée de poudre. À neuf cents kilomètres de là, à Petrópolis, Isaac Reeves Helmann réalise que le Brésil n'offre plus la sécurité à laquelle il croyait. Il ouvre un atlas, à la recherche d'une autre retraite.

JÉRUSALEM, ISRAËL

«Les enculés!»

Le Premier ministre israélien, d'ordinaire plus châtié dans ses propos, n'a pu retenir cette exclamation en écoutant le rapport du colonel Ariel Salomon, qui fait état du regroupement des forces syriennes dans tout le secteur du Golan.

«Vous êtes certain qu'ils vont essayer? demande le Premier ministre.

— Ils n'auront jamais de meilleure occasion.»

L'homme d'État pousse un profond soupir.

«Il ne reste qu'une chose à faire, annonce-t-il d'une voix métallique.

— Riposter?

— Non! nous sommes trop désorganisés. Pas question non plus de sortir le fourbi nucléaire. Il n'y a pas d'autre solution que de faire chanter le Kremlin.

— Je ne sais pas, ils sont complètement fous. Voyez ce qu'ils viennent de faire au Brésil.

— Je vais invoquer le traité d'octobre 1980 qui lie Damas à Moscou. Si la Syrie se prépare à nous attaquer, nous devons en faire porter le chapeau au Secrétaire général.

— Et si les Russes n'interviennent pas auprès de Damas?

— Que voulez-vous, ils en récolteront les conséquences. Mais je ne pense pas qu'ils prennent un tel risque pour le plaisir des Arabes. Je vais demander au Président américain de relayer le message.

— Ne vaudrait-il pas mieux atomiser Damas? Ils ne possèdent rien pour répliquer de cette façon.

— Si nous faisons cela, nous aurons l'ensemble du monde musulman sur le dos dans les vingt-quatre heures. Nous n'y résisterions pas cette fois, dans l'état où se trouve Israël.

— Personnellement je préfère les tanks égyptiens aux missiles soviétiques.

— Moi aussi, mais je crois que les Russes seront obligés de jouer notre jeu.»

***

À cent kilomètres au nord, allongé sur un grabat, Laurent Lavoie sent au milieu de son semi-délire qu'il n'en a plus pour longtemps. Peut-être qu'une greffe de moelle pourrait le sauver mais pour cela il faudrait qu'il ait la force et la possibilité de regagner le Québec et y trouver un donneur. Ce qui n'est nullement le cas.

Il passe sa main sur sa nuque et en revient encore une fois avec des mèches entières restées accrochées entre ses doigts. Une nouvelle fois, il doit surmonter la panique qui s'empare de lui à mesure qu'il sent son corps se désagréger, face aux attaques de l'invisible ennemi.

Une mouche bourdonnante passe à quelques centimètres de son visage. Il suit son vol en se demandant si elle aussi est affectée par les retombées.

«Ce n'est pas exactement ce genre d'expérience que j'étais venu chercher à Nazareth, se dit-il avec amertume. Que ferait le Christ s'il était vivant, ici, aujourd'hui?»

Tout près de lui, un homme qu'il ne connaît pas pousse un râle et se plaint de la soif. Il n'y a malheureusement personne pour servir ou soigner. La très grande majorité des survivants de la région, vu leur nombre, sont laissés sans soins et gisent un peu partout en attendant la fin. Nombre d'entre eux n'ont même plus la force de se déplacer pour satisfaire leurs besoins naturels, et l'odeur des déjections se mêle à celle des cadavres en décomposition.

Il entend un choc sourd au plafond.

«Quelqu'un qui vient de tomber de sa couche?» suppose-t-il.

Il tend l'oreille, essayant de deviner si la personne en question a la force de se réinstaller. Rien.

«Sûrement mort.»

Petit à petit, Laurent s'enfonce dans un brouillard glauque d'où sont absentes la faim, la soif et, surtout, les odeurs.

Quand il voit s'avancer vers lui le Nazaréen qui lui tend les mains, il ne s'aperçoit même pas que cela ne peut correspondre à la réalité. L'homme est rayonnant et son visage exprime tout l'amour qu'il a pour Laurent.

— N'aie pas peur, lui dit-il d'une voix rassurante. Tu es venu à ma rencontre, je vais t'accueillir dans mon royaume.

Si le voisin de Laurent était conscient, il l'entendrait prononcer un bienheureux «merci!»

Partout les mouches vont et viennent, transportant des concoctions microbiennes que l'humanité n'a pas combattues depuis la plus haute antiquité. Un vrai carnaval pour celles-là.

***

Le Premier ministre tient entre ses doigts la réponse du Secrétaire général relayée par le Président des États-Unis:

L'UNION SOVIÉTIQUE DÉCLINE TOUTE RESPONSABILITÉ ET NE PEUT ÊTRE TENUE RESPONSABLE DES DÉCISIONS PRISES PAR DES GOUVERNEMENTS ÉTRANGERS. DE MÊME, NOUS PRÉVENONS ÉNERGIQUEMENT LE GOUVERNEMENT D'ISRAËL QUE NOUS NE CÉDERONS JAMAIS À AUCUN CHANTAGE ET QUE S'IL DEVAIT METTRE SES MENACES À EXÉCUTION, NOUS N'AURIONS D'AUTRE ALTERNATIVE QUE DE RAYER À TOUT JAMAIS ISRAËL DE LA SURFACE TERRESTRE.

«Alors? demande le général Salomon.

— Ça ne veut rien dire, fait le Premier ministre. Si ce n'est qu'ils ne veulent pas perdre la face.

— Si ce n'est pas le cas?

— Ils se comporteraient comme de fieffés imbéciles. Il restera toujours un fils de David pour relever Israël de ses cendres. Notre peuple comptera toujours un Ben Gourion parmi ses descendants répartis sur la planète.»

Quelques minutes plus tard, alors qu'ils sirotent tous deux un café noir, ils apprennent que le navire lance-missiles *Reshef* de la marine israélienne a été attaqué et coulé par un *Mig 21* de l'aviation syrienne.

Les yeux dans le vide, le Premier ministre décroche le téléphone qui le relie au Mossad et s'annonce:

«Foutez-moi les Russes en l'air. Plan CYCLOPE.»

Il regarde Salomon:

«Tant qu'à être rayé de la carte, pourquoi ne pas faire comme vous disiez et atomiser Damas?

— En effet, pourquoi pas?»

Ils savent tous deux que l'État d'Israël est condamné. En fait, ils le savent depuis Haïfa.

«Un jour, reprend le chef d'État, dans vingt, cent, mille ou dix mille ans, l'un des nôtres reviendra prendre possession de cette terre que Dieu a donnée pour nous à Moïse. Dans ces temps-là, les autres n'auront pas encore oublié que nous emportons nos ennemis outre-tombe.»

Il remarque les yeux embués de Salomon. La chose semble incongrue sur le visage d'un officier militaire.

«Quelles sont vos pensées, Ariel?

— Encore tout à l'heure, je contemplais la tapisserie de Chagall dans le hall et je me demandais quand arriverait enfin la Jérusalem messianique?

— Elle viendra!

— Faut-il sacrifier tous ces gens que nous avons pour mission de protéger? Tout ce monde dans la rue qui ne demande rien d'autre qu'à vivre? La plupart sont indifférents aux grands desseins, ils ne veulent qu'un toit, un pays et la sécurité.

— Il nous faut voir plus loin, nous qui sommes ceux à qui l'on a confié les rênes de la nation. Nous ne sommes pas un gouvernement ordinaire: notre mission première n'est pas de protéger les habitants actuels qui composent Israël, mais bien de faire valoir l'idée que nous nous faisons de notre pays. Aujourd'hui pour demain, il vaut mieux mourir que de céder ne serait-ce qu'une parcelle qui nous a été divinement octroyée.

— Je me souviens d'avoir vu un film américain où des extra-terrestres enlevaient à la Terre les pensionnaires d'un foyer de vieillards, pour leur offrir une vie immortelle. Avant de partir, l'un d'eux se demandait ce qu'il pourrait y avoir d'intéressant à vivre à tout jamais sans hot dogs et sans baseball. Moi, je me demande ce que deviendra le monde sans Jérusalem.

— Psaume 125, verset 2, Ariel: «Jérusalem a des montagnes pour ceinture; ainsi l'Éternel entoure son peuple maintenant et à tout jamais.»

NOSSOB, NAMIBIE

Nul besoin de jumelles ou de radars, ils les sentent venir, tout comme un vieux loup de mer sent s'approcher la tempête sans avoir besoin de consulter son baromètre.

Depuis la veille ils ont établi leur campement sur une rive du Nossob, profitant du petit filet d'eau largement suffisant pour leurs besoins. Les chasseurs ont rapporté les carcasses de deux antilopes et, apparemment, tout va bien pour le clan. Xam et Tlick, son épouse, sont assis sous un acacia rabougri et se regardent avec interrogation:

«Qu'est-ce que c'est?» lui demande-t-elle.

Une seule réponse s'impose à l'esprit de Xam. Une réponse qu'il voudrait pouvoir réfuter, mais que son subconscient lui impose:

«La mort.»

Il le sait, elle le sait, tous le savent. Pourquoi lui pose-t-elle cette question? Il ne répond pas et se contente de passer l'un de ses longs doigts presque enfantins sur les pommettes de Tlick.

Le colonel Jan van Valkenkurch, considérant la rapidité avec laquelle les événements se sont déchaînés dans le monde et dans son pays, n'a pas gagné Washington comme il l'avait d'abord prévu. Au lieu de cela, il a demandé et obtenu sa réinsertion dans l'active. Aujourd'hui, debout à l'arrière d'un half-track, il commande une colonne de véhicules lance-missiles, dont la mission est simple: s'approcher suffisamment de l'Angola pour placer les missiles à portée des principales cibles.

Dans le casque d'écoute qu'il porte en permanence sur les oreilles, un message en provenance d'un patrouilleur aérien l'avertit qu'une formation de chasseurs ennemis est en approche.

«Les nôtres s'en occupent?» demande-t-il, glacial.

«Négatif, colonel! Les Angolais seront sur vous avant que nos avions puissent les rejoindre.

— Qu'est-ce qu'ils foutent? Bordel!

— Ils ne sont pas encore revenus de l'interception du côté d'Orange.

— Combien d'assaillants?

— J'en ai cinq au radar.»

Valkenkurch vérifie derrière lui si le *Bradley Rapier* est bien en position d'interception. Équipée de huit missiles sol-air, la tourelle semble scruter le ciel. Il jette ensuite un coup d'œil au véhicule blindé, qui ne porte aucun système d'armement. Il faut absolument que soit épargné ce véhicule qui transporte ce que, dans les hautes sphères du pouvoir, on surnomme *Javel*.

Javel est né dans un laboratoire situé dans la banlieue de Pretoria. Spécialisé en hémotypologie, financé à même les fonds de la Défense et ceux, plus privés, d'organismes tels que l'*Afrikaanse Handelinstitut* et, surtout, le *Brœrderbond*, dont les membres, en grande majorité observent strictement les règles de l'Église réformée hollandaise. Ce laboratoire – grâce à un apport constant de fœtus de toutes races – a progressé très loin dans la différenciation des gènes marqueurs, distinguant une race de l'autre au niveau hématologique. Bien que ces recherches aient prouvé hors de tout doute qu'il n'existe aucune différence qualitative entre les races, une découverte en amenant une autre, *Javel* a été mis au point. Les premières expériences avaient été désastreuses, conduisant à la création et à la propagation du SIDA sans distinction de race. Cet accident, officiellement mis sur le compte d'un caprice de la nature, avait amené certains pouvoirs occidentaux, officieusement au courant, à sanctionner la République sud-africaine, sans pour autant couper complètement les ponts: impensable de laisser ce secteur, stratégique en plus d'un point, glisser vers l'hégémonie soviétique, et puis la maladie a contribué au retour de moeurs plus «normales», alors...

Les recherches ont néanmoins continué, aboutissant à *Javel* qui, par simple absorption digestive ou respiratoire, transmet, sélectivement cette fois, le syndrome d'immuno-déficience acquise aux seules populations de races négroïdes porteuses des facteurs Sutter, GM-6 ou des molécules de type HbC. Ce nouveau virus, beaucoup plus virulent que son prédécesseur, peut emporter la personne qui en est atteinte en quelques jours, la moindre infection devenant mortelle.

C'est l'arme de la dernière chance. Si la guerre doit mal tourner, les ordres de Valkenkurch sont de disséminer *Javel* vers l'Angola et le Botswana. Mais seulement en dernier recours. Un autre convoi semblable s'occupe du Zimbabwe et du Mozambique.

«Trois autres chasseurs en approche à neuf heures.
— Quoi?»

Valkenkurch n'a pas le temps de poser d'autres questions; un à un, les huit missiles sol-air quittent le *Rapier*. Le colonel frissonne:

il aime le bruit du feu et de la poudre, le fracas du métal lui procure une jouissance presque physique.

Tous les membres du clan de Xam observent les déflagrations dans le ciel. Effrayée, Tlick enfouit son visage entre ses genoux. Xam, dans un geste protecteur, lui couvre les épaules de ses bras, suivant des yeux les deux *Mig* rescapés qui, dans un fracas assourdissant, virent sur l'aile, chacun de son côté, en se rapprochant de la surface terrestre à une vitesse stupéfiante.

L'un d'eux prend en chasse l'avion patrouilleur tandis que l'autre part à la recherche de l'assaillant.

Valkenkurch le voit arriver, trente mètres à peine au-dessus du sol. Le canon du *Rapier* entre immédiatement en action mais le *Mig* a déjà lâché trois missiles air-surface. Dans un fracas qui projette instinctivement Valkenkurch sur la banquette, le *Rapier* explose en s'élevant dans les airs comme soulevé par un invisible géant, un half-track porteur de tubes de lancement se désintègre et, à son tour, le conteneur écope. L'impact déchire son blindage comme un vulgaire papier d'aluminium et transperce nombre de contenants à double paroi de verre et d'acier inoxydable. Des centaines de millions de virus, soudain libérés, sont disséminés par le petit souffle de vent qui remonte le long du lit fluvial.

Valkenkurch relève la tête juste à temps pour constater les dégâts et aperçoit le *Mig* qui revient en arrière en faisant crépiter son canon.

«Merde!»

Le véhicule du colonel est littéralement coupé en deux, son réservoir explose, pulvérisant autour de lui les restes carbonisés des occupants. Ignorant ce qu'il vient de provoquer, le pilote cubain s'éloigne, plutôt satisfait de lui.

***

Le petit feu où ils ont fait rôtir les morceaux d'antilope s'est éteint depuis longtemps. Haut dans le ciel, les étoiles font des clins d'œil à Xam qui, incapable de s'endormir, n'a rien d'autre à faire que de les contempler. Il plisse brusquement le nez et se redresse, surpris par l'odeur furtive qui, portée par la brise légère, lui a effleuré les narines. Non loin, Tloch, son frère, se redresse également.

«As-tu senti? lui demande-t-il.

— Oui, qu'est-ce que c'est?

572

— Je ne sais pas, je ne sens déjà plus rien.

— Mauvaise odeur.»

Dans l'obscurité le visage de Xam marque l'inquiétude:
«Est-ce que c'est ce que nous attendions?»

Tloch baisse les paupières, interrompant le dialogue pendant plus d'une minute.

«C'est ça, reprend-t-il d'une voix teintée de fatalisme. Je sens le mal en moi. Il est venu dans le vent.

— Je le sens aussi.

— D'où vient-il?

— Le mal ne se développe que dans la putréfaction. Il y a quelque chose de mort, quelque part, qui nourrit beaucoup de mal.

— C'est triste.»

Tloch n'a plus rien à ajouter.

«Bonsoir mon frère.

— Bonsoir à toi aussi.»

Xam se penche vers Tlick, qui dort profondément. Soulevant délicatement sa tête, il la pose sur son bras puis se serre contre elle, essayant de toute son âme de lui communiquer son énergie, afin qu'elle puisse combattre le mal.

Est-ce le remords? Alusia a le sentiment d'avoir forcé une porte interdite. Non, elle ne regrette pas de s'être donnée à Hafizullah, pas plus qu'elle ne parvient à regretter réellement d'avoir éprouvé avec lui l'assouvissement de la chair. Ce qu'elle regrette, c'est peut-être l'image qu'elle avait d'elle-même; de même et, surtout, elle ne peut réprimer ce sentiment de culpabilité. N'a-t-elle pas rompu ses vœux, transgressé l'ordonnance de chasteté en dehors du mariage, connu la chair alors qu'elle s'était consacrée à l'esprit?

Longtemps après qu'Hafizullah se fut endormi, alors qu'elle sentait encore en elle la semence de l'homme, elle a demandé pardon. Non pas pour l'acte lui-même, elle ne pouvait le regretter. Elle s'était donnée à Hafizullah comme lui s'était donné à elle. En un mot, ils s'é-taient aimés, et là, elle ne pouvait y voir de mal. Le mal, elle le voit ailleurs, dans son propre désir. Ne faut-il pas repousser le désir? N'est-ce pas ce besoin de satisfaire ses sens qui conduit l'humanité à sa perte? Ce qui est naturel pour le raisonnement l'est-il au niveau de l'esprit?

Depuis, ils ne se sont pas rejoints. Ils ont marché, dormi l'un à côté de l'autre sans chercher à se rapprocher. Chacun sachant que ce-la n'aurait rien amené de plus. Tout est redevenu comme avant entre eux, sauf peut-être les regards qu'ils s'échangent avec plus d'insis-tance.

Il y a plus de deux heures maintenant qu'ils avancent dans une large vallée. Comme il marche devant elle, elle a soudain la réponse à ses questions:

«Nous avons tous besoin d'être aimés. Le désir est la seule issue que notre aveuglement nous offre pour communier avec autrui. J'avais besoin d'amour, Hafizullah aussi, j'ai cru, tout mon corps a cru, que c'était là le moyen de se le prouver.»

L'autre voix, celle qui s'était éteinte, celle qu'elle avait fait taire, cette voix-là resurgit du fond de son esprit:

«Mais tu as joui, Alusia. Tu n'as fait que satisfaire ton corps. Tu sais bien que l'on peut aimer autrement. Tu le sais, Alusia. Tu sais que tu n'as fait que répondre à l'appel de ton ventre. Hein?

— Oui, je le sais.

— Et tu sais aussi que ce sont les démonstrations perverses de l'officier soviétique qui ont allumé ton ventre. Ça aussi tu le sais.

— Oui! oui! je le sais.»

Entre deux contreforts de hautes montagnes arides, la vallée s'étend plate et profonde. La surface ocre, sèche et dure du sol semble absorber toute la chaleur du soleil à son zénith. Au loin, Alusia aperçoit des silhouettes qui avancent dans une brume irréelle provoquée par la chaleur.

«Des amis, indique Hafizullah.

— Que faisons-nous ici?»

Depuis qu'il l'a libérée, elle le suit sans savoir où il l'emmène. À chaque fois qu'elle lui a posé la question, il s'est contenté de répondre qu'ils rejoignaient des amis.

«Ce sont les amis que je cherchais, dit-il. J'espère que nous ne sommes pas en retard.

— En retard pour quoi?

— Vous verrez... Vous verrez.»

Ils marchent encore quelques minutes en silence. Alusia se décide à poser une question:

«Hafizullah?

— Oui?

— Pourquoi?»

Sans qu'elle en dise davantage, il comprend la question qu'elle aurait pu formuler de cette façon par exemple: Pourquoi ce besoin de se toucher, de se caresser, de jouir ensemble?

«Vous connaissez la réponse mieux que moi.

— Je ne crois pas. Je ne suis pas certaine de moi.

— Disons que nous venons tous de l'esprit mais nous sommes de chair et, à travers cette chair, nous croyons possible de retrouver l'esprit dans lequel nous voulons nous rejoindre.

— Où avez-vous appris cela?»

Il a un sourire furtif avant de répondre:

«Avec vous.

— Je ne regrette pas ce que je vous ai donné.

— Je sais, mais vous vous demandez si c'est mal?

— Vous m'avez donné du... du bonheur.

— C'est ce que vous vous reprochez. Vous vouliez me rendre heureux et vous avez été heureuse. Ne le regrettez pas, Alusia. Allah sait lire en vous beaucoup mieux que vous ne le faites.»

C'est la première fois qu'il l'appelle par son prénom. Sans se l'expliquer, elle en éprouve un vif plaisir.

Ceux qu'Hafizullah appelle ses amis se sont considérablement rapprochés. Ils sont six, des montagnards comme Hafizullah, traînant avec eux une douzaine de mulets.

«Nous arrivons à temps, fait Hafizullah en constatant que les bêtes ne sont pas chargées.

— À temps pour quoi?

— Pour l'avion.»

Le *Lockheed Hercules* vire de l'aile et se présente comme un petit point noir à l'horizon dans l'axe de la vallée. Le pilote fait une moue à l'adresse de son coéquipier.

«Ils sont vraiment sûrs que le terrain est praticable?

— Mitchum s'est déjà posé sans se casser la gueule, pourquoi pas nous?

— Ouais... Comptons-nous chanceux de ne pas être tombés sur les ruskofs.»

Il a un mouvement de tête vers l'arrière du poste:

«Comment va-t-elle?

— Elle n'a toujours pas l'air de réagir. Faut se mettre à sa place.

— Je ne sais pas si on a bien fait de l'emmener?

— On ne pouvait pas la laisser au milieu de ce merdier. C'est une Américaine après tout.

— Train sorti!

— L'assiette est bonne.»

L'appareil ventru a quitté le sol de la RFA la veille, a effectué une escale en Sicile, le temps de charger l'équipement à livrer, et est reparti pour la Turquie, où ils ont passé la nuit, avant de prendre le chemin risqué de ce terrain de fortune afghan, où ils doivent livrer les armes aux moudjahidin, maintenant que Peshawar est pratiquement sous le contrôle des Soviétiques.

Le pilote et son coéquipier sont ceux-là mêmes qui ont trouvé Bessie et Nikolaï. Évitant les concentrations urbaines, ils rejoignaient la base où ils devaient prendre livraison de leur appareil. Tout ce qu'elle leur a dit est qu'elle est américaine et qu'elle vivait au Colorado. Le pilote, qui a passé trois ans à Denver, a décidé qu'ils ne pouvaient la laisser au milieu de ce carnage.

«On retourne aux États après la mission, emmenons-la. C'est la mort ici.»

Le commandant de la base avait approuvé. Selon les dernières nouvelles, la plupart des grandes villes étaient touchées par les charges chimiques, la situation en Allemagne devenait totalement anarchique et chacun devait agir en improvisant.

«Je ne crois pas qu'on y remettra les pieds, a dit le pilote.

— Avec toutes les saloperies qu'il y a dans l'air, zéro pour moi.

— Ils sont capables de faire la même chose chez nous.

— En être certain, je conduirais directement cet appareil dans un coin tranquille. Une île perdue ou quelque chose comme ça.

— J'ai rien contre. Pourquoi ne pas aller regarder les vahinés valser du nombril pendant que le monde court à sa perte?»

Ils n'en ont pas reparlé mais l'idée suit son chemin.

À l'arrière du poste de pilotage, Bessie, assise sur le strapontin, garde les yeux grands ouverts. Sans cesse, son esprit lui fait revivre les derniers instants de son amant de rencontre. À chaque fois, il lui semble que son sang l'inonde de nouveau. Elle ne sait pas où elle va et n'y prête pas la moindre attention. L'avion pourrait tomber en chute libre qu'elle n'aurait pas le plus petit geste pour se protéger. Son cerveau se refuse à analyser quoi que ce soit.

L'appareil se pose en douceur et roule sur sa lancée, secouant ses occupants en épousant les légères inégalités du terrain. À l'arrêt, les moudjahidin, y compris Hafizullah et Alusia, s'approchent. Il n'y a pas de temps à perdre, le déchargement sera long. La soute est pleine de *Stinger, Blow Pipe, Milan* et diverses munitions dont une grande partie doit être déchargée ici. Le reste est destiné à la base de Kouria Mouria, où ils doivent se diriger ensuite avant de rejoindre la Thaïlande, puis de là les États-Unis en faisant des sauts de puce à travers le Pacifique. C'est pour cela qu'on les appelle les facteurs.

«Quel avion? avait demandé Alusia.

— Celui qui va vous emmener loin d'ici.

— Mais je ne veux pas partir! Je suis ici pour aider et je n'ai encore rien fait.

— Vous partirez, vous ne pouvez rester dans ce pays. C'est trop dangereux pour vous.

— Pas plus que pour les autres.

— Vous n'avez pas à discuter.»

Elle assiste maintenant au déchargement. Les hommes montent avec les mulets par le panneau arrière, arriment les caisses sur le dos des bêtes et vont les entreposer dans les contreforts montagneux avant de recommencer.

Dans un anglais approximatif, Hafizullah explique au pilote qui est Alusia, ce qu'elle fait là, et lui demande de l'emmener en lieu sûr.

«Nous n'en avons pas le droit, répond le pilote.

— Vous n'avez pas le droit de la laisser là. Nous ne pouvons nous en occuper.

— Vous dites que c'est une religieuse?

— Oui.

— Bon, ça va, on l'emmènera.»

Le pilote s'approche d'elle:

«Parlez-vous l'anglais?

— Je l'ai appris aux Indes.

— Vous désirez partir avec nous?

— C'est Hafizullah qui le veut. Moi je voulais rester ici pour soigner ceux qui en ont besoin.

— D'où venez-vous?

— Je suis née en Pologne.

— Polonaise?

— Oui.

— Et vous luttez contre les Russes?

— Je ne lutte contre personne, je soigne.»

Hafizullah s'approche de nouveau et informe que lui et d'autres partisans ont libéré Alusia des Soviétiques.

«Pourquoi vous ont-ils faite prisonnière si vous êtes polonaise?

— Je crois qu'ils souhaitent que personne ne sache ce qu'ils font par ici.

— Ça ne peut pas être pire que ce qu'ils viennent de faire en Allemagne.

— En Allemagne?

— Oui, ma sœur. Le monde est en guerre. Vous l'ignoriez?»

Elle secoue la tête, comme si elle n'y croyait pas:

«Pas une vraie grande guerre?

— Oh! si, une vraie grande guerre comme vous dites. La population allemande est pratiquement décimée, Israël n'est plus, ravagé par les armes nucléaires, la même chose pour la Syrie, et l'Union soviétique a vu beaucoup de ses centrales atomiques détruites, s'ensuivant, paraît-il, un véritable cauchemar écologique. Brasilia aussi a été détruite. Nous sommes débarqués en Sibérie, et à l'heure où je vous parle il doit bien se passer d'autres horreurs quelque part.

«Mon Dieu!

— Vous pouvez l'appeler, on dirait bien qu'il est parti en vacances.»

Il change de sujet:

«Vous dites que vous soignez, vous êtes infirmière?

— J'ai étudié la médecine.

— Ça tombe bien, nous avons une femme à bord qui semble avoir l'esprit chaviré. Vous pourriez peut-être faire quelque chose?

— Volontiers.»

Alusia monte à bord de l'appareil et découvre Bessie, qui la fixe sans la voir. Elle s'approche, s'accroupit près d'elle et lit l'incompréhension qui habite son regard. Elle lui pose la main sur l'épaule.

«Comment vous appelez-vous?

Bessie paraît soudain s'apercevoir de sa présence:

— Bessie... Bessie King. Je viens du Colorado. Tout le monde est mort, tout le monde, récite-t-elle.

— Il y a encore des vivants autour de nous, Bessie.»

Mais Bessie continue à parler pour elle-même:

«Il est mort parce que je faisais l'amour avec lui.

— Qui?

— Le soldat russe.

— Il n'est certainement pas mort à cause de vous.

— Je chantais et ils sont tous morts. Il y a des cadavres partout.»

Alusia aussi revoit tous les morts de ces derniers jours. Qu'est-il arrivé à cette femme? Que serait-elle devenue, elle, si Hafizullah n'était pas revenu la libérer? Que serait devenue sa raison?

«Venez avec moi, dit-elle.

— Où?

— Dehors, je veux vous montrer quelque chose.»

Bessie la suit. Dehors elle cligne des yeux, éblouie par la lumière crue. Son visage marque l'étonnement:

«Où sommes-nous?

— En Afghanistan, Bessie. Regardez ces montagnes, elles sont là depuis les temps les plus anciens, elles ont peut-être vu passer les hordes mongoles, Tamerlan, et malgré cela des gens qui ne désirent que la paix y vivent encore. J'ai vu derrière ces montagnes des enfants abattus après avoir été martyrisés. Je sais pourtant que je dois continuer à aimer les victimes comme les bourreaux, car autrement plus rien n'aurait de sens.»

Bessie semble émerger d'un cauchemar et revenir peu à peu à la réalité:

«En Afghanistan? Qu'est-ce que je fais ici?

— Je ne le sais pas très bien pour moi-même. Ce n'est pas ce qui importe.

— Qu'est-ce qui importe?

— Faire ce que l'on a à faire.

— J'ignore totalement ce que j'ai à faire. Je suis chanteuse, comment pourrais-je chanter maintenant?

— On peut aussi bien chanter pour exprimer sa peine que pour dire sa joie.

— Ça, je le sais très bien, mais ce n'est plus de la peine que je ressens, c'est le vide. Oui! le vide.

— Il faut d'abord survivre. D'abord pour vous et ensuite pour les autres.

— Le soldat russe... il est mort.

— Quel soldat russe?

— Celui qui me faisait l'amour. Ils l'ont tué juste comme son sperme coulait en moi.

— Il vous violait?

— Oh non! Tout le monde était mort, lui était vivant, c'était le seul vivant et j'avais besoin de lui. Il était gentil. Ils l'ont tué.»

Alusia a vécu une situation presque identique, et pourtant elle ne trouve aucune parole d'encouragement. Comment expliquer ce qu'elle-même ne peut pleinement assimiler?

«Il arrive que tout ce qui fait la vie de tous les jours soit soudain bouleversé. Les événements prennent une ampleur qui n'a plus de commune mesure avec ce à quoi nous sommes habitués et préparés. Les valeurs les plus profondes ne trouvent plus de prise où s'accrocher. Pourtant, je crois que tout ceci n'arrive que parce que pendant trop longtemps nous fermons les yeux et cultivons inlassablement une incroyable indifférence. Aujourd'hui, nous prenons conscience du mal qui nous entoure et nous refusons de le reconnaître, comme s'il n'avait jamais existé avant ce jour. C'est notre ennemi, Bessie. Je crois que c'est pour cela que nous devons vivre, pour le combattre.»

Bessie regarde Alusia avec étonnement:

«Qui êtes-vous?

— Appelez-moi Alusia.

— Alusia, que dois-je faire pour lutter?

— Aimer, Bessie. Aimer, tout est là.

— Je crois que j'aime les gens.

— C'est évident; si vous ne les aimiez pas, vous ne souffririez pas. Pas de cette façon, du moins.»

Bessie, qui semble de plus en plus revenir à la réalité, observe les partisans qui vont et viennent avec les mulets.

«Qui sont ces hommes?

— Des partisans, ils luttent contre les Soviétiques.

— Vous soutenez leur cause?

— Pas du tout, je cherche juste à apporter un modeste réconfort. L'homme ne doit pas lutter contre un autre. Personne n'a le monopole de la raison. Chaque fois qu'un homme se venge, domine, écrase, soumet, vole ou, tout simplement, ignore un de ses semblables, c'est à lui-même qu'il fait du mal.

— Je sais cela. Le mettre en pratique, c'est une autre histoire.»

Elle paraît brusquement reprendre tous ses aplombs.

«J'ai faim.»

Le visage d'Alusia s'éclaire d'un sourire:

«C'est bon signe.»

Le déchargement dure presque tout l'après-midi. Les deux femmes lient connaissance, Alusia fait parler Bessie – elle sait que c'est le meilleur remède – et elles en viennent à parler de leur jeunesse. Visiblement, Bessie remonte la pente.

Elles sont assises contre le train d'atterrissage avant, comparant une jeunesse passée dans un quartier noir de Chicago et une autre dans la campagne polonaise, lorsque Hafizullah s'approche:

«Nous avons fini, dit-il à Alusia.

— Vous ne voulez vraiment pas que je reste?»

Il secoue énergiquement la tête:

«Je vais me joindre aux autres moudjahidin et lutter avec eux. Votre place n'est pas là.

— Ce n'est la place de personne.

— Je sais, il faut pourtant que j'y aille.

— Vous aurez toujours des blessés et vous aurez toujours besoin de soins médicaux. Pourquoi refuser ma présence?

— Assez de questions. Il faut que vous montiez dans cet avion. Si jamais cette guerre trouve un jour son dénouement, s'il arrive que vous passiez dans ces montagnes et si je suis encore en vie, peut-être Allah permettra-t-il que nous nous rencontrions à nouveau.»

Alusia ne peut s'empêcher de ressentir le déchirement de la séparation. Elle se rend compte qu'elle ne veut pas le quitter ni voir partir celui qu'elle sent toujours en elle..

«Hafizullah, je...

— Je sais», répète-t-il en tournant le dos et s'éloignant.

Elle le regarde avec intensité, essayant de graver pour toujours l'image de cet homme dans son esprit. Elle a un mouvement de la main pour chasser les images de leur nuit. Elle ne veut garder que celle de cet homme grand, fort, mystérieux, qui s'éloigne dans un fin nuage de poussière jaune. Rien à faire, elle le revoit toujours s'offrant à elle dans la lumière d'un clair de lune. Elle résiste au besoin d'aller se serrer contre lui une dernière fois.

«Prenez garde à vous!» lance-t-elle.

Ce qu'il répond la fige sur place:

«Prenez garde à notre enfant, Alusia. Qu'Allah veille sur vous deux.»

Bessie, qui a suivi toute la scène sans en comprendre le dialogue, ne peut s'empêcher de donner son impression:

«Mais, vous vous aimez!»

Alusia cherche quoi répondre lorsque le pilote les invite à monter à bord:

«On s'en va! crie-t-il. Il y a un lit qui nous attend dans la mer d'Oman ce soir.»

Ils ont coupé au plus court vers l'est afin de quitter le ciel afghan le plus rapidement possible. Après avoir survolé le Pakistan dans sa longueur, ils se sont engagés au-dessus de la mer d'Oman. La nuit est tombée depuis longtemps et, dans le poste, seul le grondement régulier des moteurs trouble le silence. Chacun se laisse aller à ses pensées, dans l'obscurité qui serait totale sans les lumières multicolores des cadrans de contrôle. La voix du pilote claque comme un coup de fouet:

«J'ai un oiseau à quatre heures. Il se rapproche.»

Le co-pilote réagit immédiatement:

«Il nous a repéré?

— Ça en a tout l'air.

— Qu'est-ce que c'est? demande Bessie.

— Ce n'est pas un ami.

— Il va nous tirer dessus?

582

— C'est fort probable.»

Le pilote fait perdre de l'altitude à l'appareil, rasant les flots noirs en essayant d'échapper à son poursuivant.

«C'est un chasseur, constate-t-il. Il est très rapide.»

Le co-pilote s'énerve:

«Il nous lâche pas, l'enfoiré.

— Ça y est, il vient de lancer un pruneau.

— Merde!»

Dans l'habitacle du *Foxbat* qui a quitté Socotra plus tôt, le pilote soviétique, sourire aux lèvres, suit la trace de son missile.

«*Gotcha!* » hurle-t-il.

Les quatre occupants du *Hercules* poussent un même cri lorsque la charge heurte l'empennage arrière. Dans un fracas assourdissant, la queue de l'appareil est amputée.

Se voyant inévitablement pris au piège, le pilote, dans un geste désespéré, tente l'amerrissage. Les tympans bourdonnants, chacun est ballotté dans tous les sens sans parvenir à faire le point sur ce qui arrive. Tous sont persuadés que les flots vont les engloutir.

«On évacue! s'époumone le pilote. Vite!»

Dans un même élan, les deux aviateurs se ruent sur le panneau de sortie avant, happant les femmes par le bras au passage. Sans réaliser encore nettement ce qui lui arrive, Alusia se retrouve projetée dans l'eau. Bessie la rejoint en criant.

Le pilote lance un radeau gonflable à la mer, le dernier à quitter l'appareil, qui s'enfonce rapidement.

«Nagez! Nagez! ordonne-t-il. Éloignez-vous.»

Réagissant plus à l'adrénaline qu'à des décisions raisonnées, chacun s'éloigne avec vigueur.

«Dan, où es-tu? demande le co-pilote au bout d'un moment.

— Ici, j'ai le radeau.

— Je ne vois rien, continue à parler.»

Côte à côte, Alusia et Bessie se dirigent vers la voix.

«Ça va? demande Alusia haletante.

— Le dernière fois que j'ai nagé en mer, c'était à Acapulco, tente de plaisanter Bessie.

— Pour moi c'est une première, surtout avec des chaussures aux pieds.

— En tout cas, l'eau est bonne.»

Ils se retrouvent autour du radeau. Nageant sur le dos, Alusia parvient à se défaire de ses bottes. Une minute plus tard, ils sont tous les quatre étendus sur le radeau, essayant de reprendre leur souffle.

«Où est-on? demande Bessie.

— Quelque part dans la mer d'Oman, fait le pilote d'une voix qui en dit long sur ce qu'il pense de la situation.

— Que peut-on faire? demande Alusia.

— Attendre. Attendre et espérer.»

SUÈDE

Ils quittent le chalet à l'aube. Le froid de la nuit a accroché des cristaux de glace dans les branches des épinettes. Une légère brume vaporeuse danse sur le lac, donnant à celui-ci un petit côté mystérieux. La voûte céleste hésite entre le bleu, le violet et le rose.

«Quelle journée superbe», remarque Éléonore.

Erik approuve.

«Comment imaginer que les gens puissent se battre sous un ciel comme celui-là!»

Ils ont décidé de partir de bonne heure, avant que la famille n'arrive. Tout doit se faire rapidement maintenant, et c'est à pied qu'ils couvrent la distance boisée jusqu'à la route reliant Göteborg à Stockholm, leur destination finale. Ils n'ont pas à attendre longtemps, un semi-remorque chargé de bois en longueur s'arrête pour les prendre en charge. La petite marche qui les a conduits jusqu'à la route les a fatigués. Le chauffeur du poids lourd, le type même du bon bougre, remarque leurs traits tirés et la pâleur de leur teint:

«Hé! les jeunes, ça n'a pas l'air d'aller fort?»

Il a un regard soupçonneux:

«Vous ne vous droguez pas au moins?

— Pas du tout, le rassure Éléonore.

— J'aime mieux ça! Quoique avec tout ce qui se passe aujourd'hui, on ne pourrait pas en vouloir à quelqu'un de chercher refuge dans d'autres mondes. Vous avez entendu les nouvelles pour l'Allemagne?

— Oui, fait Erik. C'est la guerre.

— Je voulais parler de ce qui est arrivé depuis.

— Que s'est-il passé?

— Vous ne savez pas? Les popoffs ont balancé des bombes chimiques sur tous les grands centres. Il paraît que les morts se comptent maintenant par millions.»

Erik et Éléonore se regardent sans parvenir à dire ce qu'ils ressentent. C'est trop énorme.

«Des millions de morts», balbutie enfin Éléonore, incapable de se représenter mentalement tout ce que ça implique d'horreur et de douleur.

«Comment ont-ils pu? C'est impossible!»

Non! elle ne peut imaginer que quelqu'un, un être humain,

puisse donner délibéremment l'ordre d'occire toute une population. Elle sent la main d'Erik se contracter sur la sienne. Cette chaleur lui fait du bien.

«Moi non plus, je ne pensais pas que le monde puisse être aussi pourri», reprend le chauffeur.

Erik secoue la tête:

«Je ne crois pas que ceux qui ont ordonné de tels actes représentent la majorité. Les adultes sont des grands enfants qui s'ignorent, ceux-là jouent un jeu où les idées sont les enjeux, et les hommes les pions. Ils ont oublié l'essentiel: les idées doivent servir les hommes. Eux se servent des hommes pour promouvoir leurs idées.

— Ça, c'est une vérité à défendre, fait le chauffeur. Mais comment les empêcher de nuire? Aujourd'hui, il y a des référendums sur tout, pourquoi pas sur la guerre?

— Nous serions peut-être surpris du résultat, répond Éléonore. Avec le pouvoir et la finance, il est facile de faire voter une population dans le sens désiré.»

Le chauffeur regarde dans leur direction:

«D'ou venez-vous tous les deux?

— On vient juste de se marier, répond Erik. Nous avons passé la nuit dans le chalet de mes parents au bord du lac.»

Le chauffeur éclate de rire:

«Je comprends maintenant pourquoi vous êtes tout pâlots.»

Une voix grésille dans le CB. Il hausse le volume. La voix d'un homme, un autre routier, semble très énervée.

«...C'est comme je vous le dis les gars, la mer est couverte de péniches de débarquement. Des cocos sans aucun doute possible... Attendez, voilà nos avions, des *Gripen*. Oui! les fameux *Jas 39* qui nous ont coûté une fortune... Sapristi! ils bombardent les péniches. Ouah! c'est le carnage! Oh! voilà les coucous des Russes. Hein!... Putain! l'un des nôtres vient de piquer du nez dans la flotte. Comme un plongeur. Il a disparu. Paf! dans le cul du rouge, il l'a pas manqué celui-là. Bon! je me tire, y a des péniches qui arrivent sur la plage et j'ai aucune envie d'être pris pour cible.»

Le chauffeur décroche son micro:

«Ici le Rôdeur, qui parle? Où es-tu?

— Salut Rôdeur, je suis au nord de Karlskrona. Si tu veux te payer du spectacle c'est ici que ça se passe, c'est Verner Martinson qui te le dit.

— Très peu pour moi, Verner. Gare à tes fesses!»

De nouveau Erik serre la main d'Éléonore.

«On dirait bien que, cette fois, ils arrivent chez nous, fait le chauffeur. De quel droit ces salauds veulent-ils occuper le monde? J'en ai rien à foutre, moi, des théories de Marx et de son pote Lénine. Les bonnes femmes qui les ont pondus auraient mieux fait d'employer un puissant spermicide.»

Le temps a passé et le camion arrive en vue de la capitale; il est près de midi.

«Où allez-vous en ville? demande le chauffeur.

— Dans le centre, l'informe Erik.

— Je vais vous déposer à Solna. Vous trouverez bien un bus pour vous rendre dans le centre-ville.

— C'est gentil, vous avez déjà fait beaucoup.

— Ça me fait plaisir. La route est longue parfois quand on est seul.»

Erik secoue légèrement Éléonore qui s'est endormie sur son épaule. Il est frappé par sa pâleur qui fait dramatiquement ressortir de grands cernes violacés.

«Éléonore, nous arrivons.»

Elle s'éveille, surprise.

«Excusez-moi, dit-elle aux deux hommes, comme prise en faute.

— C'est très normal, fait le chauffeur. Après une nuit de noces... aïe! aïe! aïe! c'est loin tout ça...»

Il les dépose près d'un carrefour:

«Faites de beaux enfants! leur lance-t-il. Après cette foutue guerre nous en aurons besoin. Et... reposez-vous aussi, vous avez vraiment l'air sur les genoux.»

Erik lui adresse un signe amical et claque la portière.

«Toujours décidée? demande-t-il à Éléonore, alors que le camion s'éloigne.

— Plus que jamais. Toi?

— Comme toi. Je t'aime, tu sais.

— Crois-tu que l'on sera ensemble après?»

Elle pose la question que lui-même n'arrête pas de se poser.

«Le paradis ne serait pas le paradis si ce n'était pas le cas», l'assure-t-il.

S'arrêtant au milieu du trottoir, il l'attire contre lui:

«Oh! mon amour! je pleurerais de joie pendant cent mille milliards de siècles, juste à te sentir près de moi.»

Elle cale sa joue contre la sienne.

«Je ne suis pas près de toi, Erik, je suis avec toi.»

Il approuve d'un sourire:

«Oui! nous faisons maintenant partie l'un de l'autre.»

Il se tait un instant.

«Allons-y à présent.

— Tu crois que ça marchera? Que les gens vont réagir?

— Ce qui importe c'est d'essayer.

— C'est vrai!

— As-tu peur?

— Un peu, mais je suis avec toi et le reste est sans importance.»

Il sort de la poche de sa veste un flacon contenant une vingtaine de comprimés de *Dilaudid*, qu'il a réussi à soutirer de ses rations journalières à l'hôpital.

«Ceci devrait nous épargner le gros de la douleur.»

Il porte un sac de voyage, qu'il déplace sans arrêt, de droite à gauche. Au bout de cinq minutes de marche, il sont exténués tous les deux.

«On ferait mieux de prendre un taxi, dit-il. Ce n'est pas la grande forme.

— Tout à fait d'accord avec toi.»

Le taxi qu'ils stoppent est conduit par une forte femme à la mine revêche, qui ne semble pas se formaliser des longs et nombreux poils noirs qui s'étalent sur son menton.

«Vous allez où?

— Stockholm. Place Sergel.

— On fume pas dans ma voiture», fait-elle en hochant du chef.

Les deux jeunes gens, qui n'ont jamais fumé de leur vie, se regardent et haussent les épaules, incapables de comprendre pourquoi certaines personnes tiennent absolument à offrir la pire image d'elles-mêmes.

Sans y prêter vraiment attention, ils traversent la capitale qui a su, malgré une population sans cesse grandissante, offrir le spectacle apaisant de nombreux parcs et plans d'eau.

Arrivé, Erik règle la course et constate qu'il ne leur reste plus grand-chose. Tout juste de quoi acheter deux sandwichs, peut-être?

De toute façon, au point où ils en sont, cela n'a plus la moindre importance.

«Eh bien, nous y sommes, fait-il.

— Oui, on est arrivés...»

Il désire soudain lui épargner ce qu'ils ont prévu. Il ne veut pas qu'elle souffre.

«Éléonore, tu sais, tu n'as pas besoin de...

— Je ne reviendrai pas sur ma décision, Erik. Nous allons le faire ensemble. Et puis, souffrir quelques minutes, peut-être même pas, qu'est-ce que c'est?»

Ils se regardent et s'esclaffent:

«Ça fait mal!»

Erik pénètre avec elle dans une cabine téléphonique. Il consulte l'annuaire et compose le numéro de la chaîne de télévision nationale. Le cœur battant, il récite à la réceptionniste les quelques phrases qu'il a préparées mentalement:

«Vous devez envoyer un reporter place Sergel. Il y a deux jeunes gens qui, en protestation contre la guerre, veulent s'immoler par le feu.

— Qui êtes-vous, monsieur?

— L'un des jeunes gens en question. Venez s'il vous plaît.»

Il raccroche.

«Nous y voilà, dit-il à Éléonore. C'est fou comme le temps passe vite après que l'on a pris une décision.»

Elle s'accroche à son bras. Très fort.

«Allons-y!»

Tranquillement, la main dans la main, ils se dirigent juste en face du Parlement. Erik ouvre son sac et en sort deux bidons de plastique, qui, en d'autres temps, ont contenu de l'eau minérale. Avant de partir, Erik les avait emplis aux trois quarts avec l'essence qui est entreposée au chalet pour le moteur de la chaloupe.

Il regarde sa montre:

«Je crois qu'il est temps d'avaler les comprimés. Espérons qu'ils arriveront à temps.»

Ils avalent chacun la moitié du flacon puis, méthodiquement, ils s'aspergent mutuellement d'essence. Des passants, ignorants du contenu des bidons, se demandent ce qu'ils font.

«Pouah! ça ne sent pas bon, grimace Éléonore.

— Je t'aime, répond-il en ouvrant les yeux après être certain que le combustible ne l'aveuglera pas.

— Moi aussi je t'aime.»

Ils n'ont plus vraiment peur de mourir, juste de souffrir et de voir l'autre souffrir. Plus que jamais ils se sentent proches l'un de l'autre. Comme si l'acte qu'ils vont poser, plus que tout le reste, les soudait irrémédiablement l'un à l'autre.

«On se tiendra par la main, hein? demande-t-elle.

— Ça va nous enflammer», fait-il tentant de plaisanter.

Ils aperçoivent la camionnette de la Télévision, qui se gare derrière quelques badauds qui commencent à être vraiment intrigués par le manège des jeunes gens. Erik sort un briquet de sa poche.

«Ils ont fait vite», dit-il.

En lui-même il voudrait bien pouvoir encore disposer de plus de temps, des minutes, des heures, des années.

Un jeune barbu saute de la camionnette, suivi d'un autre tout aussi barbu portant une caméra sur l'épaule.

«Ne faites pas ça!» crie le premier.

Éléonore se demande s'il le pense vraiment: si c'est le cas, pourquoi la caméra?

«Nous ne reviendrons pas sur notre décision, dit-elle. Nous voulons simplement que vous filmiez et que vous recueilliez ce que nous avons à dire.»

Le reporter a vraiment l'air effrayé pour eux:

«Je n'ai pas le droit de vous laisser faire. Je vous promets de passer à l'antenne ce que vous avez à dire, mais ne commettez pas l'irréparable. Je vous en prie.»

Erik remarque que le cameraman a commencé à filmer. Il se sent soudain pris de nausées et, en même temps, légèrement détaché des choses. Les comprimés doivent commencer à faire effet. Il s'adresse à la caméra:

«Vous qui nous regardez, sachez que ce que nous allons faire, nous le faisons pour que cesse cette abominable guerre qui risque de détruire la planète. Il y a pire que de mourir, c'est de sentir que le monde lui aussi va mourir. Nous voulons, Éléonore et moi, qu'au moment où l'on vous demandera de prendre les armes contre l'ennemi que l'on vous aura imposé, nous voulons qu'à ce moment vous ayez une petite pensée à propos de ce que nous allons faire. Peut-être, alors, refuserez-vous de poursuivre un combat qui vous oppose à des hommes qui, comme vous, ont des familles, des angoisses, et des malades qu'ils ont choisis pour les diriger.»

Il se tourne vers le reporter:

«Faites en sorte, s'il vous plaît, que ce film soit diffusé partout. Nous nous adressons aussi bien aux Suédois qu'aux Russes ou aux Américains. À tout le monde.»

Il laisse la parole à Éléonore:

«Erik et moi nous nous aimons, dit-elle. Nous n'avons plus rien d'autre à attendre de la vie. Aussi désirons-nous que notre mort puisse servir à d'autres, afin qu'ils ouvrent les yeux et se rendent compte à quel point la vie et la paix doivent être respectées. Ceci n'est nullement un suicide, nous aimons trop la vie, c'est notre contribution à la sauvegarde de cette planète. Ouvrez les yeux et voyez comme elle est belle quand on l'aime.»

Tel qu'ils l'ont imaginé auparavant, ils s'agenouillent ensemble, main dans la main, serrés l'un contre l'autre. Ils se regardent encore une fois, puis Erik achève de verser l'essence sur eux. Le reporter semble perdre le contrôle de lui-même, il sait maintenant que seuls les mots qu'il choisira pourront peut-être renverser la situation. Lesquels?

«Je vous en supplie, ne faites pas ça, vous n'avez pas le droit.

— Chacun possède ses solutions, répond Éléonore. Ne vous apitoyez pas sur nous mais sur tous ceux qui meurent sans l'avoir demandé.»

Leurs doigts se nouent avec une tension encore inégalée. Chacun ressent dans les doigts de l'autre tout l'attachement dont il est l'objet. Ils se sentent maintenant une entité unique et ont pleinement conscience que cet état ne doit être réservé qu'à quelques privilégiés.

«Ne crains rien, chuchote-t-il. Nous avons toute l'éternité devant nous.

— Je sais, Erik. Je sais, mon amour.»

Elle se tourne vers la caméra:

«Refusez de vous battre, supplie-t-elle. Refusez! C'est votre devoir en tant qu'êtres humains.»

De nouveau à Erik:

«Je suis prête; fais vite parce que les comprimés commencent à m'embrouiller sérieusement l'esprit.»

Au premier mouvement du pouce qu'il imprime à la roulette du briquet, leurs deux corps s'embrasent sur-le-champ. Le reporter ôte sa veste et veut se porter à leur secours. Un passant le retient:

«Trop tard», dit-il simplement.

Entièrement rivé sur l'œilleton de sa caméra, le cameraman, pour la première fois de sa carrière, ne sait plus s'il doit continuer à filmer. Doit-il rester spectateur immobile? Il sait au fond qu'il n'a pas d'autre choix et il s'en veut pour ça. Il discerne leurs visages à travers les flammes qui ont déjà complètement consumé leurs chevelures. Leurs traits reflètent la souffrance la plus épouvantable qu'il lui ait été donné de voir et de concevoir. Et tout cela sans un cri. Comment est-ce possible? Comme dans un cauchemar, il voit leurs visages qui se touchent pour ne former qu'une seule torche. Il voit leurs bras enflammés qui les accrochent l'un à l'autre dans une étreinte effroyable, juste avant qu'ils ne s'écroulent sur l'asphalte. Sans une seule lamentation. Unis.

Hagard, le reporter ne sait plus que faire.

«C'est impossible! impossible!»

Il prend alors conscience des cris qui maintenant s'élèvent des badauds attroupés. Ils réalisent enfin ce qui s'est produit.

C'est fini. Il ne reste plus que les deux corps calcinés et une odeur qui lui rappelle celle que dégageaient les poulets plumés, lorsque sa grand-mère brûlait les barbillons à la bougie. Il remarque que le cameraman continue à filmer, braqué sur les formes fumantes, comme s'il attendait qu'elles se redressent, qu'il se passe quelque chose pour ramener l'univers dans son cadre habituel.

«Arrête ça!» lui dit-il.

C'est au tour des ambulanciers maintenant, qui ne savent pas s'ils doivent détacher les corps ou les mettre ensemble sur la civière. Puis des policiers, calepins à la main, qui posent des questions d'une extraordinaire stupidité:

«Avaient-ils l'air drogués? Semblaient-ils fous? Se peut-il qu'il s'agisse d'idéalistes à la solde de Moscou?

— Non! s'écrie le reporter, excédé. Un gars et une fille ordinaires, sympathiques, qui voulaient donner une chance au genre humain, bien qu'il soit aussi con et aussi borné.»

***

Déjà une heure qu'ils sont de retour à la salle des nouvelles. Le reporter barbu fait face à son supérieur:

«Comment, on ne le passera pas au journal? s'écrie-t-il.

— C'est comme ça, mon vieux, répond son chef. On ne peut rien y faire et ça vient de haut. Très haut.

— C'est dégueulasse!

— C'est peut-être pas le genre de truc à passer aux nouvelles alors que le pays a besoin de toutes les bonnes volontés pour combattre les rouges.

— Notre métier est d'informer, pas de se demander si l'information est bonne pour le peuple.

— Je pensais que tu avais plus d'expérience que ça.

— Où est la cassette?

— En lieu sûr.

— J'ai promis de la diffuser au maximum.

— Désolé, c'est la propriété du poste.

— Alors, ils ont fait ça pour rien? C'est complètement écœurant!

— Personne ne les a obligés. Remarque, entre nous, je reconnais que ces mômes-là possédaient une jolie dose de courage et d'humanité.»

Comme chaque fois qu'il se met en colère, le reporter sent se hérisser les poils de sa barbe.

«Ça n'en restera pas là! promet-il. Cette cassette doit être rendue publique.»

Le visage du directeur se ferme:

«Pour l'instant il y a autre chose à faire. Préparez vos effets tous les deux, car vous partez vers les zones de combat qui viennent de s'ouvrir.»

Le reporter se redresse:

«En espérant que je recevrai une balle perdue qui me fermera la gueule. Vous êtes tous une belle bande de pourris. Il y a peut-être, dans cet enregistrement, matière à ce que les gens se posent des questions pertinentes.

— Ça suffit maintenant! Je comprends l'état d'esprit dans lequel tu te trouves, mais tu es avant tout un journaliste et tu dois te ressaisir immédiatement. Si ça peut te faire plaisir, on pourrait essayer de faire parvenir la cassette aux Russes et s'ils la passent, peut-être que nous pourrons en faire autant. Qu'en penses-tu?

— Je vous emmerde!»

Tout en s'éloignant, il se demande encore pourquoi et comment ils n'ont pas poussé un cri. Ce n'est pas humain.

ANDREWS AIR FORCE BASE, MARYLAND, U.S.A.

Les trois hommes se regardent en silence. Le Président joue machinalement avec un bouton de sa chemise; Dave Fawcett, doigts croisés, se tourne les pouces; Harry Steelman ne fait rien et reste immobile dans son fauteuil. C'est lui, pourtant, qui rompt le silence:

«Il n'y a pas trente-six solutions; ils n'ont pas hésité à annihiler la population allemande et rien ne les arrêtera. Nous devons utiliser les bombes à neutrons sur tous les fronts avant qu'ils ne reconstituent vraiment leurs forces.

— L'escalade sera inévitable», rétorque le Président.

Dave Fawcett secoue la tête:

«Non si vous faites des propositions de cessez-le-feu dans le même temps.»

Steelman n'est pas d'accord:

«Ce sont eux, pas nous, qui doivent demander une négociation.»

Le Président réprime un ricanement ironique:

«Ils doivent tenir le même raisonnement. Ils savent fort bien que je ne m'appelle pas Roosevelt et qu'un nouveau Yalta ne serait pas aussi accommodant pour eux.

— Avec les représailles d'Israël, ils sont déjà passablement amochés, reprend Fawcett. Il est impensable qu'ils désirent poursuivre cette guerre.

— Ce qui ne les empêche pas d'ouvrir de nouveaux fronts, fait Steelman. Non! c'est le genre à crever plutôt que de demander grâce. Regardez avec quelle rapidité ils ont redressé leur défense. Si nous les laissons faire, ils peuvent aussi bien reprendre le dessus, et nous avons déjà utilisé tous nos éléments de surprise. Il ne faut pas laisser cette guerre s'embourber.

— Vous suggérez donc d'employer les armes à neutrons? demande le Président.

— Exactement.

— Et vous Dave?

— Tout à fait.

— Donc, comme toujours, la décision me revient.»

Ils ne réagissent pas à cette évidence.

«Pourquoi avoir postulé cette place? se demande-t-il encore une nouvelle fois. Je dois maintenant poser un oui ou un non qui peut avoir des répercussions sur l'ensemble de l'humanité.»

«Je m'octroie une heure avant de rendre une décision, dit-il en se levant. S'il se passe quelque chose, je serai à côté.»

Il les quitte pour passer dans le salon afin d'aller se servir un grand verre de jus de pamplemousse. Il préférerait un scotch, mais il ne peut se permettre – aussi peu que ce soit – de s'embrouiller les idées.

Assise dans un profond divan lie-de-vin, Sheila Hemingway est plongée dans un épais dossier. Elle relève la tête en l'entendant et lui adresse un sourire de circonstance.

«Qu'étudiez-vous? demande-t-il.

— Comme vous me l'aviez demandé, les implications d'un éventuel armistice à ce moment.»

Il ne l'a rencontrée qu'une seule fois, il y a de cela plusieurs mois. Ils n'ont pas conversé très longtemps mais il l'a très bien fichée dans sa mémoire. Au département: FEMMES SÉDUISANTES. Pourquoi? Il ne sait trop. Grande, blonde, elle a le type scandinave mais elle n'est pas la seule dans ce genre. Pourquoi elle?

«Ce doit être chimique, se dit-il. Mes glandes endocrines qui doivent réagir à son épiderme.»

En effet, il ne cesse de s'extasier devant sa peau laiteuse, légèrement rosée. Rien qu'à la contempler, il sent monter en lui des pulsations qu'il n'a pas connues depuis l'adolescence. Le problème est que, de son côté, elle ne semble montrer aucune attention bien particulière à son égard.

«Elle cache son jeu, j'en suis sûr.»

«À quelles conclusions arrivez-vous? demande-t-il.

— Il me manque les principales données du problème, à savoir ce qui se passe dans la tête des vieillards du Politburo.

— Je peux vous en faire le tableau en quelques mots: intransigeance, soif de pouvoir, certitude d'avoir raison.

— Si c'est vraiment comme vous dites, ils refuseront toutes les négociations de cessez-le-feu à leur désavantage, j'en ai peur. Peut-être vous faudra-t-il déclencher le SIOP qui donnera toute autorité aux ordinateurs.

— Ce serait sans retour.»

Elle est vêtue d'un tailleur deux-pièces en tweed beige, de coupe sobre, et d'un corsage blanc, tout aussi discret, qui laisse cependant deviner ce qu'il voile. Elle croise les jambes, et l'œil du Président s'attarde une seconde de trop sur le galbe fuselé des mollets. La bouche sèche.

«Comment faire pour ne pas laisser l'impression d'un animal en rut?»

«Pourquoi avez-vous choisi ce métier? demande-t-il, changeant de sujet.

— C'est une longue histoire, dit-elle en s'humectant les lèvres du bout de la langue. Disons en quelques mots que toute petite, déjà, je me passionnais pour les jeux de stratégie, mais bien vite j'ai trouvé qu'il leur manquait l'élément humain; c'est pourquoi je me suis tournée vers la stratégie politico-militaire. On devrait dire économique, parce que tout revient à cet aspect.

— Je ne voudrais pas que vous me taxiez de macho ou de réactionnaire, mais c'est quand même une curieuse occupation pour une femme?»

Elle laisse fuser un petit rire de gorge:

«Sans vouloir vous offenser à mon tour, c'est votre côté macho et réactionnaire qui, même si peu en ont pris conscience, vous a porté à la présidence.

— Vous le croyez vraiment?

— J'en suis certaine: regardez avec détachement l'image que vous donnez et vous en conviendrez.»

Il remarque qu'elle – comme Steelman – ne s'embarrasse pas de «monsieur» ou de «monsieur le Président» en s'adressant à lui. Veut-elle créer une intimité?

«Comme ça, vous pensez que je suis macho?

— Votre question est indiscrète.

— Pas du tout! Quelle indiscrétion y a-t-il à vouloir connaître ce que les gens pensent de vous?

— Vous êtes certainement un peu macho et réactionnaire, comme tous les hommes, mais ce ne sont pas les premiers qualificatifs que je donnerais pour vous définir.

— Est-il indiscret de savoir ce qu'ils seraient?

— Sans que vous vous fâchiez?

— Pourquoi me fâcherais-je?

— Sa propre vérité est toujours dure à soutenir dans un miroir.

— Oh là là! ça ne doit pas être joli?»

Sans en avoir l'air, il s'installe à l'autre bout du divan. Moitié pour poursuivre cette conversation, moitié pour cacher une brutale érection qui, il en a peur, ne tardera pas à déformer son pantalon. Elle poursuit:

«Vous êtes un idéaliste mais, ne vous fâchez pas, un idéaliste primaire.»

Il fronce les sourcils.

«C'est-à-dire?

— Ce n'est pas votre moi profond qui a fabriqué vos idées, vous les avez développées en fonction de l'image que vous voulez offrir de vous, aussi bien à vous-même qu'à votre entourage. Ce sont pour la plupart, des idées déjà véhiculées par la société en place. S'il en était autrement, vous n'auriez pu être porté à la présidence. Dictateur peut-être, mais pas président.»

Elle se tait, guettant sa réaction. Elle vient de comprendre pourquoi c'est elle et justement elle qui a été invitée dans cet appareil, alors qu'il doit sûrement y avoir de bien meilleurs stratèges qu'elle dans tout le territoire de l'Union. Est-ce parce qu'elle est une femme? C'est la question qu'elle s'était immédiatement posée en apprenant que le Président désirait la rencontrer à bord du *Doomsday*. Elle a fortement été tentée d'y répondre par l'affirmative en apprenant que la femme du Président n'était pas là. Elle en est maintenant persuadée. Si elle avait vraiment été invitée à bord comme stratège, il ne lui poserait pas toutes ces questions personnelles.

Elle le trouve séduisant, son aura présidentielle doit y être pour quelque chose. Son côté viril n'est pas non plus pour lui déplaire, mais que fera-t-elle s'il tente des approches plus positives? Incapable de se mentir, elle admet en son for intérieur qu'il y a quelque chose de palpitant à se savoir désirée par le Président des États-Unis. Est-ce suffisant pour lui offrir ce qu'elle considère – malgré tout – comme un gage d'amour? Ce sentiment, elle ne l'éprouve pas.

«Considérez-vous que mes idées sont dépassées?» demande-t-il, ne sachant comment prendre ce qu'elle vient de lui dire.

«Non! simplement, et vous en conviendrez si vous regardez au fond de vous, qu'elles ne vous sont pas propres.

— Comment le savez-vous?

— Vos idées sont propagées par beaucoup. Pas toutes chez les mêmes individus, mais par beaucoup. Ces idées-là sont forgées par la civilisation, et parce que les idées de la civilisation ont toutes un fondement économique, elles ne sont pas souvent compatibles avec celles que chacun peut découvrir au fond de lui.

— Donnez-moi un exemple?

— Ils sont légion: par exemple, beaucoup n'aiment pas les étrangers, les immigrants et, pourtant, s'ils voulaient changer de pays, ils trouveraient normale cette xénophobie. Beaucoup conspuent les paresseux, tout en espérant gagner le gros lot à la loto pour vivre oisivement. Nombreux sont ceux qui rejettent catégoriquement l'infidélité conjugale tout en fantasmant sur d'autres partenaires. Des exemples comme ceux-là, je pourrais vous en citer toute la journée, et pour chacun d'eux les fondements sont économiques. Bien sûr, comme il ne faut pas que ça se sache, la civilisation leur a donné une saveur morale ou religieuse.

— Et dans mon cas personnel?»

Sheila voit là la possibilité d'être fixée définitivement quant aux motifs de sa présence à bord:

«Je crois que vous affirmez être pour la famille, le mariage, l'indissociabilité du couple?

— À cent pour cent.

— N'avez-vous jamais éprouvé le moindre désir pour une autre femme?

— C'est vrai, cette fois, que la question est indiscrète, mais je vais vous répondre: oui. Il ne semble pas toutefois que cela soit incompatible, le tout est de savoir passer par-dessus ses pulsions.

— Et de conserver votre désir inassouvi toute votre vie? Au fond de vous, vous devez bien refuser cette éventualité. Du point de vue biologique, ce n'est pas sérieux.

— Si je vous suis bien, nous devrions nous laisser aller à toutes nos impulsions?

— Celles qui sont réfléchies, pas les primaires. Si la vôtre n'est que recherche de l'amour, pourquoi la contrecarrer? Vous seriez malheureux toute votre existence. Encore là, il faut savoir faire la différence entre le désir essentiellement physique et l'amour.

— Les deux ne sont-ils pas liés?

— En théorie peut-être, mais cela reste une question d'appréciation personnelle.»

«Pour une stratège tu n'es pas terrible, se dit-elle. Tu n'as pas réussi à l'amener là où tu voulais. T'imaginais-tu qu'il allait te dire: «Je vous désire»? Change d'exemple; s'il revient à celui-là, ce sera un début de confirmation.»

«Prenons un autre exemple, fait-elle. Nous sommes en guerre et vous avez déjà affirmé détester la guerre. Que défendez-vous exactement dans cette guerre?

— Cette question est saugrenue et puis, qui pourrait aimer la guerre?

— De nombreuses personnes, mais répondez quand même à ma question, même si elle vous paraît saugrenue.

— Les États-Unis, la liberté.

— Rien de bien précis.

— Je trouve ça très précis, au contraire.

— Ce que vous défendez, c'est le système que vous privilégiez. Pourquoi, selon vous, est-il meilleur? Est-ce parce que vous êtes habitué à celui-là ou parce que vous avez éprouvé les deux?

— Dieu merci, je n'ai pas eu à subir l'autre, et je suis à fond derrière cette guerre pour ne pas l'éprouver, comme vous dites.

— N'est-ce pas uniquement vos habitudes que vous défendez? Vous vous battez contre l'inconnu, donc contre la peur.

— Et je crois avoir bien raison de craindre les communistes.

— N'avez-vous jamais pensé que les communistes croyaient la même chose?»

Le Président se redresse, vaguement agacé:

«Reprenons-nous, fait-il. Je vous ai fait venir en tant que stratège, non en tant que philosophe.

— Excusez-moi.»

Il pose sa main sur celle de la jeune femme et est troublé par ce contact furtif.

«Ne vous excusez pas, c'est moi qui ai commencé. Retournons à la stratégie maintenant.

— En fait, elle est fort simple et peut se résumer en quelques mots, déjà évoqués par Sunzi six siècles avant le Christ: imposer sa volonté à l'adversaire, l'obliger à se disperser, agir du fort au faible, tout en secret, posséder un maximum d'informations sur l'adversaire, duper (tout acte de guerre est fondé sur la duperie). Moins loin de nous, Mao Zedong ajoutera que vitesse et rapidité sont l'essence de la guerre.

— Dans cette optique, que pensez-vous de l'idée d'utiliser des bombes à neutrons à ce stade-ci des hostilités?

— Massivement ou au gré des besoins?

— L'un ou l'autre.

599

— J'écarterais cette hypothèse qui nous retomberait sur le nez.

— Expliquez-vous?

— Si vous acculez les Soviétiques à la défaite, ils n'hésiteront pas à riposter avec des missiles intercontinentaux.

— Vous en êtes certaine? Ce serait quand même le monde à l'envers, livrer une guerre qu'il ne faut pas gagner au risque d'être anéanti.

— N'est-ce pas ce que vous feriez en dernier recours?

— Il me semble que j'essaierais de négocier au maximum.

— Ils n'obéissent pas aux mêmes objectifs que vous. Le grand et l'unique objectif de l'URSS est la propagation de la Révolution, en un mot, la conquête du monde. C'est leur unique objectif et, dans ce domaine, ils sont terriblement efficaces. Pour eux la guerre n'est qu'un moyen de plus, au même titre que l'intoxication. Ils ne céderont rien qu'ils aient déjà acquis, vous pouvez en être certain.

— Si je vous suis bien, nous ne gagnerons rien d'une façon ou d'une autre?

— Il y a peut-être une solution. Elle vous paraîtra sans doute utopique mais je crois qu'elle est réalisable.

— Dîtes, ça m'intéresse.

— Proposez un nouvel ordre mondial, établi sous un seul gouvernement fédéral, composé des représentants de chaque nation. Ce gouvernement disposerait uniquement du pouvoir militaire et veillerait à ce que soit respectée une constitution universelle des droits humains. Chaque nation pourrait retenir le système qui lui convient, à la condition que ce système n'empiète pas sur la liberté des autres nations.

— Nous nous exposerions à ce que les communistes prennent le contrôle. Voyez ce qui se passe à l'ONU. Ce serait inacceptable.

— Si vous voyez ça de cette façon, vous n'avez pas le choix, il faut écraser l'URSS ou être écrasé. À mon avis, cela signifie que tout le monde finira écrasé.

— Ce qui me ramène à la question des bombes à neutrons?»

Elle ne répond pas.

De nouveau, il laisse errer son regard sur la silhouette de la jeune femme. Décidément, tout en elle lui plaît.

Elle sent son regard sur elle presque physiquement.

«Plus que la solitude, la décision est la rançon du pouvoir», dit-elle, en partie pour meubler un silence trop lourd.

600

«Ne vont-elles pas de pair? La décision n'entraîne-t-elle pas automatiquement la solitude? Personne n'est prêt à endosser les décisions d'autrui.»

Dans une attitude de réflexion, elle se mord légèrement la lèvre inférieure. Ce mouvement innocent active sans raison précise le désir du Président.

«Vous avez à prendre une décision dont je ne voudrais pas me charger, dit-elle.

— Même si elle est inévitable?

— Aucune décision n'est inévitable.

— Je voudrais bien vous croire. Vous savez, il y a des moments, comme celui-ci, où je voudrais tout laisser tomber.

— Est-ce la peur du remords ou la hantise de vous tromper?

— Peut-être tout simplement l'obligation d'avoir à ordonner,» dit-il franchement.

Il se penche, coudes appuyés sur les genoux.

«C'est vrai que je n'éprouve aucun remords, je n'avais pas encore réalisé cela.»

Elle le laisse poursuivre. Pour quelles raisons s'ouvre-t-il ainsi devant elle?

«Ne devrais-je pas avoir des remords?

— Si vous en aviez, vous ne seriez pas président. Vos décisions doivent être commandées par la raison, non par le coeur.

— N'est-ce pas là le drame de l'humanité?

— Sûrement! mais l'humanité vaut ce qu'elle est. Un chef ne change pas, il représente et dirige. Beaucoup ont confondu les rôles, pourtant un leader spirituel ou philosophe perd sa crédibilité en usant du pouvoir.

— Je n'avais pas non plus songé à ce point.»

De nouveau, le silence s'installe entre eux. Elle croise le regard concupiscent posé sur elle, l'affronte, et lui se sait mis à jour. Effet boomerang, elle sent durcir ses seins et éprouve un vide au bas de son ventre.

«Savez-vous pourquoi je vous ai fait venir ici?» demande-t-il à brûle-pourpoint.

Essayant de conserver un regard placide et impénétrable, elle le fixe sans répondre. Ce qui finalement est une forme de réponse. Sans plus de préambules, la voix rauque, le Président avoue:

«Excusez ma franchise, mais je crois, non! je suis sûr que je vous désire.»

Cette affirmation, qu'elle a pourtant devinée, lui cause un choc intérieur. Pendant une fraction de seconde, elle a comme un blocage au niveau de la pensée et de la perception.

«En est-il de même pour vous? poursuit-il.

— Oui et non, répond-t-elle à voix basse.

— Oui et non?

— Physiquement je ne peux le nier, c'est du côté cœur que se pose la question.»

Cherchant à dissimuler le trouble qui l'envahit, il se lève.

«Désirez-vous un verre?» propose-t-il, oubliant qu'il a décidé de ne pas boire.

Elle a un rire bref:

«Chercheriez-vous à m'enivrer?» dit-elle, sur le ton de la plaisanterie.

Il rit à son tour:

«Pas du tout! Rassurez-vous, même si je vous ai fait part de mes sentiments, la suite vous appartient.

— Vos sentiments ou votre désir?

— Seriez-vous pointilleuse sur les mots?

— C'est important, non?

— Le fait d'avoir du désir comme vous dites, n'entraîne-t-il pas l'éclosion des sentiments? Que désirez-vous boire?

— Si vous avez une coupe de champagne, je ne dirais pas non.»

Il fouille dans le petit réfrigérateur du bar et en extrait un quart de litre de champagne *Kruger*. Il en partage la moitié dans deux flûtes, s'approche d'elle et lui en tend une:

«À votre santé!

— À celle de l'Amérique!»

Elle trempe ses lèvres dans le liquide pétillant, luttant depuis quelques instants contre l'accélération cardiaque qui lui oppresse la poitrine. La situation lui apparaît soudain dans sa totalité: elle se trouve en compagnie du Président des États-Unis, et ce dernier vient de lui avouer son désir d'elle. Cette déclaration a déclenché une vague de chaleur qu'elle ne maîtrise pas. Irrépressibles, des scènes imaginaires de leurs deux corps enlacés assaillent son esprit. C'est sexuel, uniquement sexuel. Deux corps moites, chacun se livrant au contact électrique de l'autre sans autre but que d'imploser.

Debout près d'elle, il l'observe en sirotant son champagne. Une soudaine odeur de fauve emplit les narines de Sheila et disparaît aussi vite. Son souvenir est assez fort cependant pour allumer un brasier dans son ventre.

«Si vous me faisiez visiter vos appartements», dit-elle sur un ton rauque qu'elle veut pourtant machinal.

Il ne peut réprimer un léger sourire de victoire qui, loin de la contrarier, la fait frissonner.

La chambre n'est éclairée que par la lumière du jour traversant les petits rideaux azur masquant les hublots. Debout de part et d'autre du lit, ils s'observent avec les mêmes sentiments que pourraient avoir deux lutteurs tournoyant et s'épiant autour d'un ring.

L'une après l'autre, elle relève tranquillement ses jambes vers l'arrière et, du bout des doigts, laisse tomber ses souliers sur la moquette.

Il fait le tour du lit et vient se placer dans son dos, lui enserrant la taille de ses mains. Elle sent son souffle dans ses cheveux puis ses lèvres dans son cou. Lentement, il lui ôte sa veste, dégrafe sa jupe qui tombe, inutile, sur le sol et, toujours derrière elle, défait un à un les boutons du corsage. À chaque bouton, avec un curieux mélange d'effroi et d'abandon, elle frissonne au contact des doigts sur son ventre.

Il recule de deux pas et la contemple. Elle ne porte pas de soutien-gorge, juste une sage petite culotte de fin coton blanc. Elle ne bouge pas; tournée vers le lit elle attend la suite, se sentant aussi ingénue que lors de sa première aventure sexuelle. Rapidement il se défait de ses vêtements qui vont rejoindre ceux de Sheila. Elle ne se retourne pas une seule fois. Fait-elle exprès d'observer une telle pudeur? Il trouve cela particulièrement excitant.

Une seconde, avec fierté, il contemple son pénis qu'il n'a pas connu aussi gaillard depuis des lustres. Il s'approche et, avec toute la lenteur requise pour un effeuillage, fait glisser la petite culotte blanche jusqu'aux chevilles, épousant de ses doigts la sculpture des longues jambes tout au long de la descente. Il se redresse aussi lentement jusqu'à ce que ses doigts saisissent la pointe des mamelons. Elle se tourne et fait un pas en arrière, comme pour l'observer. Le regard du Président se pose sur la toison de la jeune femme, il en demeure saisi d'admiration. Jamais il n'a imaginé pareille beauté: les poils courts et fins d'un blond presque blanc; le système pileux de ce

603

pubis-là a quelque chose de magique. Incapable d'en détacher son regard, il s'agenouille. Un nid immatériel en dehors de toute définition, une aire de repos pour les humeurs accablées, un refuge humide et secret, hors du temps, accessible aux anges seulement. Une contrée merveilleuse, une flaque de soleil ardent pour l'extase de la chair.

«C'est beau!» murmure-t-il.

Frissonnante, elle l'observe, consciente de l'emprise de son sexe sur lui. Elle glisse ses doigts dans ses cheveux avant de l'attirer doucement par la nuque. Il se sent emporté vers cette vallée hors du temps, entraîné dans un tourbillon dont il ne peut ni ne veut se détacher. Ses lèvres affamées se saisissent goulûment de ce monde brusquement révélé. Ses narines enregistrent un parfum envoûtant qu'il assimile inconsciemment à la cannelle et aux sables d'Arabie. Sa langue avide cherche à tout découvrir, tout connaître, ses lèvres insatiables veulent tout investir. Stupide, son pénis bat la mesure comme un métronome inversé.

Cambrée, elle se laisse aller sur le dos à la rencontre du lit où il la poursuit.

Avec des mouvements presque reptiliens, leurs torses, leurs bras, leurs jambes s'entremêlent. La chair s'électrisant davantage à chaque instant, leurs bouches glissent, découvrent, embrassent chaque parcelle d'épiderme à vif. Et, roulant l'un sur l'autre, ils cherchent sans cesse une nouvelle prise, un nouveau délit.

Il se sent sous la coupe de cette femme. Il lui semble qu'elle est devenue quelque chose comme une sirène qui l'attire dans un monde inconnu. La toison de Sheila a fait de lui un enfant dépendant. Pour cela, il sent le besoin de l'entraîner à son tour dans les arcanes glauques de l'enfer vivant, l'investir, la plier, en faire sa chose, jouir de sa souffrance, enfoncer les portes de l'interdit. Elle le laisse la tourner sur le ventre, ne lutte pas lorsqu'avec ses genoux il lui écarte les cuisses, gémit en sentant la verge entre ses fesses.

«Non!» supplie-t-elle.

Mais elle relève le fessier. S'expose. Offerte.

Hésitant malgré tout, il s'avance imperceptiblement, sentant les fesses s'ouvrir et se refermer sur son sexe. Un simple coup de reins, un seul et ce serait sans retour. La chute dans un cloaque que son éducation lui a appris à violemment rejeter.

Elle ne veut pas mais, indépendamment de sa volonté, son corps semble réclamer le châtiment.

«Mon cul veut la queue du Président», se dit-elle grossièrement, avec rage.

Et lui:

«Quel sombre pourceau je fais, elle m'offre la beauté et je veux l'entraîner dans... Je m'apprête à l'enculer, pourquoi?»

«Pourquoi?» répète-t-il tout haut.

Brusquement il abandonne, recule et se laisse tomber contre elle.

«Merci», dit-elle, reconnaissante qu'il ne soit allé plus loin.

Ils savent tous deux à quoi s'en tenir. Se penchant par-dessus son épaule, laissant courir ses lèvres sur la peau satinée, il trace un sillon imaginaire avec sa langue le long de la colonne vertébrale, ramassant au passage des perles de moiteur salée. De nouveau, ils se pétrissent, jamais comblés, jamais assouvis. Puis sans trop savoir comment, il se retrouve en elle.

L'interphone tinte, le ramenant brutalement à la réalité avec la même souffrance que de passer du sommeil le plus profond au réveil le plus total.

Toujours en elle, sans bouger, il étend le bras et attrape le combiné:

«Oui?»

C'est Fawcett. Il a une voix éteinte et grave, que le Président ne lui connaît pas.

«Monsieur le Président, NORAD vient de nous signaler de nombreuses mises à feu de missiles chez les Russes.

— Hein?

— Rassurez-vous tout de suite, Monsieur, ils sont dirigés vers la Chine.

— Ça ne me rassure pas du tout.

— Je voulais juste dire que les États-Unis ne sont pas visés, du moins pas encore.

— J'arrive tout de suite. Gardez le contact avec NORAD.»

Il raccroche du bout des doigts et, toujours en elle, lui dit en quelques mots ce qui se passe.

«... Mais on ne peut en rester là», fait-il, le sort des Chinois passant à cet instant au second plan de ses préoccupations.

«Prenez votre plaisir, dit-elle. J'attendrai.

— Il n'en est pas...»

Joignant la parole aux gestes, elle imprime aux muscles internes de son vagin un lent mouvement de contraction suivi d'un autre de relâchement, et ça recommence.

«Ne m'attendez pas», souffle-t-elle.

Les Chinois loin de son esprit, il referme ses bras autour d'elle, tenté de se laisser emporter par ce rythme.

«Non!» dit-il, se retirant abruptement. «Je reviendrai tout à l'heure. Je n'ai jamais aimé le travail bâclé», ajoute-t-il en souriant.

Elle secoue la tête, un pli taquin aux lèvres:

«Vous ne pouvez pas prendre de graves décisions dans cet état.»

Il ne la pénètre pas, se contentant de laisser sa verge aller et venir sur l'organe érectile de la vulve.

Les minutes passent.

Elle lui mord l'épaule pour ne pas crier. Son plaisir déclenche celui du Président qui se redresse, voulant voir son sperme souiller et le ventre et la toison d'or.

«Restez là, dit-il. Nous continuerons à mon retour.»

Elle cligne des paupières en signe d'assentiment. Quand il quitte la pièce, elle a ramené le drap sur elle et dort déjà profondément.

Dissimulant mal un regard à la fois chargé d'ironie et de reproche, Fawcett et Steelman mettent le Président au fait des détails:

«On dirait que les Russes ont décidé de rayer la Chine de la carte une fois pour toutes, fait Steelman. À première vue, c'est une attaque massive et, selon les experts, la Chine est virtuellement perdue.

— Les Chinois ont-ils riposté?

— Oui, mais la plupart de leurs missiles ont été interceptés. Seules quelques villes comme Irkoutsk, Krasnoïarsk ou Tomsk ont été atteintes.

— C'est déjà beaucoup.

— Je parlais de manière toute relative.»

Fawcett, qui tient toujours le combiné contre son oreille, lève la main:

«Le Japon aussi est touché!» s'exclame-t-il.

La réalité commence seulement à prendre forme dans l'esprit du Président.

«C'est affreux!» réagit-il.

Steelman et Fawcett ne paraissent pas particulièrement affectés. Il leur en veut pour ça.

«Que suggérez-vous? demande-t-il froidement. Les Russes ont l'air de perdre les pédales.

— Non, fait Steelman. Je crois au contraire qu'ils ont prévu ce qui se passe. Je suis certain, maintenant, que si vous leur proposiez un armistice, ils accepteraient. Il viennent d'éliminer ceux qu'ils considéraient comme leur ennemi le plus redoutable.»

Le Président assène son poing sur la table.

«Il n'en est pas question! Je ne laisserai aucun répit à ces fumiers. Pour commencer, vous pouvez ordonner dès maintenant l'emploi massif des bombes à neutrons sur tous les fronts. Par ailleurs, je veux dans une heure au plus tard, un rapport complet sur la situation de la Chine et du Japon. Prévenez le Vice-président qu'il aille immédiatement trouver les ambassadeurs de ces deux pays, pour les informer qu'en attendant mieux, les États-Unis assurent dès maintenant la défense de leurs pays. Et moi, je vais sonner les cloches du Secrétaire général.»

À peine a-t-il terminé sa phrase qu'il s'installe devant le télex. À l'aide de ses deux index, il tape un message court et significatif:

SUR RÉCEPTION DE CE MESSAGE, VEUILLEZ COM-PRENDRE QUE LES ÉTATS-UNIS D'AMÉRIQUE ENTEN-DENT ASSURER DÈS À PRÉSENT LA DÉFENSE ET LA TUTELLE PROVISOIRE DE LA CHINE ET DU JAPON. CES DEUX NATIONS DOIVENT PAR CONSÉQUENT ÊTRE CONSIDÉRÉES PAR VOUS COMME TERRITOIRE AMÉRI-CAIN. VEUILLEZ ÉGALEMENT PRENDRE NOTE QUE D'ICI VINGT-QUATRE HEURES L'URSS DEVRA DÉLÉGUER DES AMBASSADEURS À WASHINGTON AFIN D'OFFRIR SA REDDITION COMPLÈTE ET TOTALE. À DÉFAUT DE VOUS CONFORMER À CETTE DEMANDE, LES ÉTATS-UNIS RÉ-PLIQUERONT COMME IL CONVIENT. APRÈS L'ACTE IN-QUALIFIABLE QUE VOUS VENEZ DE PERPÉTRER, IL EST ÉVIDENT MAINTENANT QUE VOTRE PAYS A PERDU TOUT DROIT À UN SIÈGE AU BANC DES NATIONS.

CECI EST DÉFINITIF. UNE COPIE DE CET ULTIMATUM SERA EXPÉDIÉE À TOUS LES GOUVERNEMENTS INDÉ-PENDANTS.

Sous les yeux surpris de Fawcett et de Steelman, il appuie sur la touche qui expédie le message.

«C'est très catégorique, dit Steelman. Je crois qu'il serait sage de donner l'ordre de décoller.

— Vous croyez que ces salopards oseront déclencher le chaos?

— C'est certain!

— Nous les aplatirons comme la chiure qu'ils sont. On ne va tout de même pas passer l'éternité à se laisser emmerder par cette engeance du diable.

— Il s'agira d'une réplique thermonucléaire, monsieur, prévient Fawcett.

— Je le sais! Mais il n'est pas question que ces chienlits continuent à nuire. Le communisme cessera d'exister, je vous en fais le serment.»

«Cesser d'exister, c'est bien le mot, songe Steelman. Que lui a fait cette fille?»

«J'aimais bien les Chinois», dit le Président les yeux dans le vague.

Il s'adresse à Steelman:

«Avez-vous vu *La Canonnière du Yang Tsé*?

— Oui, c'est vieux.

— Et *Les 55 Jours de Pékin*? Et *Le Dernier Empereur*?

— Oui.

— Je vous dis cela parce que nous ne pourrons plus faire ce genre de films. Par la faute de personnages qui n'ont rien d'humain, l'Empire du Milieu vient de rejoindre les dinosaures dans les coulisses de l'histoire. Des millénaires d'histoire viennent de prendre fin parce que des malades ont décidé de régner sur le monde. Nous devons absolument les détruire.»

Il plonge sa figure dans ses mains. Quand il se redresse, Steelman se fait la réflexion qu'il n'a jamais vu le Président avec un tel air. À la fois tragique, coléreux et déterminé. Sa volonté d'écraser les Soviétiques est presque palpable.

«Des millénaires de souffrance, d'espoir, de passions et de tourments pour en arriver là, se dit le Président. Pourquoi l'homme a-t-il quitté sa jungle originelle?»

Non loin de là, sous le drap de satin, Sheila Hemingway, somnolente, entend le grondement des réacteurs.

608

«Ça doit être sublime à dix mille mètres en l'air», se dit-elle avec un soupir lascif.

Puis elle réagit soudainement, en se rappelant que si l'avion prend l'air, cela veut dire que les risques d'une guerre nucléaire sont à leur maximum.

Deux cloisons plus loin, Jonathan Yeager se fait exactement les mêmes réflexions.

Cherchant des phrases oubliées, il se met à prier pour Marilyn et ses enfants.

«Donnez-nous encore une chance, supplie-t-il. Nous ne sommes pas si méchants que ça!»

Une petite voix lui répond que le ciel n'y est pour rien.

INSTITUT LIVERMORE, CALIFORNIE, U.S.A.

Les données ne cessent d'affluer, s'accumulant dans les mémoires de silicone et sur les rubans magnétiques, ressortant dans le crépitement des imprimantes sous forme de graphiques et de cartes aux diagrammes complexes, qui indiquent à l'échelle les zones et leur concentration de retombées. D'autres graphiques à barres ou en dents de scie signalent les niveaux de carbone 14, d'iode 131, de césium 137 ou 134, de krypton 85, etc.

Le professeur Tanaga s'approche d'une imprimante qui débite le compte rendu général tiré des données actuellement en mémoire. Il compare les chiffres avec quelques autres graphiques et hoche la tête avant de décrocher le téléphone.

«Contactez Alan Pearson à Washington, demande-t-il à sa secrétaire, et passez-le moi dans mon bureau.»

Quittant le laboratoire, il consulte encore le bilan qu'il doit communiquer au directeur de l'*Office Emergency Planning*.

Son téléphone sonne comme il entre dans son bureau:

«Alan Pearson, Professeur Tanaga?

— C'est moi. J'ai les chiffres que vous m'avez demandés.

— Quelle est la situation?

— Pire que nous le pensions. Je vous envoie les résultats complets par modem, mais je peux de vive voix vous donner quelques chiffres si vous le désirez.

— Je vous écoute.

— Dès à présent, nous pouvons affirmer, en considérant la démolition des centrales soviétiques, la destruction d'Israël et de la Syrie ainsi que les récents bombardements en Chine et au Japon, que pour l'ensemble du continent eurasien, toutes données cumulées, 37% des terres cultivées seront contaminées. Également, 68% de la production laitière, 55% du cheptel de boucherie et 56% des productions vivrières. Il apparaît, en outre, que les Soviétiques auraient employé des armes radiologiques sur le territoire chinois, car un de nos satellites semble avoir détecté la présence de cobalt 60. Si ça se confirmait, cela alourdirait encore les chiffres que je viens de vous citer.

— Bon sang!

— Je dois également vous informer que nous avons relevé des premières retombées sur les côtes de l'Alaska et de la Colombie britannique, jusqu'en Oregon. Il est impossible de prédire maintenant l'étendue des retombées futures sur le continent américain, mais les chiffres les plus optimistes font état d'une contamination d'environ 5% des ressources alimentaires.

— Combien de victimes au total? demande Pearson.

— Selon toute probabilité, et principalement en Chine et au Japon, 200 millions de personnes sont actuellement décédées, 300 millions vont mourir dans les jours qui viennent et 500 millions en l'espace de quelques années, peut-être moins.

— Un milliard! C'est effarant!

— Et tout ça ne prend en compte que les événements qui se sont déjà produits! La guerre n'est pas finie, à ce que je sache.

— Un milliard...» répète Pearson, qui n'arrive pas à concrétiser dans ses pensées ce que cela représente.

«Oui, quatre fois la population des États-Unis, et je puis vous affirmer qu'il faudrait peu de chose pour doubler ou tripler ce chiffre. C'est tout l'écosystème qui est en danger. S'il faut maintenant en venir à un échange de, disons, vingt mille mégatonnes de part et d'autre, l'hémisphère Nord n'y survivra pas ou presque. Changements climatiques, destruction ou contamination des ressources alimentaires, disparition de la végétation, destruction des infrastructures industrielles, épidémies, tout cela entraînera à coup sûr la fin de toute civilisation sur cet hémisphère en moins de trois ans. Je crois que personne n'a jamais pris en considération les effets combinés de l'explosion de centrales et des bombes elles-mêmes. Les effets ne peuvent se calculer de manière linéaire, mais plutôt de façon exponentielle.

— Je vous remercie, professeur; je vais communiquer ces chiffres au Président.

— Vous croyez qu'ils changeront quelque chose?

— J'ai bien peur que nous soyons pris dans un cercle vicieux.

— C'est également mon impression.»

Tanaga entend un raclement de gorge à l'autre bout de la ligne: «Avez-vous encore de la famille au Japon, professeur?

— Il y a trois générations d'Américains avant moi. Non, mes derniers parents connus au Japon sont décédés à Nagasaki en 1945.

— Ah!»

TROPIQUE DU CANCER, MER D'OMAN

À force de regarder l'horizon, ils ne savent plus très bien où s'arrête la mer d'argent et où commence le ciel d'acier. Les deux pilotes, à plusieurs reprises, ont failli se laisser aller à maugréer contre la fatalité et le mauvais sort mais le silence des femmes les rappelle sans cesse à l'ordre. Comment se plaindre devant des femmes aussi mal loties que vous, quand celles-ci ne protestent pas? Ça devient même agaçant. Ils préféreraient nettement pouvoir les encourager, les consoler, ça serait plus facile pour leur propre moral.

Alusia et Bessie se trouvent toutes deux dans un état d'csprit voisin: malgré la faim et, surtout, la soif, malgré le sel qui leur brûle la peau, elles ont l'impression de vivre un répit, une trêve. Bercées par une légère houle, la tête appuyée sur le rebord arrondi du radeau, chacune fait le point en elle-même, presque indifférente au futur immédiat. La mer et le ciel confondus, le silence, la lumière, leur procurent la sensation bienfaisante d'un grand nettoyage. L'immensité noie peu à peu les brumes troubles du cauchemar qu'elles ont vécu et offre presque l'espoir d'un renouveau encore mal défini. L'onde et l'éther se marient autour d'elles, balayant le bruit et la grisaille, la fureur et la désolation, le ricanement sardonique de la mort, pour laisser entrevoir l'aube de jours plus lumineux. Un peu plus rieurs.

Mais peut-être est-ce du délire?

Les pilotes, eux, ne se trouvent pas dans cet état d'esprit. Chaque seconde ramène en eux le désir persistant et douloureux que tout ceci finisse, qu'un sauvetage providentiel les retourne vers un monde gorgé de boissons et de victuailles. Plus le temps avance, plus ils se fabriquent des scénarios de festins interminables.

«Une bonne bière glacée! soupire le co-pilote, qui n'en peut plus de garder pour lui ses fantasmes alimentaires. Ou peut-être un grand verre de jus d'orange de la Floride avec une cerise sur le dessus et un quartier de limette.

— Ta gueule! fait le pilote. Garde ta salive, tu aggraves les choses.»

Le silence retombe sur le radeau. Les deux femmes ont à peine réagi aux fantasmes du co-pilote. Alusia a, elle aussi, rêvé de jus d'orange mais les a aussitôt oubliés, se contentant simplement de respirer et de noyer toutes pensées concrètes dans la lumière qui l'envahit. Bessie, également, se rassasie du vide lumineux et propre qui s'insinue en elle, reléguant au plus profond de sa mémoire les images hideuses qui ont bien failli avoir raison de son esprit.

La simple idée de retrouver ne serait-ce que l'atmosphère qu'elles viennent de quitter suffit largement à leur faire oublier les privations qui, pourtant, peuvent rapidement avoir raison de leur santé et de leur vie.

«Priez-vous?» demande le pilote à Alusia.

Elle le regarde avec surprise. Pas une minute, et maintenant elle s'en rend compte avec stupeur, elle n'a songé à demander des faveurs au ciel ni même, tout simplement, comme elle en a l'habitude, à parlementer avec son Créateur.

«Je vais le faire», promet-elle.

«Oh! mon Dieu! pourquoi vous ai-je oublié si longtemps?»

PETRÓPOLIS, BRÉSIL

Ce n'est pas aussi facile que dans les livres. Trinidad passe son temps à astiquer, laver, épousseter et pourtant, Madame n'a pas l'air satisfaite. La petite fille lui demanderait bien pourquoi, mais la Présidente ne parle pas le portugais et n'a visiblement aucune intention de le parler.

Trinidad en a déduit qu'il lui faut apprendre l'anglais.

«Ce doit être la langue des riches, je dois la connaître. Il faudra faire attention à ce que personne ne s'en aperçoive avant qu'il ne soit temps. Tu pourras apprendre des choses.»

La Présidente est arrivée la veille mais Trinidad a déjà l'impression qu'il s'est écoulé une éternité. Le plus dur n'est pas de travailler mais d'endurer les petits souliers de cuir noir qu'elle n'a pas le droit de quitter. La gouvernante le lui a bien précisé. Il lui semble que ses pieds ne sont plus que plaies et elle doit faire un violent effort de volonté à chaque pas pour s'interdire de boiter «comme une vieille».

Elle a appris par les autres domestiques ce qui s'est passé à Brasilia. Après avoir reçu l'assurance que ce n'était pas en forêt et que son père ne risquait pas d'être en ces lieux, elle a oublié l'incident qui pour elle s'est produit dans un autre monde. Un monde bien loin du quotidien. Du reste, elle ne conçoit pas du tout ce que peut être une arme nucléaire.

La maison de la Présidente, par contre, l'a subjuguée: moderne, au milieu de belles pelouses et de nombreux massifs de fleurs, c'est – Trinidad l'ignore – la réplique de la maison hélicoïdale construite en Arizona, par Frank Llyod Wright, pour son fils. C'est avec une totale fascination – pour la demeure – qu'elle a commencé à prendre soin de la chambre de sa maîtresse.

Elle se garderait bien de le laisser paraître mais elle n'aime pas la Présidente: ses yeux ont autant de chaleur que ceux des poissons que ses frères vont pêcher dans le port, elle ne sourit ou ne rit qu'avec les lèvres, se déplace comme si elle avait un centavo coincé entre les fesses et, aussi, en levant le menton comme si le monde n'avait été créé que pour subvenir à ses besoins.

«Faut-il être comme ça pour être riche?» se demande-t-elle.

C'est à ça qu'elle pense en faisant reluire les vitres de la porte-patio de la chambre, quand elle voit s'avancer dans l'allée pavée d'ardoises une grosse voiture blanche. Elle reconnaît l'homme qui en descend, c'est celui qui l'a embauchée. Il l'aperçoit et lui fait un petit signe de la main auquel elle répond.

Accueilli par un Noir en livrée jaune et noire, Isaac Reeves Helmann est immédiatement introduit dans le boudoir où la Présidente essaye vainement de s'intéresser – peut-être pour la dixième fois en autant d'années – à la quête de Proust à la recherche du temps perdu. Hormis l'affaire de la madeleine qu'elle-même a vécue sous la forme de muffin aux airelles, elle ne voit pas du tout où veut en venir l'auteur.

«De la visite! s'exclame-t-elle ravie, en posant le volume sur un guéridon. Voilà qui fait plaisir.»

Helmann s'approche, main tendue:

«J'espère que je ne vous dérange pas. Vous lisiez?

— Oh! je passais le temps. Proust, vous connaissez?»

C'est toujours bon à placer.

«Pas du tout. Mes lectures se résument surtout à ce qui s'écrit dans mes propres journaux et à l'*Economist*. J'en profite pour mentionner que, de façon tout à fait bénévole, j'apporte ma modeste contribution à l'*Economist Intelligence Unit*.

— Il faudra m'initier, c'est peut-être plus palpitant que les classiques.

— Avec plaisir!

— En fait, dit-elle, je m'ennuyais copieusement et m'apprêtais à me rendre incognito à Rio.»

Il fait semblant d'être confus:

«Je ne voudrais pas vous en empêcher.

— Pas du tout! Votre visite m'est agréable. Prendriez-vous une consommation?

— Non, je vous remercie. Je passais pour vous dire que j'ai décidé de quitter le Brésil qui devient trop dangereux à mon goût. Avec ce qui vient de se produire à Brasilia, rien ne prouve que cela ne pourrait pas recommencer à Rio, Recife ou Sao Paulo.

— Où partez-vous?

— Mon yacht vient d'arriver et je suis décidé à mettre le cap sur Port Moresby.

— Port Moresby?

— Oui, en Nouvelle-Guinée. Ce serait le diable, si la guerre s'étendait jusque chez les Papous.

— Oh! les Papous m'ont toujours fascinée.

— Ma démarche ici avait justement pour but de vous inviter sur mon navire. Pour vous aussi, la Nouvelle-Guinée serait plus sécuritaire que le Brésil.

— C'est que...»

Elle baisse la tête, plongée dans ce qui semble être une profonde réflexion. Helmann en profite pour l'observer à loisir. Ce n'est pas ce que l'on peut appeler une beauté fatale, peut-être vingt ans plus tôt? Mais la longue tunique de soie gris perle qu'elle porte en ce moment laisse encore deviner une forte dose de sensualité.

«J'accepte votre invitation», annonce-t-elle subitement.

Helmann dissimule sa surprise. Jamais ne s'était-il attendu à ce que son invitation pût être retenue:

«Vous m'en voyez sincèrement ravi. Je serai beaucoup plus tranquille que si vous deviez rester ici.

— Une croisière me fera du bien, dit-elle. Et puis, entre nous, tous ces Latino-Américains basanés et stupidement machos me tapent sur le système. Quand partez-vous?

— Ce soir même.

— C'est parfait, je vais faire préparer mes bagages en conséquence. Avez-vous de la place pour quelques domestiques? Cette petite fille de chambre que vous m'avez procurée par exemple, me serait d'un grand secours.

— Aucun problème. Y a-t-il quelque chose de particulier que vous voudriez trouver à bord?»

Elle sourit avec coquinerie, comme pour s'excuser de ses petits caprices:

«Des draps de soie, des savonnettes à l'aloès, des pruneaux cuits d'Agen, des pamplemousses roses et de l'eau de Cologne *Hermès*. Vous voyez, j'ai mes petites habitudes.

— Qui sont bien naturelles. Je m'occupe de tout. Je vous enverrai une voiture vers dix-huit heures pour vos bagages et vos domestiques, ensuite la mienne viendra vous prendre pour vous mener au port. Est-ce que cela vous convient?

— Ce sera parfait, monsieur Helmann.»

Elle paraît soudain penser à un point qu'elle a négligé:

«Nous ne risquons rien en mer?

— Aucun danger! J'ai fait en sorte que mon navire puisse arborer le pavillon indien. En ce moment même, un peintre le rebaptise *Civa* et lui donne Bombay pour port d'attache. Cela m'étonnerait qu'un sous-marin ou un navire gaspille ses précieuses torpilles pour un modeste bâtiment privé, indien de surcroît.

— Modeste?

— Ce n'est pas le *Queen Mary*», fait-il en riant.

En franchissant le perron, Helmann songe que même si ce n'était pas prémédité il vient de faire une bonne affaire.

«Et si les clairs de lune romantiques lui donnaient des idées? se dit-il. Allons, Isaac, ne va pas te mettre dans une situation embarrassante. Quoique... C'est excitant.»

Debout sur la terrasse de béton qui ceinture la demeure, la Présidente se remémore ce que lui a dit son mari peu avant de partir, concernant la femme d'un Président et un armateur.

MER D'ARAL, R.S.S. DU KAZAKHSTAN

Apparemment impassible, le Secrétaire général tient entre ses doigts le télex du Président. Un silence lourd est tombé depuis qu'il en a fait la lecture à haute voix.

«Bien? demande-t-il d'une voix contenue. Qui a dit que les Américains ne se serviraient jamais de la bombe?

— C'est peut-être du bluff? se risque Yakkov.

— Non!» rétorque le Secrétaire général.

La journée a très mal débuté: en premier lieu, il a découvert qu'il n'avait plus de papavérine, et il n'y en a pas dans la pharmacie. Il y a tout, même un bloc opératoire, mais pas de papavérine. Personne n'a songé à l'impuissance du Secrétaire général qui, pour des raisons bien compréhensibles, cache cette déficience. Ensuite, la réplique chinoise s'est avérée plus destructive que prévu et, même si l'anéantissement de la Chine est évident, l'URSS a souffert au delà de toutes les estimations. Et puis, il y a eu le rapport sur l'étendue des dégâts causés par Israël, dont de fortes retombées radioactives sur la plus grande partie du territoire, ce qui remet en question tout le programme alimentaire des prochaines années. Enfin, ce télex du Cowboy.

«Quelles sont vos suggestions?» demande-t-il à ses collègues.

Tikhonov relève le menton:

«À première vue, cet ultimatum ne nous laisse que deux choix: s'y soumettre ou attaquer les premiers.

— Ni l'un ni l'autre ne sont envisageables, fait Kamenev; il faut trouver une solution intermédiaire.

— Quelqu'un a-t-il des propositions à faire à ce sujet? demande le Secrétaire général.

— Je crois», répond Boulkine, décidé à faire fi de l'hostilité que lui témoigne le Secrétaire général. «Répondez à ce télex de façon tout aussi virulente. Dans le style: jamais l'URSS ne se rendra, quels que soient les sacrifices requis. Vous pourriez assortir cette réponse d'un objectif nucléaire aux États-Unis afin de bien leur prouver notre détermination.

— Ils répliqueront avec toute leur force de frappe, répond le Secrétaire général.

— Peut-être pas, si vous proposez des négociations en même temps.

— L'enjeu est trop gros pour se satisfaire de *peut-être*. Ils ont l'air vraiment furieux de l'autre bord. Où sont-ils, les pacifistes décadents que nous devions avoir en face de nous?

— Proposez une nouvelle répartition du monde, suggère Tikhonov. Nous pourrions revendiquer l'ensemble du bloc eurasien et leur laisser le reste du monde. Nous trouverons bien le moyen, un jour, d'accaparer le reste.

— Ça devait se faire présentement. Non! c'est inadmissible et, de toute façon, ils refuseront d'abandonner l'Europe occidentale. La France et la Grande-Bretagne ne l'entendront pas non plus comme ça.»

Boris Korotkov prend la parole à son tour:

«Si nous répondons favorablement à cet ultimatum, nous perdrons tout l'acquis et peut-être même la Révolution. Si nous y répliquons par la force ou si nous n'y répondons pas, nous exposons l'URSS à l'anéantissement. Déjà, si la guerre devait s'arrêter immédiatement, il faudrait une génération pour nous relever au niveau où nous étions il y a quelques jours. Le territoire est contaminé et nous devrons employer toutes nos énergies à nourrir une population exposée à de nombreux cancers. Tout cela pour dire qu'il nous faut dès maintenant trouver une troisième voie acceptable aux deux parties.»

Le général Youdenitch secoue la tête:

«Il n'existe pas de troisième voie, et pour ma part je retiendrai la proposition du camarade Boulkine. Je persiste à croire que les États-Unis ne réagiront pas massivement. Ils préféreront négocier si nous leur faisons des ouvertures.

— Qui est pour la proposition du camarade Boulkine?» demande le Secrétaire général.

Sept mains se lèvent sur dix.

«C'est peut-être finalement ce qui est le mieux, dit-il. Quelle serait la cible, camarade Boulkine?

— Une ville moyenne du Midwest, répond le directeur du KGB. L'impact psychologique sera le plus fort: pas assez de morts pour provoquer une fureur aveugle et assez de dégâts pour que chaque Américain comprenne que le cœur de son pays a été touché et soit terrifié par ce qui pourrait survenir par la suite.

— Parfait! approuve le Secrétaire général. Nous allons préparer le contenu du télex pour Washington. Il faudra que notre bombe saute dans les dix minutes suivant la réception du message.

— C'est possible avec l'un de nos *Typhoon* sous la calotte polaire, indique Youdenitch. Sept minutes entre le lancement et l'impact.

— Il faudra donc que la mise à feu coïncide avec l'envoi du télex.

— Je m'en occupe immédiatement», dit Boulkine.

Smolosidov, qui n'a encore rien dit, élève tranquillement la voix:

«Quelqu'un a-t-il songé que nous préparons peut-être la fin du monde?»

Le Secrétaire général lui répond du tac au tac:

«Tout le monde, camarade. Tout le monde.

— Un système idéologique, quel qu'il soit, peut-il justifier cela? Je ne me souviens plus où il est dit que l'on reconnaît l'arbre aux fruits qu'il porte.

— Dans le Nouveau Testament, camarade, répond Boulkine avec un soupçon de raillerie. Ce livre n'entre pas en considération dans l'idéologie du Parti.

— Lénine n'a-t-il pas dit que nous ne devions jamais mettre en danger les acquis de la Révolution?

— Il a également dit que nous devions la défendre et la propager par tous les moyens.

— Lénine ne connaissait pas l'arme atomique. Serait-il possible, et je dis cela pour le bien du Parti, serait-il possible que nous nous soyons égarés avec des préceptes périmés?

— L'heure n'est pas à ce genre de questions, tranche le Secrétaire général. Nous avons un ultimatum sur les bras.

— Excusez-moi, camarade Secrétaire général, mais il me semble au contraire que le moment est approprié. Il s'agit de savoir si nous devons poser un acte qui peut entraîner la perte de la Révolution et celle du monde en général.

— Connaîtriez-vous cette troisième voie dont parle le camarade Korotkov?

— Oui!

— Nous sommes impatients de la connaître.»

Presque mot pour mot, Smolosidov expose le principe du même système fédéral qu'a proposé Sheila Hemingway au Président quelques heures plus tôt.

«Ce sont des propos de dissident!» s'exclame Kamenev quand il a terminé.

«Non, camarade! De la survivance, uniquement de la survivance.»

Le Secrétaire général réclame le silence:

«Quelqu'un désire-t-il appuyer les idées du camarade Smolosidov? Quelqu'un est-il d'accord pour que nous ouvrions des négociations en ce sens?»

Aucune main ne se lève.

«Très bien, reprend le Secrétaire général. Procédons donc comme convenu.»

Quelques minutes plus tard, assis devant le télex, il tape le message qu'ils ont composé:

IL N'EXISTE AUCUNE JUSTIFICATION À VOTRE ULTIMATUM ET NOUS LE REJETONS CATÉGORIQUEMENT. SUITE AU PRÉSENT MESSAGE, LA PREUVE FORMELLE DE NOTRE DÉTERMINATION TOTALE. NOUS SERONS HEUREUX PAR LA SUITE D'ENTREPRENDRE LES NÉGOCIATIONS EN VUE D'UN CESSEZ-LE-FEU.

OCÉAN GLACIAL ARCTIQUE

David Cussler, Mouza Krilov, Mamayak et Angatkoq entendent clairement le craquement se répercuter sur le pack. Les chiens hurlent. Stupéfaits, les quatre aperçoivent à l'horizon la masse énorme du *Typhoon* qui émerge de la glace. Quelques secondes plus tard, ils assistent impuissants à l'ascension d'un missile d'argent en direction d'un ciel sans nuage.

«C'est pas vrai!»

À peine David a-t-il prononcé ces paroles que le submersible s'enfonce de nouveau. Seul le point de feu dans l'azur peut encore les convaincre qu'ils n'ont pas été le jouet d'une illusion.

«Qu'est-ce que c'est? demande Mouza, qui s'en doute fort bien.

— L'apocalypse», répond David, le cœur battant.

GQG NORAD, COLORADO, U.S.A.

Quatre-vingt-dix secondes après que David eut prononcé cette sentence, un satellite d'alerte SEWS avertit l'*AF Spacecom* de Peterson, Colorado, de l'approche d'un missile SLBM. Quelques secondes plus tard, le réseau radar à antenne à réseau phasé de la base Shermya, en Alaska, fait de même. Encore quelques secondes, et le général Pears, à l'abri des installations de NORAD sous les monts Cheyennes, est informé.

«Lieu d'impact?» hurle-t-il à l'adresse de l'équipe chargée de localiser la trajectoire.

Déroutés par les leurres, les ordinateurs n'ont pas encore établi la trajectoire finale.

«Encore quelques secondes», répond un lieutenant, stoïque.

Pears décroche le téléphone qui relie directement NORAD au *Doomsday* qui survole actuellement le Texas. Le Président répond immédiatement.

«Monsieur le Président, un SLBM vient sur nous.

— Un seul?

— Oui, Monsieur.

— Destination?

— On ne sait...

— Impact prévu en Iowa si ce n'est pour une explosion en haute atmosphère, annonce le lieutenant à Pears. Nous aurons bientôt les coordonnées précises.

— En Iowa, monsieur, reprend le général à l'adresse du Président.

— Vous pouvez l'intercepter?

— Le *Spacecom* s'en occupe, monsieur, mais à mon avis ils n'auront pas le temps.

— Seigneur!

— Que fait-on, monsieur le Président?»

Un silence qui paraît se prolonger une éternité. Le Président a sous les yeux le télex du Secrétaire général.

«Envoyons-leur la pareille, dit-il. Juste la pareille.

— Où, monsieur?»

Le lieutenant prévient le général:

«Général, impact dans cent soixante secondes à Waterloo, Iowa.

— Waterloo?

— Oui, général.»

Le général reprend le combiné:

«L'impact est prévu à Waterloo, monsieur.

— Waterloo? Pourquoi Waterloo?

— Je l'ignore, monsieur. Peut-être cela se veut-il significatif!

— Je ne comprends pas.

— Napoléon, monsieur. La défaite de Waterloo.

— Ah bon! Répliquez sur Leningrad. C'est aussi significatif.

— Entendu, monsieur le Président. Nous définissons le lanceur. Je suis obligé de vous demander des séquences du code de sécurité. L'officier EWO est-il près de vous?

— Évidemment! J'en suis même venu à oublier sa présence.»

Comme par enchantement, le lieutenant qui transporte la mallette des codes de sécurité chaque jour renouvelés se matérialise auprès du Président. Celui-ci le regarde:

«Alors c'est votre grand jour?

— J'ai toujours prié pour qu'il n'arrive pas, monsieur.

— Trente secondes avant impact», annonce le lieutenant, toujours stoïque sous les montagnes du Colorado.

IOWA, U.S.A.

Longeant la *Fédérale* 218, John Adams conduit d'une main décontractée le gros *International* rouge et blanc chargé de suppléments minéraux qu'il va livrer dans un parc d'engraissement de Painfield. John est soucieux: Junior, son fils, est parti ce matin même pour le front sibérien, où les hommes, dit-on, tombent comme des mouches dans un nuage d'insecticides. Il a fermé la radio, le poste AM local ne diffusant plus que le compte rendu – déprimant – des tueries. À la place, il a glissé une cassette du vieux Willie Nelson dans le lecteur et, tant bien que mal, essaye de fredonner *Do right Woman, do right Man* avec le chanteur country.

La température est froide et le ciel, d'un gris uni et profond, comme s'il allait neiger. John pense à sa vie, à son fils. Quelle allure a-t-il dans l'uniforme de combat? Sûrement comme les autres, le regard perdu et hagard sous un casque souvent trop grand. John se souvient très bien d'avoir affirmé, il n'y a pas si longtemps, que l'armée lui ferait le plus grand bien, à lui et à sa génération. Aujourd'hui, il n'en est plus certain du tout. Sur tous les fronts, c'est une affreuse boucherie que les temps de paix ont trop souvent le pouvoir de faire oublier. Son petit gars, que va-t-il faire là-dedans?

Comme un film, il revit les jeunes années de Junior: sa naissance, il se revoit devant le poupon rouge de colère qui se mordait les poings. Oui, il se souvient très bien de ces huit premiers mois qui ont suivi la naissance: le bébé, affligé de coliques perpétuelles, avait transformé leurs nuits en véritable cauchemar; il sourit en repensant à toutes les fois où, au milieu de la nuit, il installait bébé sur la banquette arrière de la vieille *Impala* pour le promener pendant des heures dans les rues de Cedar ou Waterloo, dans le vain espoir qu'il se calme et s'endorme. Il se souvient très bien de toutes les ambitions qu'il a eues pour lui. Il ferait son droit et deviendrait avocat ou notaire. Notaire c'était mieux, car moins stressant. Il épouserait peut-être la fille de Georges Goodwin, celui qui a une étude à l'angle de *Cypres Street* et de la Seconde avenue. Une vraie belle petite fille, toujours bien mise, toujours souriante, toujours polie, avec un grand regard toujours plus sérieux que son âge. Avec une femme comme ça, il pourrait aller loin. Et puis, il y a eu l'école élémentaire, avec des résultats qui ne laissaient aucunement prévoir une carrière dans le notariat, les fréquentations avec ceux qui s'entêtent toujours à trouver un sale coup à faire. Ça n'a pas été mieux au secondaire, pire même, Junior passant beaucoup plus de temps à la salle de billard qu'aux matières académiques. Et tout a abouti où cela devait aboutir: un vulgaire cours de mécanique automobile. Après ça, il a gagné quelques dollars dans des boulots à la sauvette, le temps de s'acheter une vieille *Harley* et de rentrer dans le club local des *Hell's*, qui ne défraient pas la chronique par leur exemplarité. Depuis, il a une liaison plus ou moins maritale avec une certaine Janis, sempiternellement vêtue d'une micro-jupe en similicuir, d'une veste du même cru et d'un tee-shirt imitation peau de panthère qui lui arrive au-dessus du nombril pas toujours très net. De temps à autre, Junior vient à la maison, lorsqu'il a besoin de faire laver son linge, ou encore pour taper en douce sa mère de quelques dollars, qui le plus souvent vont alourdir les poches des *dealers* du cru.

John pousse un soupir résigné. Tout ne marche pas comme on veut. Lui, par exemple, il a toujours rêvé de pouvoir monter sa propre petite ferme. Une vraie petite ferme à l'ancienne, pas de ces grandes usines à monoculture d'aujourd'hui, non! une petite ferme avec des arbres, un ruisseau et des poules, des cochons, des vaches, peut-être un cheval palomino et, aussi, des dindons qu'il élèverait le plus naturellement possible pour les vendre dans le temps du *Thanksgiving*. Combien de soirées a-t-il passées à essayer d'établir un budget qui lui laisserait assez d'économies pour constituer un cash suffisant? Sur papier ça marche toujours mais dans la réalité c'est une tout autre affaire. Immanquablement, comme une marque du destin, arrivent les factures imprévues, la voiture, la foutue voiture qui lâche toujours quand on s'y attend le moins, le tapis du salon qui brusquement paraît trop vieux alors que les voisins, eux, viennent de complètement redécorer le leur, ou, le plus souvent, les amis qui insistent pour une nouvelle soirée au bowling, soirée qui se termine généralement au bar du Grec où, après deux ou trois bières et quelques histoires croustillantes, le dollar ne semble plus du tout avoir la même valeur. Jamais, pendant toutes ces années, il n'a pu économiser plus de mille dollars et, cette fois-là, ils ont pris des vacances. Laissant Junior chez la mère de Gail, ils ont pris la route de l'Ouest. Roulant presque jour et nuit, ils ont poussé jusqu'à Las Vegas. Après une nuit romantique au bord du lac Mead et une autre, mémorable, au *Flamingo* – Oui, mon vieux! le *Flamingo* sur le *Strip* –, quelques heures fiévreuses devant les gobe-sous et le retour sous les bons auspices d'une carte de crédit, à propos de laquelle il avait, pourtant, été convenu qu'elle ne devait jamais servir.

«On passe sa vie à rêver, se dit-il. Las Vegas une fois dans la vie, *Dallas* toutes les semaines, *Wheels of Fortune* tous les jours, la ferme et la *Cadillac* entre deux, alors qu'au fond on sait parfaitement qu'on ne les aura jamais. Un beau jour, je me retrouverai avec un foutu cancer de la rate ou d'ailleurs, et l'on pourra m'enterrer avec pour épitaphe: ci-gît John Adams, Américain moyen qui, comme les autres, a passé sa vie à rêver. Bordel! j'habite pas en Amérique, j'habite en Rêverie. Avoir pigé ça plus tôt, j'aurais vendu du rêve: c'est actuellement le seul moyen de s'enrichir dans ce pays.»

John engage le camion dans un chemin de terre, passe sous une pancarte de bois où est gravé: BLUE SKY RANCH et se dirige vers une rampe de déchargement qui surmonte un petit silo de tôle galvanisée. Un homme corpulent, vêtu d'une salopette graisseuse et d'une casquette à l'emblème *John Deere* d'où émerge une tignasse blanche tirant sur le jaune, s'approche du camion.

«Salut, John. Putain de température, hein?

— Salut, Harry. Faut s'y faire, on n'a pas le choix.»

Le dénommé Harry soulève sa casquette, passe les doigts dans ses cheveux pour les ramener en arrière puis, d'un geste prolongé, se gratte l'entrejambe.

«T'apportes les putains de suppléments pour les putains de veaux. Je gage qu'il doit encore y avoir une putain d'augmentation.

— Pas d'augmentation cette fois, Harry. Tu vas faire des affaires, la viande va sûrement grimper avec la guerre.

— Ouais, la putain de guerre. C'est pas mauvais dans mon business.

— As-tu des mômes qui doivent y aller?

— Non, et c'est la première fois que je remercie le ciel de m'avoir donné des putains de testicules incapables d'engendrer autre chose que des putains de filles. Toi?

— Mon gars est parti ce matin pour la Sibérie ou quelque part dans ce coin-là.»

Harry observe John avec un regard encourageant:

«Si ton fils est comme toi, il saura bien se sortir de ce putain de merdier.

— Sûrement!»

Le ton de John n'y est pas.

«Tu sais, j'en ai toujours voulu à Roosevelt d'en avoir trop donné à cet enculé de Staline; ce n'est qu'aujourd'hui que je l'ai mieux compris, en réalisant qu'il avait perdu deux fils sur les champs de bataille.

— Ouais, Roosevelt. À comparer avec aujourd'hui, c'était le putain de bon vieux temps.

— Tu devais pas être vieux?»

Harry s'esclaffe:

«T'as raison, je m'en souviens pas.»

Dans le camion, la cassette tourne toujours, Willie Nelson entame *The Party's over*. Harry dresse l'orcille:

«Sacrée putain de musique! s'exclame-t-il. Ça a toujours fait frémir ma vieille. Ça, c'était le bon temps.

— Tu peux le dire, y a du cœur là-dedans.»

Harry secoue lentement la tête, de droite à gauche:

«Miss queue était fringante en ce temps-là. Les filles fraîches et roses, pas comme maintenant, on dirait qu'elles ont l'œil terne. Elles savent même plus s'habiller. Je me demande comment font les gars d'aujourd'hui pour bander?

— C'était une autre époque, Harry. Les bagnoles étaient chromées, y avait toute la place voulue pour s'envoyer en l'air. Les maisons avaient de la pelouse et des barrières blanches, les héros au cinéma avaient du cœur, c'était bien différent.

— C'est de la faute aux putains de technocrates, c'est eux qui ont bousillé l'Amérique.»

John s'apprête à approuver lorsqu'il est aveuglé par une lueur insoutenable au sud.

«Putain! qu'est-ce que c'est?» s'exclame Harry.

Instinctivement les deux hommes se sont voilé les yeux avec leurs mains. John entrevoit immédiatement la cause de cette lueur:

«Une bombe H!» crie-t-il en se jetant à terre.

L'explosion s'est produite à la verticale de l'hôtel de ville de Waterloo, à près de trente kilomètres. Lorsqu'elle les atteint, l'onde de chaleur s'est fortement atténuée, tout au plus la même chaleur que celle que dégage un sèche-cheveux. Le souffle est plus violent, assez pour renverser les poubelles ou autres objets du même type. La casquette d'Harry part au vent. Pour John, la première pensée digne de ce nom est pour sa femme. Il réalise avec horreur qu'elle se trouve beaucoup plus près que lui du lieu de l'explosion. Pour ne pas dire à proximité. Ça a sauté sur Waterloo, il en est certain.

«GAIL!» hurle-t-il.

Il ouvre les paupières pour constater que, bien que fortement ébloui, il peut distinguer ce qui l'entoure. L'impact lumineux est pourtant toujours gravé dans son cerveau. D'un bond, il se redresse et grimpe dans son camion.

«Où vas-tu? demande Harry.

— Ma femme, répond John simplement.

— Putain! tu peux pas aller par là, viens à la maison, la cave est bien isolée.»

Sans répondre, John claque la portière et démarre.

«N'y va pas, putain! les retombées vont te tuer.

— Rien à foutre! dit John pour lui-même. Je dois sauver Gail.»

Il quitte le chemin de terre et s'engage sur la 218 dans un virage serré. À l'horizon, inimaginable, s'élève l'énorme champignon. Dans les documentaires, il les avait toujours vus blancs, mais celui-ci est noir comme le Diable. Telle une monstrueuse protubérance, il s'élève à des hauteurs défiant n'importe quel sommet montagneux.

Au bout de quelques minutes, il commence à croiser une file de véhicules venant en sens inverse. Si ce n'était de la vitesse qu'il imprime à son camion, il pourrait constater à quel point chaque visage rencontré manifeste l'angoisse la plus totale. Du reste, il verrait la même chose en se regardant lui-même.

Seule l'idée fixe de retrouver Gail lui obsède l'esprit. Au fur et à mesure qu'il avance, les dégâts se font plus importants. En s'approchant de Waverly, il voit, en regardant à gauche, que la ville est en feu. La concentration de véhicules arrivant en sens inverse est de plus en plus dense.

Deux kilomètres avant d'atteindre Waverly, il constate que le flot de voitures a décidé d'occuper toutes les voies.

«Je passerai!» s'écrie-t-il.

Une main s'agrippant à la corde de l'avertisseur, le pied au plancher, il fonce en trombe, obligeant les véhicules qui lui font face à se ranger les uns après les autres sur le bas-côté.

Plus il avance, plus il se convainc qu'il ne pourra peut-être pas traverser Waverly, qui n'est qu'un immense brasier. Il faut pourtant qu'il essaye. Aux abords du centre en flammes, une foule de piétons, hurlent et courent vers le nord à la recherche d'un abri qui existe trop loin pour leurs jambes. Un autre camion qui surgit devant lui a juste le temps de se ranger; John arrache son rétroviseur au passage sans même s'en rendre compte.

Il réussit à pénétrer en ville; la chaleur est intenable. De chaque côté de la rue, les habitations se consument sous les flammes; de nombreux cadavres jonchent la chaussée. Comme absent, John sent ses roues en déchiqueter un, au moment même où une voiture en flammes se dresse sur son chemin. Son pare-chocs la happe sur le côté et l'envoie s'écraser contre un mur de béton. De nouveau, il se voit passer sur le corps d'une jeune femme dont les cheveux ont été grillés par les flammes.

«Si c'est comme ça ici, dit-il tout haut, comment est-ce à Cedar?»

Sa maison se situe à tout juste quelques kilomètres du centre de Waterloo.

Il ne voit plus maintenant que flammes, fumée et poussière. Après avoir percuté d'autres épaves de voitures et écrasé d'autres cadavres, il réussit, sans trop savoir comment, à se retrouver sur la route qui descend presque en ligne droite jusqu'à Cedar Falls. Une seconde, il remarque que ses bras sont rouge écarlate, comme cuits à la vapeur. N'y prenant pas garde, il continue sur la route bordée çà et là de demeures qui, pour la plupart, ont été dévastées par le souffle. Il doit finalement s'arrêter devant une semi-remorque renversée en travers de la route et se rend à l'évidence qu'il doit abandonner son camion. Il saute sur la chaussée pour être assailli par l'odeur infecte se dégageant de la remorque pleine de bovins au cuir brûlé par l'onde de chaleur.

Contournant le véhicule renversé, il poursuit sa route à pied. L'horizon n'est maintenant qu'un nuage de poussière rousse, il ne distingue plus rien d'autre. Petit à petit, la douleur provoquée par son épiderme brûlé va en grandissant; après dix minutes de marche, il se sait condamné. Tout son corps le fait atrocement souffrir. En même temps, il acquiert la certitude que Gail n'est plus de ce monde. Il sait maintenant sans l'ombre d'un doute que Waterloo et Cedar Falls ne sont plus que cendres. De ces cendres qui maintenant tombent sur lui et forment un brouillard opaque et mortel, transformant les alentours en un décor qu'aurait pu imaginer un artiste fou, torturé par tous les tourments de l'enfer.

À cinq kilomètres au nord de sa ville, il s'écroule. La figure contre l'asphalte mou, les yeux mi-clos, il sait qu'il ne se relèvera pas, que son chemin s'arrête tout bêtement ici sous ce ciel devenu rouge comme une image de l'enfer. Juste avant de sombrer dans l'inconscience, il demande pardon:

«Pardon Gail! Pardon, mon amour! J'aurais pu t'offrir une meilleure vie, si seulement j'avais compris quelque chose à tout ça.»

Une autre nuit sous la voûte polaire, une autre nuit dans l'intimité du cocon d'aluminium. Isolés du monde et de la lumière, David et Mouza passent les nuits l'un contre l'autre, séparés seulement par la double épaisseur des sacs rembourrés de duvet d'oie. Chacun sent le souffle de l'autre, conscient que leurs pensées aussi doivent se ressembler.

Nuit après nuit, l'intimité qui s'établit entre eux devient plus forte, presque palpable. Ils la considèrent avec un respect mêlé de crainte, persuadés que rien au monde ne peut remplacer cette complicité née de l'isolement.

Ce soir, cette sensation est plus forte que jamais. L'apparition du *Typhoon* et la vision du missile déchirant l'azur les ont persuadés que le monde qu'ils ont connu n'est plus maintenant que désolation. À quelques centimètres de son visage, David sent celui de Mouza; il sent également la détresse qui s'est emparée d'elle et la reconnaît d'autant plus nettement que lui-même l'éprouve.

«Que va-t-on trouver là-bas? demande-t-elle en rompant un silence si total qu'il éclate dans les tympans.

— Je l'ignore.»

Il a répondu sans conviction. Il imagine facilement les visions d'un monde dévasté où les rares survivants, accablés de tares irrémédiables, errent sans autre but que de subvenir à leurs besoins les plus primaires.

«J'ai peur, souffle-t-elle. Je sens le froid au plus profond de mes os.

— Je sais», dit-il en passant son bras sous le cou de la jeune femme, dans un geste qui se veut à la fois tendre et protecteur.

Elle s'y case avec un bref soupir de soulagement.

Étrangement, malgré l'attirance qu'ils ont immédiatement ressentie l'un pour l'autre, c'est là le contact physique le plus intime qui se soit jusqu'ici produit entre eux. Comme si la facilité avec laquelle ils pourraient ne serait-ce que s'embrasser, comme si cette promiscuité agréable était, au contraire, un frein posé à des pulsions dont rien n'interdit l'assouvissement.

Le bras de David la réchauffe. Il est là comme le prolongement de l'intimité qui ne cesse de les rapprocher. Ce n'est pas suffisant, néanmoins, pour apaiser toutes ses angoisses.

«Qu'allons-nous faire si...»

Il pose l'un de ses doigts libres sur les lèvres de Mouza, l'empêchant de poursuivre.

«Nous n'avons vu qu'un seul missile, dit-il. Ce type de sous-marin peut en lancer bien davantage. Peut-être nous montons-nous la tête, il ne s'agissait peut-être que d'un test.»

Il n'en croit rien, sachant bien que la guerre fait rage. Elle répète sa question:

«Qu'allons-nous faire?

— Nous n'avons pas le choix pour le moment, sinon de regagner le continent. Après... nous verrons bien.

— J'ai justement peur de ce que nous allons voir.»

Sans répondre, il se détourne légèrement et aperçoit une unique étoile qu'il ne peut situer à travers le hublot de plexiglas. Seul point de lumière froide au cœur de l'obscurité, abrite-t-elle des planètes dans son orbite? Si oui, l'homme les verra-t-il un jour? Le fil de ces pensées l'amène tout naturellement à Zoé. Que fait-elle en ce moment? Les bombes ont-elles...? Et sa famille?

Il secoue vivement la tête dans le noir.

«Ça ne va pas? demande Mouza.

— Rien, je pensais aux miens.»

Elle se serre plus près de lui, son nez contre le menton râpeux d'une barbe de quelques jours, et pose son bras autour du torse de David.

«Pourquoi ne faisons-nous pas l'amour? demande-t-elle brusquement avec un naturel désarmant.

— Ce n'est pas l'envie qui me manque, avoue-t-il sur le même ton.

— Alors?

— J'ai la stupide impression que ce serait abuser de la situation.

— J'ai également cette impression, admet-elle. Mais est-ce vraiment la réalité?»

Il n'a qu'à baisser légèrement le visage pour rencontrer les lèvres tièdes et humides. D'abord avec circonspection puis avec de plus en plus d'ardeur, leurs bouches s'entrechoquent, allumant des milliers de feux imaginaires dans l'obscurité.

«Je voudrais que le temps s'arrête éternellement ici, murmure-t-elle en se redressant sur un coude. Je voudrais qu'il n'y ait plus de ce futur que je pressens.»

Perturbant le silence extérieur, un des chiens hurle, bientôt imité par ses congénères. Elle frissonne.

«Tu as froid? demande-t-il.

— Ce sont ces hurlements. On dirait que les chiens veulent extirper de leurs poitrines la même angoisse que celle qui est au fond de la mienne.

— Les chiens ont toujours hurlé comme ça.

— Peut-être... J'ai la même impression que j'avais, dans mon enfance, lorsque le cirque itinérant remballait ses affaires et laissait derrière lui une place déserte. Après tous les cris, les rires et les jeux, il ne restait rien d'autre qu'une place goudronnée, couverte de détritus et comme abandonnée par la vie.

— Je ne savais pas qu'il y avait des cirques itinérants en URSS.

— Pourquoi pas?

— Ça doit tenir à l'opinion que l'on nous inculque sur ce pays depuis l'enfance.

— Négative?

— Bien sûr! Tout est orchestré pour que nous voyions les pays de l'Est comme des pays gris, sans âme, sans joie, peuplés d'automates humains dirigés par de vieux despotes avides de pouvoir.

— Quel gouvernement n'est pas avide de pouvoir? Les politiciens aspirent beaucoup plus à la puissance qu'au bien-être des populations.

— Ouais, c'est pareil partout.»

Elle se rapproche encore davantage de lui:

«J'espère que je n'ai rien d'un automate?

— Pas du tout! fait-il en riant. Pas du tout!

— Je crois que nous devrions réunir nos deux sacs de couchage ensemble, ce serait plus confortable.»

Cette dernière phrase dite sur un ton câlin amène un sourire sur les lèvres de David et détend l'angoisse, presque palpable, à l'intérieur du tube d'aluminium.

«Dans ce cas, je ne réponds pas de mes actes, dit-il sur un ton malicieux.

— Je l'espère bien», répond-elle en s'extirpant de son sac.

Plus rien n'empêche maintenant le contact direct de leurs corps. Sur le côté, face à face, les yeux inutilement ouverts, chacun sent fébrilement le contact des jambes, des cuisses, du ventre et de la poitrine de l'autre. De nouveau, leurs lèvres s'unissent.

«Au risque de passer pour un collégien, lui dit-il à l'oreille, je crois devoir te dire que je t'aime. Oui! je t'aime, Mouza.

— Je t'aime aussi, David.»

Ces mots banals, prononcés des milliards de fois depuis l'aube de l'humanité, il faut qu'ils les prononcent à leur tour.

À quelques mètres de là, Mamayak parle avec son frère. Des mots simples, entrecoupés de longs silences lourds de signification. Eux aussi sont gagnés par l'angoisse morbide. Les paroles qu'ils échangent cherchent surtout à anesthésier cette angoisse.

«L'Arctique n'offre rien qui puisse attirer les bombes, fait Angatkoq.

— Peut-être, mais notre peuple ne sait plus survivre comme autrefois; nous avons besoin du Sud.

— Je me le demande.

— Et les retombées radioactives? Ils en ont souvent parlé à la télévision.

— Oui, c'est inquiétant.»

De nouveau, un long silence entre les deux hommes, puis:

«Le lieutenant et la femme ont l'air de bien s'entendre, remarque Mamayak.

— Que peuvent-ils faire en ce moment?

— Que ferais-tu à leur place?

— Hi! hi! je me réchaufferais.»

Toujours sur le côté, David laisse aller ses doigts sur le buste de Mouza, émerveillé par la douceur de sa peau. Elle, de son côté, fait courir son index le long de la colonne vertébrale de David.

Un accord tacite et non exprimé les retient de se jeter littéralement l'un sur l'autre. Inexorable comme les vagues de la marée montante, ils laissent le désir les submerger. Le moindre contact mutuel de leurs chairs déclenche en eux surcharges électriques et frissons de plaisir.

Il ne peut retenir un violent sursaut qui le place en elle. Comme lui, elle a un cri bref. Surpris tous les deux, ils restent sans bouger, savourant cette fusion. Les minutes passent et ils restent ainsi, faisant assaut de volonté pour se retenir de bouger, partagés entre le désir le plus violent qui soit et une quiétude tout aussi totale.

«Je n'avais jamais imaginé ça», souffle-t-elle.

Il sourit dans le noir:

«Moi non plus.

— David...

— Oui?

— Restons comme ça tout le temps.

— Je ne veux rien d'autre.»

Petit à petit, ils écartent de leurs esprits l'ombre blafarde de la désolation qui, s'imaginent-ils, s'est abattue sur la terre. Plus rien ne compte que ce temps étiré, où la soif de l'autre se subordonne plus aux sentiments qu'aux nerfs.

Une nouvelle fois, les chiens hurlent. Que sentent-ils? Les deux amants n'en ont plus conscience, sinon comme d'un lointain hurlement face à une solitude qu'ils ont écartée pour un temps.

«Je vais voir ce qu'ont les chiens», fait Angatkoq.

Mamayak hausse les épaules:

«À quoi bon? Ils ont peur, c'est tout.»

Oreilles tendues, museau dressé vers le sud, l'un des chiens de tête tourne le dos aux voiles phosphorescents d'une aurore boréale qui ne l'intéresse pas. Aux aguets, il semble attendre quelque chose.

David et Mouza explosent au même instant, s'abandonnant totalement l'un à l'autre, donnant tous deux tout ce qu'ils ont connu, espéré et subi. David est surpris, il a connu bien d'autres femmes et il y a longtemps qu'il avait cessé de croire au miracle qu'il vient d'éprouver. Ce qui n'a été jusqu'alors que des chevauchées visant à libérer le fardeau de son sexe, s'est transformé ce soir en un abandon où lui-même, devenu outil de bonheur, le sent s'irradier dans tout son corps. Mouza aussi a eu d'autres amants mais, cette nuit, ce membre qui l'emplit et se libère en elle n'est pas seulement l'instrument de la jouissance mais celui de l'homme qu'elle aime. Le seul homme qu'elle connaisse.

Le temps passe et, oubliant tout le reste, ils s'endorment dans les bras de l'autre, le ventre assouvi, la solitude oubliée. Heureux.

MER D'OMAN

Ian Boyd semble tout droit sorti d'un livre de Kipling. Il incarne à la perfection le vieux colonel britannique ayant servi les intérêts de l'Empire sous le soleil du Bengale. De grande taille, il a un visage énergique incapable de bronzer, écarlate, surmonté d'une chevelure de neige impeccablement peignée. Sur sa lèvre supérieure, se profile une fine moustache aussi blanche que ses cheveux. Sempiternellement vêtu d'une chemisette et d'un short kaki, il n'a, en fait, jamais appartenu à l'armée ni à l'élite de Grande-Bretagne. Australien de naissance, fils d'un régisseur de plantation de canne à sucre, ses treize ans l'ont vu embarquer comme mousse à bord d'un vapeur qui assurait la liaison Brisbane - Liverpool. Depuis, il a gravi tous les échelons de la marine marchande et a fini par acquérir ce vieux *Liberty* qu'il a présentement sous les pieds et avec lequel il ne cesse de sillonner les océans. Sa dernière escale a été Bombay, où il a chargé un lot de chemisettes de coton à destination du Canada.

Pour l'instant, debout sur la passerelle extérieure, pestant comme il l'a fait toute sa vie contre la chaleur, jambes légèrement écartées pour laisser passer l'air dans ses shorts, il scrute l'horizon à la jumelle. Les nouvelles du monde ne sont pas brillantes et il demeure soucieux, appréhendant une mauvaise rencontre, de style submersible soviétique.

Quelque chose d'inhabituel semble soudain se détacher sur la ligne d'horizon. Inquiet, il règle plus précisément la molette de mise au point et finit par distinguer clairement de quoi il s'agit: un radeau pneumatique occupé par trois ou quatre personnes. Il est encore trop loin pour préciser le nombre.

«Bon sang!»

Son devoir ne lui laisse pas le choix: il doit aller au secours des naufragés. Il entre dans la timonerie et donne ses ordres afin de diriger le navire vers l'esquif.

«J'espère que ce ne sont pas des popoffs, fait-il à l'homme de barre. Si c'est le cas je les rejette à la flotte.»

Les quatre occupants du radeau regardent s'avancer vers eux le vieux cargo qui a dû être vert bouteille avant d'être couleur rouille. Quelques minutes plus tôt, en l'apercevant, ils se sont dressés dangereusement dans l'embarcation et ont fait de grands signes avec les bras dans l'espoir d'être vus. Maintenant, ils se savent repérés et attendent fébrilement l'instant où leur délivrance ne fera plus de doute. Alusia et Bessie reviennent rapidement à la réalité présente et ne cessent de s'échanger des sourires, que leurs lèvres déshydratées rendent douloureux.

«Nous sommes sauvés!» lance le pilote en constatant que le cargo, maintenant, ralentit considérablement et ne semble plus avancer que sur sa lancée.

«Qui êtes-vous?» demande un homme penché sur la proue du navire quand ils sont à portée de voix.

«Américains.

— Vous n'avez pas d'avirons?

— Négatif.

— O.K., on va aller vous chercher. Pas de Russes dans les environs?

— Nous n'avons rien vu.»

Vingt minutes plus tard, les naufragés sont sur le pont du cargo et l'équipage examine les deux femmes avec ahurissement.

«D'où venez-vous?» demande Ian Boyd.

Le pilote répond:

«Notre avion a été abattu, notre dernière escale était en Afghanistan.

— Nous revenons de l'enfer», ajoute Bessie qui, sans savoir pourquoi, tient à apporter cette précision.

Le capitaine porte son regard avec étonnement sur Alusia. Ses habits, bien que défraîchis, sont encore identifiables.

«Vous êtes religieuse?» demande-t-il.

Elle incline affirmativement la tête.

«Comment êtes-vous arrivés dans ce radeau?

— C'est une longue histoire et...»

Le pilote la coupe et s'adresse au capitaine:

«Nous ne voudrions pas avoir l'air d'abuser, mais peut-être pourrions-nous vous faire le récit détaillé de notre histoire après nous être restaurés. Nous avons faim, soif et nous nous laverions avec plaisir.»

Ian Boyd se frappe dans la paume de la main:

«Bien sûr! excusez ma curiosité.

— C'est tout normal, capitaine. Au fait, quelle est votre destination?

— Nous faisons route vers Vancouver, avec une escale à Port

Moresby où je dois compléter le chargement.

— Vous savez ce qui se passe dans le monde? reprend le pilote.

— Évidemment! mais que le monde se débrouille avec ses problèmes. Tout ce que je demande ce sont des affrètements, le reste ne me concerne pas.»

Bessie secoue la tête:

«Au rythme où vont les choses, vous n'aurez bientôt plus rien à livrer à personne.

— Qu'est-ce que j'y peux?»

Alusia répond:

«C'est ce que tout le monde se disait avant, mais aujourd'hui les événements qui ébranlent le monde sont de notre faute à tous.»

Ian Boyd ne répond pas à cette remarque.

«Mon second va vous conduire vers les cuisines», indique-t-il.

«Qui sont ces femmes? songe-t-il, maintenant que les quatre rescapés ont quitté le pont. La noire semble vraiment revenir de l'enfer comme elle l'a annoncé, et l'autre, la religieuse, paraît appartenir à un autre monde.»

«Nous n'avons plus le choix, s'écrie Boulkine. Il est inadmissible de négocier une reddition.

— Quelles sont vos suggestions, camarade? demande le Secrétaire général en fixant le Numéro un du KGB dans les yeux.

— Anéantissons l'Amérique.

— Et l'URSS par la même occasion.

— Selon tous nos calculs, il restera encore cinquante millions de citoyens soviétiques quand il n'y aura plus un survivant aux États-Unis.

— Et vous trouvez que c'est une option raisonnable? Deux cents millions de nos citoyens rayés du nombre des vivants?»

Le colonel Boulkine ne semble pas du tout troublé par ces chiffres. En fait, plus la liste des victimes de cette guerre s'allonge, plus le colonel du KGB paraît prendre de l'assurance:

«Si c'est le prix à payer pour imposer définitivement le communisme à l'échelle mondiale, je suis prêt à le payer.»

Le Secrétaire général a un regard froid. Il a envie d'ajouter: «À condition que vous, vous ne mouriez pas», mais s'en abstient.

«Pas moi, camarade colonel!»

Des yeux il fait le tour de l'assemblée.

«Qui d'autre appuie l'idée du colonel Boulkine?»

Yakkov, puis Tikhonov lèvent la main, bientôt imités par quatre autres membres. Le Secrétaire général calcule que, y compris Boulkine lui-même, sept dirigeants sur dix au total sont en faveur de la dévastation. Boulkine a-t-il donc plus de poids que lui? Dans la réalité profonde, il sait pertinemment que c'est le cas. Le KGB a finalement toujours le dernier mot. Impossible de contourner cet état de choses. Pour la troisième fois ce jour-là, une vision qui le met en rage s'impose à son esprit, sans aucun rapport avec le sujet qui préoccupe actuellement le Politburo. Il se voit allongé à côté de sa femme pendant que celle-ci gémit sous le va-et-vient de Boulkine. Elle émet des cris de plaisir aigu qu'elle n'a jamais poussés avec lui. L'homme du KGB va-t-il le dominer jusque dans son lit? Cette vision qu'il repousse avec violence s'impose pourtant chaque fois avec plus d'intensité et devient presque un fantasme. Quelque part au fond de lui, une force réclame la concrétisation de cette situation. Sans l'admettre, il suspecte une partie de lui-même de vouloir l'humiliation. Il constate, soudain, qu'il pourrait se servir de cela pour amener Boulkine à revoir sa position. Cette idée progresse dans son esprit. Ce ne serait pas compliqué: depuis longtemps il a cru remarquer l'attirance de Boulkine pour sa femme et, aussi, la complaisance avec laquelle celle-ci semble accepter ses avances déguisées.

«Je peux le tenir par le sexe», se dit-il, sans réaliser que ce qu'il a imaginé tantôt avec répulsion devient maintenant de plus en plus pressant.

Il s'adresse à tous les membres:

«Camarades, vu l'importance du sujet, je vous demande encore un temps de réflexion. Je propose que nous nous retirions chacun chez soi pour réfléchir calmement aux conséquences de cette décision.»

Chacun approuve et se retire aussitôt. Le Secrétaire général trouve son épouse occupée à feuilleter un roman sans vraiment y porter attention.

«Que penses-tu de Boulkine? demande-t-il sans autre préambule.

— Que veux-tu que j'en pense?

— Je te le demande?

— Il paraît très bien, non?»

Il reprend son souffle:

«Accepterais-tu de coucher avec lui?

— Quoi?»

Elle le dévisage avec ahurissement. Il s'explique et découvre avec stupeur qu'il jouit de la situation:

«Je crois que Boulkine a un net penchant pour toi et je veux l'amener à réviser une position.»

Elle l'observe sans parvenir à croire aux paroles qu'elle entend. Des larmes brillent dans ses yeux:

«Tu veux briser notre couple?»

Elle se ressaisit:

«C'est une plaisanterie? Hein?

— Non.

— Ce que tu me demandes est ignoble.»

Il baisse la tête pour cacher son trouble. De nouveau, la vision s'impose à lui et il veut la matérialiser. Il tergiverse:

«C'est le seul moyen que j'aie trouvé pour sauver cette planète.

Qu'est-ce que c'est après tout, si l'on y songe sérieusement? Un bon bain après, et il n'y paraîtra plus.»

Elle affiche désarroi et indignation:

«Vraiment? Tu le crois vraiment?

— Oh! ne fais pas cette tête-là, je t'ai déjà observée quand il te parle. Tu n'as pas l'air de le trouver repoussant.

— Non, il n'est pas repoussant mais je n'ai jamais songé à te tromper pour la simple jouissance. As-tu pensé seulement à ce que deviendra notre couple ensuite? As-tu imaginé que je pouvais avoir du plaisir avec lui?

— Ce n'est pas du tout comme si tu me trompais, c'est moi qui te le demande, pour l'humanité.»

Elle a un rire faux:

«Qui eût songé que mon sexe pourrait sauver l'humanité?

— Tu acceptes?

— C'est à moi de demander comment tu peux accepter que je puisse jouir dans les bras d'un autre, mais si c'est comme tu dis, il me semble que je n'ai pas le choix.

— Merci.

— Ne me remercie pas, tout le plaisir sera pour moi», raille-t-elle.

Le cœur battant, il décroche le téléphone et compose le numéro interne de l'appartement de Boulkine. Celui-ci répond immédiatement:

«Oui?

— Camarade colonel? C'est le Secrétaire général. Pourriez-vous passer chez moi quelques minutes?

Il sent la surprise à l'autre bout du fil.

«Certainement! J'arrive immédiatement.»

Le Secrétaire général raccroche et se tourne vers sa femme.

«Il arrive, dit-il simplement. Tu pourrais peut-être aller prendre une douche.»

Elle le regarde longuement sans afficher la moindre réaction, puis s'en va dans la salle de bain.

Boulkine a un air interrogateur en pénétrant dans l'appartement.

«Entrez, camarade, l'invite le Secrétaire général. Installez-vous. Une petite vodka?

— Plutôt du scotch, si vous en avez.»

Le Secrétaire général acquiesce et va préparer deux verres.

«Vous devez vous demander pourquoi je vous ai fait venir?» demande-t-il.

«Vous désirez sans doute m'amener à réviser mes positions?»

Le secrétaire général exhibe un léger sourire:

«Ça et autre chose.

— Autre chose?

— Depuis quelque temps, j'ai cru remarquer qu'il existait un léger froid entre nous. Je crois qu'il est grand temps de dissiper ce malentendu.

— Pour ma part, je n'avais rien remarqué mais si vous pensez que tel est le cas, je ne vois vraiment pas ce qui pourrait nous opposer?»

Vêtue d'un simple déshabillé plus révélateur qu'autrement, la Première dame pénètre dans la pièce.

«Oh! fait-elle, mimant la confusion. Je ne savais pas que...

— Ce n'est rien ma chérie, le camarade colonel a dû en voir bien d'autres. N'est-ce pas, colonel?»

Un instant surpris, Boulkine devine rapidement ce qui se passe. Un sourire glacial effleure ses lèvres. Le jeu ne lui déplaît pas.

«Rien d'aussi charmant», affirme-t-il.

Il n'est pas autrement étonné de la voir s'installer dans le fauteuil en face du sien.

«C'est la première fois que vous nous visitez, colonel, dit-elle comme si elle ne s'attendait pas à cette visite machinée par son mari. Que nous vaut ce plaisir?

— Je suis ici sur l'invitation de votre époux.»

Ce dernier acquiesce, incapable d'ignorer l'œil de Boulkine qui se perd à l'endroit du déshabillé de sa femme, où apparaît la ligne sombre de sa toison.

«Quelques points à régler, dit-il.

— Rien de grave, j'espère?»

Boulkine secoue la tête:

«Tout est déjà arrangé, assure-t-il.

— Bon! tant mieux! Si je peux faire quelque chose...»

Le Secrétaire général remarque combien les pointes sombres des seins de sa femme sont tendues sous le léger tissu.

«La garce, se dit-il. Elle est en chaleur, ce Boulkine est-il tellement séduisant?»

643

«Tu peux faire quelque chose, l'assure-t-il, d'un ton rauque qui n'échappe pas à Boulkine.

— Tout ce que vous voudrez», fait-elle d'une voix innocente.

Le Secrétaire général a un sourire à l'adresse de Boulkine. Celui-ci se lève et le plus naturellement du monde va prendre la Première dame par la main.

«Allons-y tout de suite, dit-il. Nous n'avons pas grand temps avant la reprise de la réunion.»

La Première dame lui tend la main et se redresse comme si tout était convenu depuis longtemps. Sidéré, le Secrétaire général les suit bêtement vers la chambre. Déjà Boulkine ôte ses vêtements et les dépose impeccablement sur une chaise. Le Secrétaire général n'avait pas imaginé que ça se passerait aussi abruptement, et il reste planté sur le seuil. Boulkine lui jette un regard:

«Ah! fait-il. Vous voulez participer également. Je n'y vois pas d'objection. C'est toujours mieux à trois.»

Se sentant littéralement diminué, le Secrétaire général, comme un zombie, entreprend lui aussi d'ôter ses vêtements.

Il voit sa femme assise sur le bord du lit, qui attend en se mordillant les lèvres, le souffle court. Il lui en veut de montrer autant d'impatience.

Il a encore ses pantalons lorsqu'il voit Boulkine intégralement nu, beaucoup plus sec que lui, se présenter à sa femme pour l'aider à se débarrasser de son déshabillé. Pour la première fois depuis des années, le Secrétaire général sent venir une érection qui ne doit rien à la papavérine. Un poids énorme dans la poitrine, il voit Boulkine dressé devant sa femme, tenant son sexe d'une main et imprimant à celui-ci des mouvements concentriques autour de la pointe des seins. Il sent des larmes monter dans ses yeux en voyant ceux de sa femme se fermer sous la caresse lubrique. Presque timidement, comme dans le fantasme de tout à l'heure, il va s'allonger à côté d'elle et lui passe le bras autour des épaules quand elle se renverse sous le poids de Boulkine.

«Votre épouse est exquise», s'exclame ce dernier avant de se baisser pour prendre le clitoris entre ses lèvres.

Paralysé, le Secrétaire général observe sa femme se cambrer sous des caresses qui ne sont pas les siennes. Brusquement, comme s'il n'était pas là, Boulkine se redresse et la pénètre sans transition.

«C'est bon? fait-il d'une voix anormalement posée.

— Oui! oui!» s'écrie-t-elle.

Une avalanche mêlée de honte, d'humiliation et de désir déferle dans le crâne du Secrétaire général.

«Vous savez, lui dit Boulkine en poursuivant un puissant va-et-vient, je ne changerai pas d'idée, nous devons anéantir les USA.

— Vous ne pouvez...»

Le Secrétaire général se tait: Boulkine vient de lui empoigner le pénis et commence à le masturber. Incapable de faire quoi que ce soit, il se laisse manipuler avec l'impression que le monde s'écroule sur lui.

Sa femme exhale maintenant un cri à chaque poussée. Il a l'impression que le colonel la maîtrise mieux que lui ne l'a jamais fait. Il ne trouve pas la volonté nécessaire pour se dégager de la main du colonel.

Soudainement, Boulkine se retire, s'assoit en tailleur sur le lit, attire sans ménagement le Secrétaire général et l'oblige à s'installer en face de lui, jambes emmêlées, jusqu'à ce que leurs sexes se touchent, côte à côte, dressés vers le plafond.

«Votre épouse mérite bien un petit spécial», dit-il au Secrétaire général, totalement paralysé par sa propre luxure.

Sur ces paroles, le colonel attire la Première dame qui les observe avec stupéfaction et l'aide à se glisser entre eux. Comme il se laisse aller vers l'arrière, elle absorbe les deux pénis dans son vagin avec un hurlement qui traverse les murs. Le Secrétaire général ne pense plus à rien, seulement conscient du mouvement de son épouse et de son lubrifiant, aspergeant leurs testicules réunis. Avec humiliation, il se rend soudain compte qu'elle est tournée vers Boulkine et que celui-ci profite seul de l'abandon de sa femme. Voulant la rappeler à lui, il tend ses mains pour lui prendre les seins, mais rencontre celles de Boulkine qui s'en sont déjà emparées. Son désarroi ne fait pourtant qu'ajouter au désir malsain qui le submerge; bientôt, incapable de se contenir davantage, il explose en solo et n'a d'autre choix que de se retirer. Couché en chien de fusil, anéanti moralement, commençant à prendre conscience de l'étendue du désastre qu'il a lui-même créé, il assiste impuissant à la poursuite des ébats entre sa femme et l'homme qu'il déteste. Il le voit la retourner, la prendre par derrière et rencontre son œil froid et narquois.

«Vous avez fini? demande l'autre négligemment. Vous savez

que les fesses de votre femme sont superbes. Vraiment superbes, merci.»

L'humiliation est sévère et pourtant, chose incroyable, le Secrétaire général sent de nouveau le désir monter en lui. À cheval sur la femme, Boulkine une nouvelle fois s'empare de son sexe.

«Jouissez, madame, je m'occupe de votre mari.»

La Première dame pousse de nouveau un hurlement et s'écroule enfin, les sens repus. Se retournant, elle aperçoit le sexe toujours tendu du colonel:

«Vous êtes membré comme un étalon, camarade.

— Je suis heureux que cela vous plaise.

— À mon tour de vous faire plaisir.»

Elle s'avance vers lui, engouffre le pénis dans sa bouche et plonge son regard dans celui de son mari.

S'arc-boutant, Boulkine abandonne le Secrétaire général qui le voit s'épancher, tout comme il la voit déglutir, les yeux toujours braqués dans les siens.

Tout est terminé. Sans plus de façon que s'il venait de prendre une douche, Boulkine se rhabille.

«Merci encore!» lance-t-il en quittant la chambre.

Le Secrétaire général ne bouge pas: il en veut à Boulkine, à sa femme, à lui-même, au monde entier. Il se sent écrasé, piétiné, blessé au plus profond. Jamais plus il ne pourra se regarder en face. Il ne peut retenir une lamentation:

«C'est moi qui ai fait ça», sanglote-t-il.

Sa femme ne fait aucun geste pour lui remonter le moral.

«Il faudra renouveler ça», dit-elle simplement comme si elle s'adressait à un étranger. «Je viens de me découvrir un côté que je ne connaissais pas.»

Le Politburo est de nouveau réuni. Tous remarquent la mine abattue du Secrétaire général et tous, sauf Boulkine, attribuent cet état au choix que doit faire le Numéro un.

«Après mûre réflexion, annonce enfin ce dernier, je dois vous informer que je me range sans réserve à l'avis du camarade colonel Boulkine. Nous devons anéantir l'ennemi une fois pour toutes. Immédiatement.»

«Ce monde est trop pourri», ajoute-t-il pour lui-même.

DOOMSDAY, CIEL D'ARIZONA.

Tout est consommé. Ce qu'ils éprouvent n'a plus rien à voir avec la peine, la douleur ou l'angoisse: c'est quelque chose de beaucoup plus fort, beaucoup plus dur. Ce qui a été n'est plus et ne sera plus jamais. Déjà, dans la tête du Président, de Yeager, de Steelman ou de Sheila Hemingway, surgissent les images fantômes d'un passé à jamais englouti.

Plus tôt, c'est déjà une autre époque, NORAD a annoncé le déversement massif de missiles sur tous les points de l'horizon. Après confirmation, le Président a donné l'ordre de la riposte et le SIOP aux neurones de silicone a pris les choses en main. Les bombardiers ont traversé l'Arctique, les submersibles sont remontés des profondeurs marines, les silos des plaines ont craché la puissance destructrice qui ne devait jamais servir. Les *Peace Keeper*, enfouis dans le Dakota et représentant chacun cent mille fois Hiroshima, ont pris le ciel d'assaut et semé une destruction effroyable dans l'autre partie du globe. De même, les SS-18 de trente mégatonnes ont quitté les steppes de Sibérie pour creuser des cratères dans les plaines du Midwest, anéantissant, chacun, tout ce qui se dressait ou vivait dans un rayon de cinquante kilomètres. De part et d'autre, les antagonistes ont déclenché toute la puissance disponible dans le but bien déterminé d'anéantir l'adversaire.

Le Président vient de terminer la lecture des premières statistiques surgies d'un télex crépitant:

EXTERMINATION: 84% DE LA POPULATION
DESTRUCTION : 100% DES ÉQUIPEMENTS PORTUAIRES.
DESTRUCTION : 100% DES RAFFINERIES ET CENTRALES.
DESTRUCTION : 96% DE L'INDUSTRIE LOURDE.
DESTRUCTION : 92% DES RÉCOLTES
DESTRUCTION : 94% DES PRODUCTIONS DE VIANDE
DÉVASTATION : 42% DE LA VÉGÉTATION NATURELLE.

La liste se poursuit, froide et inexorable. Il reste donc environ quarante millions de survivants qui se trouvent dès à présent confrontés au choc, à la famine, aux épidémies et aux retombées. Toujours aussi statistiques, les rapports indiquent, chiffres à l'appui, qu'à peine cinq pour cent de ces survivants réussiront, peut-être, à passer le cap des six prochains mois. Tout effort en vue de relever la nation serait vain dans un avenir prévisible. À cela il faut ajouter deux éléments qui n'ont pas encore été pris en considération: les variations climatiques et écologiques, qui peuvent fort bien réduire à zéro toute chance de survie sur le continent nord-américain.

À l'intérieur du 747 modifié, personne ne trouve le courage de prononcer un mot sur ce qu'il ressent. Chacun sait que tout est fini. Le jeu est terminé. Trente mille pieds plus bas, c'est le soufre, le feu, la poussière, la douleur et la mort. Plus que la mort, l'oubli. Tel un kaléidoscope, les visions de ce qui a été une nation, un style de vie, s'enchaînent dans la tête du Président comme le bouquet final d'un feu d'artifice avant que ne retombe l'obscurité, avant que ne s'achève la fête. George Washington, Marilyn Monrœ, le World Trade Center, Yellowstone, Sinatra, Martin Luther King, *Pepsi Cola*, William Faulkner, le *Golden Gate*, Harvard, les Pères fondateurs, Gary Cooper, Gershwin, Cape Kennedy, Mark Twain, la *MGM*, Park Avenue, Sunset Boulevard, Collins Avenue, Fort Alamo, *Exxon*, Neil Armstrong, *Bœing*, *General Motors*, *IBM*, *McDonald's*, Rockefeller, le Bronx, Louis Armstrong, Kid Ory, Mickey Mouse, *Dr. Pepper*, Dolly Parton, Santa Fe, le Swing, Chicago, Elvis Presley, les *Cadillac*, les sorcières de Salem, Lincoln, Tennessee Williams, Jane Fonda, Sitting Bull, le Vieux Carré. Tout cela et le reste, disparu. Disparu à tout jamais le visage des autres. Effacé de la mémoire de l'humanité. Un jour peut-être, dans dix ou trente mille ans, si l'humanité arrive jusque-là, s'établiront une autre nation, d'autres hommes, une autre histoire. Celle de l'Amérique, elle, est terminée. Le dernier exemplaire d'un vieux roman refermé et jeté après usage.

Le reste du monde ne vaut guère mieux, ce vieux monde d'où sont venus ceux qui ont forgé l'Amérique depuis les temps reculés où des nomades d'Asie ont foulé pour la première fois les marécages glacials de la Béringie.

Jonathan Yeager se présente au Président. Il a les yeux rouges. Qu'est devenue sa famille?

«Et maintenant, monsieur le Président, que fait-on?»

Le Président lève un regard las vers le pilote:

«Président? président de quoi?»

Yeager hausse les épaules:

«Je ne sais pas.»

Yeager n'a aucune envie de soutenir cet homme. Il ne le tient pas pour responsable, pas plus que lui ou n'importe quel autre, mais il n'a aucune envie de lui raconter des histoires.

«Moi non plus, fait le Président. Pour en revenir à votre question, atterrissez où vous voulez.»

Il fronce les sourcils.

«Ou plutôt non, arrangez-vous pour ravitailler l'appareil et mettez le cap sur la Nouvelle-Guinée.

— La Nouvelle-Guinée?»

Le Président jette un coup d'œil à Sheila Hemingway assise non loin, la tête appuyée contre un hublot, les yeux embués de larmes.

«Oui, la Nouvelle-Guinée.»

Il n'ajoute pas qu'il choisit une telle destination parce que sa femme a également pris cette direction. Yeager ne semble pas comprendre ni approuver le choix du Président. Il lui paraît lâche de fuir:

«Excusez-moi, reprend-t-il. Mais qu'allons nous faire en Nouvelle-Guinée?

— Rien, colonel! Absolument rien! Ce que nous aurions toujours dû faire.

— Je ne vous comprends pas, monsieur?

— Cultiver ses fraises et ses tomates, élever ses poules et ses lapins, aimer les jolies femmes et s'extasier devant le soleil couchant, voilà les seules choses qui devraient compter dans la vie d'un homme.

— Ma femme et mes enfants sont en bas, dit Yeager. Peut-être ont-ils survécu.»

Le président n'ose pas le regarder dans les yeux. Lui se sent responsable. Totalement responsable.

Un peu plus tard le *747* met le cap au sud, est ravitaillé en vol par un appareil en provenance du secteur américain à Panama et part à la poursuite du soleil.

FÉCAMP, FRANCE

Comme tant d'autres villes en France, Rouen et le Havre ont eu leur part: une mégatonne chacune. Outre la destruction totale de ces villes, les régions environnantes doivent maintenant affronter la famine et les retombées radioactives. Vivianne Toussaint, Didier et Chantale sont assis tous trois autour de la table de la cuisine. Il n'y a plus rien dans les placards, plus d'électricité, plus de gaz. Ils ont faim. Très faim. Chacun ne peut que contempler les marques de détresse sur le visage des deux autres.

«Maman, qu'allons-nous faire?» demande Chantale une nouvelle fois.

Ils ont fait le tour de la ville sans trouver quoi que ce soit à acheter ou même à chaparder. Les magasins d'alimentation ont été dévalisés et leurs vitrines béantes ne s'ouvrent que sur des étagères vides. Les chiens et les chats se sont volatilisés. Sur le port ou sur la plage, ceux qui possèdent des armes guettent les rares mouettes survivantes. Les pigeons qui, de mémoire d'homme, ont toujours élu domicile à l'Abbatiale ou à la Trinité sont également disparus. Les vaches ne broutent dans les champs contaminés que sous la surveillance armée de leurs propriétaires, et nombre de ceux-ci ont déjà été assassinés.

«Il n'y a pas trente-six solutions, fait Didier, les yeux brillants.

— Quoi? demande sa sœur.

— Je vais aller chercher à manger. J'ai trop faim.

— Tu sais bien qu'il n'y a plus rien, répond sa mère avec lassitude. Nous en revenons chaque fois les mains vides.

— J'ai mon idée. On ne va pas rester ici à crever d'inanition.»

Sur ces mots, il se lève et sort de la maison.

«Que va-t-il faire?» demande Chantale à sa mère.

Vivianne Toussaint ne répond pas. Elle sait parfaitement ce que veut faire son fils. La veille encore, elle aurait envisagé cette initiative avec horreur, aujourd'hui... la faim est trop forte.

Didier n'est pas le seul à avoir songé à cette solution et déjà chacun surveille l'autre avec un mélange de méfiance et de calcul.

Il prend une hache dans l'appentis derrière la maison et se dirige résolument vers la chaumière voisine, qu'il sait habitée par un couple de rentiers. De la viande pour quelques jours.

Une détonation retentit d'une fenêtre avant même qu'il ne franchisse le seuil. Touché au cœur, il s'écroule. Doucement, la porte s'ouvre; armé d'un calibre 12, le voisin regarde à droite et à gauche, et s'active à attirer le corps par les pieds à l'intérieur de la maison.

«Voilà de la bouffe», fait-il à l'adresse de sa femme.

Vivianne et sa fille, qui se sont brusquement précipitées à la fenêtre au bruit de la détonation, voient horrifiées la dépouille de Didier disparaître chez les voisins.

Les traits hagards, Vivianne se dirige vers le tiroir du buffet, prend le couteau à découper le roast-beef et, sans plus réfléchir, s'ouvre la poitrine en manquant le cœur de quelques millimètres.

«Maman!»

Vivianne Toussaint a juste la force de prononcer quelques paroles avant de sombrer dans le néant:

«Chantale, fais bon usage de moi. Je t'en supplie.»

Hurlante, la jeune fille se porte les mains à la tête et lorsqu'elle les retire, des mèches entières restent accrochées entre ses doigts.

MER D'ARAL, R.S.S. DU KAZAKHSTAN.

Smolosidov palabre depuis quelques secondes avec le garde taman posté à l'entrée de la salle du Conseil.

«Tout cela est tragique», dit-il en parlant des événements qui se déroulent à la surface.

Ses yeux se posent sur le pistolet-mitrailleur du garde:

«Belle arme; AK-74?»

Le garde fait signe que oui.

«Je peux voir?»

Le garde hésite une seconde avant de lui tendre l'arme. Aussitôt, Smolosidov abandonne toute bonhomie et le met en joue:

«Entre là-dedans, camarade», intime-t-il en désignant la salle.

Surpris et effrayé, le garde obtempère.

Ils sont tous là, l'élite de ce qui a été l'URSS. Ils le regardent avec stupeur: le sourire qu'il arbore ne laisse aucun doute sur ses intentions.

«Bande de porcs puants! hurle-t-il. Le communisme est mort!»

Il presse la détente dans un mouvement balayant. En quelques secondes, tout est réglé.

D'autres gardes accourent sur place et trouvent Smolosidov penché sur le corps du garde taman.

«J'ai réussi à le désarmer. J'ai dû l'abattre, explique-t-il. Pourquoi a-t-il fait ça?»

Du doigt il désigne les corps sanguinolents de ceux qui croyaient instaurer un nouvel ordre planétaire dont ils seraient les maîtres.

MER DE TIMOR

Même si la nuit est tombée depuis plus de deux heures, la chaleur moite est accablante et colle à la peau. Sur le pont arrière du yacht, allongé sur un transat, vêtu d'un simple maillot de bain, paupières mi-closes, Isaac Reeves Helmann s'efforce d'oublier que le monde qu'il a connu n'est plus qu'un souvenir. À deux mètres de lui, la Présidente, dans la même tenue, est dans un état d'esprit semblable. Non loin de là, accoudée sur le bastingage, presque hypnotisée, Trinidad observe les reflets de la lune dans le sillage laissé par le bâtiment.

«Plus rien ne sera jamais pareil», dit la Présidente, comme s'il s'agissait là d'une profonde découverte philosophique.

Helmann soulève davantage une paupière et l'observe dans la clarté laiteuse. Le statut de la Présidente, plus que ses formes somme toute ordinaires, l'amène une fois de plus, depuis le début du voyage, à la désirer. Il est certain qu'elle, de son côté, a des idées semblables, mais si ce n'est pas le cas, comment faire pour le savoir sans la froisser?

«Baiser la Présidente, fourrer ma queue dans le même trou mignon que le Président, quel pied!»

«Il vaut mieux ne pas penser à ces choses, lui suggère-t-il. Nous deviendrions fous.

— Comment ne pas y penser?

— Je crois qu'il faut trouver d'autres sujets...»

Comme si elle le suivait dans les détours de ses pensées, elle se pose à voix haute une question pertinente.

«Je voudrais bien savoir où se trouve mon mari?»

Ils ignorent que le Président les a devancés en Nouvelle-Guinée.

Il ne peut qu'être en sécurité, assure Helmann. Le redressement du pays doit mobiliser toutes ses énergies.

«Quel redressement, monsieur Helmann?

— Je vous ai demandé de m'appeler Isaac.

— Très bien Isaac, quel redressement?

— Nous ignorons vraiment dans quel état se trouvent les États-Unis.

— Les dernières nouvelles que nous avons en provenance de Panama sont pourtant éloquentes.

— Je me demande si nous devons leur accorder entière crédibilité.

— Une chose est certaine: notre pays, qui avait le plus gros réseau de communications au monde, n'émet plus rien.

— Ça ne veut peut-être rien dire.»

Ces conversations agacent Helmann, qui préfère maintenant tout ignorer et faire comme si rien n'avait changé. Il ne veut pas admettre que tout ce qu'il a connu n'est plus: cela reviendrait également à dire que sa puissance, si chèrement acquise, ne correspond plus à rien. Plutôt se vautrer dans les plaisirs de la chair.

Consciente du regard de Helmann posé sur elle, la Présidente s'étire avec une feinte indolence. Au début, elle s'amusait à ce petit jeu, mais depuis quelques jours la chaleur qui va croissante, le sentiment d'un gâchis irrémédiable, tout cela plante dans sa chair les banderilles d'un désir charnel depuis longtemps endormi.

«La mort, la désolation et la chaleur forment tout un cocktail aphrodisiaque, se dit-elle. Suis-je une «belle au bois dormant» qui attend qu'un prince lubrique vienne raviver un feu qui couve sous la cendre depuis trop longtemps?»

Physiquement, Helmann n'est pas particulièrement séduisant, mais il y a en lui quelque chose de trouble et de malsain qui, justement, éveille un écho au creux du ventre de la Présidente.

La transpiration humidifie son maillot, la faisant apparaître presque nue au regard de son voisin. Elle le sait et en éprouve de délicieuses palpitations. Comme négligemment elle pose sa main à l'endroit de son pubis.

«Cette chaleur est terrible, fait-elle en apercevant Trinidad qui porte toujours ses vêtements de service, je me demande comment elle fait pour supporter tout ce linge?

— Ces gens-là sont habitués à la chaleur.»

Une idée surgit dans le cerveau de la Présidente:

«Comment la trouvez-vous?» demande-t-elle en dissimulant un sourire moqueur.

Il a compris le vrai sens de la question mais fait l'innocent:

«C'est à moi de vous le demander, c'est pour vous qu'elle travaille.

— Je voulais dire physiquement, Isaac.

— Étrange question, elle est très jeune.

— Quinze ans? Seize ans?

— Sûrement! Pas plus.

— Vous ne répondez pas à ma question.

— J'ai répondu.

— Non, vous avez dit qu'elle était jeune. Ce que je voulais savoir c'est si vous la trouvez désirable?»

Il se redresse:

«Quel est le sens de cette question?

— Vous tournez autour du pot. J'ai toujours pensé que les hommes mûrs avaient un penchant pour les petites jeunettes, surtout lorsqu'elles sont exotiques.

— Pas moi!

— Vous savez, je n'ai rien contre, et même si je n'ai jamais trompé mon mari, je pars du principe que tout ce qui fait plaisir est bon.

— Tout?

— Pourquoi pas?

— Il y a quand même des règles sociales. Des marques de civilisation.

— Bien sûr, et l'interdit ne fait qu'ajouter au plaisir.»

Elle se tait quelques secondes avant de continuer sur un ton monocorde:

«Pourtant, il m'arrive parfois de m'égarer mentalement dans une contrée inerte et sans âme, un no man's land blafard où la loi sexuelle, et par là la Loi, est abolie. Un monde, Isaac, où les corps s'échangent au hasard sans distinction de sexe, de race, d'âge ou d'apparence. Une copulation totale sans peur, sans contrainte, sans distinction de personnalité, en un mot, le règne de la viande. La fin du moi et de l'humain, dans ce qui le caractérise au plus profond. Oui! parfois, je songe à cette orgie globale où, peau contre peau, membres contre membres, tous, vagins, pénis, bouches et anus mélangés, s'unissent dans une infernale sarabande de jouissance.»

Le ton de la Présidente se fait plus intime:

«Isaac, je vous ai déjà vu regarder Trinidad.

— Je vous assure que vous faites erreur.

— Me permettez-vous de vérifier?

— Comment cela?»

Sans répondre, la Présidente tourne la tête vers Trinidad et l'appelle par son prénom.

Celle-ci regarde vers elle puis s'approche.

«Dites-lui qu'il fait trop chaud pour porter tous ces vêtements.

— Où voulez-vous en venir?

— Vous verrez.»

Helmann hausse les épaules et s'adresse à Trinidad dans sa langue:

«La Présidente trouve qu'il fait très chaud, elle demande que tu ôtes tes vêtements.»

Trinidad le regarde, surprise.

«J'aurai aussi chaud sans vêtements, monsieur.

— Fais plaisir à la Présidente, elle veut que tu te déshabilles.

— Je n'ai pas de maillot de bain.

— Tu as des petites culottes?

— Oui, mais...

— Alors, fais plaisir à la Présidente. Tu lui donnes chaud, habillée comme tu es.»

Trinidad se tourne vers sa maîtresse, qui lui fait un signe affirmatif de la tête. Elle ne sait pas ce que tout cela veut dire, mais si ça peut leur faire plaisir, pourquoi pas?

Sans aucune affectation, elle se débarrasse de son linge et se retrouve en petites culottes blanches entre les deux transats, inconsciente de l'effet qu'ont ses jeunes seins sur Helmann, qui la contemple le souffle court.

La présidente s'est penchée sur le côté:

«Isaac, vous m'avez menti, lance-t-elle sur un ton taquin.

— Que voulez-vous dire?

— Excusez mon impertinence, mais vous avez une érection ou je n'y connais rien.»

Helmann constate de visu que son maillot a pris des proportions grotesques et reste sans voix.

«Je peux vous la prêter pour la soirée, fait-elle ironique. Rassurez-vous, je n'ai pas été élevée en Nouvelle-Angleterre.

— C'est vous que je désire», articule-t-il.

C'est au tour de la Présidente de rester sans voix pendant plusieurs secondes.

«Vous voulez profiter de ce climat, susurre-t-elle après effort.

— Je ne vous suis pas?

— La chaleur, Isaac. Vous connaissez ses effets sur nous, pauvres créatures des pays tempérés.

— Essayez-vous de me faire comprendre que, vous aussi, vous me désirez?»

Elle claque ses mains à plat sur ses cuisses:

«Je ne sais pas ce que c'est... La chaleur, la nuit, la mer, votre maillot qui s'étire ou tout cela ensemble? Mais mon corps réclame quelque chose.»

Elle se redresse.

«Excusez-moi, je crois que je vais aller prendre une douche froide.

— Ne partez pas.»

Mais sans l'écouter elle se lève et quitte le pont précipitamment, laissant Helmann fou de désir. Trinidad, qui se trouve toujours entre les deux transats, a tout suivi sans rien comprendre. Elle sent la main de Helmann s'agripper à son bras et, avant qu'elle ne puisse réagir, se trouve renversée sur le transat alors que Helmann s'est relevé. Avec terreur, elle le voit se débarrasser de son maillot et comprend ce qui lui arrive en même temps qu'elle se rappelle les paroles de son père lui interdisant de faire comme Rosa. Elle tente de se débattre, sans succès: il se vautre sur elle de tout son poids. Elle hurle sous la souffrance provoquée par la barre de feu qui lui laboure sauvagement les entrailles. Quelques instants plus tard, grognant, il s'extravase en elle. Horrifiée à la pensée d'avoir un bébé, elle profite de l'abandon momentané de l'homme, le repousse avec ses pieds et court tremblante vers le bastingage où il la poursuit. Sous l'effet de la douleur elle se plie en deux mais, comme il l'aborde, elle se redresse brusquement et sa tête rencontre le plexus solaire de Helmann qui, déséquilibré dans sa précipitation, passe par-dessus le bastingage.

Dissimulée derrière un manche à air, la Présidente a tout suivi en se masturbant. Elle atteint l'orgasme à l'instant même où Isaac passe par-dessus bord. Elle se mord le bras pour ne pas hurler.

«Je n'ai jamais joui avec autant de force, songe-t-elle pantelante. Ouah!»

Atterrée, Trinidad voit Helmann s'enfoncer dans les eaux noires et disparaître. Tout ceci n'a, à sa connaissance, attiré l'attention de personne. Chancelante, elle traverse le pont, revient sur ses pas, ramasse le maillot de Helmann, s'en sert pour essuyer le sperme qui dégouline entre ses cuisses, le jette à la mer puis regagne sa cabine, bien décidée à ne rien conter de tout cela à personne.

Elle pleure toute la nuit en pensant à Rosa, à son père et à sa mère. Sans s'en expliquer les raisons, elle est persuadée qu'elle ne les reverra jamais.

«Pourvu que je n'aie pas de bébé», murmure-t-elle juste avant de s'endormir, à l'aube d'un sommeil sans rêve.

OCÉAN GLACIAL ARCTIQUE

Excepté l'effroyable envolée du missile destiné à Waterloo, David, Mouza, Mamayak et Angatkoq n'ont eu aucune connaissance de l'apocalypse qui a suivi. Cependant, depuis quelques jours ils ne peuvent manquer de remarquer certains changements. À commencer par la clarté du ciel: ils ne sont pas encore totalement entrés dans la période de nuit polaire et pourtant, en plein jour, tout est beaucoup plus sombre que la normale. Ils remarquent aussi la fine pellicule de poussière grise qui recouvre le pack, et cela, David croit savoir à quoi l'attribuer.

C'est dans un état d'esprit angoissé qu'ils abordent les côtes de l'Alaska. Les chiens, épuisés, sont efflanqués; et l'approche a été ralentie du fait que le pack, aux abords des côtes, en cette saison, n'offre pas encore une totale solidité homogène. Cela mis à part, Mamayak s'est révélé un guide excellent: c'est bien Barrow qui s'élève droit devant eux.

David se tourne vers Mouza et désigne la côte du doigt:
«L'Amérique», fait-il.

Le ton n'y est pas; Mouza n'est pas la seule à aborder l'inconnu.

«Je suis contente», répond-t-elle néanmoins, avec un sourire plein d'amour à l'adresse de David.

Au fur et à mesure qu'ils progressent, l'absence de toute activité humaine ne fait qu'augmenter leur angoisse. En temps ordinaire, quelqu'un viendrait certainement à leur rencontre sur une moto-neige. Mais là, rien.

David s'avance à la hauteur de Mamayak:
«Qu'est-ce que tu en penses?» demande-t-il.

L'Inuk secoue la tête:
«Pas bon.

— On dirait qu'il n'y a personne?»

Barrow est une petite communauté principalement peuplée d'Inuit et de prospecteurs pétroliers. Les quelques habitations semblent abandonnées.

«Je vais faire le tour», décide Mamayak.

David hoche la tête en signe d'assentiment et se dirige avec Mouza vers l'une des habitations. La porte n'est pas fermée à clef. À l'intérieur tout semble normal, hormis l'absence d'électricité; la seule chose anormale est qu'il n'y a absolument plus de nourriture dans les placards. David avise un poste de radio:

«Il faudrait mettre les groupes électrogènes en marche, dit-il. Nous aurions des nouvelles.»

En se dirigeant vers la petite centrale, ils visitent d'autres habitations, qui présentent toutes le même aspect.

«Transpose cela dans un désert de sable chaud, ajoute quelques touffes d'herbes folles, et tu as planté la parfaite ambiance pour un western, remarque David, sur un ton qui se veut ironique.

— J'ai peur», dit Mouza.

Il la prend par les épaules:

«Il doit y avoir une explication.

— C'est justement l'explication qui me fait peur.

— Ne paniquons pas, nous sommes vivants et... ensemble.»

Les groupes électrogènes sont en parfait ordre. David n'a aucune difficulté à les mettre en marche. Curieusement, le bruit des moteurs diesel les réconforte. Il y a longtemps qu'ils n'ont pas entendu un bruit mécanique, le bruit de la civilisation.

Ils retournent dans une habitation et le premier geste de David est d'ouvrir la radio multi-bandes qui s'y trouve. Rien. Sur toutes les longueurs d'ondes, c'est le même silence, peuplé par ce qu'il appelle en temps ordinaire les chants du cosmos. Au fur et à mesure qu'il syntonise les différentes bandes, David sent s'accélérer le rythme de son cœur. Il doit finalement se rendre à l'évidence que les ondes sont aussi désertes que du temps de Jules César.

Mouza et lui se regardent sans dissimuler leur angoisse. Refusant ce silence radio, David reprend une à une toutes les gammes d'ondes courtes. Il s'apprête à abandonner définitivement lorsqu'il entend passagèrement une voix. Doucement, il revient en arrière et la retrouve:

«...Ne devez absolument pas vous nourrir de cadavres. Ceux-ci doivent être brûlés. Il ne reste plus de blé aux dépôts 3 et 4 mais vous trouverez encore du maïs dans les autres. Nous rappelons qu'il n'y a plus désormais de milice officielle, chacun est appelé à observer le civisme qui s'impose et à ne pas rendre la justice de façon abusive. Et voici maintenant l'absolution horaire du pasteur Truman...»

N'en supportant pas davantage, David prend l'appareil dans ses mains et l'envoie brutalement heurter le mur en face de lui.

«Ils l'ont fait! s'écrie-t-il. Ils ont tout bousillé!»

Cette fois, c'est Mouza qui le prend par les épaules:

«Tu as dit que nous étions vivants, dit-elle. Il ne faut pas sombrer.»

Il la regarde un instant, hagard, puis se ressaisit.

«Tu as raison. Excuse-moi, tout ceci est tellement...»

Il ne trouve pas de mot pour exprimer ce qu'il ressent. Il n'en a pas besoin, Mouza le sait parfaitement.

Ils quittent l'habitation juste comme Mamayak et son frère sont de retour. Sans entrer dans les détails, David raconte ce qu'il a entendu à la radio.

«Je m'en doutais, dit Mamayak. De notre côté nous n'avons rencontré personne. D'après ce que nous avons pu voir, ce doit être le manque de nourriture qui a poussé les gens à partir.

— Où? demande David.

— J'imagine qu'ils doivent suivre les ours. Il n'y a plus ni chiens, ni traîneau, ni motoneige. Ah! si, une bonne nouvelle toutefois: il reste un avion à l'aéroport.

— En bon état?

— Apparemment.

— Allons-y.»

C'est un *Falcon 50,* dont le livre de bord indique qu'il vient du Japon. David n'arrive pas à comprendre pourquoi il se trouve là sans ses propriétaires ou occupants.

Ils passent le reste de la journée à charger les accumulateurs et à faire le plein. Juste avant la nuit, David essaye les trois réacteurs, qui ronronnent allègrement.

«Ça fait toujours plaisir d'avoir ça sous la main. Nous allons pouvoir vous reconduire chez vous, dit-il aux Inuit.

— Je ne sais pas ce qu'est devenu chez nous», réplique Mamayak.

David ne sait que répondre. Il se demande, lui, ce que sont devenus les siens. Le ranch de ses parents est au nord d'une région truffée de silos nucléaires.

Angatkoq s'est employé à faire démarrer la pompe à eau d'une habitation qui n'est pas reliée aux autres, et chacun peut prendre une douche avec satisfaction. Pour la première fois en pleine lumière, David voit Mouza nue et debout.

«Tu es belle! s'exclame-t-il.

— Tu as l'air étonné.

— Pas du tout! Seulement, c'est la première fois que je te vois ainsi.

— Tu n'es pas mal non plus.»

Ils s'étreignent sous le jet d'eau cinglant, cherchant seulement à se réconforter, à se trouver davantage.

Plus tard, David fait chauffer la cabine du *Falcon* et, pour la première fois depuis longtemps, ils passent la nuit dans une chaleur confortable. Lui et Mouza regrettent, cependant, l'intimité de leur tube d'aluminium.

«Qu'allons-nous faire?» demande-t-elle une fois de plus, alors que la nuit est bien avancée et qu'ils ne dorment pas encore.

«Je crains que le continent ne soit complètement pollué. J'ai envie d'une île déserte au soleil. Qu'en dis-tu? Cet avion nous en offre la possibilité.

— J'irai où tu iras, David.»

Avec les jours, ils en sont arrivés à admettre qu'ils ne peuvent plus se passer l'un de l'autre.

«Mais est-ce que l'idée d'une île au soleil te convient?

— Emmène-moi loin de ce monde. Il faut recommencer ailleurs quelque chose de nouveau.

— Tu as raison. Nous voyons maintenant où nous a conduit cette civilisation.»

À l'aube, David va s'installer au volant de la déneigeuse garée dans le petit hangar et entreprend de libérer la piste de la neige qui s'y est accumulée. Quand il a terminé, ils font monter les chiens à bord, avalent un thé brûlant et quittent enfin Barrow dans un décollage très court.

«Le ciel est moche, dit David à Mouza installée dans le siège du co-pilote.

— Oui, il est sale. Qu'est-ce que c'est?

— De la poussière. Tout ce que l'homme s'est ingénié à bâtir, voilà ce qu'il a réussi à en faire. Il y a peut-être dans ce que nous voyons des atomes de la Place Rouge, du Capitole, du Parthénon, de Khéops ...ou tout simplement de ma maison.»

Le cœur gros, il essaye vainement la radio. Personne.

«Nous devons être seuls dans le ciel.»

Soixante-quinze minutes plus tard, ils survolent Aklavik, qui semble présenter des signes de vie. Rien à la radio, mais au sol le mouvement de deux motoneiges. David effectue un passage à basse altitude et constate que la neige là aussi encombre la piste.

«Ça va être dangereux», dit-il machinalement.

Mamayak arrive de l'arrière:

«N'atterris pas! dit-il avec conviction.

— Pourquoi?

— J'ai vu.

— Vu quoi?

— Il n'y a plus de chiens. Les gens ont faim et nous serions des bouches de plus à nourrir.

— Vos familles? demande Mouza.

— Les plus vieux de nos enfants savent chasser maintenant. Nous leur serons plus utiles en restant absents.»

David ne dit rien. Il sait pertinemment que ce n'est pas là de la lâcheté mais, au contraire, la preuve d'un grand courage face à une logique toute mathématique. Il remet les gaz et reprend de l'altitude.

«Où allons-nous maintenant? s'enquiert Mouza.

— Je dois savoir ce qu'est devenue ma famille.

— C'est loin d'ici?

— Environ trois mille kilomètres.

— Aurons-nous assez de carburant?»

Il lui sourit.

«Ne t'inquiète pas, cet appareil a une autonomie de plus de six mille kilomètres.»

Le ciel continue de s'obscurcir au fur et à mesure qu'ils s'enfoncent vers le sud. L'angoisse des passagers suit la même courbe ascendante. La vieille terreur de fin du monde tapie au plus profond de chacun se fait de plus en plus présente.

«J'ai l'impression de survoler un cimetière qui n'aurait pas de limite, fait Mouza, alors qu'ils se trouvent à la hauteur du Grand lac des Esclaves. Est-ce que cette poussière n'est pas dangereuse?

— Elle l'est sûrement, répond David d'un ton sourd.

— Mais pourquoi? Pourquoi ont-ils fait ça?

— J'imagine que ce devait être écrit depuis le jour où l'homme a défié la science.

— La science n'est pas responsable de tout ça.

— L'orgueil que nous en avons retiré et, aussi, l'aveuglement de croire que cette même science nous sauverait de tout.

— Oh! David, j'ai hâte de quitter ces lieux. Je voudrais tellement revoir la lumière. Il me semble que la joie n'est plus possible.

— Peut-être pour nos descendants si...

— Si nous en avons?

— Oui, si nous en avons.

— Tous ces morts, dit-elle après un silence. J'ai presque honte d'être en vie.

— Moi aussi.»

En commençant à survoler la prairie, ils s'aperçoivent que le bétail gît, en décomposition, dans les pâturages. Et jamais de signe radio. Les routes sont totalement désertes de véhicules et les bourgades, sans vie.

«Nous survolerons bientôt Saskatoon, dit David. Nous devrions bien apercevoir quelque chose de vivant.»

Compacte et blanche, blottie comme un nid au milieu de la prairie, la ville est debout, intacte, mais, vue du ciel, aussi inanimée qu'une crypte oubliée.

«Je ne comprends pas, fait-il. Aucun dégât ici, pourquoi ne voit-on aucun mouvement?

— C'est sûrement les retombées. Je suis certaine que le ciel transporte la mort.»

Au sud de Moose Jaw, la prairie est noire, incendiée d'un horizon à l'autre. Toutes les habitations semblent avoir été détruites par l'incendie. Mouza voit une larme glisser sur la joue de David.

«C'était mon pays, dit-il. Tu ne peux pas savoir comme il était beau. J'ai toujours cru que rien ne pouvait arriver ici.»

Ça et là dans les corrals, gisent des troupeaux entiers. En perdant de l'altitude ils distinguent aussi des cadavres humains, carbonisés, aux alentours des habitations.

«C'était là!» dit David d'une voix étouffée.

Comme ailleurs, ce qui a été le ranch familial n'est plus que poutres noircies. Visiblement il n'y a plus rien de vivant à des lieues à la ronde, et toujours cette prairie brûlée qu'une fine couche de neige commence maintenant à recouvrir.

«Je vais me poser sur cette route, annonce David en indiquant celle qui mène au ranch. Je la connais bien, elle est droite et sûre. En fait, j'avais toujours rêvé de me poser ici avec un jet pour épater la famille.»

L'atterrissage se fait sans accroc. Les deux Inuit restent à bord, Mouza suit David. Elle lui ferait bien remarquer qu'il n'y a plus que tristesse ici, mais elle sait qu'il faut qu'il aille jusqu'au bout.

Dans les décombres calcinés, il cherche et reconnaît les choses comme le vieux poêle à bois qui a fait partie de son enfance. Combien de souvenirs sont rattachés à ce poêle?

Et puis il la voit:

«Maman!»

Elle est couchée sur le côté de la maison, recroquevillée. Ses magnifiques cheveux sont consumés et son linge en matériel acrylique a fondu sur elle.

Il s'approche, les traits défaits.

«NON!»

Mouza sent sa peine.

«Il ne faut pas rester, souffle-t-elle.

— Il faut que je l'enterre.

— Il n'y a plus d'animaux sauvages, David. N'est-elle pas mieux à la lumière du jour?»

Hagard, il acquiesce:

«Peut-être.»

D'un pas lourd, il reprend la direction de l'appareil. Comme un automate, il réussit à décoller.

«La dernière fois que je suis venu, raconte-t-il après un long silence, maman m'a expliqué comment ce pays a été occupé par ses premiers habitants. Elle m'a appris aussi qu'il y a seulement quelques milliers d'années tout était recouvert par des glaciers. Si la théorie de l'hiver atomique se révèle exacte, peut-être sommes-nous les derniers à voir ce pays avant des millénaires. Que restera-t-il du passé lorsque les glaces se retireront de nouveau?»

Cette fois Mouza remarque que les yeux de celui qu'elle aime sont embués de larmes.

«Je suis là», dit-elle, cherchant à le réconforter.

Il l'observe, comme s'il venait juste d'en être conscient.

«Oui, tu es là et je t'aime. Allons-nous-en!»

Sur ces paroles, il vérifie son cap à l'ouest.

« Zoé habitait par là aussi?» demande-t-elle.

Il lui a parlé de Zoé et de ce qu'elle est pour lui. Une nuit il a jugé qu'il ne serait pas honnête de le lui cacher.

«Oui», se contente-t-il de répondre.

Il n'en a pas la preuve mais il est certain au plus profond de lui-même que Zoé, elle aussi, a cessé de vivre. Comme tout le reste.

Comme si elle lisait dans ses pensées, Mouza lui pose la main sur le coude:

«J'aimerais combler un peu du vide qu'elle laisse en toi», dit-elle.

Il sait immédiatement qu'elle pense les mots qu'elle prononce, et non qu'elle cherche à lui faire oublier Zoé.

«Je ne suis pas calée en ce qui concerne les étoiles, continue-t-elle, mais tu m'apprendras.»

Une boule se forme dans la gorge de David. Une dernière fois Zoé revient en force. Mouza devine ce qui se passe en lui et le laisse seul avec celle qui a été son amie.

Parce qu'il n'y a rien à faire, elle ne fait rien quand elle le voit sangloter; pas plus quand, dans un murmure, elle l'entend appeler sa mère:

«Maman!»

Et toujours sans rencontrer signe de vie, l'appareil traverse les Rocheuses, survole le Pacifique et David touve à se poser sur la base de Comox sur l'île de Vancouver.

«Il était temps, dit-il. Après, c'était l'océan et aucune goutte de carburant.»

Il n'a pas survolé la ville de Vancouver et ne sait pas si cette ville a été épargnée; ils sont quand même surpris en débarquant de l'appareil de voir venir à eux un homme bardé de cartouchières, portant un fusil en bandoulière et une carabine à la main.

«On ne lui dira pas que tu es russe, dit David à l'oreille de Mouza. On ne sait jamais...

— Qui êtes-vous? lance l'homme.

— David Cussler de Saskatchewan. Et vous?

— Peu importe mon nom, avez-vous à manger?

— Pas grand-chose, mais assez pour vous si vous aimez les aliments déshydratés.»

L'homme semble soupçonneux:

«D'ou venez-vous?

— Du grand Nord.

— Y a encore des vivants là-haut?

— Quelques-uns. Et ici?

— Je suis sorti hier de mon abri. Beaucoup de morts, les rares survivants ne se font pas confiance. Où allez-vous?

— Par là, indique David en pointant l'ouest.

— Y a juste de la flotte par là.

— Et des îles.

— C'est vrai! Vous m'emmenez?

— Avec plaisir si vous nous trouvez du carburant.

— Ça, c'est pas ce qui manque. Il va falloir se magner le cul, parce qu'y a un tas de monde qui va rappliquer en voulant être du voyage.»

Quelques minutes plus tard, l'homme a amené un camion-citerne à la hauteur du *Falcon*. David commence immédiatement à emplir les réservoirs.

Trois individus hirsutes surgissent, portant eux aussi des armes. L'homme se couche sur la piste et les met en joue:

«Foutez le camp! hurle-t-il.

— Il y a de la place pour eux, intervient David.

— Regardez-les, ils sont complètement contaminés. Ils n'en ont plus pour longtemps.»

L'homme tire un coup en l'air et les autres font demi-tour.

«La civilisation est morte, croit expliquer l'homme. C'est au plus fort la poche maintenant.

— Pas où nous allons! réplique David.

— Tout à fait d'accord avec vous, mais en attendant je m'occupe de sauver ma peau.»

Deux minutes plus tard, une *Mercury Couguar* s'engage sur le terrain et se dirige vers eux. Un couple dans la trentaine, armé lui aussi, en descend.

«Demi-tour, intime l'homme, toujours couché sur la piste.

— Ils n'ont pas l'air malade», s'insurge David avant de s'adresser directement à eux:

«Que voulez-vous?

— Nous vous avons vu atterrir, répond la femme. Nous voulons partir.

— Où?

— N'importe où, quitter cet enfer.

— Vous étiez aussi dans un abri?

— Oui, répond l'homme. Nous avons dû en sortir car nous n'avions plus rien à manger.

— Si ça vous tente de venir en balade dans le Pacifique, vous êtes les bienvenus.

— Oh! merci!» lance la femme, qui aussitôt, ouvre la portière arrière de la voiture et en sort un bébé.

«Nous n'avons pas de lait, dit David à qui la vue de l'enfant fait du bien.

— Aucune importance, je lui donne le sein.»

Le plein de carburant est terminé sans que se soient présentées d'autres personnes. Avant de refermer la porte de la cabine, David s'adresse aux nouveaux venus.

«Je vous demande maintenant de jeter vos armes sur la piste. Là où nous allons il n'y en aura pas besoin.

— Pas question! lance le premier homme.

— Moi je suis d'accord, réplique l'homme marié.

Mamayak s'avance vers le contestataire avec un large sourire:

— Pas d'armes», dit-il.

L'homme le met en joue:

«Toi, le sauvage, tu fermes ta gueule et tu bouges pas.»

Personne n'a le temps de voir quoi que ce soit: une seconde après avoir prononcé ces paroles malheureuses, l'homme se retrouve avec un couteau fiché dans la gorge.

Surpris, il porte la main à son cou et s'écroule. Mouza lâche un cri. Calmement Angatkoq vient récupérer son couteau.

«Je n'avais pas le choix, explique l'Inuk en ayant l'air de s'excuser. Il aurait tué Mamayak, ça se voyait dans ses yeux.»

Sans plus de formalité, lui et son frère jettent l'homme sur la piste avec ses armes. Suivent celles du couple.

La mine sombre, David s'installe aux commandes et bientôt l'appareil quitte le sol canadien en une ligne abrupte vers le ciel. Il est pressé de quitter cet endroit où les hommes semblent être devenus ou redevenus des fauves.

«Y a-t-il une place où tu voudrais aller? demande-t-il à Mouza.

— Loin! dit-elle. Très loin! Chez les Papous s'il le faut.»

Il la regarde:

«Les Papous? Mais oui, tu as raison. Si nous pouvons trouver du carburant à Hawaii et ensuite dans le voisinage des Marshall, nous devrions pouvoir atteindre la Nouvelle-Guinée. Essaye de me trouver les cartes du Pacifique, derrière toi.»

Plus tard, alors qu'ils n'aperçoivent plus rien d'autre que le moutonnement de l'océan, elle se tourne vers lui:

«Tu crois que nous pourrons recommencer quelque chose de nouveau?

— Il ne faut rien essayer, dit-il. Nous allons vivre et nous aimer, c'est tout. Gardons-nous de bâtir de nouvelles idéologies, nous savons où cela conduit.»

À l'arrière, le bébé se met à pleurer avec vigueur.

«Ça, c'est bon signe», dit-il, même s'il est timide, avec un premier vrai sourire depuis une éternité.

AFRIQUE, CINQ ANS PLUS TARD

Malgré tous les changements climatiques qui ont apporté jusqu'à de la neige, inconnue auparavant dans ces régions, malgré la disparition de tous les siens, malgré la guerre implacable qui s'est poursuivie, malgré les rats énormes qui, semble-t-il, ont remplacé les hommes pour la domination du continent, malgré tout cela, Tlick a survécu. Seule de sa race.

Seule et sans autres acquis que ceux de ses ancêtres, elle a tenu bon face aux éléments et, surtout, face à la solitude. Aujourd'hui cependant, elle est fatiguée. Fatiguée de poursuivre cette errance sans but, luttant à chaque instant contre les rats qui, quelques années plus tôt, ont bouffé tous les cadavres des villes et, n'ayant plus rien à faire en ces lieux, sont redevenus rats des champs et ont continué à se multiplier. Oui, elle est fatiguée et a définitivement cessé de croire qu'elle rencontrera de nouveau l'un de ses semblables. L'énergie que Xam lui a communiquée un soir sur les rives du Nossob quelque temps avant de mourir, cette énergie s'évanouit maintenant. Elle a toujours regretté de ne pas l'avoir suivi dans l'autre monde où ils sont tous maintenant.

En cette fin de journée, elle est arrivée à la limite de ce qu'autrefois les hommes appelaient la Table. À ses pieds s'étend une étrange végétation qui prend ses racines dans les cendres de ce qui s'est appelé le Cap. À l'horizon, la mer violette, elle, n'a pas changé et poursuit inlassablement son mouvement de va-et-vient.

Elle ouvre sa vieille besace en peau d'antilope et en retire la pierre que Xam a trouvée autrefois le long du Molopo. Une fois de plus, elle se demande pourquoi les hommes qui ont vécu là ont tout gâché pour des choses inutiles comme celle-là.

Elle branle du chef.

À quoi bon se poser des questions auxquelles elle n'a jamais de réponse?

Et puis à quoi bon survivre?

Tlick ne connaît pas le suicide, elle sait par contre qu'elle a juste à s'arrêter, à rester là à contempler la mer, et que tout sera rapidement fini.

Pourquoi Xam lui a-t-il donné son énergie? Elle connaît la réponse au fond, et c'est pourquoi elle a continué jusque-là: tant qu'elle sera vivante, lui et les autres le seront également.

Elle ne remarque leur présence qu'au dernier moment. David Cussler et le Président sont aussi surpris qu'elle. Ils restent tous les trois un long moment à s'observer avant que David ne se décide à prendre la parole:

«Vous êtes seule?»

Elle ne comprend pas cette langue, mais soudain c'est comme si l'horizon s'ouvrait devant elle. Enfin des êtres humains! Une joie sans mélange l'envahit et elle tombe à genoux, les yeux en larmes.

«Pauvre femme», s'apitoie le Président.

Cherchant à les remercier d'être là, Tlick leur tend sa pierre. Le Président la prend, l'examine, la reconnaît pour ce qu'elle est mais n'en fait pas plus de cas.

«Un beau souvenir de voyage pour les enfants, dit-il à David.

— En effet.»

David aide Tlick à se relever:

«Venez avec nous, dit-il doucement. Vous verrez, vous aimerez notre pays.»

Elle les suit en jetant un dernier regard vers un buisson épineux où gît, luisant comme la lune et blanc comme l'ivoire, le squelette d'un inconnu.

Le lendemain, le vieux *Falcon* s'arrache prestement d'une piste envahie par les herbes folles et reprend le chemin du retour vers l'est.

Avec une nouvelle passagère à son bord.

«Nous devrions arriver à temps pour la naissance du bébé de Bessie et de Jonathan, dit le Président. Ça va être une belle fête.

— Le petit Yvan sera content d'avoir un demi-frère ou une demi-sœur.

— Je me suis toujours demandé de qui il était.

— Moi aussi. Tout comme la fille d'Alusia.

— Quoi qu'il en soit, ce sont de beaux enfants.»

David change de sujet:

«Je me demande comment cette femme a survécu. Qu'en penses-tu?

— L'Afrique n'a pas fini de nous surprendre.»

PAPOUASIE-NOUVELLE-GUINÉE,
DEUX ANS PLUS TARD

Encore une fois l'hiver a été dur, apportant avec lui de la neige pour la sixième année consécutive. Aujourd'hui cependant, le printemps est bel et bien arrivé et le soleil brille dans un ciel sans nuage. Depuis les pirogues qui se profilent à l'horizon, les hommes jettent les filets et appellent les dauphins en espérant que ceux-ci rabattent le poisson. De la grève, on entend clairement leurs voix. Tous sont excités à la perspective de la cérémonie qui aura lieu ce soir.

Awa qui les observe, la main en visière sur les yeux, se retourne vers les enfants qui arpentent la plage autour d'elle:

«J'ai quelque chose à vous montrer.»

En sa qualité de grande aînée, Awa est celle qui mène tous les jeux. Yvan glisse un coup d'œil à Marie. Ils savent qu'Awa a toujours le don de leur faire faire des découvertes passionnantes. Marie, qui tient d'Hafizullah son regard de feu, s'adresse à leur aînée:

«Qu'est-ce que c'est?

— Tu verras, Marie.»

Derrière eux, laissant la trace de leurs petits pieds sur le sable, Ron et Kathryn accourent.

«Attendez-nous! crie cette dernière.

— Que faisiez-vous? demande Yvan.

— Nous finissions les colliers de fleurs pour le mariage.

— Tlick doit être nerveuse, fait Marie.

— Pas tant que Mamayak, déclare Ron sérieusement.

— Maman a décidé de faire une spécialité d'Azerbaïdjan pour l'occasion, reprend Kathryn. Je ne sais pas ce que c'est, mais ça sent rudement bon.

— Maman, elle, va chanter, annonce Yvan avec fierté.

— Taisez-vous maintenant, ordonne Awa. Ce que je vais vous montrer est sérieux.»

La jeune fille quitte la plage, écarte quelques branchages et s'approche doucement d'un buisson.

«Regardez», dit-elle à voix basse comme s'ils se trouvaient dans un lieu sacré.

Les enfants se penchent autour d'elle et leurs yeux expriment l'émerveillement.

«C'est quoi? demande Marie.

— Une fleur, voyons.

— Elle est magnifique! s'exclame Kathryn.

— Très rare aussi, reprend Awa. Je n'en ai pas vu depuis que j'avais votre âge: je croyais qu'elles étaient disparues.

— Ç'aurait été dommage, dit Marie.

— Je ne sais pas pourquoi il n'y en avait plus, mais je suis contente que celle-ci soit revenue.

— Que faites-vous?»

Ils se retournent pour voir apparaître Amalia.

«Awa nous montre une fleur», répond Marie à la fille de Trinidad.

Celle-ci s'approche et contemple la fleur à son tour.

«Je la veux!» décide-t-elle.

Les autres pouffent.

«Tu ne peux pas l'avoir, dit Awa.

— Pourquoi?

— Parce que les fleurs sont à tout le monde.»

Amalia fronce les sourcils:

«C'est pas drôle ça, tout est toujours à tout le monde.»

EXPLICATION DES SIGLES ET ACRONYMES

A-6	*Intruders*, chasseur US
ADATS	*Air Defense Antitank System* (Système aérien antichar)
AEGIS	Système de défense antiaérien US pouvant suivre à la trace des centaines d'objets aériens dans un rayon de 300 km
AF Spacecom	*Air Force Space Command*
AFB	*Air Force Base* (Base US de l'armée de l'air)
AFP	*Agence France-Presse*
AH-64	*Apache*, hélicoptère de combat construit par *McDonald Douglas*
AK	Pistolet-mitrailleur soviétique *Kalachnikov*
AK-47	Pistolet-mitrailleur soviétique *Kalachnikov* – calibre: 7,62 X 39 – 650 coups/minute – poids: 3.47 kg
AK-74	Pistolet-mitrailleur soviétique *Kalachnikov* – calibre: 5,45 X 39 – poids: 3.15 kg
ALCM	*Air Launched Cruise Missile* (Missile de croisière lancé d'un avion)
AM	*Amplitude Modulée*
AMX	Chasseur conçu pour l'attaque en surface coproduit par le Brésil et l'Italie
ANC	*African National Congress* (Parti sud-africain antiapartheid)
AP	*Associated Press* (Agence de presse)
AS-6 et AS-4	Armes anti-sous-marins
ASAT	Satellite antisatellite
ASW	*Anti-Submarine Warfare* (Arme guidée anti-sous-marins)
ATGW	*Anti-Tank Guided Warfare* (Arme guidée antichar)
AWACS	*Airborne Warning and Control System* (Système aérien de contrôle et d'alerte)
AYK-14	Ordinateurs équipant les F-14. Ils sont capables d'effectuer deux millions d'opérations/seconde

B-2	Bombardier stratégique US intégrant les développements les plus sophistiqués en matière de contre-mesures et de furtivités. Supposément capable de pénétrer les défenses soviétiques les plus denses. Construit par *Northrop*
B-1B, B-52 et B-52H	Bombardiers stratégiques US
BACKFIRE	Bombardier stratégique soviétique (TU-22M ou TU-26)
BC	*Before Command* (Abréviation utilisée dans les communications de presse)
BM-21	Véhicule terrestre lance-fusées. Équipé de 40 canons de 122mm. Communément appelé: *Orgues de Staline*
BMP	Véhicule blindé (Appellation de l'OTAN)
C-5	*Galaxy*, transporteur militaire US actuellement considéré comme le plus gros aéronef
C-17	*Douglas*, transporteur de troupe US
C-130H	Apellation brésilienne du *Hercules*, fabriqué par *Lockheed*
CAPCOM	Astronaute qui sert d'agent de liaison entre le contrôle au sol et l'équipage
C en C	*Commandement en Chef*
CB	*Citizen Band* (Bande radio, 27 MHz)
CIA	*Central Intelligence Agency* (Agence centrale de renseignements, d'espionnage et de contre-espionnage des États-Unis)
CINCENT	Commandement unifié de l'OTAN en Europe centrale
CINCNORTH	Commandement unifié de l'OTAN en Europe du Nord
CINCSOUTH	Commandement unifié de l'OTAN en Europe du Sud
CINCUSNAVEUR	Commandement en chef des forces navales US en Europe
CODISC	*Centre Opérationnel de la Direction de la Sécurité Civile*, France

COMAR	Commandement régional de l'armée de l'air brésilienne
COMCENTAG	Organisme de commandement militaire des forces du pacte de Varsovie pour l'Europe centrale
COMECON	*Council for Mutual Economic Assistance* (Regroupement économique des pays du Bloc de l'Est)
COSMOS 1793	Satellite d'alerte soviétique sur une orbite de 611/39 323 km inclinée à 63° et décrite en 11 h 49
CSOC	*Consolidaded Space Operation Center* (Centre de commande de l'A.F. Spacecom au Colorado)
DC	*District of Colombia*
DEF CON	Dispositif d'alerte de NORAD dont l'échelle de 1 à 5 donne une approximation des tensions internationales et fournit une cote d'alerte pour les forces US. 1 étant l'état de détente total, 5 l'état d'engagement total.
DEW	*Dew Line* (Station avancée d'alerte radar)
DGSE	*Direction Générale de la Sûreté Extérieure,* France
DOD	*Department of Defense*
DST	*Direction de la Sûreté du Territoire,* France
E-2C	*Hawkeye*, avion radar en soucoupe US
EC	*End Command* (Abréviation utilisée dans les communications de presse)
EA-3	*Sentry*, Avion radar US, *Boeing*
EA-6B	*Prowler*, aéronef brouilleur US de radars ennemis
EEE	Virus de l'encéphalomyélite équine orientale
EF-111	Bombardier US, *General Dynamics*
EHF	*Extra Hight Frequency* (Bande radio, 30 à 300 GHz)
EL	*End Line* (Abréviation utilisée dans les communications de presse)

EMP   *Electro-Magnetic Pulse* (Pulsation électro-magnétique générée par une explosion nucléaire en très haute altitude (300 miles) et qui, par une émission importante de rayons gamma, pertuberait toutes communications dans un rayon de 1 500 miles au niveau du sol)

EORSAT   *Electronic Ocean Reconnaissance Satellite* (Satellite soviétique chargé de la reconnaissance des océans)

ERAM   *Extended Range Antiarmor Munition* (Mine à détection automatique)

ERIS   *Exoatmospheric Reentry-Vehicle Interceptor Subsystem* (Sous-système d'interception des engins de rentrée exo-atmosphérique)

EXOCET AM 39 Missile français antinavire – portée: 50+ km – vitesse: Mach 0.93

EWO   *Emergency War Order,* (Officier de liaison attaché au président et qui transporte la valise des codes secrets)

F-4   *Phantom,* chasseur US anciennement utilisé sur des porte-avions et reconverti à des vocations terrestres

F-14   *Tomcat,* chasseur biplace US

F-15   *Eagle,* chasseur monoplace US

F-16   *Agile Falcon,* avion de combat US multirôle fabriqué par *General Dynamics*

F-18   *Hornet,* chasseur multirôle monoplace US

F-103E   Appellation brésilienne du *Mirage III,* fabriqué par *Dassault et Breguet*

F-107   voir X-Jet

F-111   Bombardier US, *General Dynamics*

F-117   Cargo conçu par *Lockheed* pour un décollage très court (60/100 mètres)

F-1m	Lanceur sociétique permettant des manœuvres orbitales, dérivé du missile intercontinental SS-9 SCARP
FBI	*Federal Bureau of Investigation* (Bureau fédéral d'enquêtes des États-Unis)
FLAGE	*Flexible Light-Weight Agile Guided Experiment* (Engin de vol à énergie cinétique)
FLT SATCOM	*Fleet Satellite Communications System* (Satellite US de détection et d'alerte avancée, produit par SATCOM)
FMI	*Fonds Monétaire International*
FOXBAT	*Mig 25*, chasseur-intercepteur soviétique
FTV	*Fonctional Technology Vehicle* (Version améliorée de l'ERIS. Peut détruire une tête nucléaire à 500 miles du point d'impact)
FULCRUM	Chasseur soviétique
GSFC	*Goddard Space Flight Center* (Centre de contrôle spatial US)
GHz	*Gigahertz* (un milliard de cycles/seconde)
GI	*Government Issue* (soldat US)
GM	*General Motors*
GQG	*Grand Quartier Général*
GRU	Organisme de renseignements militaire, URSS
HARPOON RGM-84A	Missile US antinavire – portée: 80 km – vitesse: Mach 0.90
HMS	*Her Majesty Ship* (Navire de la Royal Navy, Grande-Bretagne)
HORNET	Chasseur US, F-18
IBM	*International Business Machines*
IDS	*Initiative Defense Strategy* (Projet de bouclier spatial US)
JAS 39	*Grippen*, avion d'attaque, de reconnaissance et d'interception conçu par le groupe suédois *JAS*

KA-6	Ravitailleur en vol embarqué US
KC-6, 10, 135	Ravitailleurs en vol US
KGB	Comité de sécurité d'État, URSS
KHz	*Kilohertz* (1000 cycles/seconde)
KITCHEN AS-4	Missile soviétique antinavire – portée: 300 km – vitesse: Mach II – peut porter une tête nucléaire
KPD	Parti communiste est-allemand
LF	*Low Frequency* (Bande radio 30 à 300 KHz)
LSD	Diéthylamide lysergique (hallucinogène)
M-1	*Abrams,* blindé US (canon de 105 mm)
M-60	Blindé US
M-113 APC	Véhicule sur chenilles équipé de huit tubes lance-missiles capables d'atteindre des objectifs aériens ou terrestres (OTAN)
MCC	*Mission Control Center*
MGM	*Metro Goldwin Mayer*
MHV	*Miniature Homing Vehicle* (Missile antisatellite)
MHz	*Mégahertz* (un million de cycles/seconde)
MI-5	Services britanniques de renseignements
MI-8	Hélicoptère soviétique (MIG) – vitesse: 161 mph – charge utile: 24 470 lb – 1800 unités en service
MI-17	Hélicoptère URSS
MI-24	*Hind*, hélicoptère URSS
MIT	*Massachusetts Institute of Technology*
MK-48	Torpille sous-marine téléguidée US
MK-46 ASW	Torpille anti-sous-marin larguée depuis un avion ou un hélicoptère
MP	*Military Police* (Police militaire)
MRASM	*Medium Range Armed Single Missile*, (Missile nucléaire tactique embarqué)
MTLB	Véhicule lance-fusées (OTAN)
MX	Missile balistique intercontinental US à têtes multiples

NASA	*National Aeronautics and Space Administration* (Administration spatiale et civile des États-Unis)
NBC	*National Broadcasting Corporation*
NBC	*Nuclear Biological Chemical* (Protection nucléaire bactériologique et chimique)
NEACP	*National Emergency Airborne, Command Post* (Poste de commandement aérien du président US en temps de guerre totale)
NIS	Service de renseignements d'Afrique du Sud
NORAD	*North American Aerospace Defense* (Commandement unifié des armées de l'air américaine et canadienne)
NSA	*National Security Agency* (Agence de renseignements US)
NSC	*National Security Council* (Conseil de sécurité d'État US)
OEA	*Organisation des États d'Amérique*
OEP	*Office Emergency Planning* (Bureau des mesures d'urgence)
OMS	*Orbital Manœuvring System,* (Moteur)
ONU	*Organisation des Nations Unies*
ORION P-3C	Aéronef US, construit par *Lockheed* utilisé pour la détection et la destruction de sous-marins ennemis
ORSECRAD	Plan départemental français des secours face à des événements nucléaires d'importance exceptionnelle en temps de paix
OTAN	*Organisation du Traité de l'Atlantique Nord*
P-3C	voir ORION
P-85	Pistolet automatique de 9 mm *Ruger*
PAVEPAWS	*Position Acquisition Vehicle Entry Phased Arrey Warning System* (Système d'alerte avancé de radars à antenne à réseau phasé d'acquisition de position d'entrée des véhicules)

PCUS	*Parti Communiste d'Union Soviétique*
PEACE KEEPER	Missile intercontinental US équivalent au SS-18 soviétique
PHOENIX	Missile US air-air – 380 kilos – rayon d'action: 165 km
PIRANHA	Missile brésilien air-air
PK	Mitrailleuse soviétique *Kalachnikov*
PM	*Pistolet-Mitrailleur*
PNB	*Produit National Brut*
PSP	Pistolet
PV	*Forces du Pacte de Varsovie*
QG	*Quartier Général*
RDA	*République Démocratique Allemande*
RDP	*République Démocratique Populaire*
REM	*Röntgen Equivalent Man* (Unité de mesure des doses radioactives reçues par un homme)
RFA	*République Fédérale Allemande*
RIAS	Poste émetteur du secteur américain à Berlin
RORSAT	*Radar Ocean Reconnaissance Satellite,* URSS (Satellite chargé de localiser les navires au moyen d'un radar alimenté par un réacteur nucléaire)
RPK-74	Pistolet-mitrailleur soviétique
RPV	*Remote Pilote Vehicles,* Aquila (Engin volant US de détection de l'ennemi)
RSFSR	*République Socialiste Fédérative Soviétique de Russie*
RSS	*République Socialiste Soviétique*
RSSA	*République Socialiste Soviétique d'Azerbaïdjan*
S-2A	Chasseur brésilien anti-sous-marin construit par *Grumman*
SA-7,8,9,10	Batteries sol-air soviétiques pour interception en basses altitudes

SA-6,3	Batteries sol-air soviétiques pour interception en moyennes altitudes
SA-5	Batteries sol-air soviétiques pour interception en hautes altitudes
SAC	*Strategic Air Command* (Commandement unifié des opérations aériennes US)
SACEUR	*Supreme Alliance Commandeur in Europe,* (Commandement des forces de l'OTAN, Europe)
SACLANT	*Supreme Alliance Commandeur Atlantic* (Commandement des forces de l'OTAN, Atlantique Nord)
SAM	*Surface to Air Missile* (Missile antiaérien lancé du sol)
SB	Services polonais de renseignements
SEWS	*Strategic Aerly Warning System* (Satellite d'alerte avancée)
SHAPE	Commandement suprême des forces de l'OTAN
SIDA	*Syndrome Immuno-Déficitaire Acquis*
SIDEWINDER	Missile US air-air – 85 kg– rayon d'action: 18 km
SIOP	*Single Integrated Operational Plan* (Ordinateur central qui coordonne toutes les données stratégiques)
SLBM	*Sea Launched Ballistic Missile* (Missile balistique lancé d'un navire ou d'un submersible)
SLCM	*Sea Launched Cruise Missile* (Missile de croisière lancé d'un navire ou d'un submersible)
SM-2	Missile antimissile-anti-sous-marin
SN-6	Torpille soviétique

SPACECOM	*United States Space Command* (Coordonne tous les éléments spatiaux de caractère militaire, situé à la base Peterson de l'Air Force, Colorado)
SPARROW	Missile US air-air – 200 kg – rayon d'action: 25 km
SS-18	Missile soviétique intercontinental, (30 Mt)
SS-20	Missile soviétique de portée intermédiaire
SSBN	*Sub-Surface Ballistic Nuclear* (Missile balistique lancé d'un sous-marin)
SSME	*Space Shuttle Main Engine,* (Moteur)
SSN-X-20	Missile soviétique lancé depuis un submersible, dérivé du SS-20 qui est l'équivalent du missile US Pershing II. Il transporte 12 têtes nucléaires
STC	*Space Technology Center*
STDN	*Space Tracking and Data Network* (Réseau de communication de la NASA permettant la poursuite de satellites)
STINGER	Missile US sol-air – 13 kg
T-72, T-80	Blindés soviétiques
TACAMO	*Take Command and Move Out* (Système de communication US avec les sous-marins en plongée)
TDRS	*Tracking and Data Relay Satellite* (Système de satellites relais, de poursuite et de transmission de données)
TEL	*Transporter Erector Launcher* (Véhicule porteur et lanceur de missiles de croisière)
TF-39	Réacteur de *General Electric* développant une poussée unitaire maximale de 18 642 kg
TMS-65	Avion citerne US utilisé pour la décontamination chimique
TNO	*Territoire du Nord-Ouest,* Canada

TNT	*Trinitrotoluène* (puissant explosif)
TOMAHAWK BGM-109	Missile US antinavire – portée: 450 km – vitesse: Mach 0.74
TOMCAT	Chasseur biplace US, F-14 *Grumman*
TSOUP	*Tsentr oupravliene poliotom* (Centre de contrôle spatial soviétique)
TU-22M, TU-26	*Tupolev* (Bombardiers stratégiques soviétiques)
ULM	Aéroplane monoplace ultra-léger motorisé
UMI-35	De technologie soviétique, ce laser utilise le verre comme milieu amplificateur – 32 faisceaux – puissance maximale: 10 téra-watts – durée de l'impulsion: 1 nanoseconde
URSS	*Union des Républiques Socialistes Soviétiques*
US ou USA	*United States* ou *United States of America* (États-Unis d'Amérique)
USAF	*United States Air Force* (Armée de l'air US)
USS	*United States Ship* (Navire de la marine des États-Unis)
VLF	*Very Low Frequency* (Bande radio 3 à 30 KHz)
V/STOL	Aéronef à décollage vertical
VVER	Réacteur nucléaire utilisant l'eau pressurisée comme fluide caloporteur, l'eau ordinaire comme modérateur et l'uranium enrichi pour combustible
X-JET	Engin propulsé par un turbo-fan – vitesse: 60 mph – altitude maximum: 10 000 pieds – construit par *Williams International*
ZU-23	Canon antiaérien soviétique

CHEZ LE MÊME ÉDITEUR

COLLECTION ÉNIGMES

Dictionnaire Nostradamus de Michel Dufresne
24,95 $; 398 pages
Nostradamus, Première Centurie de M. Dufresne
18,95 $; 271 pages
Oak Island, l'île au trésor de C. Marcil et F. Paul
12,95 $; 126 pages
Les prophéties de Nostradamus
12,95 $; 126 pages

COLLECTION PSY POPULAIRE

Je mérite l'amour de Sondra Ray
14,95 $; 192 pages

COLLECTION SANTÉ

Mes pieds de Léopold Labrecque
9,95 $; 120 pages
La pratique des combinaisons alimentaires
14,95 $; 184 pages, de Laurette Boivin

COLLECTION TÉMOIGNAGE

L'affaire McNicoll de Michel Dunn
8 $; 255 pages
Appartenance et liberté de Jean-Paul Desbiens
13,95 $; 208 pages
Cor à cœur de Carole Vézina
12,95 $; 135 pages
Des fleurs sur la neige d'Élisa T.
14,95 $; 384 pages
Michel Dunn se raconte de Michel Dunn
9,45 $; 268 pages
Un nœud dans le cœur d'Élisa T.
17,95 $; 419 pages

Les valises rouges de L. et M. Lévesque
16,95 $; 466 pages

COLLECTION UNIVERSITAIRE

Formation et perfectionnement en milieu organisationnel
de Viateur Larouche 35 $; 432 pages

ALMANACH

Almanach 1989-90 de Marjolaine Vézina *et al.*
Almanach 1990-91
4,95 $; 464 pages

BANDES DESSINÉES et CONTES

La naissance d'Adamus de Louis Pilon
10,95 $; 52 pages
Le temps d'une histoire d'Errol-Carol Girard
7,95 $; 33 pages

BIOGRAPHIE

Alexis le Trotteur de Jean-Claude Larouche
14,95 $; 360 pages
Dans l'histoire DES FEMMES AUSSI...
au Saguenay–Lac-Saint-Jean 14,95 $; 224 pages
La grand'charrette rouge de Jean-Marie Claveau
14,95 $; 288 pages
Le p'tit frère Sauvageau de Lucien Chevalier
9,95 $; 148 pages
René Bergeron de Jean-Noël Jacob
14,50 $; 184 pages

ESSAI

Au royaume de la légende de Bertrand Bergeron
19,95 $; 389 pages
Pour que demain soit de Michel Savard
19,95 $; 331 pages

GUIDE PRATIQUE

La perdrix de Jean-Louis Paquet
9,95 $; 112 pages
Tir à l'arc de Gilles Desrosby
24,95 $; 306 pages
La truite mouchetée de Jean-Louis Paquet
9,95 $; 112 pages

LIVRE UTILITAIRE

Agenda de l'athlète de Patrick Montuoro
10 $; 184 pages
Fantaisies culinaires de Diane Lapointe
10,95 $; 168 pages

MONOGRAPHIE

L'institut La Chesnaie de Bernard Bouchard
12 $; 138 pages
Une maison pas comme les autres de M. Marion
12 $; 91 pages
Les pionnières d'Irène-Marie Fortin
15,95 $; 436 pages

NOUVELLES

Le dernier été balkanique de Gérard Pourcel
14,95 $; 198 pages
Magies du temps et de l'espace de C. Martel
12,95 $; 154 pages

RÉCIT ET RÉCIT HISTORIQUE

Anticosti de Charlie McCormick
11,75 $; 230 pages
Le Cégep de Jonquière et ses racines de P.-P. Asselin
10 $; 320 pages
Gilgamesh d'Alain Gagnon
9,95 $; 84 pages

RÉCIT ET RÉCIT HISTORIQUE (suite)

La grande aventure de Jean-Claude Larouche
18,50 $; 288 pages
Sur les pas de Maria Chapdelaine de G. Lévesque
5 $; 49 pages
Surviethon, au gré de la nature d'A.-F. Bourbeau
19,95 $; 408 pages

ROMAN

À chacun son destin d'Hélène Gagnon
14,95 $; 528 pages
Amitié cosmique de Nicole Paradis
14,95 $; 248 pages
Chapputo de Marthe Gagnon-Thibaudeau
17,95 $; 375 pages
La fille de Thomas Vogel de Lise Vekeman
14,95 $; 296 pages
L'indien de Serge Côté
15,95 $; 268 pages
Larry; Face à soi-même de Françoise Clairvoyante
12,95 $; 176 pages
Option zéro d'Ernest Beattie
16,95 $; 334 pages
Pure laine, pur coton de Marthe Gagnon-Thibaudeau
19,95 $; 526 pages
Rock d'Alain Gagnon
14,95 $; 240 pages
Rosalie de Carol Néron
24,95 $; 523 pages
Sous la griffe du Sida de Marthe Gagnon-Thibaudeau
14,95 $; 363 pages

NOS LIVRES À VOTRE PORTÉE

*Tous ces livres sont disponibles chez votre fournisseur
ou en commandant, sans frais additionnels:*

**Les Éditions JCL inc.
930, rue Jacques-Cartier Est
CHICOUTIMI (Québec) Can.
G7H 2A9**

**Tél.: 418-696-0536
Télécopieur: 418-696-3132**

Achevé   Imprimerie
d'imprimer Gagné Ltée
au Canada Louiseville